D0928387

MICHAEL GRANT
ET JOHN HAZEL

Dictionnaire de la Mythologie

Traduction française de Etienne Leyris

collection
marabout université

Cet ouvrage est l'édition abrégée de :
Who's Who in Classical Mythology, publié par
George Weidenfeld and Nicolson Limited,
11 St-John's Hill, London SW 11.

Les collections **marabout** sont éditées par la S.A. Les Nouvelles Éditions Marabout, 65, rue de Limbourg, B-4800 Verviers (Belgique). — Le label **marabout**, les titres des collections et la présentation des volumes sont déposés conformément à la loi. — Distributeurs en **France** : HACHETTE s.a., Avenue Gutenberg. Z.A. de Coignières-Maurepas, 78310 Maurepas, B.P. 154 — pour **le Canada** et les **États-Unis** : A.D.P. Inc. 955, rue Amherst, Montréal 132, P.Q. Canada — en **Suisse** : Office du Livre, 101, route de Villars, 1701 Fribourg.

A

ACASTE. Roi d'Iolcos, fils de Pélias et d'Anaxibie. Il s'embarqua avec les Argonautes, contre la volonté de son père. A son retour de Colchide, Médée assassina Pélias; Acaste alors la chassa de son royaume, ainsi que Jason. En l'honneur de son père, il donna des jeux funèbres auxquels participèrent nombre des Argonautes. Puis il prit part à la chasse au sanglier de Calydon. Acaste épousa Astydamie ou, selon certains, Hyppolyté, fille de Crétée. Il eut trois filles : Laodamie, Stéropé et Sthénélé, ainsi que de nombreux fils.

Pélée, l'un des Argonautes, se rendit auprès d'Acaste pour se faire purifier du meurtre d'Eurytion. Là, Astydamie lui fit des avances; repoussée, elle l'accusa d'avoir cherché à la séduire. Acaste, pour le punir, l'entraîna à la chasse sur le mont Pélion et, pendant son sommeil, lui prit son épée et l'abandonna; il espérait que les Centaures le tueraient, mais Pélée fut sauvé par Chiron.

Par la suite, Pélée conquit Iolcos avec l'aide de Jason et des Dioscures. Il tua la femme d'Acaste et, selon certains, Acaste lui-même. Plus tard, les fils d'Acaste le chassèrent de son royaume de Phthie.

ACCA LARENTIA. Femme du berger Faustulus, qui trouva les jumeaux abandonnés Romulus et Rémus et les éleva. Parce que les enfants avaient été allaités par une louve, Acca fut appelée *lupa,* ce qui, en latin, signifie à la fois «prostituée» et «louve». Acca est aussi nommée Faula ou Fabula, autre nom pour les filles de joie en latin.

ACHAEOS. Fils de Xouthos et frère de Ion. Il reconquit le royaume de son père, en Thessalie, avec l'aide d'Athènes et de la ville d'Aegialos (Achaée), dans le Péloponnèse, où Ion régnait.

Achaeos donna son nom aux Achéens, peuple du sud de la Thessalie. Cette dénomination fut aussi utilisée par Homère et les anciens Grecs pour désigner tous les peuples de langue grecque qui combattirent contre Troie.

ACHATE. Fidèle compagnon d'Enée.

ACHÉLOOS. Dieu d'une rivière du nord-ouest de la Grèce.

Il était le fils d'Océan et de Téthys. Achéloos lutta avec Héraclès pour la main de Déjanire, mais, en dépit de sa capacité à se métamorphoser, il fut vaincu. Ayant pris la forme d'un taureau, Héraclès lui arracha une de ses cornes. En échange, Achéloos dut lui donner une corne de la chèvre Amalthée, la nourrice de Zeus.

Achéloos est le père de plusieurs nymphes : Callirrhoé, épouse d'Alcméon; Castalie, qui donna son nom à la célèbre source de Delphes; il engendra aussi les Sirènes.

ACHILLE. Le plus important des héros grecs de *L'Iliade* : sa colère contre Agamemnon et son combat avec Hector en sont les thèmes dominants.

Il était le seul fils de Pélée, mortel, roi de Phthie en Thessalie et de la nymphe Thétis, fille de Nérée. Zeus et Poséidon voulaient tous deux avoir un enfant de la belle Thétis, mais elle-même, ou peut-être Prométhée, les avertit que ce fils deviendrait plus puissant que son père. Ne voulant pas courir le risque d'engendrer une puissance supérieure à la leur, les dieux marièrent Thétis à un roi mortel, Pélée; ils célébrèrent les noces avec magnificence, en guise de compensation.

Le conflit qui est à l'origine de la guerre de Troie prit naissance pendant le mariage. Eris (la Discorde), que l'on s'était bien gardé d'inviter, afin d'éviter les risques de mésentente entre les époux, arriva néanmoins au cours de la cérémonie et lança une pomme d'or devant l'assemblée, destinée à «la plus belle»; cette pomme devait semer la dissension entre Héra, Athéna et Aphrodite. Thétis avait une grande affection pour son fils et, dans *L'Iliade,* elle semble être la seule femme à qui Achille soit resté attaché. Dans son enfance, elle avait essayé de le rendre immortel en l'oignant d'ambroisie, le jour, et en le recouvrant de braises, la nuit. Mais Pélée la surprit au moment où elle mettait l'enfant dans le feu, et il en fut épouvanté. Thétis fut tellement irritée de son intervention et de son manque de confiance qu'elle laissa là son mari et son enfant et retourna dans la mer.

Homère ne semble pas connaître la célèbre légende de l'invulnérabilité d'Achille. Selon celle-ci, Thétis plongea le nouveau-né dans le fleuve des Enfers; toutefois, le talon par lequel elle le tenait, resta vulnérable. C'est ce qui permit à Pâris de tuer Achille d'une flèche.

Après le départ de sa mère, il fut placé sous la protection du sage Chiron, le Centaure qui avait éduqué les Argonautes. Chiron lui enseigna la course, et il devint l'homme le plus rapide sur la terre; Homère utilise pour le qualifier l'épithète : «au pied léger». Chiron l'initia aussi aux arts de la guerre, et il le nourrissait des entrailles de bêtes sauvages pour lui donner un courage impétueux. Il lui enseigna de même la musique et la médecine.

Par la suite, Achille revint en Phthie et devint l'ami intime de Patrocle, un jeune homme un peu plus âgé, qui s'était réfugié à la cour de Pélée. (Patrocle fut le compagnon aimé d'Achille.) A la même époque, Achille fit l'apprentissage du gouvernement et de la diplomatie avec Phoenix, que Pélée nomma roi des Dolopes. On dit aussi que Achille fut envoyé par Thétis à la cour de Lycomède, dans l'île de Scyros, car elle connaissait le destin funeste de son fils : il devait, soit vivre vieux, mais sans gloire, soit, et plus sûrement, partir pour Troie, mais sans espoir de retour. Lycomède le déguisa en jeune fille, l'appela Pyrrha, et le cacha dans l'appartement des femmes, au palais, car Calchas avait prédit que Troie ne pourrait être prise sans la participation d'Achille.

Pendant ce temps, celui-ci profita de son entourage féminin pour séduire la fille du roi, Déidamie, de qui il eut Néoptolème (aussi appelé Pyrrhus). Après quelque temps, les Grecs, qui avaient besoin de la présence d'Achille pour mener à bien l'expédition, envoyèrent Ulysse à Scyros, à sa recherche.

L'intelligent comploteur découvrit le déguisement d'Achille grâce à une ruse : il mêla des armes à des objets précieux et les plaça devant le porche de la maison. Tandis que les femmes de la suite royale admiraient la pacotille, on entendit sonner une trompette comme un signal d'alarme; Achille se précipita sur les armes et ainsi se trahit. Alors, peut-être par honte de s'être rendu complice de la supercherie, il ignora sa mère et, de son plein gré, accompagna Ulysse à Troie. Aucun vœu de fidélité ne le liait à Agamemnon, contrairement à d'autres, mais il était parti comme pour relever un défi fait à sa valeur. A Aulis, où la flotte était bloquée par le mauvais temps, Agamemnon dut sacrifier sa fille Iphigénie pour apaiser Artémis; pour attirer sa fille sur les lieux, il la proposa en mariage à Achille.

Selon Euripide, dans son *Iphigénie à Aulis*, Achille ne fut pas averti et tenta de sauver la jeune fille; mais quand celle-ci connut la raison de son sacrifice, elle se résigna. Alors les Grecs purent repartir. Mais bientôt ils s'égarèrent et abordèrent par erreur en Mysie, beaucoup plus au sud de Troie. Là, le roi de Teuthrania, Télèphe, un fils d'Héraclès, les repoussa jusqu'à leurs navires, mais Achille renversa la situation en le blessant gravement à la cuisse. Les Grecs quittèrent la Mysie, comprenant qu'ils étaient loin de Troie, et retournèrent à Argos. C'est là que les rejoignit Télèphe, en haillons, car un oracle lui avait appris que seul l'auteur de ses blessures pourrait le guérir. Ulysse rappela l'épisode à Achille, qui guérit Télèphe, en lui appliquant de la rouille de sa lance. En remerciement, Télèphe guida les Grecs jusqu'à Troie.

Aux abords de Troie, les Grecs abordèrent à Ténédos où Achille, sans le vouloir, ignora l'avertissement de Thétis, en tuant Ténès, roi de l'île et fils d'Apollon; sa mère lui avait prédit que le dieu-archer se vengerait de ce meurtre et, en effet, une flèche décochée par Pâris, et guidée par Apollon, devait plus tard avoir raison de lui. De même Thétis l'incita à ne pas mettre pied à terre le premier devant Troie, et, cette fois, il suivit son conseil. Le premier adversaire d'Achille fut Cycnos, un fils de Poséidon, qui, disait-on, était invulnérable dans le maniement des armes. Achille l'étrangla avec la courroie de son propre casque. En outre, il surprit et tua Troïlos.

Comme il s'avérait impossible de prendre Troie en l'assiégeant ou en lui donnant l'assaut, Achille conduisit l'armée grecque contre les villes voisines et en saccagea douze sur la côte et onze à l'intérieur, notamment Lyrnessos et Thèbe-de-Placos. Là, il tua le roi Eétion, père d'Andromaque, et ses sept fils, et rançonna la reine. A Lyrnessos, il rencontra Enée pour la première fois et le mit en fuite; il tua aussi Mynès et Epistrophos, les fils du roi Evénos.

Là, il captura la belle Briséis; il l'emmena avec lui, et prétendait l'aimer plus que toute autre femme. C'est autour d'elle que se noua la querelle rapportée dans *L'Iliade* : Agamemnon avait pris pour concubine Chryséis, la fille du prêtre d'Apollon, Chrysès; mais il dut la rendre à son père, pour éviter la punition du dieu. En compensation, il enleva Briséis à Achille qui l'avait pressé de rendre Chryséis. Achille se retira du combat et supplia Thétis de punir Agamemnon en demandant à Zeus de faire tourner la chance contre les Grecs, ce qui lui fut accordé; mais il eut le tort de refuser la compensation que représentaient les excuses d'Agamemnon, le mariage avec l'une de ses trois filles et la restitution de Briséis. De ce fait, les plans d'Achille tournèrent mal : Patrocle, son compagnon bien-aimé, prit pitié des Grecs qui risquaient leur vie pour défendre les bateaux amarrés et supplia Achille de lui prêter son armure et de le laisser conduire les Myrmidons (les gens de Phthie, patrie de Pélée) au combat. Achille lui demanda de se limiter à défendre les bateaux, mais Patrocle s'exposa et, après quelques succès, succomba sous les coups d'Hector qui dépouilla son corps de l'armure d'Achille. Thétis et les Néréides vinrent pleurer Patrocle, et Achille leur annonça qu'il désirait mourir. Il jura de tuer Hector ; Thétis comprit que son fils n'en avait plus pour longtemps à vivre, car sa mort devait suivre de près celle d'Hector. Debout près du mur, Achille poussa trois fois son cri de guerre, faisant refluer les Troyens en désordre. Puis il se réconcilia avec Agamemnon et entra dans la mêlée avec fureur, portant une armure neuve fabriquée à la demande de Thétis par le dieu du Feu, Héphaïstos. Il tua un grand nombre de Troyens et se brouilla avec le dieu de la rivière Scamandre, protecteur des lieux et hostile à l'envahisseur, qui déplorait le nombre de victimes qu'Achille avait plongées dans son lit. Héphaïstos vint au secours d'Achille en asséchant la rivière.

Quand les Troyens furent repoussés jusque dans leurs murs, Hector resta seul devant lui. Trois fois, Achille le poursuivit autour de la ville ; puis Hector fit face et demanda à son ennemi, s'il mourait, de respecter son corps et de le rendre à son père Priam. Achille refusa toute promesse et le transperça. Puis il traîna le corps d'Hector autour de la tombe de Patrocle, pendant douze jours, et l'exposa pour apaiser le fantôme de son ami, refusant de le rendre à Priam. Enfin Thétis persuada Achille de se laisser fléchir et, après des jeux funèbres pour Patrocle, pendant lesquels il accomplit un sacrifice humain, le corps fut restitué à Priam. Après les événements relatés dans *L'Iliade,* Penthésilée, reine des Amazones, vint secourir Troie. Achille la tua, mais tomba amoureux de la morte ; quand Thersite le railla, il le tua aussi. Pour cette faute, il dut faire un sacrifice à Léto et ses enfants Artémis et Apollon, puis se faire purifier du meurtre par Ulysse. Un autre allié de Troie, l'Ethiopien Memnon, fut aussi victime d'Achille. Enfin, une flèche, décochée par Pâris et guidée par Apollon, le blessa mortellement. Son corps fut ramené par Ajax, fils de Télamon, et fut pleuré pendant dix-sept jours. Quand Thétis et les Néréides vinrent chanter leur hymne funèbre, l'armée, terrorisée, se réfugia sur les bateaux. Les Muses se joignirent aux lamentations. Le dix-huitième jour, il fut incinéré, et ses cendres déposées dans une urne d'or fabriquée par Héphaïstos ; un tombeau élevé au bord de la mer couvrit ses restes, unis à ceux de Patrocle.

Selon une tradition plus récente, les ombres d'Achille et de Patrocle s'en allèrent vivre à Leucè (l'île blanche), un lieu de félicité pour les héros.

Une discussion s'éleva lorsqu'il fallut attribuer l'armure

d'Achille : Ajax la réclama, mais les Grecs la remirent finalement à Ulysse. Ce dernier l'offrit à Néoptolème, pour le convaincre de venir lutter à leurs côtés, car Hélénos, un prêtre troyen, avait prédit que la présence de Néoptolème serait nécessaire à la victoire des Grecs.

L'ombre d'Achille surgit de sa tombe et réclama le sacrifice de Polyxène, fille de Priam, comme condition au départ des Grecs; Euripide en a fait le thème de sa pièce : *Hécube*.

Selon la mythologie, le personnage d'Achille est celui d'un homme puissant, arrogant et cruel. Il est plein de ressentiment envers son destin et sujet à de violentes colères. Il est le symbole de la jeunesse et de la force, voué à une mort rapide mais glorieuse.

Ce fut le héros le plus admiré par Alexandre le Grand.

ACTÉON. Fils d'Aristée et d'Autonoé. Son père (ou peut-être Chiron) lui enseigna l'art de la chasse. Il offensa Artémis, soit qu'il prétendît lui être supérieur à la chasse, soit qu'il voulût épouser sa tante Sémèlé, ou bien encore (et c'est l'explication la plus fréquemment avancée) parce qu'il l'avait vue, se baignant nue sur le mont Cithéron. Pour éviter qu'il ne s'en vantât, la déesse le transforma en cerf, et ses propres chiens le dévorèrent. Selon une autre version, elle le recouvrit d'une peau de cerf, ce qui amena la même fin. La disparition de leur maître attrista les chiens, mais le centaure Chiron modela une statue d'Actéon, si ressemblante qu'ils en furent apaisés.

ADMÈTE. Roi de Phères, en Thessalie, et fils de Phérès. Il était l'un des Argonautes et participa à la chasse au sanglier de Calydon. Son père abdiqua en sa faveur, alors qu'il n'était encore qu'un jeune homme. Admète acquit une grande réputation d'équité et d'hospitalité. A tel point qu'Apollon, condamné par Zeus à servir comme esclave chez un mortel pendant une année, se présenta chez Admète sous l'aspect d'un étranger. Admète l'accueillit avec une grande symphathie. Aussi Apollon, qui était bouvier, fit en sorte que chaque vache eût des jumeaux. Le dieu l'aida aussi à obtenir la main d'Alceste; le père de celle-ci, Pélias, avait mis à son mariage une condition difficilement réalisable : il fallait atteler à un char un lion et un sanglier. Lors de son mariage, Admète oublia de sacrifier à Artémis; aussi il trouva son lit grouillant de serpents. Apollon lui expliqua son erreur, à laquelle il fut rapidement remédié, et calma la colère de sa sœur. Le dieu obtint aussi, pour Admète, la faveur de pouvoir substituer à lui-même un autre mortel, quand sonnerait l'heure de sa mort; Apollon dut mystifier les Destins eux-mêmes, afin d'obtenir, pour son protégé, ce privilège inhabituel. Admète tomba malade, bien qu'il fût encore jeune, mais quand la Mort vint le saisir, il ne trouva personne pour prendre sa place. Même ses vieux parents n'étaient pas prêts à se substituer à lui. Finalement, Alceste s'offrit pour mourir à sa place, et quand, justement, elle tomba malade, la Mort l'emmena aux Enfers. Admète était prêt à accepter son sacrifice; mais Héraclès, qui se trouvait invité au palais à ce moment-là, lutta avec la Mort, la repoussa et sauva ainsi Alceste. C'est là le thème de l'*Alceste* d'Euripide. Selon une autre version, Perséphone refusa la substitution.

ADONIS. Dieu d'origine asiatique : son nom vient du mot sémitique *adon*, qui signifie «Seigneur». Il fut vénéré en plusieurs endroits, toujours en même temps qu'Aphrodite. Selon la légende, il était né d'une union incestueuse entre Myrrha (ou Smyrna) et son propre père, Cinyras, roi de Paphos à Chypre, ou bien Bélos, roi d'Egypte, ou encore Théias, roi d'Assyrie. Myrrha ayant négligé le culte d'Aphrodite, la déesse lui avait fait éperdument désirer son père. Avec l'aide de sa nourrice, elle amena par ruse son père à passer la nuit avec elle; et elle conçut Adonis. Quand son père s'en aperçut, il chercha à la tuer, mais les dieux la transformèrent en arbre à myrrhe. Plus tard, l'arbre fut fendu sous la charge d'un sanglier, et Adonis sortit de la fissure. Selon une autre version, Ilithye, la déesse qui préside aux accouchements, délivra le bébé de l'arbre quand le moment fut venu. Aphrodite, impressionnée par la beauté de l'enfant, le coucha dans un coffre et le confia à Perséphone. Celle-ci aimait aussi l'enfant, et elle refusa de le rendre à Aphrodite, si bien que Zeus dut trancher entre les deux déesses; on connaît deux versions du jugement : selon la première, Zeus décida qu'Adonis passerait un tiers de l'année avec chaque déesse et le reste comme il l'entendrait. Mais Adonis consacra aussi ce dernier tiers à Aphrodite. La seconde version fait de la muse Calliope l'arbitre du conflit (Zeus ne désirant pas trancher) et précise qu'elle attribua la moitié de l'année à chaque déesse. Ces légendes rappellent la fonction d'Adonis, dieu de la végétation et de la nature. Selon la seconde tradition, Aphrodite punit Calliope en provoquant la mort de son fils Orphée.

Alors qu'il était avec Aphrodite, Adonis perdit la vie comme il l'avait reçue : sous la charge d'un sanglier qui l'attaqua, alors qu'il chassait dans la forêt. D'autres disent que l'agresseur était le jaloux Arès, déguisé, ou bien le mari d'Aphrodite, Héphaïstos. La déesse lui avait très souvent déconseillé de chasser de dangereuses bêtes sauvages : le poète Ovide précise qu'elle lui avait raconté l'histoire d'Atalante, pour le mettre en garde. L'affliction d'Aphrodite fut très grande : elle fit naître l'anémone rouge du sang qu'il avait perdu à sa mort. Selon une variante du mythe, elle convainquit Perséphone de le rendre au jour pour quatre mois, chaque année, au début du printemps.

ADRASTE. 1. Fils de Talaos, roi d'Argos et de Lysimachè. A la suite d'une querelle avec les autres branches de la famille royale, les descendants de Mélampous et de Proetos, il s'enfuit d'Argos. Talaos fut tué par Amphiaraos, le descendant de Mélampous, et son fils trouva refuge chez Polybos **2** roi de Sicyon; ce dernier n'ayant pas de fils fit d'Adraste son héritier. Quand il fut roi de Sicyon, Adraste se réconcilia avec Amphiaraos et lui donna sa sœur Eriphyle en mariage.

Adraste revint sur le trône d'Argos et, en dépit des avertissements d'Amphiaraos qui était devin, promit d'aider Polynice et Tydée à reconquérir leurs trônes respectifs de Thèbes et de Calydon. Adraste remarqua que les deux jeunes hommes portaient des peaux de bêtes, Polynice celle d'un lion, et Tydée celle d'un sanglier; obéissant alors à un oracle qui lui ordonnait de marier ses filles à un lion et à un sanglier, il donna ses filles Argia et Deïpylé aux deux jeunes hommes.

Adraste, marié à sa propre nièce Amphithéa, eut une autre fille, Aegialé, et deux fils, Aegialée et Cyanippos.

Adraste, conduisit les sept armées alliées contre Thèbes; c'est la fameuse expédition décrite par Homère dans *L'Iliade*, et par Eschyle dans sa pièce *Les Sept contre Thèbes*, ainsi que par Euripide dans *Les Suppliantes* et dans *Les Phéniciennes*. Ce fut une défaite, et Adraste fut le seul des chefs à s'échapper sur son cheval enchanté, Arion.

Un mauvais augure avait prédit la défaite : un enfant, Archémoros fut tué par un serpent alors que sa nourrice indiquait à l'armée un point d'eau. Adraste fonda les jeux Néméens, en son honneur. Dix ans après le premier combat contre Thèbes, Adraste accompagna les fils des sept chefs, nommés les Epigones, contre la même ville. Ils furent, cette fois, victorieux, mais au prix de la vie d'Aegialée, fils d'Adraste. Accablé de douleur, ce dernier mourut sur le chemin du retour. Son petit-fils, Diomède, devint roi d'Argos.

2. Père d'Eurydicé, femme d'Ilos.

AEGIPAN. Sinon le même personnage que le dieu Pan, du moins était-il le fils de Zeus et d'une nymphe nommée Aïx (en grec : chèvre). Aegipan aida Hermès à retrouver les tendons de Zeus, que Typhon avait coupés et cachés. Pour échapper à Typhon, Aegipan se transforma en un être mi-chèvre mi-poisson ; sous cette forme, Zeus en fit la constellation du Capricorne.

AETHRA. Fille de Pitthée, roi de Trézène et mère de Thésée. Elle fut d'abord fiancée à Bellérophon, mais quand ce dernier fut exilé de Corinthe pour meurtre, Pitthée rompit le contrat de mariage. Lorsque Egée arriva à Trézène, Pitthée l'envoya sur l'île de Sphaeria, où elle passa la nuit avec Egée. (On raconta, plus tard, peut-être par peur des médisances, que Poséidon rendit visite à Aethra, et Thésée, qui naquit par la suite, passa pour le fils du dieu.) Avant de quitter Trézène, Egée mit ses sandales et son épée sous un rocher, comme preuve de sa relation avec elle. Plus tard, lorsque Thésée devint roi d'Athènes, elle alla vivre avec lui. Mais pendant qu'il descendait aux Enfers avec Pirithoos, Castor et Pollux enlevèrent Aethra, qu'ils donnèrent à Hélène, leur sœur, comme esclave ; ils voulaient ainsi punir Thésée d'avoir enlevé Hélène (ils l'avaient délivrée d'Aphidna, en Attique, où elle avait été confiée à Aethra). Hélène l'emmena à Troie et, après la victoire, Agamemnon permit à Démophon et Acamas, les petits-fils d'Aethra, de la ramener en Attique.

AGAMEMNON. Fils d'Atrée (ou, selon une autre version, fils de Plisthène, lui-même fils d'Atrée) et d'Anaxibie. Lorsque Thyeste et Egisthe assassinèrent Atrée, Agamemnon et son frère Ménélas — on les appelait aussi les Atrides — demandèrent l'aide de Tyndare, roi de Sparte, et chassèrent les deux meurtriers. Agamemnon s'empara du trône de Mycènes (selon une autre tradition, les Atrides étaient encore enfants au moment du meutre d'Atrée, et ils furent sauvés par leur nourrice qui les emmena à Sicyon).

Tyndare eut deux filles, Clytemnestre et Hélène, qui se marièrent respectivement avec Agamemnon et Ménélas. Clytemnestre avait d'abord été la femme de Tantale, fils de Thyeste, mais Agamemnon tua Tantale et arracha son enfant du sein de sa mère pour le supprimer. Puis il se maria avec Clytemnestre. De cette union naquirent trois filles : Iphigénie (nommée aussi Iphianassa), Electre (ou Laodicé) et Chrysotémis, ainsi qu'un garçon, Oreste. Dans *L'Iliade,* Agamemnon est considéré par les autres rois grecs comme celui auquel on doit allégeance et assistance militaire. Il conduisit cent navires à Troie en une seule et immense armée. Il portait le sceptre d'ivoire fabriqué par Héphaïstos pour Zeus, qui l'avait donné à Hermès, lequel à son tour l'avait offert au grand-père d'Agamemnon, Pélops.

Au moment où Hélène était courtisée par tous les partis royaux de Grèce, Agamemnon persuada Tyndare de la donner en mariage à son frère Ménélas. Les autres prétendants avaient juré de défendre les droits de celui qui obtiendrait sa main. Aussi, quand Pâris de Troie enleva Hélène, ils furent doublement obligés d'apporter leur aide à Ménélas et à son frère Agamemnon pour aller délivrer la jeune femme. Cette question d'honneur passait avant tout pour Agamemnon, il alla jusqu'à sacrifier sa propre fille aînée, Iphigénie, pour que les vents soient favorables, de Aulis à Troie. (Pour les raisons liées à cet acte voir l'article IPHIGÉNIE.) Pour faire venir sa fille, Agamemnon trompa sa femme en prétendant qu'il voulait la marier à Achille; aussi laissa-t-elle partir la jeune fille. Homère, dans *L'Iliade,* ne semble rien savoir du sacrifice d'autant qu'Agamemnon par la suite offrira ses trois filles à Achille, pour le convaincre de reprendre la bataille. Euripide, dans son *Iphigénie en Tauride,* fait sienne la version selon laquelle Iphigénie ne serait finalement pas morte, Artémis lui ayant substitué une biche. Mais Eschyle indique qu'elle fut réellement sacrifiée et que, quand Clytemnestre apprit la vérité, elle ne pardonna jamais à son mari. Aussi aida-t-elle Egisthe à le frapper à mort quand il revint de la guerre.

Après une longue campagne au cours de laquelle l'armée grecque réussit à enfermer les Troyens dans leurs murs, une querelle désastreuse éclata entre Achille et Agamemnon : ce dernier qui avait dû rendre sa captive, Chryséis, à Chrysès, le prêtre d'Apollon, pour calmer la colère du dieu, enleva à Achille sa captive, Briséis. En protestation, celui-ci se retira du combat, ce qui mena les Grecs de désastre en désastre; leurs navires auraient été incendiés si l'intervention et la mort de Patrocle n'avaient ramené Achille dans la mêlée.

A la chute de Troie, Agamemnon fit de Cassandre, la prophétesse condamnée à n'être jamais crue, sa favorite. Quand il revint à Mycènes, après une absence de six ans, Egisthe et Clytemnestre les poignardèrent tous deux. C'est la version donnée par Eschyle dans son *Agamemnon*; Homère, quant à lui, raconte comment Egisthe invite Agamemnon à un banquet, puis l'attaque avec un groupe d'hommes armés.

AGAVÉ. Fille de Cadmos et d'Harmonie ; elle est la femme d'Echion et la mère de Penthée. Sa sœur, Sémèlé, mourut au moment où elle enfantait miraculeusement Dionysos. Mais Agavé et ses sœurs Inô et Antonoé refusèrent de reconnaître Dionysos et se moquèrent des assertions de Sémèlé. Pour cela, quand Dionysos et ses Ménades vinrent à Thèbes, elles furent frappées de folie : Agavé mit son propre fils, Penthée, en pièces, alors que celui-ci les espionnait au cours des bacchanales. C'est là le thème de la pièce d'Euripide, *Les Bacchantes.*

AIAS ou **AJAX. 1.** Fils de Télamon de Salamine et de Périboea, et demi-frère de Teucer. Son nom rappellerait l'aigle (*aietos*) que son père aurait vu quand, avant sa naissance, Héraclès avait prié Zeus de donner un fils courageux à son ami.

Dans *L'Iliade*, après Achille, Ajax est le combattant le plus vaillant et le plus fort parmi les guerriers grecs ; muni de son lourd bouclier, il s'avance tel une tour, dans la bataille. Il parle peu et lentement, mais il a un bon cœur et un formidable courage. Il combat souvent aux côtés de son demi-frère Teucer, l'archer, qui tirait à l'abri de son bouclier, et aux côtés de l'autre Ajax. Il est le rempart des Grecs et il protège souvent les arrières dans les moments critiques. Il fut l'un des prétendants d'Hélène, lesquels s'étaient engagés à défendre celui d'entre eux qui deviendrait son mari. Il partit de Salamine à la tête de douze vaisseaux, sa contribution à l'armée grecque. Sa vaillance personnelle dépasse de loin la puissance de son contingent. Il se battit en duel contre Hector et allait l'écraser sous un rocher, mais la nuit survint et sépara les combattants. Ils échangèrent des présents, Hector donnant une épée et Ajax un ceinturon pourpre. Quand les Grecs envoyèrent une ambassade auprès d'Achille pour l'exhorter à reprendre le combat, Ajax, qui était un de ses proches amis, en fit partie ; il laissa cependant la parole à Ulysse. Le lendemain, Ulysse étant en difficulté et blessé, Ajax vint à son secours. Lorsque les Troyens atteignirent les murs qui défendaient les bateaux amarrés, les deux Ajax firent de la bonne besogne ; ils sauvèrent Ménesthée et repoussèrent l'assaut des Troyens. Lorsque ceux-ci attaquèrent la flotte, Ajax prit la tête de la défense grecque : il arpentait le pont des navires, brandissant une énorme perche et devenant la cible de nombreux projectiles. Cependant, il ne put empêcher l'ennemi d'incendier un bateau. La situation ne fut sauvée que par l'intervention opportune de Patrocle et des Myrmidons. Quand Patrocle fut tué et que son armure fut arrachée par Hector, Ajax couvrit le corps de son bouclier. Pendant les jeux funèbres en l'honneur de Patrocle, Ajax prit part à plusieurs compétitions ; il fut l'adversaire d'Ulysse à la lutte et fut battu par Diomède au lancer du javelot. Plus tard, quand Achille fut tué par Pâris, Ajax ramena son corps dans le camp des Grecs ainsi que son armure, pendant qu'Ulysse tenait l'ennemi en échec. On connaît plusieurs versions de sa mort. La plus célèbre est évoquée dans *L'Odyssée* et développée dans la pièce de Sophocle *Ajax*. Après la mort d'Achille, une dispute éclata pour savoir à qui reviendrait son armure, qu'Ajax et Ulysse se disputaient. Les autres chefs s'en remirent au vote ou, selon certains, au choix d'Hélénos, le devin Troyen captif. Toujours est-il que l'armure revint à Ulysse. Pour se venger, Ajax projeta d'attaquer pendant la nuit ses alliés, mais Athèna le rendit fou et, à la place, il massacra un troupeau de moutons. Quand il revint à lui, accablé de honte et de remords, il se jeta sur l'épée qu'il avait reçue d'Hector. Du sang qui avait coulé de sa blessure sur le sol (ou peut-être dans sa patrie, Salamine) naquit la jacinthe, dont les pétales ont la forme des lettres **A I**, les premières de son nom, et qui signifient aussi « (hé)las ! ». On dit aussi que, lors du naufrage d'Ulysse, pendant ses pérégrinations, l'armure d'Achille fut rejetée à la côte jusqu'à la tombe d'Ajax, en Troade ; ainsi les dieux, en fin de compte, rendirent justice à Ajax et lui octroyèrent l'objet du litige. Après sa mort, Agamemnon et Ménélas refusèrent tout d'abord de lui donner une sépulture en raison des fautes qu'il avait commises pendant sa folie. Mais Ulysse réussit à les adoucir.

Selon une autre tradition, il fut tué de la même façon qu'Achille d'une flèche décochée par Pâris. Ou encore, il fut enterré vivant par les Troyens, car Héraclès l'avait rendu invulnérable, en l'enveloppant dans sa peau de lion quand il était enfant. D'autres enfin disent qu'il fut assassiné par Ulysse.

Ajax eut un fils, Eurysacès (« bouclier large ») de sa concubine Tecmessa, qu'il avait prise lors d'une bataille contre les Phrygiens. Ce fils succéda à Télamon sur le trône de Salamine.

2. Fils d'Oilée d'Oponte, en Locride. Il figure parmi les prétendants d'Hélène. Dans *L'Iliade*, il tient une place importante, mais, bien qu'il ait souvent combattu aux côtés d'Ajax, le fils de Télamon — probablement en raison de son homonymie —, il est très différent de celui-ci. Le fils d'Oilée est petit, rapide et très habile au javelot. Revêtu d'une cuirasse de lin, il conduisit à Troie un important contingent de quarante vaisseaux. Son caractère est aussi très différent de celui d'Ajax, fils de Télamon : il est arrogant, vaniteux, impie, particulièrement à l'égard d'Athéna. Lors des jeux funèbres de Patrocle, il fit gratuitement affront à Idoménée durant la course de chars. Pendant la course à pied qu'il aurait dû gagner, Athéna lui enleva la victoire et la donna à Ulysse, alors qu'Ajax glissait sur de la bouse de vache et injuriait la déesse pour sa traîtrise.

Après le sac de Troie, Ajax amena le désastre sur lui et sur les Grecs : voulant arracher Cassandre à la statue d'Athéna pour la violer, il précipita à terre la statue elle-même. L'image de la déesse gisait sur le sol, les yeux détournés vers le ciel comme pour éviter ce spectacle outrageant. Les Grecs voulurent le tuer pour cet outrage, mais à son tour il s'agrippa à la statue qu'il avait renversée, et les Grecs n'osèrent le toucher.

Athéna décida de punir Ajax pour ses crimes ainsi que les autres chefs grecs, qui avaient négligé de le faire. Pendant que la flotte grecque s'en retournait, elle demanda à Zeus d'envoyer une forte tempête qui détruisît les navires, au large du cap Capharée, au sud de l'île d'Eubée. Athéna elle-même foudroya et fit couler le bateau d'Ajax, mais celui-ci, se vantant d'avoir bravé la colère des dieux, nagea jusqu'au rivage et survécut. Il se hissa sur un rocher appelé «Gyrée» que Poséidon fit éclater d'un coup de trident, noyant Ajax.

Après sa mort, selon une tradition, Ajax fut enterré par Thétis dans l'île de Myconos ; mais Athéna, dont la colère n'était pas apaisée, frappa de la peste Locres, la patrie d'Ajax. Les Locriens interrogèrent l'oracle de Delphes et il leur fut répondu que deux vierges devaient chaque année être envoyées pour servir dans le temple d'Athéna; les jeunes filles devaient y parvenir à l'insu des habitants, qui les tueraient s'ils les voyaient. Les anciens Locriens affirment que cette coutume fut respectée pendant mille ans.

ALCATHOOS. 1. Fils de Pélops et d'Hippodamie. Il fut exilé pour le meurtre de son frère Chrysippos; puis il obtint le trône de Mégare et la main d'Evaechmè, fille du roi Mégarée, en abattant le lion du mont Cithéron qui avait tué Evippos, le fils de Mégarée. Alcathoos garda comme preuve de son exploit la langue de l'animal. Il reconstruisit les murailles de la ville, que Minos, roi de Crète, avait détruites pendant l'attaque contre le roi Nisos. Apollon déposa sa lyre sur l'une

des pierres du nouveau mur, laquelle, par la suite, résonna ainsi qu'une lyre. Les fils d'Alcathoos furent Ischépolis et Callipolis ; parmi ses filles : l'une, Eriboea, ou Périboea, fut la mère d'Ajax, le fils de Télamon ; une autre, Automèduse, épousa Iphiclès et donna naissance à Iolaos. Quand Ischépolis fut tué, pendant la chasse au sanglier de Calydon, Callipolis alla porter la mauvaise nouvelle à Alcathoos qui sacrifiait à Apollon au moment de son arrivée ; Callipolis retira les bûches du feu, trouvant le moment peu propice à un sacrifice. Mais Alcathoos, se méprenant et jugeant impie l'attitude de son fils, le frappa avec une bûche et le tua. Il fut purifié par le prophète Polyidos. Ayant perdu ses deux fils, il laissa le trône à son petit-fils, Ajax.
2. Fils de Porthée. *Voir* TYDÉE.

ALCESTE. Fille de Pélias, roi d'Iolcos et d'Anaxibie ; elle est la femme d'Admète. Son sacrifice héroïque est le sujet de la pièce d'Euripide qui porte son nom. Quand elle fut en âge de se marier, son père mit une condition à ses fiançailles : le prétendant devrait d'abord atteler un lion et un ours sous le même joug. Admète, le roi de Phères, remplit la condition avec l'aide d'Apollon ; ce dernier avait trouvé chez lui aide et abri, quand il avait dû passer un an comme serviteur chez un mortel. Le char dans lequel Admète emmena Alceste de la maison paternelle avait pour attelage le lion et l'ours. Lors du mariage, Admète négligea de sacrifier à Artémis, et trouva un nid de serpents dans son lit (ou bien il trouva sa chambre remplie de serpents) : présage de mort imminente. Encore une fois, Apollon vint à son aide et adoucit la colère de sa sœur. De même, il fit boire les Destins et obtint d'eux une chance pour Admète d'échapper à la mort si, au moment fixé par le sort, ce dernier parvenait à persuader quelqu'un de prendre sa place. Mais Admète ne sut convaincre personne, sauf sa femme Alceste, qui consentit à mourir pour lui. Selon certains, Perséphone renvoya Alceste à son mari, par admiration devant sa dévotion à son excellent époux ; selon d'autres, Héraclès, qui était l'hôte d'Admète au moment de la mort de la reine, partit à la recherche de la Mort, combattit avec elle, et gagna le retour d'Alceste. Celle-ci eut deux fils : Eumélos, qui prit part à la guerre de Troie, et Hippasos. Son mari et elles furent plus tard exilés de Phères.

ALCIDE. *Voir* HÉRACLÈS.

ALCINOOS. Fils de Nausithoos et roi des mythiques Phéaciens. Après avoir erré deux jours sur la mer sur son radeau, puis fait naufrage, Ulysse aborda au pays de Schéria. Ce fut à Alcinoôs qu'il fit le récit de ses errances, provoquées par la colère de Poséidon. Alcinoôs avait épousé Arétè, sa nièce (la fille de son frère Rhéxénor) ; il en avait eu cinq fils et une fille, Nausicaa ; ce fut Nausicaa qui découvrit la première Ulysse quand il fut jeté sur le rivage. Alcinoôs le reçut dans son splendide palais, entouré de jardins fleuris tout au long de l'année ; puis il l'aida à repartir, bravant l'inimitié de Poséidon envers le voyageur ; Alcinoôs avait été averti qu'à la longue son hospitalité envers les étrangers déchaînerait la colère du dieu contre son peuple. Quand le bateau qui devait ramener Ulysse à Ithaque fut sur le chemin du retour, Poséidon le transforma en un roc et boucha le port des Phéaciens d'une montagne. Une génération auparavant, Alcinoôs avait accueilli les Argonautes qui fuyaient de Colchide ; quand le navire des Colchidiens arriva, il décréta que si Médée était encore vierge, elle devait retourner vers son père ; aussi, à l'instigation d'Arétè, Jason et Médée se hâtèrent-ils de consommer leur mariage.

ALCMÈNE. Fille d'Electryon et d'Anaxo ; elle fut la femme de son cousin Amphitryon, roi de Tirynthe, et la mère d'Héraclès. Les frères d'Alcmène avaient été tués par les gens de l'île de Taphos, alors qu'ils volaient du bétail. Quand Amphitryon voulut s'unir à elle, elle lui commanda d'assouvir d'abord sa vengeance. Ce dernier récupéra les troupeaux, mais en les rendant à Electryon, il le tua accidentellement. Pour cela, il fut exilé par Sthénélos, le frère d'Electryon. Alcmène l'accompagna à Thèbes, mais, de nouveau, elle se refusa à lui, tant qu'il n'aurait pas puni les Taphiens. Alors, il réunit une armée et partit en guerre. Zeus avait provoqué toutes ces difficultés, car il voulait engendrer un mortel valeureux, qui sauverait les dieux dans la grande bataille à venir, contre les Géants. Il avait choisi Alcmène, la femme la plus belle et la plus sage, pour porter le héros ; elle devait être sa dernière conquête mortelle. La nuit où Amphitryon revint du combat, Zeus vint à elle sous la forme de son mari. Un peu plus tard, quand Amphitryon lui-même arriva, il se rendit compte qu'un phénomène inexplicable avait eu lieu, car Alcmène prétendait avoir passé la nuit avec lui. Le prophète Tirésias leur révéla la vérité, et Amphitryon consomma le mariage. Alcmène fut enceinte des jumeaux Héraclès et Iphiclès ; mais le second seulement était le fils d'Amphitryon. Quand le moment de la délivrance arriva, Zeus se vanta auprès des dieux qu'un souverain mortel, engendré par lui, était sur le point de naître. Sa femme, Héra, comprit ce qui se passait et ce que la volonté de Zeus allait faire du fils d'Alcmène : le roi de sa terre natale à elle. Aussi envoya-t-elle Ilithye, la déesse des enfantements, s'asseoir sur le seuil de la chambre d'Alcmène, pour empêcher la naissance. Ilithye accomplit sa tâche en croisant les doigts, les bras, les jambes et les orteils, empêchant par cet enchantement la délivrance. Alcmène allait expirer quand une de ses servantes sortit en criant que sa maîtresse avait accouché. Ilithye fut tellement stupéfaite qu'elle accourut, déliant ainsi ses membres, ce qui permit aux jumeaux de naître. Selon Ovide, la jeune servante, dont le nom était Galanthis, fut transformée en belette. Après la mort d'Amphitryon, qui avait un jour essayé de faire périr sa femme par le feu, pour la punir de son infidélité (il en avait été empêché par Zeus qui avait envoyé une averse), Alcmène épousa le Crétois Rhadamanthe et vécut en Béotie; on raconte aussi qu'après la mort d'Héraclès, Eurysthée, qui était le roi de Mycènes et de Tirynthe et avait persécuté le héros, la chassa, avec ses petits-enfants, en Attique, où ils trouvèrent refuge à Marathon. Eurysthée attaqua l'Attique, mais fut battu et fait prisonnier, et Alcmène exigea sa mort. Quand elle-même mourut, une grosse pierre fut déposée à sa place dans le cercueil; puis elle fut transportée par Hermès dans les îles des Bienheureux, où elle épousa Rhadamanthe, devenu un juge des morts.

ALCMÉON. Fils d'Amphiaraos et d'Eriphyle; frère d'Amphilochos. Lorsque Polynice organisa une expédition pour reconquérir le trône de Thèbes, il essaya de convaincre Amphiaraos de se joindre à lui. Mais Amphiaraos savait, par ses dons de prophétie, qu'il n'en résulterait que défaite et mort; aussi refusa-t-il. Polynice, alors, acheta Eriphyle avec le collier d'Harmonie, et celle-ci contraignit son mari à partir. Amphiaraos savait qu'il devait périr à Thèbes; avant de partir, il fit jurer à ses fils de le venger de leur mère. Pendant dix ans, ceux-ci négligèrent de le faire. Mais bientôt, les Epigones, sous le commandement d'Alcméon, partirent en guerre une seconde fois contre Thèbes, pour venger leur père. Cette fois encore, Eriphyle fut achetée par le fils de Polynice, Thersandros, qui lui donna la robe de mariée d'Harmonie (en échange de laquelle elle poussa ses fils à se joindre à l'expédition). Soit avant, soit après celle-ci, Alcméon alla consulter l'oracle de Delphes qui lui ordonna à la fois de venger son père et de punir sa mère; ce fut aussi lui qui commanda l'assaut. Après la victoire des Epigones, Eriphyle fut tué par Alcméon et ses frères. Les Erinyes, accompagnées, selon une version, par l'ombre d'Eriphyle, rendirent Alcméon fou et le poursuivirent. Quittant Argos, il alla d'abord en Arcadie, puis à Delphes. Là, Mantô, fille de Tirésias, qu'il avait capturée à Thèbes et offerte à Apollon sur sa part du butin, lui donna deux enfants, Amphilochos et Tisiphoné. Alcméon confia ces enfants à Créon, le roi de Corinthe, mais la reine vendit Tisiphoné comme esclave. Alcméon, plus tard, racheta sa fille et retrouva Amphilochos. Puis il se rendit à Psophis, où le roi Phégée le purifia et lui donna sa fille Arsinoé en mariage. Alcméon fit présent à sa nouvelle femme du collier et de la robe de mariée d'Harmonie, qui avaient autrefois servi à acheter sa mère. Là-dessus, le royaume de Phégée fut ravagé par la famine; Alcméon n'était d'ailleurs pas guéri de sa folie, et repartit donc consulter l'oracle de Delphes. Là, il lui fut déclaré qu'il devait trouver une terre vierge, que le soleil n'avait pas éclairée au moment de la mort d'Eriphyle, et s'y établir. Il partit donc s'installer sur les alluvions amassées à l'embouchure du fleuve Achéloos ; puis le dieu-fleuve lui donna sa fille Callirrhoé («le beau ruisseau») et le purifia. Ils eurent deux fils, Acarnan et Amphotéros. Callirrhoé réclama les présents que son mari avait donnés à Arsinoé; elle lui suggéra une ruse pour les obtenir. Alcméon alla à Psophis et déclara à Phégée qu'il ne serait guéri de sa folie qu lorsque les présents seraient déposés en offrande à Delphes. Phégée les rendit, mais un serviteur d'Alcméon lui révéla la vérité. Les fils de Phégée tendirent alors un piège à Alcméon et le tuèrent; puis ils l'enterrèrent dans un bois de cyprès. Arsinoé, qui n'avait pas eu connaissance du meurtre, se plaignit; ses frères l'enfermèrent alors dans un coffre et la vendirent comme esclave à Agapénor, prétendant qu'elle avait tué Alcméon; mais ils furent tués dans la maison d'Agapénor, par les fils d'Alcméon. Callirrhoé avait demandé à Zeus, qui avait été son amant, de faire grandir tout d'un coup ses fils, afin qu'ils puissent venger leur père. Les deux garçons tuèrent Phégée et son épouse, et consacrèrent le collier et la robe à Apollon, à Delphes.

ALCYONÉ. 1. Fille d'Eole, roi de Thessalie; elle est la femme de Céyx, roi de Trachis. Ils étaient si heureux qu'ils se comparaient aux dieux, s'appelant eux-mêmes «Zeus», «Héra»; ils en furent punis, selon une tradition, en étant changés en oiseaux, Alcyoné en martin-pêcheur, et Céyx en fou (grand oiseau de mer). Selon une version plus courante, Céyx fut noyé en mer, pendant qu'il se rendait à Claros (Colophon) pour consulter un oracle. Sa femme pria nuit et jour pour lui, jusqu'au moment où Héra, la déesse des mariages, lui envoya un rêve dans lequel Morphée lui annonçait la mort de son mari. Accablée de chagrin, Alcyoné se rendit sur la côte, où elle trouva le corps de Céyx rejeté par la mer. Les dieux la prirent en pitié et les changèrent tous deux en martins-pêcheurs. Ces oiseaux nichent tous les hivers, et Eole fait régner alors un temps calme ; les marins nomment cette période «les jours alcyoniens», en souvenir d'Alcyoné. **2.** L'une des Pléiades ; elle est la mère d'Aethousa, qu'elle eut de Poséidon.

ALPHÉE. Dieu du fleuve d'Elide qui coule au-delà d'Olympie, il est un fils d'Océan et de Téthys. Alphée tomba amoureux de la nymphe Aréthuse qui se baignait dans le fleuve. Il prit l'apparence d'un chasseur et la poursuivit. Elle s'enfuit tout droit à travers la mer jusqu'en Sicile ; là, elle se réfugia sur l'île d'Ortygie, près de Syracuse. Puis Artémis fit d'elle une source. Mais Alphée ne fut nullement ébranlé : ses eaux coulèrent sous la mer, jusqu'en Sicile, émergèrent à Ortygie et se mêlèrent à celles d'Aréthuse. Selon une autre légende, Alphée tomba amoureux d'Artémis et la poursuivit. Mais la déesse et ses nymphes se couvrirent le visage de vase, si bien qu'Alphée ne put les distinguer et abandonna sa chasse, sous leurs railleries. Ses eaux furent détournées par Héraclès, pour nettoyer les écuries d'Augias à Elis.

ALTHÉE. Fille de Thestios, roi d'Etolie, et mère de Méléagre, de Gorgé et de Déjanire. Elle épousa son oncle Oenée, roi de Calydon ; lors de la chasse au sanglier de Calydon, son fils, Méléagre, tua ses propres oncles, Toxée et Pléxippos ; pour ce crime, elle le maudit. Selon une tradition, au moment de la naissance de son fils, les Moires avaient prédit à Althée que celui-ci mourrait quant la bûche qui brûlait dans la cheminée se serait consumée. Althée l'avait alors retiré du feu et enfermée dans un coffre ; mais, dans sa colère contre son fils meurtrier, elle la remit dans le feu, causant ainsi la mort de Méléagre ; peu après, accablée par le remords, elle se pendit.

AMALTHÉE. Soit une nymphe, soit une chèvre que possédait la nymphe. Zeus, enfant, fut nourri par la chèvre sur le mont Dicté ou Ida, en Crète. Des cornes de la chèvre coulaient le nectar et l'ambroisie. Selon Ovide, l'une des cornes se cassa et les nymphes la remplirent de fruits pour l'enfant

Zeus; de là vient l'expression *cornu copiae*, ou «corne d'abondance». La chèvre devint l'étoile Capella (la Chèvre) ou bien la constellation du Capricorne (la corne de la chèvre). La corne devint possession des Naïades; elle avait le pouvoir de se remplir de tout ce que son propriétaire désirait.

AMAZONES. Peuple mythique de femmes-guerrières. Les Grecs expliquaient leur nom — «celles qui n'ont pas de sein» — par le fait que les Amazones enlevaient le sein droit à leurs filles, pour qu'elles puissent manier l'arc. On dit aussi qu'elles ne faisaient pas de pain (*maza :* orge), car elles ne vivaient que du produit de leur chasse. Originaires soit du Caucase, soit de la Colchide, elles vivaient en Scythie (aujourd'hui le sud de la Russie) ou à Thémiscyra, au nord de l'Asie Mineure. On pense qu'elles descendaient d'Arès, qu'elles vénéraient comme dieu de la guerre, et d'Artémis, la déesse de la virginité et de la force féminine. Elles avaient des enfants en s'unissant à l'occasion à des hommes des tribus voisines, mais tuaient ou asservissaient leur progéniture mâle. Durant la guerre de Troie, elles prirent le parti des Troyens. Selon une tradition, Penthésilée, leur reine, leur apporta son aide après l'enterrement d'Hector. Achille la tua, mais tomba amoureux de la morte.

AMOUR. L'un des dieux de l'Amour, quelquefois identifié à Eros ou Cupidon. Pour son histoire, *voir* PSYCHÉ.

AMPHIARAOS. Fils d'Oiclès et d'Hypermnestre **2.** Il était devin, pouvoir qu'il tenait de son arrière-grand-père, Mélampous. Il prit part à la chasse au sanglier de Calydon et chassa Adraste, roi d'Argos, de son royaume. Lorsque Adraste revint de Sicyon (où, entre-temps, il était devenu roi), les deux hommes se réconcilièrent. Amphiaraos lui rendit son trône et épousa la sœur d'Adraste, Eriphyle. Puis un pacte fut conclu entre eux : en cas de querelles ultérieures, le jugement d'Eriphyle serait respecté par tous les deux. Quatre enfants naquirent : Alcméon et Amphilocos, ainsi que deux filles. Amphiaraos savait, grâce à son art, que l'expédition des Sept contre Thèbes serait un échec; aussi refusa-t-il de partir. Mais Eriphyle, achetée par Polynice, avec le collier et la robe de mariée d'Harmonie, le força à rejoindre les autres. En partant, il fit jurer à ses fils de le venger des Thébains et de leur mère. Sur le chemin de Thèbes, il blâma violemment les Sept pour leur témérité et leur arrogance, s'en prenant tout particulièrement à Tydée. Sur le champ de bataille, Tydée combattit à mort contre Mélanippos; Amphiaraos déposa alors, dans les mains de Tydée mourant, la tête coupée de Mélanippos ; celui-ci ouvrit le crâne de son ennemi et mangea la cervelle. Athéna, qui apportait l'ambroisie pour le rendre immortel, se détourna avec horreur. Amphiaraos ne mourut point : au moment où le Thébain Périclyménos s'apprêtait à le transpercer de sa lance, Zeus qui l'aimait tendrement entrouvrit le sol d'un coup de tonnerre et l'engloutit avec ses chevaux et son char. Une source jaillit de l'endroit où il avait disparu.

AMPHION et **ZÉTHOS.** Fils jumeaux de Zeus et d'Antiope ; ils furent, pendant un temps, tous deux souverains de Thèbes. Sur l'histoire de la fuite d'Antiope, avant leur naissance, *voir* ANTIOPE. Après leur naissance, leur mère fut jetée en prison, et les jumeaux furent exposés par leur oncle Lycos **1**, régent pendant la minorité de Labdacos. Les enfants furent élevés par des bergers dans la montagne ; Amphion se livrait à la musique et Zéthos aux arts guerriers et à l'élevage. Le premier éleva un autel à Apollon, dans la communauté des bergers, et le dieu lui fit présent d'une lyre. Il apprit l'art de la musique chez les Lydiens, car il avait épousé Niobé, la fille de leur roi, Tantale ; enfin, il ajouta trois cordes aux quatre que la lyre possédait déjà. Quand les jumeaux furent adultes, Antiope s'échappa et se fit connaître de ses fils. Ceux-ci décidèrent de la venger et levèrent une armée pour attaquer Thèbes. Ils tuèrent (ou chassèrent) Lycos, qui, à ce moment-là, était régent pendant l'enfance de Laïos, après la mort de Labdacos. Ils attachèrent sa femme Dircé aux cornes d'un taureau, destin qu'elle-même avait réservé à Antiope. Amphion et Zéthos se proclamèrent rois de Thèbes et firent construire des murailles ; Amphion jouait de la lyre si merveilleusement que les pierres le suivaient et trouvaient d'elles-mêmes leur place. Zéthos avait raillé son frère, mais il était à présent obligé d'admettre que son aide était plus efficace que sa propre force. Amphion donna à Thèbes sept portes, car sa lyre possédait sept cordes. Les frères donnèrent un nouveau nom à la ville, l'ancienne Cadmée, d'après le nom de la femme de Zéthos, Thébé. Amphion eut une fin tragique. Sa femme Niobé s'était vantée d'avoir eu douze enfants, alors que Léto n'en avait eu que deux, Apollon et Artémis. Pour cette insulte, Apollon tua ses fils, et Artémis ses filles. Niobé retourna en Lydie, où les dieux la pétrifièrent. Amphion se tua sur-le-champ, ou bien, voulant se venger d'Apollon, il fut tué par lui alors qu'il attaquait son temple. Zéthos mourut aussi, accablé par la mort de son fils unique, mort jeune ;

selon certains, Thébé l'avait tué accidentellement. Après la mort d'Amphion et de Zéthos, Laïos remonta sur le trône. Dans *L'Odyssée*, la tradition est différente : Amphion était le fils de Iasos et régnait sur Orchomène, en Béotie. L'une de ses filles survécut aux flèches d'Artémis et épousa Nélée, roi de Pylos. En outre, Zéthos épousa une fille de Pandaréos, Aedon, qui fut transformée en rossignol après avoir accidentellement tué son fils Itylos.

AMPHITRITE. Fille de Nérée et de Doris (qui était elle-même une fille d'Océan), et de ce fait déesse de la Mer. Poséidon la vit danser sur l'île de Naxos et fut amoureux d'elle, mais elle se réfugia auprès du Titan Atlas. Poséidon envoya les divinités marines, ses serviteurs, la chercher ; le dauphin finit par la trouver, et il plaida si bien la cause de Poséidon qu'elle finit par épouser ce dernier. Le dauphin fut transformé en constellation. Parmi leurs nombreux enfants figurent Triton, Rhodé et Benthésicymé.

AMPHITRYON. Fils d'Alcée et petit-fils de Persée. Sa mère était une fille de Pélops, Astydamie, ou Lysidicé. Electryon, son oncle, devint roi de l'Argolide, après la mort de Persée. Amphitryon voulait épouser la fille d'Electryon, Alcmène ; mais celui-ci s'opposa à ce que le mariage fût consommé tant que lui-même n'aurait pas tiré vengeance des gens de l'île de Taphos, qui avaient volé ses troupeaux et tué ses fils dans un raid. Mais, avant l'expédition, Electryon envoya Amphitryon à Elis pour récupérer les troupeaux que les Taphiens y avaient conduits. De retour avec le bétail, Amphitryon, jetant un bâton à l'une des bêtes, tua accidentellement son beau-père. Sthénélos, le frère d'Electryon, bannit Amphitryon pour meurtre et s'empara du trône de Mycènes. Amphitryon dut s'enfuir avec Alcmène à Thèbes, où Créon le purifia. La mort des frères d'Alcmène n'avait toujours pas été vengée, et cette tâche revenait maintenant à Amphitryon. Alcmène se refusait à lui tant qu'il ne l'aurait pas accomplie. Il demanda l'aide de Créon, que celui-ci lui accorda, à condition qu'Amphitryon débarrassât Thèbes d'un fléau : une renarde, envoyée par Héra, ou Dionysos, qui ravageait la campagne de Teumesse, mangeant un jeune homme tous les mois. Céphale, roi d'Athènes, possédait un chien de chasse, Laelaps, capable d'attraper tout ce qu'on lui désignait comme proie ; Amphitryon lui demanda de le lui prêter, lui offrant une part du butin qu'il prendrait aux Taphiens. Cependant, Zeus transforma les deux animaux en pierre, et Créon accorda son aide contre les Taphiens. Les autres alliés furent Céphale, l'oncle d'Amphitryon, Héléios, Panopée et quelques Locriens. L'armée fit voile sur les îles de Taphos, où le roi Ptérélas régnait sur les Téléboens. Ce roi avait dans sa chevelure un cheveu d'or, qu'il fallait couper pour qu'il mourût; et tant qu'il était vivant, sa cité était imprenable. Mais sa fille Comaehto tomba amoureuse d'Amphitryon et coupa le cheveu auquel tenait la vie de son père. Ampitryon, loin d'accepter l'amour de la jeune fille, la mit à mort pour sa traîtrise et donna les îles à ses alliés : Céphallénie à Céphale, et les autres à Héléios. Lorsqu'il revint à Thèbes, Amphitryon fut très étonné de constater qu'Alcmène n'était pas surprise de le voir. Elle affirmait même qu'il était revenu la nuit précédente; de plus, selon elle, ils avaient enfin consommé leur mariage. Amphitryon consulta Tirésias, qui vivait à Thèbes, et le vieux prophète lui révéla que Zeus avait passé la nuit avec Alcmène, ayant pris la forme du héros; en outre, il avait allongé la nuit de trois fois sa durée, afin d'engendrer un grand héros. Amphitryon accepta l'explication. Plus tard, Alcmène mit au monde des jumeaux. L'un était Héraclès, le fils de Zeus, et l'autre le fils d'Amphitryon, Iphiclès, qui était beaucoup plus chétif que son frère jumeau. Amphitryon resta à Thèbes et eut une fille, Périmédé. Quand Lycos usurpa le trône de Créon, il menaça de tuer toute la famille d'Héraclès, mais ce dernier revint et sauva les siens. Puis le héros devint fou, tuant ses enfants et, selon certains, sa femme Mégara. Il allait aussi tuer Amphitryon, quand Athèna l'en empêcha en l'assommant d'une pierre. Ce fut pour ces crimes qu'Héraclès dut accomplir ses travaux. Amphitryon périt dans une bataille contre le roi Ergnios d'Orchomène et les Minyens. L'auteur comique latin Plaute mit en scène le mariage d'Amphitryon et d'Alcmène.

AMULIUS. Fils de Procas; descendant d'Enée et frère cadet de Numitor, à qui il usurpa le trône d'Albe-la-Longue, dans le Latium. Il força la fille de Numitor, Rhéa Silvia (ou Ilia) à devenir vestale, afin que Numitor n'eût pas d'héritier. Quand elle fut séduite par Mars et donna naissance à des jumeaux, son oncle l'emprisonna et ordonna à ses serviteurs de noyer les enfants dans le Tibre. Les enfants, Romulus et Rémus, furent sauvés par des serviteurs qui se contentèrent de jeter le berceau dans la rivière en crue. Peu après, ils furent trouvés par Faustulus et furent élevés parmi les bergers. Quand les jumeaux furent adultes, ils volèrent des marchandises aux brigands locaux pour les donner aux bergers; mais les brigands creusèrent une trappe et attrapèrent Rémus, qu'ils menèrent à Amulius. Les brigands déclarèrent qu'il avait pillé les terres de Numitor; il fut alors remis à son grand-père qui, bientôt, découvrit qui il était. On alla aussi chercher Romulus, et les jumeaux apprirent leur histoire; ils punirent leur grand-oncle en le tuant. Le poète Naevius, cependant, suit une tradition selon laquelle Amulius était un bon vieillard qui accueillit avec joie la découverte de Romulus et Rémus.

ANCHISE. Fils de Capys, petit-fils d'Assaracos, et arrière-petit-fils de Tros. Il était roi de Dardanie et le père d'Enée. Il subtilisa quelques-uns des célèbres chevaux de son oncle Laomédon (les rejetons des juments que Zeus avait données à Tros en compensation du rapt de Ganymède) pour qu'ils servent d'étalons à ses juments. Un jour, Aphrodite vint vers lui, pendant qu'il gardait son troupeau sur le mont Ida. Zeus voulait la punir pour ses moqueries envers les dieux et les déesses qui ne savaient lui résister et la fit tomber amoureuse de ce beau mortel. Elle apparut à Anchise sous la forme d'une mortelle, et de leur union naquit Enée. Quand la déesse révéla son identité à Anchise, celui-ci, terrifié, pensait aux punitions dont avaient été victimes les mortels qui avaient eu un commerce avec une déesse. Mais Aphrodite lui promit qu'aucun mal ne lui serait fait aussi longtemps qu'il tiendrait secret ce qui était arrivé. Quand Enée eut cinq ans, Aphrodite l'enleva des montagnes où il avait été élevé et le rendit à son père. Mais un jour, Anchise, ivre, se vanta de ses amours avec la déesse; pour cette indiscrétion, Zeus, d'un coup de foudre, le rendit boiteux et Aphrodite l'abandonna. Au moment de la guerre de Troie, Anchise était impotent et trop vieux pour avoir un rôle actif. Son fils, Enée, fut le chef des Dardaniens. A la chute de Troie, Enée décida de fuir avec sa famille; Anchise refusa de le suivre, mais deux présages lui indiquèrent qu'il agissait contre la volonté des dieux : une petite flamme au-dessus de son petit-fils Ascagne, et la chute d'une météorite. Enée le transporta hors de la ville en flammes, sur son dos. Il accompagna son fils dans sa recherche d'un site pour la nouvelle Troie, et, selon Virgile, mourut très vieux en Sicile, à Drépanon. D'après une autre tradition, il mourut en Arcadie et fut enterré près du mont Anchise. Quand Enée atteignit Cumes, en Italie, la Sibylle l'accompagna aux Enfers; là, aux Champs Elysées, il rencontra l'ombre de son père qui lui dit la destinée de son peuple et fit défiler sous ses yeux les âmes des Romains les plus célèbres qui naîtraient dans les âges à venir.

ANDROMAQUE. Fille d'Eetion, roi de Thèbe-sous-Placos,

dans le sud de la Troade. Elle épousa Hector et lui donna un fils unique, Astyanax. Son père et ses sept frères furent passés au fil de l'épée par Achille, lors du sac de Thèbes, et sa mère fut rançonnée pour une forte somme. Dans *L'Iliade*, on la voit avec son époux et son enfant, au moment où Hector, revenant du champ de bataille, demanda aux femmes de sacrifier à Athéna et d'arracher Pâris à Hélène. Andromaque pressentait alors la mort imminente de son mari. Après la mort d'Hector et la chute de Troie, l'enfant fut jeté du haut des murailles et Andromaque fut emmenée en captivité par Néoptolème, le fils d'Achille. Elle lui donna trois fils : Molossos, Piélos et Bergamos. Plus tard, Néoptolème épousa Hermione, la fille de Ménélas et d'Hélène; celle-ci ne pouvait avoir d'enfants, et enviait à Andromaque son ventre fécond. Que cela se soit passé, comme le soutient Euripide, à Phthie, où Pélée protégeait Andromaque et ses enfants contre la colère d'Hermione, pendant que Néoptolème était à Delphes, ou bien en Epire, toujours est-il que Néoptolème fut tué peu après à Delphes; Andromaque devint alors la femme d'Hélénos, le devin troyen à qui Néoptolème avait donné en royaume une partie de l'Epire. Selon Virgile, dans *L'Enéide*, elle était déjà la femme d'Hélénos au moment où Néoptolème épousa Hermione. Hélénos et Andromaque vécurent dans une nouvelle ville, qu'ils appelèrent Pergame, en souvenir de Troie. Ils eurent un fils, Cestrinos. Quand Hélénos mourut, Pergamos emmena Andromaque en Mysie, au nord-ouest de l'Asie Mineure, et fonda une nouvelle Pergame. Enée rencontra Andromaque dans la maison d'Hélénos, en Epire; dans la tragédie *Andromaque*, Euripide met en scène la jeune femme aux prises avec Hermione.

ANDROMÈDE. Fille de Céphée, roi de Joppa, en Palestine (appelée Ethiopie dans la plupart des sources), et de sa femme Cassiopée ou Cassiopea (Kassiepeia), elle-même fille d'Arabos, fils d'Hermès. Cassiopée prétendait que sa fille était plus belle que les Néréides. Celles-ci, irritées, se plaignirent à Poséidon, qui envoya un serpent ravager le pays. L'oracle de Zeus Ammon, en Libye, déclara qu'Andromède elle-même devait être livrée au serpent. Elle fut enchaînée à un rocher, au pied d'une falaise; mais quand le monstre s'approcha pour la dévorer, Persée se précipita avec un sac contenant la tête de la Gorgone Méduse. Il avait prévu ce qui allait se passer et avait demandé à Céphée la main de sa fille, s'il supprimait le monstre et le roi y avait consenti. Persée, en brandissant la tête de la Gorgone devant le serpent, le transforma en pierre (ou alors, le transperça de son épée). Céphée donna une fête pour le mariage de Persée et d'Andromède, sans dire qu'Andromède avait déjà été promise à son oncle Phinée. Ce dernier interrompit la fête et, à la tête d'une bande armée, essaya d'enlever Andromède. Mais Persée se débarrassa des intrus en utilisant la tête de la Gorgone pour les transformer en pierre. Après leur mariage, Persée et Andromède vécurent quelque temps en Palestinc, auprès de Céphée. Mais, à la naissance de son premier fils Persès, Persée renonça à ses droits au trône et retourna, avec Andromède, dans l'île de Sériphos. Plus tard, Persée devint roi de l'Argolide. Là, ils eurent beaucoup d'enfants : Alcée, Sthénélos, Héléios, Mestor, Electryon, et une fille Gorgophoné. Ils ne se séparèrent plus jusqu'à leur mort. Alors Andromède, son mari, ses parents et le serpent de mer furent placés dans le ciel sous forme de constellations; Cassiopée, pour sa faute, fut couchée sur le dos, les pieds en l'air. Selon Hérodote, les rois de Perse descendaient de Persès.

ANTÉE. Un géant, fils de Poséidon et de Gaia (la Terre); il vivait en Libye et défiait à la lutte tous les voyageurs. Il était presque invincible, car chaque fois qu'il touchait terre, sa force se renouvelait. Quand il avait tué ses adversaires, il utilisait leurs dépouilles pour couvrir le toit du temple de son père. Héraclès, lors de son passage dans le pays, à la recherche des pommes d'or des Hespérides, se vit défié de la même façon. Mais le héros réussit à vaincre Antée en le soulevant, puis en l'étouffant.

ANTÉNOR. Un Dardanien, fils d'Aesyétès et de Cléomestra; dans *L'Iliade,* il figure parmi les Anciens qui siègent avec Priam à la porte Scée, lorsque Hélène leur explique la composition des forces grecques. Quand Héraclès enleva Hésioné, à la suite du premier sac de Troie, Anténor fut envoyé par Priam en Grèce, afin de la ramener; mais l'entreprise échoua. Lorsque Pâris amena Hélène à Troie, après l'avoir enlevée à son mari Ménélas, Anténor était d'avis qu'il fallait la renvoyer. Mais Priam n'écouta que Pâris. De même, lorsque Ulysse et Ménélas vinrent en ambassade pour demander le retour d'Hélène, Anténor et sa femme Théano les reçurent chez eux, les protégeant des fils de Priam qui voulaient les tuer. Pendant la guerre, il demeura partisan d'une politique de conciliation et, selon certains, il continua à donner des conseils aux Grecs, leur suggérant de voler le Palladion et de construire le cheval de bois. Lors du sac de Troie, Ulysse et

Ménélas le sauvèrent, ainsi que sa femme, en suspendant à sa porte une peau de léopard, qui montrait que la maison devait être épargnée. Il existe plusieurs versions de ce qu'il advint de lui, après la chute de Troie : soit il partit en Afrique, avec Ménélas, et s'établit à Cyrène, ou bien il conduisit les Enètes, ou Vénètes de Paphlagonie (lesquels avaient perdu leur roi, Pylaeménès à la guerre) de l'Asie Mineure à l'extrémité nord de la mer Adriatique, où ils s'établirent, donnant leur nom à la région, la Vénétie. Là, Anténor fonda la ville de Patavium (l'actuelle Padoue). Avec sa femme Théano, prêtresse d'Athèna, il avait eu plusieurs fils, dont Archélaos et Acamas qui, avec Enée, conduisirent les troupes dardaniennes à la guerre de Troie.

ANTÉROS. Le dieu de l'Amour partagé. *Voir* ÉROS.

ANTIGONE. 1. Fille d'Œdipe, roi de Thèbes, et de sa femme et mère Jocaste (ou Épicasté). La version la plus connue de son histoire est celle que Sophocle décrit dans ses pièces : *Œdipe à Colone* et *Antigone*; mais il existe d'autres versions, dont une tragédie perdue d'Euripide. Lorsque Œdipe découvrit son inceste avec Jocaste, il s'aveugla, et Jocaste se pendit; puis il jura de quitter sa famille maudite, ainsi que son pays, mais Créon, son beau-frère, le convainquit de rester, pendant que lui-même serait régent. Plus tard ses fils Etéocle et Polynice s'emparèrent du trône et chassèrent leur père; Antigone suivit Œdipe et le guida sur les chemins. Créon l'avait promise à son plus jeune fils, Haemon. Quand Œdipe atteignit l'enceinte sacrée de Poséidon, à Colone, l'endroit où il devait mourir, Ismène, la sœur d'Antigone, vint les rejoindre. Elle leur annonça que leurs frères s'étaient brouillés et que Créon, protégeant Etéocle, désirait le retour d'Œdipe à Thèbes, parce qu'il avait appris d'un oracle que celui-ci apporterait le succès à son hôte. Œdipe se réfugia dans le sanctuaire; mais Créon et ses soldats tentèrent d'enlever Antigone et Ismène, pour fléchir Œdipe. Le viel homme persuada les habitants de Colone de demander l'aide de Thésée, roi d'Athènes, qui arriva rapidement et secourut les deux sœurs. Polynice se présenta alors et, sur la prière d'Antigone, Œdipe écouta ce qu'il avait à dire; mais il rejeta avec force le projet de Polynice d'enlever Thèbes à Etéocle. A la mort d'Œdipe, Antigone et Ismène retournèrent volontairement à Thèbes, et Polynice attaqua la ville avec les Sept Chefs; les deux frères se tuèrent l'un l'autre en combat singulier. Créon enterra Etéocle en grande pompe, mais fit jeter le corps de Polynice qu'il considérait comme un traître et un rebelle; il défendit qu'on le touchât. Antigone ne put tolérer cet acte d'impiété et donna au corps une sépulture symbolique, répandant sur lui trois poignées de poussière. Pour sa désobéissance, elle fut emprisonnée par Créon et condamnée à mort. Le roi la fit murer dans un souterrain, avec de l'eau et de la nourriture, se dégageant ainsi de la responsabilité de sa mort. Haemon, cependant, fils de Créon et fiancé d'Antigone, essaya vainement de la défendre auprès de son père. Antigone refusa la proposition de sa sœur Ismène qui voulait partager sa faute et son sort (Ismène avait refusé de l'aider à accomplir l'acte de piété). Antigone fut alors menée vers son destin. Peu après, le vieux prophète Tirésias vint avertir Créon qu'il avait vu des signes infaillibles de malédiction, et lui ordonna d'enterrer les morts et de déterrer les vivants. Créon enterra son neveu Polynice et descella le souterrain dans lequel il avait emmuré Antigone : il ne trouva que sa dépouille, car elle s'était pendue. Haemon le maudit, tenta de le tuer et se poignarda. A cette nouvelle, la femme de Créon, Eurydicé, se suicida. Telle est la version de Sophocle. L'intrigue d'Euripide, qui ne nous est connue qu'indirectement, et dans ses grandes lignes seulement, est assez différente. Créon ordonna à Haemon de châtier Antigone, car une femme fiancée ou mariée devait être punie par son mari. Haemon prétendit avoir obéi et cacha Antigone à la campagne, où leur naquit un fils. Beaucoup plus tard, ce fils vint à Thèbes, et participa aux jeux. Lorsqu'il se dévêtit pour participer à une course, Créon aperçut la tache de naissance, en forme de pointe de lance, que portaient tous les descendants des «Hommes Semés» de Thèbes; là-dessus, il le déclara bâtard et condamna Haemon et Antigone à une mort immédiate. Dionysos (ou Héraclès) vint plaider pour eux. On leur pardonna et ils se marièrent officiellement (bien que, selon une autre version, Héraclès fût intervenu en vain en leur faveur). On ne connaît ni le nom ni le destin de leur fils. Selon une autre variante, Antigone fut aidée par Argia, la femme de Polynice; les deux femmes transportèrent le corps de ce dernier sur le bûcher d'Etéocle, qui se consumait au clair de lune, et où il fut réduit en cendres. Les gardes les arrêtèrent et les amenèrent à Créon, qui les condamna à mort; elles furent sauvées par l'arrivée des Athéniens, conduits par Thésée. Une tradition un peu plus ancienne fait d'Antigone et d'Ismène les victimes d'un fils d'Etéocle, Laodamas, qui les brûla dans le temple d'Héra. L'histoire d'Antigone était inconnue d'Homère.

2. Première femme de Pélée, et fille d'Eurytion, roi de Phtie. Quand Pélée et Télamon tuèrent Phocos et furent exilés d'Egine par Eaque, Pélée arriva à Phtie où Eurytion le purifia de son crime, lui donna en mariage sa fille Antigone et lui fit présent d'un tiers de son royaume. Plus tard, après un long voyage sur l'*Argos,* Pélée tua accidentellement Eurytion durant la chasse au sanglier de Calydon. Il se réfugia à Iolcos, où la femme d'Acaste tomba amoureuse de lui. Elle envoya à Antigone un message, disant que Pélée allait épouser la fille d'Acaste, Stéropé, et Antigone se pendit.
3. Fille de Laomédon, roi de Troie. Elle compara sa beauté à celle d'Héra, qui la punit en transformant sa chevelure en serpents. Les dieux eurent pitié d'elle et la changèrent en cigogne; depuis, les cigognes détruisirent les serpents.

ANTILOQUE. Fils aîné de Nestor, roi de Pylos. Il fut l'un des prétendants d'Hélène, et partit pour la guerre de Troie avec son père et son frère Thrasymédès. Il eut un rôle important dans la guerre; il était un ami intime d'Achille, à qui il apporta la nouvelle de la mort de Patrocle. Comme Achille, il était rapide à la course. Il prit part aux jeux funèbres en l'honneur de Patrocle; suivant le conseil de son père Nestor, il tricha pendant la course de chars et, dépassant Ménélas, arriva second. Quand ce dernier protesta, il lui fit des excuses et lui céda le second prix. Il fut aussi un des trois principaux concurrents dans la course à pied. Alors qu'il défendait noblement son vieux père dont l'un des chevaux avait été tué par Pâris, Antiloque fut tué par Memnon. Il fut enterré dans la tombe d'Achille; on disait que son ombre était allée rejoindre celles d'Achille et de Patrocle à l'île Blanche.

ANTINOOS. Jeune homme d'Ithaque, chef des prétendants de Pénélope; il était le plus cruel et le plus insolent d'entre eux; il fut tué par la première flèche d'Ulysse.

ANTIOPE. 1. Fille de Nyctée, qui était régent à Thèbes, pendant l'enfance de Labdacos. D'une grande beauté, elle fut aimée de Zeus, qui prit l'apparence d'un Satyre. Quand elle fut enceinte, elle s'enfuit à Sicyon, où elle épousa le roi, Epopée. (Selon d'autres, Epopée l'enleva et la prit de force.) Nyctée la poursuivit à Sicyon, se battit avec Epopée et mourut de ses blessures, ou bien se suicida de honte. En mourant, Nyctée demanda à son frère Lycos de le venger d'Epopée et de punir Antiope. Lycos, alors, envahit Sicyon avec l'armée thébaine, tua Epopée et emmena Antiope prisonnière. C'est sur la route de Thèbes qu'elle mit au monde ses jumeaux, à Eleuthères, sur le mont Cithéron. Lycos les abandonna dans la montagne. En arrivant à Thèbes, Lycos donna Antiope comme esclave à sa femme Dircé, qui se montra cruelle envers elle et l'enferma pendant de longues années. Cependant, Antiope finit par s'échapper sur le mont Cithéron, où elle fut abritée par le berger qui avait recueilli Amphion et Zéthos, ses enfants. Les jumeaux découvrirent qu'Antiope était leur mère, et ensemble ils tuèrent Dircé et Lycos. Ou alors, d'après une pièce perdue d'Euripide, *Antiope,* Zéthos crut qu'elle était une esclave fugitive et refusa de l'abriter. Elle fut alors reprise par Dircé, qui célébrait les orgies de Dionysos, sur le mont Cithéron. Dircé, dans son ivresse, voulut attacher Antiope aux cornes d'un taureau sauvage. Mais, à ce moment-là, Amphion et Zéthos qui, au retour de leur père adoptif, avaient appris la véritable identité de la fugitive, survinrent et la sauvèrent. Ils firent subir à Dircé le sort que celle-ci avait réservé à leur mère. Mais Dionysos venga Dircé en frappant de folie Antiope et la faisant errer par toute la Grèce. Par la suite, Phocos, fils d'Ornytion, la guérit et l'épousa; il fut enterré près d'elle en Phocide.

2. Elle est la sœur d'Hippolyté, reine des Amazones; ou alors, il s'agit là d'un autre nom d'Hippolyté elle-même. Lorsque Antiope fut enlevée par Thésée, elle lança ses femmes guerrières contre Athènes, mais fut battue. Antiope (ou Hippolyté) donna à Thésée un fils, Hippolyte.

APHRODITE. Déesse grecque de l'Amour, plus tard identifiée à la Vénus romaine, à qui la mythologie d'Aphrodite fut aussi attribuée. Elle fait partie des douze grands Olympiens, et c'est elle qui attribue la beauté et l'attirance sexuelle. On dit qu'elle souriait avec douceur, souvent par moquerie. Son culte, d'origine étrangère, vient du Proche-Orient, par Chypre et Cythère.

Deux traditions différentes rapportent sa naissance. Pour Homère, elle était la fille de Zeus et de Dioné, et la femme d'Héphaïstos. Hésiode nous raconte une histoire tout à fait différente; il affirme que son nom est dérivé de *aphros,* l'écume, dont elle naquit, sortant déjà femme de la mer, à Paphos dans l'île de Chypre, ou bien à Cythère. Cronos avait tranché les organes sexuels de son père Ouranos et les avait jetés dans la mer; l'écume se rassembla autour d'eux, et ils engendrèrent une femme. Lorsque Aphrodite toucha la terre, des fleurs naquirent sur son passage, et elle fut accueillie par Eros (Cupidon) et peut-être par d'autres divinités. Elle était appelée *Anadyoménê* (celle qui sort de la mer) et *Cypris* (la Cypriote).

Aphrodite était mariée à Héphaïstos, mais ne lui était pas fidèle; elle symbolisait l'amour physique plutôt que les liens du mariage (que protégeait Héra); la mythologie grecque ancienne la décrivait comme totalement irréfléchie. Homère raconte comment Hélios, le Soleil, révéla à Héphaïstos l'adultère de sa femme avec Arès; Héphaïstos les surprit tous deux, nus dans son lit nuptial, et les enferma dans un filet invisible. Puis il fit venir tous les dieux, qui se moquèrent d'eux, jusqu'au moment où Poséidon proposa une réconciliation. Des amours d'Arès et d'Aphrodite naquirent Deimos et Phobos (la Terreur et la Crainte) et Harmonie, qui épousa Cadmos à Thèbes; on leur attribue aussi Eros, qui réunissait en lui les attributs d'Aphrodite et d'Arès; cependant, on dit aussi qu'Eros était apparu sur terre avant même la naissance des Olympiens. Pour la punir de ses railleries envers les immortels, Zeus inspira à la déesse l'amour d'un mortel, Anchise. Elle eut beaucoup d'aventures avec les autres dieux; de ses amours avec Dionysos naquit Priape, la divinité phallique, et de Poséidon, elle eut Eryx. Elle repoussa les avances d'Hermès, mais Zeus aida le dieu en envoyant son aigle voler la sandale d'Aphrodite pour la donner à Hermès. Pour la récupérer, la déesse devait se soumettre. De leur union naquit Hermaphrodite, qui avait une nature à la foi masculine et féminine. Aphrodite avait le pouvoir de rendre tous les dieux amoureux, ou de susciter chez eux une vive passion, à l'exception d'Athèna, d'Artémis et d'Hestia. Lorsque Héra voulut séduire Zeus pour lui faire oublier la guerre de Troie, elle emprunta la ceinture d'Aphrodite, qui rendait irrésistible qui la portait.

Aphrodite aima tendrement Adonis et se querella à son sujet avec Perséphone. Quand Adonis fut tué par le sanglier, Aphrodite fit naître des anémones rouges de son sang.

Elle aima aussi des mortels, tels qu'Anchise, de qui elle eut Enée, et elle aida les hommes dans leurs amours avec des mortelles. La légende la plus importante qui la concerne est celle du jugement de Pâris, qui est à l'origine de la guerre de Troie. Pendant les noces de Thétis et de Pélée, Eris (la Discorde) laissa tomber une pomme d'or sur laquelle se trouvait l'inscription : « A la plus belle. » Héra, Athéna et Aphrodite revendiquèrent toutes trois le prix de beauté; Zeus chargea Pâris, le plus beau des hommes, de les départager. Chacune essaya d'acheter le jeune homme, mais ce dernier préféra l'offre d'Aphrodite qui lui promettait l'amour de la plus belle des femmes; c'est elle qu'il choisit. Parmi les autres mortels auxquels Aphrodite vint en aide, on compte Milanion (ou Hippoménès) qui désirait conquérir Atalante; Jason, à qui l'amour de Médée était nécessaire; Pâris, qu'elle assista non seulement dans l'enlèvement d'Hélène, mais au cours de toutes les années durant lesquelles il refusa de la rendre; elle attira vers son propre fils, Enée, l'amour de Didon. D'autre part, elle punissait à la fois les dieux et les mortels qui l'offensaient ou qui se vantaient de lui être supérieurs : ainsi la mère de Myrrha, et ses trois filles; ainsi Glaucos, qui se fit dévorer vivant par ses juments, car il les empêchait de s'accoupler; ainsi Pasiphaé, la femme de Minos, roi de Crète, à qui elle inspira l'amour d'un taureau, et qui donna naissance au Minotaure; elle châtia les femmes de Lemnos qui négligeaient son culte en les affligeant d'une odeur telle que leurs maris les abandonnèrent. Finalement, à l'arrivée des Argonautes, Aphrodite les guérit de leur odeur, sur la prière d'Héphaïstos. Elle fut particulièrement cruelle envers le fils de Thésée, Hippolyte, qui méprisait les feux de l'amour; elle inspira à Phèdre, sa belle-mère, une vive passion pour lui. Lorsqu'elle se vit repoussée, Phèdre rapporta à son mari, Thésée, que le jeune homme avait voulu la violer; puis elle se pendit. Thésée exila son fils en le maudissant, et Hippolyte périt lui aussi de mort violente. Aphrodite se vengea aussi de la muse Clio, qui raillait sa passion pour le mortel Adonis, en la faisant également tomber amoureuse d'un mortel, Piéros. La muse Calliope, qui fut l'arbitre entre Perséphone et Aphrodite, dans leur querelle au sujet d'Adonis, fut punie par la mort de son fils Orphée. Elle inspira à Eos (l'Aurore) l'amour de deux mortels, Céphale et Tithonos, pour la châtier d'avoir cédé à Arès, son amant. Hélios connut aussi la vengeance d'Aphrodite pour avoir dévoilé à Héphaïstos son aventure avec Arès. Elle suscita en lui son amour pour Leucothoé. Pourtant, un jour, les rôles furent renversés par un mortel : Aphrodite fut forcée de quitter le champ de bataille de Troie, blessée par Diomède.

Bien qu'elle apparût souvent, dans la littérature grecque ancienne, comme un personnage cruel ou ridicule, les Romains voyaient en elle une figure plus sérieuse et bienfaisante : Lucrèce, par exemple, dans son exorde au poème *De natura rerum,* la salue comme la force suprême qui donne la vie.

APOLLON. L'un des plus grands dieux, dans le panthéon

grec aussi bien que latin : il était principalement le dieu de la prophétie et de la divination, le dieu des arts, et tout particulièrement de la musique (les muses dépendaient directement de lui) ; il était aussi le dieu-archer. Il pouvait frapper les pays d'épidémies, qu'il pouvait aussi guérir, car il était le patron des médecins. Il protégeait les bergers, bien qu'il fût aussi l'ami de leur principal ennemi, le loup. Il n'est probablement pas d'origine grecque ; il arriva dans ce pays par le nord ou par l'est. On l'appelait aussi Phoebos, le Brillant, comme dieu-soleil, bien que cette identification n'ait peut-être pas existé avant le Ve siècle av. J.-C., et ne soit devenue courante que longtemps après. Son nom de Phoebos lui aurait peut-être été attribué lorsque la Titanide Phoebé lui fit don de l'oracle de Delphes.

Apollon est le fils de Zeus et de Léto, et le frère jumeau d'Artémis. La Titanide Léto cherchait un lieu tranquille où mettre au monde les enfants qu'elle portait de Zeus, mais toute la terre refusait de l'accueillir par crainte de la colère d'Héra, ou bien refusait l'honneur d'être le lieu de naissance de dieux aussi grands. Seule Délos accepta, puisqu'elle n'était pas vraiment une terre, mais une île flottante. Apollon se développa très vite, car la déesse Thémis ne le nourrissait que de nectar et d'ambroisie. Au bout de quelques jours, il avait atteint la taille adulte et quittait Délos, à la recherche d'un site propre à la fondation d'un oracle. Il voyagea à travers la Grèce et arriva à une crevasse que gardait Python, un énorme serpent femelle, qui rendait des oracles au nom de sa maîtresse Gaia, la Terre, ou de la Titanide Phoebé (le nom de Python était aussi celui d'un serpent qu'avait envoyé Héra afin d'empêcher Léto d'accoucher) ; Apollon tua Python et donna son nom à sa propre prêtresse, la Pythie. Avant d'arriver à Delphes, Apollon avait rencontré la nymphe Telphousa qui possédait un oracle à Haliartos, et lui avait demandé s'il pouvait établir son sanctuaire près de sa source. La nymphe s'excusa en invoquant la plus grande célébrité de l'oracle de Delphes : en fait, elle l'envoyait directement dans le repaire de Python ; ayant compris la ruse, Apollon retourna à la source et la dissimula sous d'énormes rochers, amoindrissant ainsi de beaucoup l'importance de l'oracle. Après avoir tué Python, Apollon dut se faire purifier, car le serpent était une fille de Gaia et une grande prophétesse. Il connut un long exil dans la vallée du Tempé, où les habitants de Delphes venaient en ambassade tous les huit ans. Le mot *delphys* signifie «sein», et le collège sacré affirmait que Delphes était le sein ou le centre de la terre. C'était l'oracle le plus célèbre du monde grec, et on venait le consulter de très loin. Des jeux y furent fondés, appelés les jeux Pythiques, en l'honneur de Python et d'Apollon. On y disputait des épreuves musicales, auxquelles furent ajoutées plus tard des épreuves athlétiques. Les prêtres d'Apollon prétendaient descendre d'un groupe de Crétois dont le dieu avait détourné le navire sous la forme d'un dauphin.

Apollon et Artémis transpercèrent le géant Tityos qui avait tenté de faire violence à Léto, avant leur naissance, et l'envoyèrent dans le Tartare, où il subit un châtiment éternel. Ils vengèrent aussi leur mère de Niobé, qui s'était vantée d'être plus féconde qu'elle, en tuant tous ses enfants, ou la plupart d'entre eux. Tous deux étaient archers ; ils présidaient également aux morts naturelles ou par maladie. Homère nous rapporte qu'Apollon donnait la mort aux hommes, et Artémis aux femmes, en leur envoyant les « douces flèches de la mort ». Par deux fois, Apollon servit d'esclave à des mortels. Son premier maître fut Admète, roi de Phères, en Thessalie, qu'il remercia en donnant deux veaux à toutes ses vaches et en le préservant de la mort. Ces esclavage était une punition infligée par Zeus ; Apollon avait tué les Cyclopes, fils de Zeus, artisans de la foudre dans les cavernes du mont Etna, car Asclépios, son fils, avait été foudroyé par Zeus pour avoir ressuscité Hippolyte. Dans sa rage, Zeus avait d'abord voulu précipiter Apollon dans le Tartare, mais il s'était finalement adouci et ne lui avait imposé qu'une année de servitude. Apollon travailla une seconde fois pour un mortel : Poséidon et lui avaient décidé de construire la muraille de Troie en échange d'un paiement de Laomédon (selon d'autres, Apollon gardait les troupeaux, pendant que Poséidon construisait le mur) ; mais Laomédon ne tint pas sa promesse, et les dieux le punirent : Apollon envoya la peste sur la ville.

Son rôle comme dieu de la guérison (pour lequel il était souvent confondu avec un autre dieu guérisseur : Paeon) fut transmis à son fils Asclépios.

C'est comme dieu de la musique qu'il inventa le luth, ou la cithare, et qu'il reçut la lyre des mains de son demi-frère Hermès ; ce dernier, peu après sa naissance sur le mont Cyllène en Arcadie, avait volé une partie du troupeau d'Apollon et avait caché les bêtes dans une caverne. Apollon, avec l'aide de Zeus, découvrit le vol et proposa un marché à Hermès : il abandonnait son troupeau en échange de la lyre. Ce fut désormais l'instrument favori d'Apollon ; un jour, le satyre

Marsyas eut l'effronterie de convier le dieu à une compétition musicale. Apollon pouvait jouer de sa lyre aussi bien à l'endroit qu'à l'envers; aussi, il s'adjugea le prix. Il était entendu que le vainqueur ferait subir le traitement qu'il voudrait au vaincu; Apollon écorcha Marsyas vivant. Puis il défendit que l'on jouât de la flûte, l'instrument de Marsyas, en sa présence. Plus tard, un musicien nommé Scadas consacra une flûte à Apollon, et le dieu accepta que l'on en jouât lors de la danse Pythienne à Delphes.

L'aide d'Apollon à Priam, pendant la guerre de Troie, montre l'origine orientale du dieu. Il fut le protecteur le plus célèbre et le plus fidèle de Troie. Deux des enfants de Priam, Hélénos et Cassandre, reçurent du dieu des dons de divination. Cassandre était courtisée par le dieu, qui lui avait donné ce don pour la séduire. Mais en dépit de cela, elle se refusa, et Apollon la frappa de malédiction : quoique prédisant correctement le futur, personne ne la croirait. Apollon fut ainsi rejeté par plusieurs femmes : Daphné préféra être transformée en laurier plutôt que d'être son amante. La Sibylle de Cumes à qui il offrit de vivre autant d'années qu'il y avait de grains de sable dans sa main, repoussa aussi ses avances; il la condamna à vivre mille ans, mais sans lui épargner la vieillesse. Lorsque Zeus donna à Marpessa le choix entre Apollon et le mortel Idas, elle préféra Idas. De même il courtisa sans succès la nymphe Sinopé qui lui avait demandé une faveur avant de lui céder : le dieu la lui accorda, puis il apprit que son désir était de rester vierge jusqu'à sa mort. Ses amours avec les jeunes hommes ne furent pas plus heureuses. Il tua accidentellement le Spartiate Hyacinthos avec un disque (de son sang naquit une jacinthe). Il aima Cyparissos, lequel tua un cerf apprivoisé et ne put s'en consoler; aussi Apollon, pour l'apaiser, le transforma en cyprès.

Au début de *L'Iliade,* Homère nous montre Apollon sous un aspect terrifiant, punissant les Grecs du vol de Chryséis, la fille de son prêtre Chrysès, en les frappant de la peste. Ce fut également Apollon qui provoqua la mort d'Achille d'une flèche de l'arc de Pâris. Il ordonna à Oreste de punir sa mère Clytemnestre, et son amant Egisthe qui avaient tué son père, Agamemnon; et lorsque Oreste, après cela fut frappé de folie par les Erinyes, ce fut encore Apollon qui lui conseilla de défendre sa cause devant le tribunal de l'Aréopage, à Athènes. Quand Oreste comparut devant la cour, Apollon se fit son défenseur contre les charges portées par les Erinyes et par l'ombre de Clytemnestre.

Apollon se querella avec Héraclès. Celui-ci, ayant tué Iphitos, vint à Delphes pour savoir comment il pourrait être purifié et guéri de la folie dont il avait été frappé. Tout d'abord, la Pythie refusa de lui répondre, tant était réprouvé le meutre d'un ami. Héraclès s'empara alors du trépied sacré et engagea une lutte avec Apollon; mais Zeus sépara ses deux fils en lançant sa foudre. Puis Apollon apprit à Héraclès qu'il serait guéri après avoir servi trois ans comme esclave. Héraclès, en remerciement, propagea le culte d'Apollon qui avait aussi servi comme esclave.

Outre Asclépios, il eut plusieurs fils, dont Aristée avec la nymphe Cyrène; il aurait aussi engendré Orphée et Linos. Chez les Etrusques et les Romains, il était un dieu important. Il se manifestait à eux par l'oracle de la grotte de Cumes, dont la Sybille accompagna Enée aux enfers, selon la légende romaine. Auguste l'adopta comme son protecteur et comme le symbole de sa mission civilisatrice, lui dédiant le magnifique temple qui venait d'être construit sur le mont Palatin, en 28 après J.-C.

ARACHNÉ. Jeune fille de Lydie, fille d'Idmon de Colophon. Elle était experte dans l'art de tisser, et un jour elle défia Athéna elle-même, la déesse des Tisserandes. Athéna lui apparut sous le déguisement d'une vieille femme et lui conseilla d'être moins présomptueuse. Mais Arachné repoussa l'avertissement, et Athéna, reprenant son apparence, releva le défi. Elle tissa une tapisserie décrivant le destin des mortels trop prétentieux; Arachné, elle, représenta les agissements scandaleux des dieux. Le travail d'Arachné fut aussi beau que celui de la déesse, mais celle-ci, de colère, le mit en pièces et frappa Arachné avec une navette. La jeune fille se pendit et la déesse la transforma en araignée qui prit le nom et conserva l'habileté d'Arachné.

ARCAS. Fils de Zeus et de Callisto. Lorsque Callisto le portait, Zeus la changea en ourse, soit pour la cacher aux regards fureteurs d'Héra, soit pour écarter la vengeance d'Artémis, de qui elle était la compagne; la déesse était irritée parce que Callisto avait rompu son vœu de chasteté. Son fils, Arcas, fut recueilli par Hermès, qui le confia à sa propre mère, Maia, sur le mont Cyllène; d'après une autre tradition, Arcas aurait été recueilli par le père de Callisto, le roi d'Arcadie, Lycaon, qui le coupa en morceaux et le servit en ragoût à Zeus; le dieu lui rendit la vie et changea Lycaon en loup.

Arcas devint roi d'Arcadie et donna son nom au pays. Il

enseigna à son peuple l'art de tisser, de cultiver le blé et de faire le pain, connaissances qu'il tenait de Triptolème. Un jour, Arcas vit une ourse qui entrait à pas pesants dans le temple de Zeus Lycien, ou alors il l'aperçut à la chasse, et lui lança une flèche. L'animal était sa mère. On ne sait s'il la tua, mais Zeus les transforma en constellation : elle, la Grande Ourse, lui, la Petite Ourse.

Arcas avait épousé une dryade (nymphe des arbres), Erato; après sa transformation, ses fils se partagèrent le royaume.

ARÈS. Dieu de la guerre, chez les Grecs, à qui plus tard fut identifié le grand dieu romain, Mars.

Il était le seul fils de Zeus et de sa femme légitime, Héra, et bien que *L'Iliade* le peignît comme un guerrier violent et fanfaron, il figure parmi les douze grands dieux olympiens. Arès n'avait pas de femme, mais il eut de nombreuses aventures, notamment avec Aphrodite, la femme d'Héphaïstos, qui lui donna Harmonie et les jumeaux Phobos, la Crainte, et Deimos, la Terreur, qui accompagnaient leur père sur le champ de bataille. La liaison d'Arès et d'Aphrodite, la femme d'Héphaïstos, se termina brusquement; Homère nous raconte, par la bouche de l'aède Démodocos, dans *L'Odyssée*, comment Hélios, le Soleil, espionna les amants, puis avertit Héphaïstos de ce qui se passait dans son dos. Celui-ci, alors, fabriqua un immense filet qu'il fixa en secret au-dessus de son lit; puis il déclara qu'il quittait l'Olympe pour aller voir ses fidèles à Lemnos. Quand Arès et Aphrodite se retrouvèrent dans le lit, le filet tomba sur eux et les emprisonna. Héphaïstos apparut alors et les injuria, puis il appela les autres dieux pour qu'ils soient témoins de leur honte. Les déesses s'éloignèrent avec délicatesse, mais les dieux accoururent en riant; enfin, sur la prière de Poséidon, Héphaïstos consentit à les délivrer, à la condition qu'Arès lui payât une amende.

Arès eut une fille, Alcippé, d'une mortelle, Aglauros, fille de Cécrops; le fils de Poséidon, Halirrhothios, abusa d'elle sur l'Acropole, à Athènes, et Arès le tua sur place. Poséidon porta plainte contre ce dernier devant le conseil des dieux et il fut jugé sur les lieux mêmes, d'où le nom de l'Aréopage «colline d'Arès». Il fut acquitté.

Seules, les batailles et les carnages réjouissaient Arès : il évoluait autour du champ de bataille, assisté de ses fils jumeaux et d'Enyo, la déesse de la guerre, réveillant l'instinct guerrier des combattants. Athéna, la déesse de la stratégie et du vrai courage au combat, le dupait aisément. Un jour, il fut enchaîné et enfermé dans un pot de bronze par les géants Otos et Ephialtès, les Aloades, et y aurait péri si Hermès n'avait pas été informé de son infortune par Eriboea, la nourrice des géants.

Pendant la guerre de Troie, Arès combattit du côté des Troyens, mais il joua là un rôle indigne. Assisté d'Athéna, Diomède le blessa sérieusement, ce dont le dieu se plaignit à Zeus. Plus tard, il essaya de se joindre à la bataille, malgré l'interdiction de Zeus, mais Athéna l'en empêcha en l'insultant. Dans la dispute, Arès attaqua la déesse et lança son javelot vers le bouclier magique (l'égide) : Athéna ne fut pas blessée, mais, au contraire, elle étourdit Arès d'un coup de pierre. Comme Aphrodite tentait de le mettre à l'abri, Athéna assomma cette dernière aussi d'un coup de poing.

Lorsque Héraclès, sur le chemin de Delphes, fut défié par Cycnos, le fils d'Arès, le dieu lui-même se mêla au combat. Mais le héros, assisté d'Athéna, tua le brigand Cycnos et blessa Arès à la cuisse. Outre Cycnos, Arès eut beaucoup d'autres fils belliqueux : Diomède, roi des Bistones de Thrace, dont la mère était Cyrène, Ascalaphos, Phlégyas, et peut-être Méléagre.

ARÈTÉ. Fille du Phéacien Rhéxénor et femme d'Alcinoos, le frère de son père. Elle était très hospitalière; elle accueillit Ulysse dans sa détresse et persuada son mari de le recevoir comme hôte. Elle aida aussi Jason et Médée et fit jurer à Alcinoos de les protéger du père de Médée, Aeétès, à condition que leur mariage fût consommé ; pour cela, elle les fit se rencontrer secrètement dans un souterrain. Sa fille était Nausicaa, qui accueillit Ulysse naufragé.

ARÉTHUSE. Nymphe des bois, dont tomba amoureux Alphée, le dieu de la rivière où elle se baignait. Elle devint la source Aréthuse, sur l'île d'Ortygie, à Syracuse. *Voir* ALPHÉE.

ARGONAUTES. On appelle ainsi les héros qui prirent part avec Jason à la quête de la Toison d'Or, sur le navire *Argo*. Il nous est parvenu de nombreuses versions de l'expédition, mais la plus connue est celle d'Apollonios de Rhodes, un poète grec; l'histoire était connue aussi d'Homère et de Pindare.

Aeson, le père de Jason, était le roi légitime d'Iolcos en Thessalie, mais il fut détrôné par Pélias, son demi-frère. Il demeura dans la ville, mais par crainte que Pélias ne le mît à mort, il envoya secrètement son fils à Chiron pour qu'il l'élève et simula auparavant ses funérailles. Pélias avait été averti qu'il mourrait de la main d'un descendant d'Eole, qui viendrait à lui chaussé d'une seule sandale. Quand Jason atteignit l'âge d'homme, il décida d'aller à Iolcos et de faire valoir ses droits au trône. Il arriva au moment où Pélias sacrifiait à son père Poséidon. Héra en voulait à Pélias ; aussi, pour éprouver Jason qui était sur le chemin d'Iolcos, elle lui apparut sous la forme d'une vieille femme et lui demanda de lui faire traverser un cours d'eau rapide qui se trouvait sur leur route. Malgré sa hâte à atteindre Iolcos pour le sacrifice, Jason obéit et perdit une de ses sandales dans le cours d'eau. Après qu'il l'eut déposée sur l'autre rive, la vieille femme disparut, et jamais il ne sut qu'il s'agissait d'Héra. En arrivant à Iolcos, il se rendit sur la place du marché et demanda où il pourrait trouver Pélias. On rapporta au roi qu'un homme, qui avait un pied nu, voulait le voir. Pélias se fit aussitôt conduire au marché et comprit alors que l'oracle s'était réalisé. Jason lui révéla tout à fait franchement qui il était et pourquoi il était venu. Répugnant à souiller le sacrifice avec le sang de son neveu, Pélias l'invita dans son palais et lui annonça que le royaume serait à lui s'il promettait de remplir une tâche. Jason accepta cette condition, et Pélias le chargea de rapporter la Toison d'Or, croyant la chose impossible et espérant qu'il périrait dans l'expédition. Cette toison était la laine du bélier sur lequel Phrixos, pour échapper aux traitements cruels de sa belle-mère Ino, s'était envolé, allant d'Orchomène, en Béotie, jusqu'en Colchide. Après l'arrivée de Phrixos en Colchide, à l'extrémité de la mer Noire, la toison avait été suspendue dans le bois d'Arès, où elle était gardée par un serpent monstrueux qui ne dormait jamais. D'après une tradition, Aeétès, le cruel roi de Colchis, avait été averti par un oracle qu'il cesserait de régner si la toison disparaissait, ou bien qu'il mourrait de la main d'un étranger ; aussi, après avoir donné sa fille en mariage à Phrixos, il tua son gendre. Cependant, Jason consulta l'oracle de Delphes sur ses chances de réussite et reçut une réponse favorable. Héra l'aida tout au long de sa quête, et tout d'abord inspira à tout un groupe de jeunes hommes valeureux le désir de l'aider. A l'origine, ces héros devaient être Thessaliens (Apollonios leur donne le nom de « Minyens », nom associé à celui d'Orchomène, au nord de la Béotie), mais une tradition plus récente leur joint Héraclès et d'autres étrangers. Les différentes listes reflètent le désir des villes grecques de rehausser les mérites de leurs propres héros en les faisant participer au rassemblement des Argonautes. Les noms cités sur toutes les listes sont ceux du musicien Orphée, de Zétès et Calaïs (les fils ailés de Borée), Pélée, Télamon, Castor et Pollux (les Dioscures), Idas, Lyncée qui avait une vue supranormale, Tiphys le timonier, Argos, qui construisit le navire, Admète de Phères, Augias et Périclyménos. La plupart des héros avaient des dons ou des vertus particulières : Jason attirait les femmes, et l'amour qu'il inspira à Médée fut un facteur décisif; le don de seconde vue de Mopsos aida les Argonautes à apaiser Cybèle; Héraclès, avec son immense force, les sauva des géants d'Arctonnésos (l'île de l'Ours); Pollux, le champion de lutte, battit Amycos; enfin, Calaïs et Zétos chassèrent les Harpyes.

Le navire, disait-on, avait été construit par Argos, avec l'aide d'Athéna; sa figure de proue venait d'une branche du chêne sacré de Zeus, à Dodone : c'était un don d'Athéna, qui l'avait douée de parole. Le navire fut mis à l'eau avec son équipage de cinquante-six hommes, dont cinquante-quatre ramaient, par paire, pendant qu'Orphée, assis à l'avant, chantait pour apaiser la mer et pour donner la cadence aux rameurs; Tiphys pilotait à l'arrière. Apollon et Athéna protégeaient le vaisseau, et, à son départ, l'équipage fit un sacrifice à Apollon. Le fils de Pélias, Acaste, se joignit à l'expédition au dernier moment. La première escale des Argonautes fut Lemnos. Aphrodite avait affligé les femmes de l'île d'une odeur insupportable, au point que leurs maris les avaient abandonnées. Les épouses délaissées avaient alors tué leurs maris ainsi que les autres mâles de l'île. Leur reine, Hypsipylé, accueillit Jason, et Aphrodite fit disparaître la puanteur des femmes, à la demande d'Héphaïstos; c'est ainsi que Lemnos fut repeuplée par les descendants des Argonautes. Certains disent que les Argonautes séjournèrent un an dans l'île.

Après s'être arrêtés à Samothrace, ils traversèrent l'Hellespont (du nom de Hellé, la sœur de Phrixos, laquelle était tombée du bélier d'or), puis pénétrèrent en Propontide, ou mer de Marmara. Ils firent escale à Arctonnésos, ou l'île de l'Ours, qu'un isthme rattachait au continent. Le roi des Doliones, Cyzicos, les reçut avec hospitalité, mais des géants sortis de terre, nommés Gégéneis (nés de la terre), et qui possédaient chacun dix bras, attaquèrent le navire pendant que l'équipage était au loin. Cependant, Héraclès, qui était de garde, tua les géants et en fit un tas sur la plage. Puis les Argonautes, munis des instructions de Cizycos pour le reste du voyage, reprirent la mer. Plus tard, dans la journée, des vents les rejetèrent en arrière. Ils amarrèrent le navire et s'installèrent à terre; mais, pendant la nuit, ils durent repousser une attaque des habitants de l'endroit. Au matin, ils s'aperçurent que leurs assaillants étaient les Doliones et que Cizycos figurait parmi les morts. Ils lui firent des funérailles magnifiques, mais sa femme Clité se pendit de désespoir. Une tempête empêchait l'*Argo* de repartir, et Mopsos, qui avait des dons de prophétie, leur dit que Cybèle, la déesse phrygienne du mont Dindyme, devait être apaisée. Les Argonautes se rendirent à son autel en plein air, sur la montagne, et dansèrent autour de sa statue, entrechoquant leurs armes, comme le faisaient les Corybantes, fidèles de la déesse.

Au moment où l'*Argo* atteignait la Bithynie, Héraclès cassa son aviron; ses compagnons et lui abordèrent et furent accueillis par les habitants. Alors que Héraclès coupait du bois pour fabriquer une nouvelle rame, Hylas, un jeune homme qu'il aimait, alla tirer de l'eau à un puits; les nymphes du puits furent si émerveillées par sa beauté qu'elles l'attirèrent dans l'eau. Héraclès, déchiré par sa perte, se mit à errer dans les bois, appelant Hylas; et l'*Argo* quitta le port sans eux. Quand les Argonautes découvrirent qu'ils avaient laissé Héraclès à terre, Glaucos, une divinité marine, sortit des flots pour leur faire savoir que le héros était destiné à retourner en Grèce pour achever ses travaux. Polyphème resta aussi en arrière, car, entendant les appels de Hylas, il avait couru à son secours. Plus tard, il fonda la ville de Cios, dans le voisinage. Héraclès demanda aux gens du pays de chercher Hylas, après son départ.

L'*Argo* parvint ensuite au pays des Bébryces, dont le roi, Amycos, défiait tous les visiteurs à la lutte, et les tuait. Les Argonautes furent indignés par ce comportement et Pollux, le lutteur, enfonça le crâne d'Amycos d'un coup derrière l'oreille. Les Bébryces, voyant leur roi mort, attaquèrent les Argonautes qui les repoussèrent facilement.

Puis le navire fit escale à Salmydessos, capitale de la Thynie, en Thrace, dont le roi, Phinée, possédait des dons de prophétie; mais Zeus lui avait envoyé les Harpyes, car il avait pénétré certains secrets concernant la race humaine. Le dieu l'avait aveuglé, et les Harpyes venaient saisir les mets déposés sur sa table et le couvrir de leurs excréments. Le roi accueillit chez lui les Argonautes, les informa de l'avenir du voyage, puis les pria de l'aider, sachant que deux d'entre eux, ses beaux-frères ailés, Calaïs et Zétès, pourraient chasser les Harpyes. Un banquet fut préparé et, quand les Harpyes arrivèrent, Calaïs et Zétès les pourchassèrent jusqu'en Acarnanie ; là, Iris leur apporta un message de Zeus : les Harpyes devaient être épargnées, car elles étaient ses servantes, mais, jamais plus, elles ne tourmenteraient Phinée.

Les Argonautes firent voile vers le Bosphore, ayant été informés que, s'ils réussissaient à passer entre les Symplégades, ils pourraient poursuivre leur voyage sans encombre. Les «rochers qui se heurtent» étaient des écueils flottant de chaque côté du détroit, et qui se choquaient violemment quand le vent soufflait. Phinée avait expliqué aux Argonautes comment ils pourraient échapper au danger ; Euphème, un fils de Poséidon, qui pouvait traverser la mer sans se mouiller les pieds, lâcha une colombe qui vola entre les rochers. Ceux-ci se refermèrent à son passage, mais ne pincèrent que le bout de sa queue ; les rameurs lancèrent l'*Argo*, alors que les rochers s'écartaient de nouveau. Mais une énorme vague les retint à l'endroit précis où les rocs se refermaient. Cependant, Athéna n'abandonna pas le navire qu'elle avait construit ; elle le poussa à travers l'eau, et les rochers n'attrapèrent que l'extrémité de la poupe. Par la suite, le détroit resta libre, et les Symplégades ne gênèrent plus les marins. Poursuivant sans encombre leur route vers la Colchide, les Argonautes firent un sacrifice à Apollon, sur une île déserte de la côte de Thynie. Ils furent reçus par Lycos, le roi des Mariandynes ; c'est là que le devin Idmon fut tué par un sanglier (ainsi qu'il l'avait lui-même prédit) et que le pilote Tiphys mourut de maladie. Ancée prit le gouvernail, et Dascylos, le fils de Lycos, prit place parmi l'équipage. A Sinope, trois Thessaliens qui avaient aidé Héraclès à combattre les Amazones se joignirent à eux. Puis ils longèrent la mythique île d'Aria, où ils rencontrèrent des oiseaux qui attaquaient les étrangers en se servant de leurs plumes à l'extrémité d'acier, comme de flèches. Les Argonautes se couvrirent la tête de leurs boucliers et firent un terrible vacarme afin d'éloigner les oiseaux. Ils furent rejoints par les quatre fils de Phrixos qui avaient été abandonnés sur l'île quand ils avaient fui Aeétès, le roi de Colchide (qui avait tué leur père). L'aîné, Arogs, informa Jason des difficultés qui les attendaient en Colchide.

Les Argonautes remontèrent le fleuve Phase et jetèrent l'ancre devant la capitale, Aea. Jason débarqua et se rendit au palais d'Aeétès, accopagné par Télamon et Augias. Héra répandit sur eux une nuée, afin de les dissimuler, et Médée, seconde fille d'Aeétès et magicienne experte, fut la première personne à les voir. Aphrodite, engagée par Héra pour l'aider à accomplir son projet, inspira à Médée une vive passion pour Jason. Cependant Aeétès croyait que les Grecs étaient venus pour le tuer et s'emparer de son trône ; il nourrissait une haine implacable envers eux, mais il la tint secrète. Jason lui assura que le seul objet de son voyage était la Toison d'Or. Aeétès fit semblant de le croire et fit connaître ses conditions. Elles consistaient en une épreuve de force et d'adresse, qui, pensait-il, amènerait la fin rapide de Jason. Il s'agissait d'atteler au même joug une paire de taureaux aux sabots d'airain et qui soufflaient le feu par leurs naseaux, puis de labourer un champ et de semer les dents d'un dragon, et enfin de tuer une moisson d'hommes armés qui surgiraient à ce moment-là du sol.

Argos alla trouver sa mère, Chalciopé, une des filles d'Aeétès, et lui demanda son aide ; celle-ci persuada sans mal Médée d'utiliser son art de magicienne. Puis il donna secrètement rendez-vous à Jason et à Médée, à l'aurore, dans le temple d'Hécate, la déesse des magiciennes, en dehors des murs de Aea. Là, Jason promit à Médée de la ramener en Grèce et de lui procurer une position honorable ; en retour, elle lui donna un baume et lui indiqua la façon dont il fallait invoquer l'aide d'Hécate. Plus tard, dans la matinée, Jason alla chercher les dents du dragon et reçut des instructions précises d'Aeétès. A la nuit, suivant les instructions de Médée, il offrit un sacrifice à Hécate, qui apparut et accepta ses offrandes. A l'aurore, il s'enduit du baume de Médée, puis, après qu'elle eut chanté des incantations pour le fortifier, il surmonta avec succès les trois épreuves imposées par Aeétès. Protégé par le baume des flammes que crachaient les taureaux, il réussit à les mettre sous le joug ; puis il laboura le champ et sema les dents derrière lui. Des hommes armés naquirent des sillons, atteignant, dans l'après-midi, leur taille définitive. Comme ils s'avançaient sur lui, Jason lança une pierre au milieu de la troupe. Aussitôt, les hommes commencèrent à se battre entre eux, se réduisant réciproquement en pièces. Il exécuta les survivants, et, au crépuscule, la bataille prenait fin.

Aeétès, cependant, ne tint pas sa promesse et refusa de donner la Toison d'Or. Au contraire, il voulut se débarrasser des Grecs, qui, à présent, le terrifiaient. Médée, pensant que son père la suspectait d'avoir aidé Jason, s'enfuit au milieu de la nuit, et alla vers l'*Argo*, où elle trouva les Argonautes célébrant la victoire de Jason. Elle fit part à ce dernier de ses craintes, et Jason prit alors Héra comme témoin de la promesse de mariage qu'il fit à Médée. Ensuite, elle conduisit Jason au bois d'Arès, où le serpent qui ne dormait jamais gardait la Toison d'Or. Grâce à ses sortilèges, elle réussit à endormir le monstre ; Jason grimpa sur lui et s'empara de la Toison. Tous deux se précipitèrent jusqu'à l'*Argo*, qui appareilla et quitta en toute hâte l'embouchure du Phase. Au lever du jour, la flotte d'Aeétès était déjà à leur poursuite. Il existe plusieurs versions du retour des Argonautes de Colchide. Selon la plus ancienne, rapportée par le poète Pindare, le navire fit voile vers l'Océan, probablement en remontant le Phase, plutôt qu'en le descendant. Puis, longeant l'Asie et l'Afrique, il pénétra en Méditerranée, soit par le détroit de Gibraltar, soit par la mer Rouge. Une autre version les fait traverser l'Europe : leur bateau aurait remonté le Don, descendu un autre fleuve, pour arriver à la Baltique, puis, longeant la côte ouest de l'Europe, il aurait pénétré en Méditerranée par le détroit de Gibraltar. Pour Ovide, les Argonautes empruntèrent le chemin qu'ils avaient pris pour venir, enlevant le jeune fils du roi, Apsyrtos, avant de partir. Puis, pendant la traversée de la mer Noire, voyant les bateaux d'Aeétès à leur poursuite, Médée poignarda son frère Apsyrtos, le coupa en pièces et sema les membres sur la mer, ou les laissa en évidence sur la plage. Ainsi elle retarda son père, qui recueillit le corps, et lui fit des funérailles. Pendant ce temps, l'*Argo* s'enfuyait rapidement.

Toutefois, Apollonios raconte qu'Aeétès avait envoyé Apsyrtos, déjà adulte, à la poursuite des Argonautes. Ce dernier ferma toutes les issues de la mer Noire, y compris le Bosphore et l'embouchure de l'Ister (le Danube), mais omit le bras le plus au nord. Les Argonautes utilisèrent cette issue et suivirent l'Ister sur toute sa longueur ; puis ils descendirent un autre fleuve et débouchèrent dans l'Adriatique. Cependant, Apsyrtos les avait devancés et les attendait, bloquant l'issue. Les Argonautes abordèrent sur une île consacrée à Artémis, et Jason parlementa avec Apsyrtos. Celui-ci accepta de laisser la Toison d'Or à Jason, mais insista sur le retour de Médée. Quand elle apprit cela, Médée fut furieuse contre Jason, mais ce dernier prétendit que son entrevue avec Apsyrtos n'avait été qu'une ruse. Médée, prête à voir mourir son frère, aida Jason à lui tendre une embuscade, lors d'une seconde rencontre. Elle attira Apsyrtos, sous le prétexte qu'elle voulait être sauvée de Jason qui l'avait enlevée ; Jason apparut alors, et le poignarda. A la suite de cet acte impie, les Argonautes ne purent descendre le long de l'Adriatique, parce qu'une tempête les repoussait en arrière. Par la voix de leur beaupré, Zeus les informa que Jason et Médée devaient être purifiés par Circé, la tante de Médée, qui vivait sur une île, sur la côte ouest de l'Italie. Le navire dut remonter le fleuve Eridan (le Pô), descendre le Rhône et arriver ainsi, protégé par Héra, à la mer Tyrrhénienne.

Lorsqu'ils atteignirent Aeaea, l'île de Circé, Jason et Médée débarquèrent seuls et allèrent se faire purifier; la magicienne utilisa le sang d'un cochon et fit des offrandes propitiatoires à Zeus, et aux Erinyes. Puis elle leur demanda qui ils étaient et ce qu'ils avaient fait; leur histoire l'horrifia tellement qu'elle les renvoya sans leur offrir l'hospitalité, et bien que Médée fût sa nièce. Cependant, la purification demandée par Zeus avait été obtenue. Avec l'aide d'Héra, de Thétis et des Néréides, l'*Argo* cingla vers le sud, dépassant Charybde et Scylla, évitant les Sirènes et les îles Errantes. Quand l'équipage arriva à Schéria, l'île des Phéaciens, il trouva un groupe de Colchidiens qui avaient pour mission de ramener Médée. Arétè, la femme d'Alcinoos, roi des Phéaciens, suggéra à son mari de ne rendre Médée aux Colchidiens que si son mariage avec Jason n'avait pas encore été consommé. Sinon, elle devrait rester avec son mari. De fait, ils n'avaient pas encore consommé leur mariage; aussi, Arétè, qui avait de la sympathie pour eux, arrangea en hâte une rencontre dans une grotte. Ainsi, les Colchidiens durent repartir les mains vides; mais, plutôt que d'affronter la colère d'Aeétès, ils s'établirent à Corcyre.

Les Argonautes reprirent la mer; mais, arrivés à proximité de la Grèce, une tempête les dérouta jusqu'en Libye. Ils furent transportés à l'intérieur des terres par une énorme vague et déposés dans le désert. Ils étaient sur le point de mourir de soif quand Jason vit trois nymphes vêtues de peaux de chèvre; elles lui dirent que lorsque Amphitrite aurait dételé le char de son mari Poséidon, ils seraient quittes envers leur mère des peines qu'elle avait eues lorsqu'ils étaient dans son sein. Pélée interpréta l'oracle, et un grand cheval blanc leur apparut; ils reconnurent un des chevaux de Poséidon; leur mère était évidemment l'*Argo* lui-même, qu'ils durent porter sur leur dos pendant neuf jours, jusqu'au lac Tritonis. Ce lac se trouvait près du jardin des Hespérides et ils y arrivèrent juste après le passage d'Héraclès, qui en avait tué le serpent et pris les pommes. Il avait aussi fait jaillir une source d'un rocher, ce qui permit aux Argonautes d'étancher leur soif. Une fois le navire mis à l'eau sur le lac Tritonis, ils furent incapables de trouver une issue vers la mer. Sur une suggestion d'Orphée, ils offrirent un trépied sacré provenant de Delphes aux dieux locaux. Leurs prières furent entendues par Triton, qui avait pris l'apparence d'un certain Eurypylos; celui-ci donna à Euphèmos une motte de terre en signe d'amitié, puis il poussa l'*Argo* sur une rivière, jusqu'à la mer. Les Argonautes firent voile le long de la côte de Libye et arrivèrent en Crète. Là, vivait Talos, l'homme de bronze chargé par Minos de défendre l'île; trois fois par jour, il en faisait le tour. Le géant lança des rochers sur eux, mais Médée, par ses enchantements, enleva le clou qu'il avait à la cheville et qui retenait le sang de son unique veine, ce qui entraîna sa mort. La motte de terre offerte par Triton tomba à la mer au nord de la Crète et devint l'île de Thèra; accomplissant une prophétie, les descendants d'Euphèmos s'établirent sur l'île.

Puis l'*Argo* fut enveloppé d'une épaisse nuée, dans laquelle il était impossible de se diriger. Jason implora Apollon, qui lança une flèche enflammée vers un endroit proche du bateau. Une île voisine fut éclairée, et les compagnons l'appelèrent *Anaphè*, la Révélation. Ils y abordèrent et offrirent à Apollon un sacrifice en reconnaissance. Le jour revint, et le navire termina son voyage jusqu'à Iolcos, où Jason remit la Toison d'Or à Pélias. Mais il ne devint jamais roi d'Iolcos, et abandonna Médée qui l'avait tant aidé. L'*Argo* finit ses jours à Corinthe; par une ironie du sort, Jason fut tué sous sa carcasse pourrissante, assommé par la proue qui s'était détachée. Son compagnon, le fils de Pélias, Acaste, devint roi d'Iolcos. Les dieux enlevèrent le navire dans les cieux et en firent une constellation.

ARGOS. 1. Etre monstrueux, doué d'une grande force. Il possédait un grand nombre d'yeux (selon les uns, il en avait qui regardaient par-derrière; selon les autres, ils étaient répartis sur tout le corps). Pour cela, il était surnommé Panoptès, Celui-qui-voit-tout. Il tua un taureau qui ravageait l'Arcadie, et un satyre qui volait du bétail.

Il fut tué par Hermès qui, par la suite, fut nommé «le meurtrier d'Argos» (Argeiphontès). Lorsque Io fut changée en génisse, Argos fut chargé de la garder. C'est pour cela que Zeus ordonna à Hermès de le tuer. Héra plaça les yeux du monstre sur son oiseau favori, le paon (ou alors, elle le transforma lui-même en paon). Son fils était Iasos.

2. Fils de Zeus et de Niobé, la fille de Phoronée. En succédant à son père, il donna à son royaume le nom d'Argos.

3. Fils aîné de Phrixos et de Chalciopé, né à Colchos. Quand le roi du pays, Aeétès, se retourna contre Argos et son frère, ces derniers s'enfuirent et firent naufrage sur l'île d'Aria; c'est là que les Argonautes les trouvèrent, avant de les ramener à Aea. Argos intercéda en faveur de Jason auprès d'Aeétès. Plus tard, lorsque Jason eut accompli les tâches imposées par Aeétès, Argos demanda à sa mère, la fille du roi, de sauver les Argonautes de la colère d'Aeétès. Ses frères et lui s'enfuirent avec Jason et Médée sur l'*Argo*.
4. Constructeur de l'Argo, il reçut l'aide d'Athèna, puisque aucun navire de ce genre n'avait existé auparavant. Argos se joignit plus tard à l'équipage.

ARIANE. Fille de Minos, roi de Crète, et de Pasiphaé. Lorsque Thésée vint en Crète pour tuer le Minotaure, Ariane tomba amoureuse de lui. Elle lui donna une épée et une pelote de fil pour qu'il puisse retrouver son chemin dans le Labyrinthe. Thésée lui avait promis de la ramener et de l'épouser. Après son exploit, il s'enfuit avec elle sur son navire et fit voile vers Athènes. En chemin, Thésée fit escale sur l'île de Dia, plus tard appelée Naxos. Au moment de repartir, il l'abandonna sur le rivage, mais le dieu Dionysos la recueillit et l'épousa. Selon d'autres versions, cependant, Dionysos l'enleva avant le départ de Thésée; ou bien, ele fut tuée par Artémis sur l'ordre de Dionysos qui l'accusait de quelque faute. Une tradition de Naxos rapporte que Thésée l'abandonna, enceinte, et qu'elle mourut en couches. Après sa mort, Dionysos plaça sa guirlande nuptiale dans le ciel et en fit une constellation, la Couronne boréale.

ARISTÉE. Fils d'Apollon et de la nymphe Cyrène. Un jour, Apollon vit Cyrène se battre avec un lion sur le mont Pélion, en Thessalie, et il la transporta jusqu'en Libye, où elle lui donna un fils, Aristée. Apollon, ou Hermès, confia le bébé à Gaia (la Terre) et les Heures aidèrent celle-ci à l'élever. Les Muses lui enseignèrent les arts que son père protégeait, comme la médecine, le tir à l'arc et la divination; elles lui enseignèrent également l'élevage des abeilles, la culture des oliviers et la fabrication des fromages. Elles lui donnèrent en mariage la fille de Cadmos, Autonoé, qui lui donna un fils, Actéon. Aristée vivait dans la vallée du Tempé, et il introduisit les arts rustiques parmi son peuple, qui l'honorait comme un dieu. Un jour, il vit une très belle femme et la poursuivit. Il s'agissait d'Eurydice, la femme d'Orphée; celle-ci, dans sa fuite, marcha sur un serpent, qui la piqua mortellement. A la suite de cet accident, et bien que, tout d'abord, il en ignorât la cause, les abeilles d'Aristée dépérirent puis moururent. Aristée, désespéré, se rendit auprès de sa mère, Cyrène, qui vivait dans le palais de son père, sous les eaux du fleuve Pénée, et lui demanda son aide. Elle lui conseilla de capturer Protée, le Vieil Homme de la mer, qui avait le don de divination; il lui expliquerait ce qui n'allait pas, et ce qu'il faudrait faire. Il était difficile de capturer Protée, car le dieu avait le pouvoir de changer de forme. Mais Aristée le surprit pendant qu'il dormait, puis il apprit de lui la raison de la mort de ses abeilles. Protée lui dit de retourner au Tempé, de sacrifier quatre bœufs et quatre taureaux aux Dryades (nymphes des bois) et un mouton noir à Orphée, puis de retourner à cet endroit neuf jours après. Aristée exécuta toutes les instructions, et lorsqu'il revint, il trouva les carcasses grouillant d'abeilles. Après la mort de son fils Actéon, Aristée fut si désespéré qu'il alla vivre sur l'île de Céos (*voir* ICARIOS **2**). Plus tard, il voyagea en Sicile, en Sardaigne et en Arcadie, enseignant autour de lui l'agriculture. Il entra en compétition avec Dionysos, pour savoir laquelle des deux boissons, le vin ou l'hydromel, était la meilleure; les dieux comme les hommes préférèrent le vin. Il accompagna Dionysos dans son voyage triomphal. Certains disent qu'il avait pris soin du dieu, enfant, sur le mont Nysa, d'autres disent que ce fut sa fille Macris. Il vécut pendant un temps avec Dionysos en Thrace, puis disparut sur la montagne Haemos. Virgile, dans la quatrième *Géorgique*, raconte l'histoire d'Aristée et de ses abeilles.

ARTÉMIS. L'une des douze grandes divinités olympiennes; elle est la déesse des chasseurs, des archers et, paradoxalement, elle défend les animaux sauvages, les enfants et les êtres sans défense. On disait qu'elle parcourait les montagnes, accompagnée de nymphes et qu'elle punissait ceux qui les importunaient, elle et ses nymphes. Dans la littérature grecque classique, sa virginité, choisie délibérément et sauvegardée par la force, la caractérise; elle châtiait ceux qui essayaient de la faire changer d'avis, et tenait à ce que toutes ses suivantes fussent vierges; de même, elle défendait la virginité parmi les mortels. Mais Artémis n'était probablement pas, à l'origine, une déesse vierge; elle semble dériver d'une déesse nourricière, d'où son assimilation avec la déesse de la fécondité d'Ephèse. Aussi, elle apportait la fertilité et elle protégeait les nouveau-nés.

Artémis était la fille de Léto et la sœur jumelle d'Apollon;

elle naquit à Délos en même temps que lui, ou bien juste avant lui, à Ortygie (quelquefois représentée comme une île séparée) ; de là viennent ses épithètes de Délia et de Cynthia, la dernière venant du mont Cynthos, à Délos. Bien sûr, Héra fut jalouse d'elle, comme de toute la progéniture que Zeus avait eue avec d'autres qu'elle-même : dans *L'Iliade,* elle insulte Artémis, lui jette ses flèches et la gifle, sur quoi la déesse se précipite sur les genoux de son père où elle s'asseoit en pleurant. Avec Apollon cependant, elle mit à mort le géant Tityos, qui essayait de violer sa mère Léto ; tous deux le percèrent de leurs flèches, puis le géant subit un châtiment éternel dans le Tartare. Artémis et Apollon tuèrent aussi la plupart des enfants de Niobé, car celle-ci avait offensé leur mère en comparant sa progéniture abondante à celle de Léto. De même qu'Apollon était considéré comme le responsable de la mort soudaine, mais naturelle des hommes, Artémis était censée donner la mort aux femmes. Pour cela, elle fut par la suite étroitement associée avec, ou assimilée à la déesse magicienne Hécate, quelquefois appelée l'Artémis des carrefours, qui était aussi une déesse nourricière ; comme Artémis, elle présidait aux destins, mais elle était aussi plus liée au monde des Ombres.

L'aventure de la nymphe Callisto fut peut-être d'abord attribuée à Artémis elle-même : «la plus belle» (*kallistè)* est un de ses qualificatifs. Callisto, la compagne favorite d'Artémis, fut aimée de Zeus, à qui elle donna Arcas. Selon une variante de l'histoire, Artémis elle-même changea Callisto en ourse et la chassa de ses flèches, car celle-ci n'avait pas gardé sa viriginité et, donc, avait rompu ses vœux. Par contre, Artémis prit pitié de Procris, qui voulait quitter son mari et devenir une chaste chasseresse ; la déesse lui donna le chien Laelaps et un javelot infaillible (lequel, plus tard, causa sa mort).

Artémis figure aussi dans l'histoire du chasseur géant, Orion, dont il existe plusieurs versions. Selon l'une d'elles, Orion essaya de violer Artémis et fut tué par les flèches de la déesse. D'après une autre tradition, ce fut elle qui tomba amoureuse d'Orion, ce qui rendit Apollon jaloux. Un jour où tous deux chassaient en Crète, Apollon aperçut Orion nageant loin dans la mer. Le dieu, qui savait très bien qui il était, défia Artémis de l'atteindre d'une flèche et, ainsi, lui fit tuer son amant. Selon une autre version, Orion s'était vanté de vouloir tuer tous les animaux sauvages de la terre ; aussi Artémis (ou Gaia) lui envoya un scorpion qui le tua. Ou alors, elle le tua parce qu'il aimait Eos, et en avait fait sa maîtresse, ou bien parce qu'il avait violé une de ses nymphes, nommée Opis. Orion, le scorpion, et Callisto devinrent des constellations.

Quand les géants Otos et Ephialtès tentèrent de violer Artémis et Héra, Apollon intervint juste à temps en faisant s'élancer un cerf entre les deux; tous deux lancèrent leurs javelots et se tuèrent réciproquement. Lors de la bataille entre les dieux et les géants, Artémis tua Gration de ses flèches. Artémis se vengea de Coronis, qui avait trompé Apollon avec un mortel pendant qu'elle portait leur fils Asclépios; la déesse la transperça de ses flèches.

Artémis punissait tous les mortels qui l'offensaient ou qui négligeaient ses rites. Parmi eux figure Actéon, qui la surprit au bain; la déesse eut peur qu'il ne se vantât de l'avoir vue, et le changea en cerf; celui-ci fut immédiatement dévoré par ses propres chiens. Oenée, qui avait oublié d'observer les rites d'Artémis pendant les fêtes d'été, fut puni par un sanglier qui ravagea le pays, et ainsi provoqua la chasse désastreuse du sanglier de Calydon. Admète fut châtié pour le même oubli, lors de son mariage; Artémis remplit son lit (ou sa chambre) de serpents. Agamemnon, avant de faire voile vers Troie, dut apaiser la colère d'Artémis par le sacrifice de sa propre fille, Iphigénie; soit qu'il se fût vanté d'être un chasseur aussi habile que la déesse, soit qu'il eût négligé de tenir une promesse qu'il lui avait faite plusieurs années auparavant, soit enfin qu'Artémis, protectrice des animaux sauvages, eût été contrariée par le présage de deux aigles (représentant Agamemnon et Ménélas) éventrant une hasc pleine. Elle empêcha alors le vent de souffler pour la flotte d'Agememnon. Parmi les autres divinités identifiées à Artémis figurent les déesses crétoises Britomartis et Dictynna; Séléné, la Lune (de sorte qu'Artémis, plus tard, fut appelée Phoebé); peut-être Iphigénie (qui, à l'origine, fut une divinité locale); et, chez les Italiques, Diane.

Artémis tient une place importante dans les pièces d'Euripide : *Hippolyte, Iphigénie à Aulis,* et *Iphigénie en Tauride.* Ovide raconte les métamorphoses de Callisto et d'Actéon.

ASCAGNE. Il est le fils d'Enée et de sa première femme, Créüse. Il naquit à Troie, et, jeune homme, suivit Enée dans son long voyage vers l'Italie, à la recherche d'une nouvelle patrie pour les rescapés troyens. Il combattit pendant la guerre contre Turnus et, trente ans après qu'Enée eut fondé Lavinium, il fonda lui-même Albe-la-Longue.

Après la chute de Troie (Ilion), selon Virgile, Ascagne prit le nom de Iule. Selon Tite-Live, cependant, Ascagne et Iule étaient deux personnes différentes, Ascagne étant le fils d'Enée et de Lavinia. Une variante de la seconde version donne à Enée un second fils, Silvius, à qui Lavinia donna naissance après la mort de son mari. D'après Virgile, Silvius est fils d'Ascagne ce qui renforçait les prétentions de la famille des Julii (celle de Jules César), qui disait descendre de Iule, donc d'Enée et de la déesse Vénus.

ASCLÉPIOS (en latin : *Aesculapius)*. Il est le dieu de la médecine, fils d'Apollon et de Coronis. Le bébé fut arraché du corps de sa mère (qu'Artémis avait tuée) par Hermès, ou par son père Apollon, et confié à Chiron, qui l'éleva et lui enseigna l'art de la médecine. Il existe plusieurs autres versions de sa naissance. Les habitants d'Epidaure, ville où se trouve le plus important des temples consacrés au dieu, préfèrent croire que Coronis accoucha pendant qu'elle visitait la ville avec son père. Puis, d'après cette tradition, elle abandonna son enfant sur le mont Pyrtion ; là, le bébé fut nourri par un troupeau de chèvres et fut recueilli par leur berger, bien que celui-ci eût été terrifié par les éclairs qui émanaient du corps de l'enfant. En Messénie, on disait que la mère d'Asclépios était Arsinoé, fille de Leucippos.

Asclépios épousa Epioné et eut deux fils, Machaon et Podalirios, qui combattirent tous deux à Troie et soignèrent les blessés. En dépit de sa nature divine, Asclépios, dit-on, mourut. Sa mort fut provoquée par Zeus, qui le foudroya car il avait osé ressusciter les morts. Apollon, le père d'Asclépios, vengea son fils en tuant les Cyclopes, fils de Zeus (qui fabriquaient la foudre de leur père) ; Zeus punit Apollon en l'obligeant à servir comme esclave, pendant un an, à la cour du roi Admète. Le serpent fut consacré à Asclépios qui, disait-on, s'était réincarné sous la forme de cet animal ; lorsque son culte fut transporté à Rome, en 293 av. J.-C., il arriva d'Epidaure sous l'aspect d'un serpent qui, selon certains, avait nagé jusqu'à la côte et avait choisi sa propre demeure. Asclépios fut placé dans le firmament par Apollon et devint la constellation du Serpentaire (Ophiochos).

ASTÉRIA. Titanide, fille de Coesos et de Phoebé ; elle épousa Persès et lui donna la déesse Hécate. Poursuivie par Zeus, elle se jeta dans la mer, prenant la forme d'une caille. L'île de Délos apparut plus tard à cet endroit et fut tout d'abord appelée Astéria ou Ortygie, d'après *ortyx*, la caille (quelquefois, ce sont deux îles différentes). Léto, sœur d'Astéria, se réfugia sur l'île lorsqu'elle était enceinte, et donna naissance à Apollon et Artémis.

ASTÉRIOS ou **ASTÉRION. 1.** Roi de Crète; il était le fils de Tectamos, qui avait colonisé l'île avec des Eoliens et des Pélasges. Lorsque Europe arriva en Crète, Astérios l'épousa et adopta les trois fils qu'elle avait eus de Zeus, Minos, Rhadamante et Sarpédon. N'ayant pas eu de fils, son successeur fut Minos. Astérios et Europe eurent une fille, nommée Crété. Le nom d'Astérios a été quelquefois donné au Minotaure.

2. Fils de Minos, il fut tué par Thésée.

ASTYANAX. Jeune fils d'Hector et d'Andromaque. Dans *L'Iliade*, il est effrayé par l'aigrette du casque d'Hector, pendant que son père prie pour être vainqueur dans la bataille qui va suivre. Son vrai nom était Scamandrios, mais tout le monde l'appelait Astyanax (le prince de la cité), car son père était le défenseur de Troie. Après la chute de Troie, Ménélas, ou Néoptolème, le précipita du haut de la muraille, car Ulysse avait conseillé de n'épargner aucun des descendants mâles de Priam. Il eut comme cercueil le bouclier de son père. Euripide décrit sa mort dans la tragédie *Les Troyennes.* Une tradition plus récente raconte qu'Astyanax fut emmené en captivité par les Grecs, et qu'il revint plus tard régner sur la cité de Troie reconstruite.

ATALANTE. La célèbre chasseresse. Sa légende a deux origines, l'une béotienne, l'autre arcadienne. Comme Artémis, elle se livrait à la chasse, et avait fait vœu de virginité. Dans la version arcadienne, son père est Iasos, fils de Lycurgue; dans la légende béotienne, elle est la fille de Schoenée, fils d'Athamas. Sa mère est Clyméné, la fille de Minyas.

Quand Atalante était un bébé, son père l'exposa, car il ne voulait pas de fille. Une ourse la trouva et la nourrit, puis des chasseurs la découvrirent et l'élevèrent. Par la suite, elle montra une inclination plus grande pour la chasse et les travaux masculins que pour le mariage et les occpations féminines. Les Centaures Rhoecos et Hylaeos tentèrent de la violer, mais elle les tua de ses flèches. Elle voulut même s'enrôler parmi les Argonautes, mais Jason eut peur que la présence d'une seule femme ne provoquât des conflits. Au retour des Argonautes en Grèce, Atalante prit part aux jeux funèbres de Pélias et battit Pélée à la lutte.

Sa célébrité lui vient principalement de deux légendes : la

chasse au sanglier de Calydon et la course dans laquelle l'homme qui la battrait gagnerait sa main. A Calydon, Atalante se joignit à la partie de chasse, pour tuer le sanglier. Ancée et Céphée (qui, semble-t-il, étaient ses oncles) et quelques autres refusèrent de chasser en compagnie d'une femme, mais Méléagre, qui aimait Atalante, les obligea à se joindre à eux. Atalante, la première, blessa le sanglier d'une flèche, mais ce fut Méléagre qui tua la bête. Il donna la dépouille à Atalante, car elle avait, la première, fait couler le sang, mais les oncles de Méléagre essayèrent de la lui enlever. Voyant cela, Méléagre les tua et, à son tour, mourut, puni par sa mère, Althée; ainsi, jamais il n'épousa Atalante. Après cet épisode, la célébrité d'Atalante parvint jusqu'aux oreilles de son père, qui découvrit qu'elle était sa fille. Il insista pour qu'elle se mariât, mais elle demeurait fidèle à son vœu. Aussi, elle mit comme condition à son mariage que son mari devait d'abord la gagner à la course. Les hommes qui perdraient seraient immédiatement mis à mort. En dépit de cette condition, beaucoup de jeunes hommes furent attirés par sa beauté et concoururent. Mais, bien qu'elle courût entièrement vêtue ou même armée, alors qu'eux étaient nus, tous perdaient et mouraient. Enfin, grâce à Aphrodite, elle fut battue. Un jeune homme, Milanion dans la version arcadienne, Hippoménès en Béotie, fut aidé par la déesse qui lui donna trois pommes d'or qui provenaient de son verger de Tamasos, à Chypre. Le jeune homme lança les pommes pendant la course, empêchant par trois fois Atalante de le dépasser : soit par curiosité, soit par avidité, ou alors parce qu'elle voulait sa victoire, elle s'arrêta pour les ramasser, et fut battue. Cependant, le jeune homme négligea de s'acquitter de ses devoirs envers Aphrodite. De plus, à leur retour, il consomma son union avec Atalante dans l'enceinte d'un temple; Aphrodite, pour ce sacrilège, les transforma en lions, et les lions, croyait-on, ne s'unissent pas entre eux, mais à des léopards. Selon Properce, Milanion obtint Atalante en partageant sa fatigue à la chasse, plutôt qu'en disputant une course. Une autre tradition fait d'Atalante la mère de Parhénopaeos («fils d'une vierge»), qu'elle exposa dans son enfance; comme elle, il fut élevé par des gens de la campagne.

ATÉ. Elle est la fille aînée de Zeus, sa mère est Eris, la Discorde. Elle personnifiait la folie aveugle, rendant ses victimes incapables d'un choix rationnel et les aveuglant au point de ne plus respecter les bonnes mœurs ou les convenances. Dans *L'Iliade*, Agamemnon, s'excusant de sa conduite envers

Achillle, raconte comment Até trompa Zeus à la naissance d'Héraclès; influencé par elle, Zeus, un jour, jura qu'un enfant de son propre sang, qui devait naître, régnerait sur Argos et sur ses environs. Il pensait à Héraclès, mais Héra fit retarder la naissance de ce dernier par Ilithyie et provoqua la naissance prématurée d'Eurysthée; c'est ainsi que Héraclès dut servir Eurysthée, inférieur à lui à tous les égards, et que le serment de Zeus fut accompli à l'encontre de sa volonté. Zeus, dans sa fureur, précipita Até du haut de l'Olympe en lui interdisant de jamais revenir; depuis ce temps, elle vécut parmi les hommes. Plus tard Zeus envoya ses filles les Prières (*Litai*) pour qu'elles suivent Até à travers le monde, donnant ainsi une chance aux hommes d'échapper à l'Erreur.

ATHÉNA. Elle est la fille de Zeus et fait partie des douze grands Olympiens. Athéna était la déesse de la Guerre, ainsi que de plusieurs professions et arts. Elle était la patronne des villes et avait des temples dans la plupart des grandes cités grecques. Athéna resta vierge, mais, contrairement à Artémis, elle ne fuyait pas les hommes; elle aimait les actions viriles et se joignait aux guerriers sur le champ de bataille. Son animal favori est la chouette, symbole de la sagesse; elle fut identifiée par les Romains à Minerve, la déesse de la Famille et des Artisans.

Dans l'art et la littérature, Athéna apparaît revêtue de son armure, d'un casque, d'un bouclier rond et d'une lance; sur sa poitrine, elle porte l'égide, cuirasse en peau de chèvre, ornée de glands. Sur son bouclier est peinte la tête de la Gorgone, et sa chouette est souvent perchée sur son épaule. Lorsque, d'un coup de hache, Héphaïstos fendit le crâne de Zeus, Athéna en jaillit déjà adulte, toute armée et prête pour la bataille. Il existe plusieurs explications de sa «naissance». D'après la plus connue, Zeus avait convaincu la Titanide Métis (la Prudence), de l'épouser. C'était elle qui avait fait vomir Cronos, le père de Zeus, délivrant ainsi les autres rejetons, Poséidon et Hadès. Quand elle fut encinte, Gaia et Ouranos, ou bien Prométhée avertirent Zeus que si Métis avait un deuxième enfant, celui-ci serait plus puissant que son père et qu'il régnerait sur le ciel et la terre. Pour évier cela, Zeus avala Métis enceinte. Selon une autre version, Zeus désirait bénéficier de la sagesse de Métis sans encourir le risque d'avoir un fils qui le supplanterait. Il la poursuivit amoureusement, sachant que, pour lui échapper, elle changerait de forme, car elle voulait rester vierge. Lorsqu'elle prit la forme d'une mouche, Zeus l'avala. En fin de compte, Métis fut délivrée dans la tête de Zeus, d'où Athéna émergea par la suite. L'épithète «Tritogeneia», de sens inconnu, est à l'origine de la croyance selon laquelle Athéna vit le jour au bord d'un lac ou d'un fleuve nommé Trito, ou Tritonis, comme il en existait en Béotie, en Arcadie, et en Libye. D'autres disent qu'elle fut élevée par la divinité marine Triton. Les habitants d'Alalcomènes, en Béotie, prétendent qu'Athéna fut élevée par leur fondateur, Alalcoménée, car leur ville était voisine d'un fleuve nommé Tritonis.

Athéna accorda son aide à de nombreux héros, comme Persée, Bellérophon, Héraclès, Jason, Diomède et Ulysse. Elle fut la protectrice la plus convaincue des Grecs à Troie. Elle aida Persée parce qu'elle voulait la mort de la belle Gorgone Méduse, qui l'avait offensée; aussi, elle avait donné à cette dernière une apparence si repoussante qu'elle transformait en pierre tous ceux qu'elle regardait. Lorsque Persée offrit au roi Polydectès de lui rapporter la tête de la Gorgone, Athéna lui fit présent des sandales ailées, de la besace et du casque qui rendait invisible, objets dont il avait besoin pour la vaincre. Une fois que Persée eut accompli cette tâche, il donna la tête coupée à la déesse, qui la fixa sur son bouclier.

Le plus célèbre sanctuaire d'Athéna était le Parthénon, à Athènes. Elle n'obtint pas Athènes sans mal, car Poséidon en revendiquait aussi la souveraineté. On les fit concourir, et Poséidon fit jaillir une source d'eau salée sur l'Acropole. Athéna fit alors pousser un olivier. Les Athéniens décidèrent que le dernier don était le plus utile et préférèrent la déesse au dieu. Poséidon, dans sa colère, inonda l'Attique, mais comme les Athéniens l'honoraient tout de suite après Athéna, il s'adoucit et accorda sa protection à la ville. Avant la guerre, Athéna était honorée à Troie sous la forme d'une statue de bois appelée le Palladion, qui était tombée du ciel. La citadelle était réputée invincible tant qu'elle possédait l'idole. C'est pourquoi les Grecs, sur le conseil d'Hélénos, un devin troyen qu'ils avaient capturé, décidèrent de voler la statue; Diomède et Ulysse s'introduisirent la nuit dans Troie et, avec l'aide d'Hélène, l'enlevèrent. Athéna avait un autre sanctuaire à Troie; c'est là qu'Ajax, le fils d'Oïlée, viola Cassandre qui s'agrippait à la statue de la déesse. Ajax, par sa violence, fit tomber la statue qui, à ce moment, détourna les yeux de l'acte outrageux. Après cela, Athéna retira sa protection aux Grecs, à l'exception d'Ulysse qu'elle aimait profondément et qu'elle aida à revenir chez lui — dix ans plus tard, il est vrai, mais ce retard avait été causé par l'hostilité de

Poséidon.

L'épithète d'Athéna Pallas a une origine obscure. Il se peut que la déesse ait pris le nom du géant Pallas, qu'elle avait tué lors de la guerre entre les dieux et les Géants. Selon une légende, aussi, la déesse, encore jeune, avait tué accidentellement l'une de ses compagnes de jeux, nommée Pallas, et elle aurait pris son nom en souvenir d'elle. Mais on explique souvent cette épithète comme l'appellation originale de la vieille déesse guerrière qui était honorée à Mycènes avant Athéna. De plus, les parentés entre Athéna et Athènes sont confirmées par les légendes d'Erichthonios et du jugement d'Oreste. La première, assez crue, raconte comment Héphaïstos poursuivit Athéna et tenta de la violer. La déesse-guerrière le repoussa avec succès, et la semence du dieu féconda la terre, d'où naquit, plus tard, Erichthonios («né de la terre»). La déesse le confia aux filles du roi Cécrops, après l'avoir enfermé dans un coffre qu'elle interdit d'ouvrir. Cependant, deux des filles furent incapables de résister à leur curiosité et regardèrent à la dérobée dans le coffre; elles virent un serpent (ou un enfant avec une queue de serpent, ou, encore, un serpent lové autour de l'enfant); devant ce spectacle, elles se jetèrent du haut de l'Acropole. La déesse reprit le petit être, et l'éleva dans son sanctuaire; plus tard, il devint roi d'Athènes.

Oreste, poursuivi sur toute la surface de la terre par les Erinyes, après le meurtre de sa mère Clytemnestre, arriva à Athènes. Là, Athéna le prit sous sa protection, établissant ainsi les traditions athéniennes du jugement par jury, et de l'hospitalité envers les étrangers. Elle réunit le tribunal de l'Aréopage pour qu'il soit jugé et, les suffrages étant égaux, elle fit pencher la balance en sa faveur. De ce fait, les Erinyes furent honorées à Athènes sous le nom d'Euménides, les Bienveillantes. Alors qu'Oreste et Iphigénie étaient sur le point de périr, dans la péninsule de Tauride (Crimée), elle les sauva une fois de plus.

Athéna et Arès sont tous deux des divinités guerrières, mais ils diffèrent sur un point; les Grecs, et tout particulièrement Homère, ont une préférence pour la déesse, qui symbolise la force intelligente et la stratégie, et s'oppose à la force brutale d'Arès. Dans *L'Iliade*, elle s'opposait constamment à lui et, un jour, elle combattit aux côtés de Diomède, contre lui; elle guida la lance qui alla frapper le ventre d'Arès, faisant fuir piteusement le dieu du champ de bataille. Zeus aimait aussi profondément Athéna qu'il haïssait Arès. *Voir* aussi PALLAS.

ATLAS. Un Titan, fils de Japet et de l'Océanide Clyméné. Son nom signifie probablement «celui qui porte», ou «celui qui supporte». Il épousa l'Océanide Pleioné. Alors qu'à l'origine on voyait en lui le gardien des colonnes des cieux, on le fit, plus tard, soutenir lui-même la voûte céleste. Atlas avait appris d'un oracle qu'un jour un fils de Zeus viendrait voler les pommes d'or du jardin des Hespérides, gardé par le serpent Ladon, et dont le verger se trouvait tout près de là. Aussi Atlas refusa-t-il d'accorder son hospitalité à Persée, qui était de passage; pour se venger, celui-ci lui montra la tête de la Gorgone Méduse, ce qui le pétrifia; telle serait l'origine des montagnes de l'Atlas marocain. Mais les rapports locaux très importants entre ses filles, les sept Pléiades et les cinq Hyades, suggèrent que l'identification particulière d'Atlas avec ces montagnes vient d'une tradition récente.

Héraclès, de deux générations plus jeune que Persée, eut, dit-on, une entrevue avec Atlas. Selon cette légende, Héraclès, accomplissant le onzième de ses travaux, était venu chercher les pommes des Hespérides; Atlas, complaisamment, lui offrit d'aller les chercher lui-même. Mais, en revenant, il déclara qu'il rapporterait lui-même les pommes à Eurysthée, voulant laisser Héraclès porter, désormais, la voûte céleste. Alors Héraclès prétendit qu'il devait ajuster le poids sur son épaule et le trompa en lui rendant sa charge. C'est ainsi que Atlas perdit à la fois ses pommes et l'occasion de se délivrer de son fardeau.

ATRÉE. Il est le fils de Pélops et d'Hippodamie. Il devint roi de Mycènes. Il est connu particulièrement pour sa haine implacable envers son frère Thyeste et pour avoir été le père d'Agamemnon et de Ménélas (ou bien leur grand-père, car son fils Plisthène est souvent considéré comme leur père). De même que Tantale, père de Pélops, avait attiré la malédiction sur lui et ses descendants par sa méchanceté, et que Pélops fut maudit par Hermès pour la mort de Myrtilos, de même Pélops maudit ses propres enfants pour le meurtre de leur demi-frère, Chrysippos, qu'ils avaient fait disparaître pour contenter leur mère. Pélops, qui était devenu roi de Pise, en Elide, en épousant Hippodamie, bannit Atrée et Thyeste de son royaume, pour leur crime. Ces derniers se réfugièrent chez le roi de Mycènes, Sthénélos, le mari de leur sœur Nicippe; celui-ci leur confia le gouvernement de Midée.

Aeropé, la fille de Catrée, roi de Crète, fut achetée comme

esclave par Atrée, puis devint sa femme ; elle lui donna Agamemnon et Ménélas (ou bien, selon une autre généalogie, leur père, Plisthène). Mais Aeropé devient amoureuse de Thyeste, son beau-frère, et elle trompa son mari de la façon suivante : Atrée fit vœu de sacrifier à Artémis le plus bel agneau né dans son troupeau cette année-là. Pour l'éprouver, la déesse lui envoya un agneau dont la toison était d'or et qu'Atrée, dans sa cupidité, tua ; il enferma la toison dans un coffre. Aeropé donna secrètement la toison à Thyeste. A ce moment-là, Sthénélos et son héritier Eurysthée étaient morts tous deux, et leurs sujets consultèrent l'oracle de Delphes : il leur dit de choisir l'un des souverains de Midée. Comme ils ne pouvaient s'accorder dans leur choix, Thyeste proposa que l'on choisît celui qui pourrait montrer une toison d'or. Atrée, naturellement, accepta, pensant qu'il en avait une en sa possession. Mais, à sa stupéfaction, ce fut Thyeste qui la montra, et qui, donc, devint roi. Mais, bientôt, il fut dépossédé de son royaume. Sur les instructions de Zeus, qui désapprouvait son adultère avec Aeropé, Hermès se rendit auprès d'Atrée et lui conseilla d'accepter le maintien de Thyeste sur le trône, à moins que lui-même pût montrer un prodige encore plus grand : celui de renverser la course du soleil et le sens des Pléiades dans le ciel. Thyeste, pensant que son frère était devenu fou, accepta ; mais l'impossible se réalisa, et il dut céder son trône. Atrée le bannit sur-le-champ, mais, peu après, quand il découvrit que Thyeste l'avait berné au sujet de la toison, il regretta son indulgence. Voulant, prétendument, faire preuve de bonne volonté envers son frère, il invita celui-ci à un banquet (ou bien Thyeste vint en suppliant, bien qu'il ne fût pas invité). Thyeste avait trois fils, qui avaient cherché refuge dans le sanctuaire de Zeus, mais Atrée les tua et les servit à leur père, lors du banquet ; quand Thyeste eut fini de manger, Atrée lui montra les mains et les pieds de ses enfants morts et lui révéla la nature du mets. Puis il l'envoya de nouveau en exil ; Thyeste maudit son frère, et interrogea l'oracle de Delphes pour savoir comment se venger. Il lui fut répondu qu'il devait avoir un enfant de sa propre fille Pélopia. Il viola cette dernière sans qu'elle sût qui il était (selon une autre version, il ne savait pas non plus qui elle était). Mais celle-ci s'empara de son épée et la cacha sous la statue d'Athéna.

Par suite de la malédiction de Thyeste et de la perversité d'Atrée, l'Argolide fut frappée de famine. Atrée consulta un oracle pour savoir comment racheter sa faute ; l'oracle lui conseilla de faire revenir Thyeste. Il partit à la recherche de son frère et, en cours de route, il rencontra Pélopia à la cour du roi des Thesprotes d'Epire, Thesprotos. Il devint amoureux d'elle et demanda sa main à Thesprotos; ce dernier, qui ne voulait pas révéler sa véritable identité, la faisait passer pour sa fille et la donna à Atrée, quoique enceinte. Lorsque Egisthe naquit, Pélopia l'abandonna. Mais Atrée, qui avait appris son existence, le trouva chez des bergers qui l'avaient recueilli et l'éleva à la cour. Pendant ce temps, il envoya ses fils ou ses petits-fils, Agamemnon et Ménélas, interroger l'oracle pour savoir où se trouvait son frère. Thyeste, qui n'avait pas renoncé à châtier son frère, se rendit auprès de l'oracle en même temps qu'eux; il fut enlevé par les deux frères, et traîné à Mycènes. Là, Atrée l'emprisonna et envoya Egisthe, maintenant jeune homme, dans sa cellule pour le tuer, lui donnant l'épée que Pélopia avait reprise, et qu'elle avait emportée avec elle. Lorsque Thyeste vit l'épée, il demanda à Egisthe comment il se l'était procurée; le jeune homme lui répondit qu'elle appartenait à sa mère. Thyeste demanda alors la grâce ultime de voir Pélopia, à qui il révéla la vérité : lui-même était à la fois le père et le grand-père d'Egisthe. Par honte de l'inceste, Pélopia se transperça de l'épée, et Egisthe, refusant de tuer son père, rapporta l'épée sanglante à Atrée, annonçant que Thyeste était mort. Atrée prépara un sacrifice pour remercier les dieux de la mort de son frère détesté; pendant qu'il se trouvait sur le rivage, près du sanctuaire, Egisthe le poignarda, vengeant ainsi son père. La malédiction de Thyeste s'accomplit au moment où Egisthe séduisit Clytemnestre et où tous deux assassinèrent Agamemnon à son retour de Troie. Cette mort fut vengée par le fils de la victime, Oreste, qui tua Egisthe.

Telle est la trame de la trilogie d'Eschyle, *L'Orestie,* et de la tragédie de Sénèque, *Thyeste.*

ATRIDES. Patronyme grec signifiant «fils d'Atrée» et désignant Agamemnon et Ménélas.

ATTIS. Jeune homme aimé de Cybèle, la déesse phrygienne appelée la Grande Mère. Il existe plusieurs versions de sa légende. Selon la tradition phrygienne, les dieux émasculèrent la divinité hermaphrodite Agdistis. Les organes tranchés tombèrent sur le sol et donnèrent naissance à un amandier. Nana, une nymphe, déposa le fruit de l'arbre dans son sein et mit au monde un garçon. L'enfant fut abandonné et élevé par un berger, et, plus tard, devint berger lui-même.

Agdistis, qui était alors seulement une femme, sous le nom de Cybèle, le vit et conçut pour lui un amour jaloux au point de ne pouvoir supporter l'idée de le voir marié (ou bien, malgré son serment de lui être fidèle, Attis décida plus tard d'épouser la nymphe Sagaritis). Aussi, Agdistis le frappa de folie, et il s'émascula. Attis mourut de la blessure, et Cybèle, accablée de douleur, le transforma en pin. La déesse ordonna qu'il fût pleuré chaque année, et qu'en sa mémoire, seuls des eunuques fussent admis à son culte. D'autres traditions racontent quc Cybèle eut un fils d'Attis, et que son père, Méion, roi de Phrygie, tua Attis et le bébé. Cybèle en perdit la raison et se précipita à travers la campagne, pleurant Attis en s'accompagnant d'un tambour. Lorsqu'une famine se déclara, les Phrygiens apprirent d'un oracle qu'ils devaient enterrer Attis et rendre un culte à Cybèle. Alors, la déesse ressuscita son amant mort, et tous deux furent adorés en Phrygie. D'après une version lydienne du mythe, Attis périt non pas de sa mutilation, mais de la charge d'un sanglier, comme Adonis. *Voir* CYBÈLE.

L'histoire d'Attis et de son autocastration sert de fond au poème de Catulle (n° 63), dans lequel un jeune homme s'émascule au cours d'une crise d'extase, en l'honneur de Cybèle, puis regrette amèrement son geste.

AUGIAS. Roi d'Elis dont les écuries furent nettoyées par Héraclès. Il avait pour frère Actor, le père d'Eurytos et de Ctéatos (les Molionides). Son père était Hélios, ou bien Poséidon, ou Phorbas. Il fit partie des Argonautes et, plus tard, attaqua Pylos. Il possédait un immense troupeau, mais il avait laissé s'amonceler le fumier qui encombrait les étables et les cours. Eurysthée l'apprit et ordonna à Héraclès, pour le cinquième de ses travaux, de les nettoyer en un jour. Héraclès rusa, et demanda à Augias une rétribution (le dixième de son troupeau); en tant qu'esclave, il n'y avait pas droit. Puis, prenant Phylée, le fils d'Augias, comme témoin, Héraclès fit une brèche dans le mur des écuries et y fit pénétrer les eaux de l'Alphée, qu'il avait détourné. Le fleuve accomplit le travail et emporta tout le fumier, qu'il alla déposer dans la mer. Dans la soirée, Héraclès avait fait rentrer le fleuve dans son lit, et avait reconstruit le pan abattu dans le mur des écuries. Puis il réclama ses gages à Augias; ce dernier avait découvert la ruse d'Héraclès et déclara le contrat nul et non avenu; il alla même jusqu'à nier l'existence d'un contrat, faisant ainsi injure à son propre fils, Phylée. Héraclès et Phylée quittèrent Elis ensemble; le premier promit de se venger et le second trouva refuge à Dulichium. Héraclès revint plusieurs années après avec une armée d'Arcadiens. Mais Augias s'était préparé à une attaque et possédait une armée conduite par Amaryncée et les Molionides. Il avait convaincu ces derniers d'être ses alliés en leur promettant une part de son royaume. Les Arcadiens d'Héraclès furent vaincus, puis chassés; une fois de plus, Héraclès quitta Elis. Mais, plus tard, il tendit une embuscade aux Molionides, à Cléonae, et, de nouveau, il envahit le pays. Cette fois-ci, il fut vainqueur, et tua Augias, ou bien le détrôna. Puis il fit venir Phylée de Dulichium et le fit roi d'Elis. D'après une autre tradition, Augias, sur son lit de mort, donna son royaume à son fils cadet, Agasthénès, et aux fils des Molionides; Phylée retourna à Dulichium.

Augias eut une fille, Agamédé, qui avait des dons de magicienne.

AURORE. *Voir* ÉOS.

AVENTINOS. L'un des alliés de Turnus contre Enée. Il était né sur l'Aventin, colline qui, plus tard, fit partie de Rome. Son père était Hercule (Héraclès), et sa mère une prêtresse, Rhéa. Pour montrer sa filiation, il avait peint une hydre sur son bouclier et il portait une peau de lion.

AXION. 1. Fils de Phégée, roi de Psophis. **2.** Fils de Priam; il fut tué par Eurypylos **3.**

B

BACCHANTES, BACCHANALES. *Voir* MÉNADES.

BACCHUS. *Voir* DIONYSOS.

BATTOS. 1. Parti de Théra, il fonda la colonie de Cyrène, en Libye. Il était le dix-septième descendant de l'Argonaute Euphémos, qui avait colonisé Théra avec des habitants de Sparte.

Une tradition de Cyrénaïque fait de Battos le fils de Phronimé, fille d'un roi crétois, Etéarchos. La belle-mère de Phronimé, par cruauté, dressa Etéarchos contre sa fille en émettant des doutes sur la moralité de celle-ci. Le roi persuada, par de riches cadeaux, Thémison, un marchand de Théra, de lui accorder la faveur qu'il désirerait; Thémison accepta, et Etéarchos lui demanda de jeter Phronimé dans la mer, de son bateau. Thémison fut indigné, mais dut accomplir sa promesse. Cependant, il noua une corde autour de la jeune fille, et après l'avoir jetée dans la mer, il la hissa de nouveau sur le bateau. S'étant ainsi acquitté envers Etéarchos, Thémison emmena Phronimé à Théra où elle devint la concubine d'un noble de l'île, Plymnestos. Elle donna naissance à Aristolélès, qui fut appelé Battos à cause de son bégaiement. Lorsque Battos atteignit l'âge d'homme, il accompagna Grinnos, roi deThéra, lors d'un voyage à Delphes; l'oracle dit à Grinnos de fonder une colonie en Libye. Mais celui-ci se prétendit trop vieux pour un tel voyage et demanda à l'oracle de reporter ce devoir sur Battos. Pendant sept ans rien ne fut fait pour accomplir l'ordre, et durant toute cette période, pas une goutte de pluie ne tomba sur Théra. Comprenant que la sécheresse était une punition pour leur inactivité, les gens de l'île envoyèrent une délégation dans l'île de Crète, pour savoir si quelqu'un savait où se trouvait la Libye. Là, ils trouvèrent un nommé Corobios, marchand de teinture dont le bateau avait été détourné par l'orage jusqu'à l'île de Plataea, sur la côte libyenne. Ils louèrent ses services, et le marchand guida un groupe à Plataea; cependant, Battos ne se joignit pas à l'expédition.

La colonie de Plataea ne prospérait point, et lorsque Battos se rendit à Delphes pour savoir comment guérir son bégaiement, l'oracle lui ordonna de bâtir une cité en Libye, s'il voulait parler parfaitement. Les gens de Théra envoyèrent Battos avec un groupe de colons; mais ceux-ci, une fois en vue de la côte de l'Afrique, retournèrent à Théra. Ils en furent chassés par des flèches et furent envoyés à Plataea, où ils se joignirent aux premiers colons.

Plataea resta cependant toujours misérable et, lorsque les colons en demandèrent la raison à l'oracle de Delphos, il leur fut répondu que la côte de Libye n'avait pas été atteinte. Battos, comprenant la leçon, emmena ses compagnons et s'installa à Aziris, un endroit proche de Plataea, mais sur le continent. Ils vécurent sans grande prospérité pendant six ans, dans cette belle région, puis les autochtones leur conseillèrent d'établir leur colonie plus à l'ouest, à la fontaine d'Apollon. Là, la prophétie s'accomplit et la colonie prospéra; de nouveaux colons vinrent par centaines, de toute la Grèce, pour se joindre à eux. Battos, que l'on fit roi de la nouvelle cité, perdit son bégaiement en rencontrant un lion dans la campagne de Cyrène. Il poussa des cris vers le lion qui s'enfuit; à la suite de cela, il put parler normalement.

L'histoire nous est racontée par Hérodote. Pindare s'y réfère dans deux Odes Pythiques dédiées au descendant de Battos, Arcésilas.

2. Vieillard qui, près de Ménale, en Arcadie, vit Hermès, âgé d'un jour seulement, emmener le troupeau d'Apollon, qu'il venait de voler. Hermès le remarqua et lui offrit une vache pour prix de son silence; Battos répondit qu'une pierre n'en dirait pas plus que lui. Plus tard, Hermès, déguisé, revint, faisant semblant d'être le propriétaire cherchant son troupeau volé. Il demanda à Battos s'il avait vu qelque chose, lui offrant un taureau et une vache en récompense; le vieillard n'eut aucune scrupule à trahir. Aussi, Hermès le transforma en pierre, ainsi que le vieil homme le lui avait suggéré.

BAUCIS et **PHILÉMON.** Zeus et Hermès décidèrent, avant d'envoyer un déluge sur la terre, d'aller voir si, parmi les hommes, quelques-uns étaient dignes d'être sauvés. Déguisés en voyageurs, ils parcoururent la terre en demandant l'hospitalité aux gens. Toutes les portes restèrent closes, tant était grande la méchanceté des hommes. Mais un soir, en Phrygie, ils arrivèrent à une petite maison au toit de chaume, située sur le flanc d'une montagne; là, vivaient un très vieil homme, Philémon, et sa femme, Baucis, comme de simples paysans, depuis le jour où ils s'étaient mariés. Le vieux couple fit de son mieux pour accueillir les étrangers; le repas fut frugal, mais il fut préparé et servi avec dévouement. Alors un miracle survint : le flacon de vin se remplit à nouveau, tout seul. Baucis et Philémon voulurent alors tuer leur seule oie en l'honneur de leurs hôtes, mais les dieux les en empêchèrent et, à ce moment, révélèrent à la fois leur identité et le destin auquel les terres qui les entouraient étaient condamnées. Ils amenèrent le vieux couple sur une montagne, et lorsqu'ils atteignirent le sommet, les dieux leur montrèrent la campagne alentour déjà submergée par les eaux. Seule leur maison fut épargnée. Les dieux la transformèrent en un temple majestueux, et Zeus demanda à Philémon quel don il désirait. Le vieillard demanda, pour lui et pour sa femme, la faveur de le servir comme prêtre et prêtresse dans le temple, pour le restant de leurs jours, ainsi que de mourir tous les deux au même instant; car celui qui resterait aurait trop de chagrin de la mort de l'autre. Zeus réalisa leur désir et, au moment de leur mort, il les transforma en chêne et en tilleul. Les étrangers qui passaient suspendaient des guirlandes à leurs branches en souvenir de leur piété.

BELLÉROPHON. Fils de Glaucos, roi de Corinthe, ou bien de Poséidon. Sa mère était Eurynomé (ou Eurymédé). Bellérophon est l'un des grands héros grecs, et, comme Héraclès, Jason et Thésée, il dut souvent accomplir des tâches imposées par un supérieur. Quand il était jeune homme, à Corinthe, ou à Ephyra, selon l'ancien nom de la ville, Bellérophon rêvait de dresser le cheval ailé immortel, Pégase. Ce cheval était né du sang qui avait coulé du cou tranché de Méduse, lorsque Persée l'avait tuée. Comme elle était enceinte de Poséidon, on attribua la paternité de l'étalon au dieu. Son nom est quelquefois rapproché du mot grec *pégé* : source. Deux sources, au moins, passent pour être nées d'un coup de sabot du cheval : celle d'Hippocrène (source du Cheval), sur le mont Hélicon, et une source du même nom, à Trézène. Le poulain erra tout d'abord sur la terre et dans les cieux, refusant de se laisser approcher par un homme. Bellérophon l'apprivoisa, par la suite, avec l'aide du devin Polyidos. Celui-ci lui conseilla de passer une nuit dans le sanctuaire d'Athéna. Là, le jeune homme rêva que la déesse lui donnait une bride d'or et lui ordonnait de sacrifier un taureau à Poséidon le Dompteur. Lorsqu'il s'éveilla, il trouva la bride sur le sol, près de lui; Polyidos lui commanda d'obéir à ses ordres immédiatement, et Bellérophon accomplit le sacrifice. Puis il trouva Pégase attendant calmement à la source Piréné, à

Corinthe; l'animal semblait se réjouir de sa venue, et Bellérophon lui plaça la bride autour du cou. Bellérophon tua accidentellement son frère Déliadès, ou bien un tyran d'Ephyra (Corinthe) nommé Belléros (selon cette version, Bellérophon serait un surnom signifiant; «le tueur de Belléros», son vrai nom étant Hipponoos). A la suite de ce meurtre, il fut exilé d'Ephyra, et il se rendit à Argos, où le roi Proetos le purifia. Mais la femme du roi, Sthénébée (nommée Antia par Homère, dans *L'Iliade*), devint amoureuse de lui. Comme il la repoussait, elle l'accusa faussement d'avoir tenté de la violer. Proetos, ne voulant pas mettre à mort un hôte, envoya Bellérophon en Lydie, à la cour de son beau-père, le roi Iobatès, avec une lettre scellée. A son arrivée, le père de Sthénébée lui souhaita la bienvenue et, le dixième jour seulement, il ouvrit la lettre dans laquelle Proetos demandait de mettre le porteur à mort. Bellérophon était à présent l'hôte d'Iobatès, qui eut les mêmes scrupules que Proetos. Cependant, Iobatès ordonna au jeune homme de tuer la monstrueuse Chimère qui ravageait la Lycie. Le roi pensait que Bellérophon n'y survivrait pas; mais celui-ci, monté sur Pégase, s'abattit de haut sur le monstre et le tua en le criblant de flèches. Iobatès, quoique stupéfait du succès de Bellérophon, demeura impitoyable et l'envoya combattre seul les Solymes, une population voisine, ennemie de la Lycie. De nouveau, Pégase contribua à leur destruction. Iobatès renvoya une troisième fois Bellérophon, cette fois contre les Amazones. A son retour, une fois de plus victorieux, Bellérophon fut attaqué dans une embuscade tendue par une troupe de soldats lyciens parmi les meilleurs, envoyés par Iobatès, à court d'expédients. Mais Bellérophon les tua tous. Acceptant enfin sa défaite, Iobatès se confia à lui et lui montra la lettre secrète; il en fit son allié et lui donna en mariage l'une de ses filles, Autonoé, et la moitié de son royaume. Bellérophon eut trois enfants,Hippolochos, Isandros et Laodamie.

Selon la tragédie perdue d'Euripide, *Sthénébée,* Bellérophon revint à Argos et se vengea de la reine. Lui faisant croire qu'il l'aimait, il lui proposa de monter avec lui sur Pégase. Elle accepta, et lorsqu'ils eurent atteint une grande hauteur, il la précipita du cheval ailé. Son corps fut découvert dans la mer par des pêcheurs et ramené à Argos. La fin de sa vie fut malheureuse. Deux de ses enfants moururent, Isandros en se battant contre les Solymes, Laodamie de mort naturelle. Bellérophon lui-même selon la pièce perdue d'Euripide qui porte son nom, voulut rivaliser avec les dieux en montant jusque dans les cieux, sur Pégase. Zeus, dans sa colère, envoya un taon piquer le cheval, lequel désarçonna Bellérophon. Celui-ci survécut à la chute, mais fut estropié à vie. Après cela, il erra sur la terre; sa mort nous est inconnue.

BIA et CRATOS. Fils du Titan Pallas et de la rivière Styx. Styx avait aidé Zeus à combattre les Titans; aussi le dieu la récompensa en faisant de ses enfants ses serviteurs personnels. Bia et Cratos signifient «Violence» et «Pouvoir», et ils agissent souvent ensemble. Zeus leur confia le soin d'enchaîner Prométhée et de le fixer aux rochers du Caucase; tel était son châtiment pour avoir donné le feu aux hommes. Dans cette fonction, ils figurent parmi les personnages de la pièce d'Eschyle, *Prométhée enchaîné*. Leur frère est Zélos «l'Ardeur» et leur sœur Niké, «la Victoire».

BONA DEA. La «bonne déesse» est une divinité romaine peu connue, dont le culte n'était célébré que par les femmes. Elle est identifiée à Fauna. Sa mythologie est vague et constitue surtout une tentative d'explication de son culte. Selon une version, son père, Faunus, voulait s'unir incestueusement à elle, et pour arriver à ses fins, il la fit boire. Malgré cela, elle se refusa à lui et il la battit avec des verges de myrte; puis il se transforma en serpent, pour réaliser son désir. C'est la raison pour laquelle le vin et le myrte étaient exclus de son culte, en tout cas sous leur vrai nom. Une autre tradition rapporte que Hercule demanda, un jour, du vin à des femmes qu'il trouva en train de célébrer les mystères de la «bonne déesse». Devant leur refus, il interdit aux femmes d'assister à son propre rite, à l'Ara Maxima, le sanctuaire qu'il avait fondé à Rome.

BORÉE. Dieu du vent du nord, il est le fils de la divinité céleste Astreos, et d'Eos (les Astres et l'Aurore). Son lieu de naissance fut, disait-on, la Thrace. On opposait souvent la douceur de Zéphyr, le vent de l'ouest, à la violence de Borée. Dans la mythologie, ce dernier courtisa Orithye, la fille du roi d'Athènes, Erechthée. Celle-ci résista à ses avances; mais, alors qu'elle dansait dans les prairies au bord de l'Illissos, le dieu l'enveloppa dans un nuage et l'emmena en Thrace. Elle lui donna deux fils ailés, Calaïs et Zétès, et deux filles, Chioné et Cléopatra. Par la suite, les Athéniens firent de Borée l'un de leurs patrons; lors des guerres Persiques, ils lui offrirent un sacrifice.

Borée avait un rapport étroit avec les chevaux, et on le représente souvent sous cette forme. Avec l'une des juments de Danaos, il engendra douze poulains.

BRIARÉE. Créature monstrueuse pourvue de cent bras, engendrée par Gaia (la Terre), et Ouranos (le Ciel). Poséidon passe quelquefois pour son père. Lorsque les autres dieux se rebellèrent contre Zeus, Thétis ordonna à Briarée de sauver ce dernier. Briarée aida à mater les rebelles et fut récompensé par Zeus, qui lui donna la main de Cymopolé. Il fut aussi chargé d'arbitrer une querelle pour la possession de Corinthe ; il attribua l'Acrocorinthe (colline élevée, où fut bâtie la citadelle) à Hélios, et le reste de la cité à Poséidon. Sa fonction habituelle est de garder les Titans enfermés dans le Tartare, avec ses frères Gyès et Cottos. Homère indique qu'il était aussi appelé Aegaeon.

BRISÉIS. Fille de Brisès, de Lyrnessos, près de Troie. Achille la captura lors du sac de la ville, dans les années qui précédèrent le siège de Troie ; il tua toute sa famille, ainsi que son mari Mynès, roi de Lyrnessos, et en fit sa favorite. Mais, lorsque Agamemnon, selon le désir d'Apollon, dut rendre Chryséis à son père, de colère, il enleva Briséis à Achille. Pour cette raison, Achille se retira du combat, jusqu'à ce que la mort de Patrocle l'incitât à revenir. Briséis fut alors rendue à Achille ; puis elle participa au deuil de Patrocle.

BRUTUS, LUCIUS JUNIUS. Fondateur légendaire de la République romaine ; son existence est controversée. Il était, par Tarquinia sa mère, neveu de Tarquin le Superbe, dernier roi de Rome. Un jour, un serpent était inexplicablement sorti de l'un des piliers du palais ; si bien que Brutus accompagna deux des fils de Tarquin, Titus et Arruns, à Delphes, afin de consulter l'oracle sur ce prodige. Ayant des soupçons sur la politique de Tarquin à l'égard des aristocrates, dont beaucoup avaient été assasinés par ordre du roi, Brutus faisait semblant d'être idiot (sens de son nom en latin). Ainsi, il fut autorisé à aller en Grèce, afin de divertir ses cousins. Après avoir posé la question officielle à l'oracle, les fils du roi voulurent savoir lequel, parmi eux, deviendrait roi de Rome après la mort de leur père. Il leur fut répondu que le premier qui embrasserait sa mère serait le souverain suprême de Rome. Les princes tirèrent au sort le droit d'embrasser leur mère à leur retour, et jurèrent de tenir secrète la réponse à leur plus jeune frère, Sextus Tarquin. Mais Brutus trébucha à dessein, et embrassa la terre, la mère nourricière.

Peu après le retour de l'expédition à Delphes, le roi Tarquin le Superbe déclara la guerre à Ardée, riche cité rutule ;

durant le siège, Sextus viola Lucrèce à Collatis, dans la maison de son mari, Lucius Tarquin Collatinus, le cousin de Sextus. Après son départ, Lucrèce envoya chercher son père et son mari ; ce dernier vint avec Brutus, en compagnie de qui il chevauchait, quand le message était arrivé. Lucrèce leur révéla ce qui lui était arrivé et, après les avoir fait jurer de venger son honneur, elle se poignarda. Là-dessus, Brutus leur arracha un second serment, celui de chasser les Tarquins et d'établir la République à Rome. Les deux autres furent stupéfaits de la transformation de celui qu'ils croyaient idiot, mais acceptèrent de le prendre comme chef. Celui-ci conduisit un soulèvement armé à Rome, et la population vota pour l'abolition du pouvoir royal et l'exil de la famille royale. Brutus se mit alors à la tête des citoyens armés et remporta la victoire sur les troupes qui assiégeaient Ardée. Le roi Tarquin le Superbe, ayant appris la révolte, marcha sur Rome à la tête de ses compagnons les plus fidèles, avec l'intention de restaurer l'ordre. Il trouva les portes barrées et sa femme enfuie.

Après la libération , selon une version, les citoyens élurent consuls Brutus ainsi que Lucius Tarquin Collatinus. Mais peu après, le peuple regretta d'avoir élu un homme qui portait le nom royal haï, et Brutus poussa son ami consul à quitter la ville, afin d'écarter tout danger. C'est ce que fit Collatinus, et Publius Valerius Poplicola fut élu consul à sa place.

Avant que le roi déposé, Tarquin le Superbe, ne lançât son attaque prévue contre Rome, une conspiration de sympathisants royalistes fut découverte parmi les fils de certaines familles aristocratiques. Deux fils de Brutus lui-même, Titus et Tibérius, y furent impliqués, et des lettres adressées aux Tarquins prouvèrent leur culpabilité. Les consuls arrêtèrent et emprisonnèrent les traîtres, et ils ordonnèrent la confiscation de tous les biens appartenant à la famille royale de Rome. Les domaines furent consacrés à Mars (le Champ de Mars) et leurs maisons furent détruites. Lors du jugement de ses deux fils, Brutus fit preuve de cette force d'âme et de cette gravité que les Romains aimaient à considérer comme leur apanage. Lui-même, dans sa fonction officielle, prononça la sentence condamnant ses fils, et assista à leur exécution. Les licteurs lièrent les jeunes hommes à des poteaux, les flagellèrent, puis les décapitèrent. Toutes les têtes étaient tournées vers Brutus qui, malgré toute son angoisse, ne fléchit point. Il récompensa son informateur (un esclave), en lui donnant le droit de cité, et de l'argent.

Lorsque Tarquin le Superbe envahit le territoire romain,

les consuls allèrent à sa rencontre. Le fils du roi, Arruns, injuria Brutus, qui conduisait la cavalerie, tout en le chargeant avec son cheval. Ils se jetèrent l'un sur l'autre avec une telle violence que chacun transperça l'autre et que tous deux tombèrent morts sur-le-champ. La bataille générale qui s'ensuivit resta incertaine. Cependant, pendant la nuit, une voix sortit de la forêt d'Arsia, toute proche, et proclama la victoire des Romains, disant qu'ils avaient perdu un homme de moins que Tarquin le Superbe et ses alliés étrusques. Les Etrusques se replièrent, et Brutus eut des funérailles somptueuses à Rome, où toutes les femmes, qui lui étaient reconnaissantes d'avoir défendu la cause de Lucrèce, le pleurèrent comme s'il avait été leur père.

C

CADMOS. Fils d'Agénor, roi de Tyr, et frère d'Europe ; il est le fondateur de Thèbes. Lorsque Zeus, sous la forme d'un taureau, enleva Europe, Agénor envoya ses fils à la recherche de celle-ci, avec l'ordre de ne revenir qu'avec leur sœur. Cadmos, accompagné de sa mère Téléphassa, atteignit la Thrace, où sa mère mourut. Il se rendit alors à Delphes, pour y demander conseil, et l'oracle lui dit d'oublier Europe et, à sa place, de trouver une vache qui porterait sur son flanc un signe en forme de lune. Il devait la suivre et bâtir une cité au premier endroit où elle choisirait de se coucher pour se reposer. Il trouva la vache dans les troupeaux de Pélagon, le roi de Phocide et la poussa en avant jusqu'à ce qu'elle se couchât enfin, près du fleuve Asopos, à l'emplacement de Thèbes. Pour préparer la construction de sa citadelle, Cadmos décida de sacrifier la vache à Athéna. Pour cela, il envoya quelques-uns de ses hommes chercher de l'eau à la source voisine. Mais un dragon, rejeton d'Arès, qui gardait l'endroit, tua les hommes et commença à les manger. Lorsque Cadmos découvrit leur sort, il attaqua le monstre et le tua. Athéna apparut et lui conseilla de lui retirer les dents et d'en semer la moitié (la déesse garda l'autre moitié pour que Aeétès, roi de Colchide, les donnât à Jason). Cadmos obéit, et des hommes armés jaillirent. Il leur jeta des pierres, et les hommes commencèrent à se battre et se massacrèrent mutuellement jusqu'à ce qu'il n'y eût plus que cinq survivants. Cadmos fit des cinq rescapés des citoyens de Cadmée, nom de la nouvelle ville ; on les appelait les *spartoi,* ou « Hommes Semés », et ils furent les ancêtres de la noblesse thébaine. Mais Cadmos avait offensé Arès en tuant le dragon, son fils ; aussi, fut-il obligé de servir le dieu pendant huit ans. Cette période écoulée, Athéna le fit roi de Cadmée, et Zeus lui donna comme femme Harmonie, la fille d'Arès et d'Aphrodite. Et comme Cadmos épousait la fille de l'un d'entre eux, les dieux apportèrent de splendides cadeaux et assistèrent en personne au mariage (le seul mortel à recevoir un tel honneur fut, par la suite, Pélée). Cependant, deux des cadeaux, un collier fait par Héphaïstos et la robe de la mariée, devaient être source de douleur pour leurs propriétaires consécutif (*voir* ALCMÉON). Hermès offrit une lyre à Cadmos, et Déméter lui apporta le grain. Cadmos et Harmonie furent de bons souverains à Thèbes (ainsi que Cadmée fut nommée par la suite); ils apprirent aux Béotiens, dit-on, à écrire avec l'alphabet phénicien, dont dérive l'alphabet grec. Mais leurs enfants ne furent pas heureux, à l'exception de Polydoros. Sémélé devint la mère de Dionysos, mais périt pour avoir demandé à voir son amant, Zeus, dans toute sa gloire. Autonoé, qui épousa Aristée, perdit son fils Actéon, pas la colère d'Artémis. Agavé se maria avec Echion, l'homme-dragon. Son fils, Penthée, fut mis en pièces par les Ménades, dans la montagne, car il avait espionné les orgies des Bacchantes. Parmi elles figurait Agavé elle-même : ses sœurs et elle, dans leur folie, le prirent pour un jeune lion. Une autre des filles de Cadmos, Ino, et son mari Athamas, se brouillèrent avec la déesse Héra, qui élevait le jeune Dionysos. Ils furent frappés de folie : Athamas tua deux de ses trois fils, et Ino se jeta dans la mer avec le troisième.

Cadmos avait déja abdiqué en faveur de Penthée et, à la mort de ce dernier, il voulut se retirer de nouveau. Dionysos lui dit que le seul moyen de calmer son chagrin était de quitter la ville qu'il avait fondée. Aussi, Cadmos et Harmonie se rendirent-ils en Illyrie, où ils se joignirent à un tribu obscure, les Enchéléens («anguilles»). Certains disent qu'ils vécurent plus près de chez eux, sur les rives du lac Copaïs, en Béotie. Conduisant un char à bœufs, Cadmos mena les Enchéléens à la guerre, contre leurs ennemis, et obtint la victoire sur tout le peuple des Illyriens. Mais les Enchéléens commirent un sacrilège en pillant le sanctuaire d'Apollon. Cependant, Arès épargna sa fille, Harmonie, et son gendre, Cadmos, et les transforma en de grands et inoffensifs serpents (les Grecs pensaient que ceux-ci abritaient l'âme des héros morts). Une légende raconte que Cadmos fonda une dynastie en Illyrie et engendra dans sa vieillesse un fils, nommé Illyrios.

Cadmos était aussi honoré en Laconie, et les habitants de Brasiae, dans la province de Sparte, rapportent une autre version de la légende de Sémélé. Selon eux, son enfant naquit normalement, puis Cadmos jeta la mère et le fils à la mer, dans un coffre qui s'échoua à Brasiae.

CALCHAS. Devin de l'armée grecque pendant la guerre de Troie. Il était le fils de Thestor, originaire de Mégare ou de Mycènes. Agamemnon vint à lui, en personne, pour le convaincre de se joindre à l'expédition contre Troie. Quand le roi fit bâtir un temple en l'honneur d'Artémis, c'était, selon certains, pour récompenser le devin, qui passait pour avoir été son prêtre.

Calchas, qui prédisait l'avenir en observant les oiseaux, fit de nombreuses prédictions importantes concernant le déroulement de la guerre de Troie. Achille étant âgé seulement de neuf ans, Calchas déclara que, sans son aide et celle de Philoctète, Troie ne pourrait être prise. A Aulis, il vit un serpent se glisser de derrière l'autel, grimper sur un platane et dévorer un moineau avec ses huit petits ; puis le serpent fut pétrifié. Calchas interpréta ce présage en annonçant que la guerre durerait au moins neuf ans. Lorsque la flotte fut bloquée par un calme plat, il déclara qu'Iphigénie, la fille du commandant en chef Agamemnon, devait être amenée de Mycènes et sacrifiée, pour apaiser la colère d'Artémis. Quand vint la dixième année, Calchas comprit que le courroux d'Apollon ne serait calmé que si Chyséis était rendue à son père, prêtre d'Apollon. C'est lui, ou bien le devin troyen Hélénos, qui conseilla aux Grecs de construire le cheval de bois, pour tromper les Troyens.

Peu après la chute de Troie, une prophétie concernant la propre mort de Calchas, et que le devin connaissait depuis sa jeunesse, se réalisa. D'après un oracle, il devait mourir le jour où il rencontrerait un devin plus habile que lui. Ce devait être le petit-fils de Tirésisas, Mopsos, que Calchas rencontra à Claros, près de Colophon, en Asie Mineure ; il avait refusé de revenir en Grèce avec la flotte qu'il savait perdue. Les deux prophètes se mesurèrent ; Calchas, le premier, demanda à Mopsos le nombre de figues que portait tel figuier sauvage particulièrement prolifique. Mopsos donna la bonne réponse. Puis, à son tour, il demanda à Calchas combien de petits portait la truie pleine qu'ils avaient devant eux. Calchas répondit qu'elle en portait huit, mais Mopsos prédit correctement qu'elle en portait neuf, et qu'ils naîtraient le lendemain à six heures. Calchas en fut mortifié et ne tarda pas à mourir. Selon une autre version, un prophète, peut-être Mopsos, vit Calchas planter une vigne et lui prédit qu'il ne vivrait pas assez longtemps pour en goûter le vin. Lorsque le vin nouveau fut prêt, Calchas l'invita à le goûter, et l'autre prophète répéta sa prédiction ; Calchas éclata de rire et rit tellement qu'il en mourut. Ses compagnons l'enterrèrent à Notion, près de Colophon.

CALLIOPÉ. *Voir* MUSES.

CALLISTO. Fille de Lycaon, roi d'Arcadie, ou bien une

nymphe. Son nom dérivé de *kallisté* signifie «la plus belle». Elle était l'une des suivantes d'Artémis et avait fait vœu de virginité. Mais Zeus la vit et tomba amoureux d'elle. Il se déguisa, prenant l'apparence d'Apollon, ou d'Artémis, et attira la jeune fille. Soit Zeus, soit Héra, ou bien encore Artémis transformèrent alors Callisto en ourse. Zeus l'aurait fait pour la protéger de la colère de sa femme; pour Héra, c'eût été un châtiment pour avoir porté atteinte aux droits du mariage; quant à Artémis, elle devait, par cette transformation, punir Callisto d'avoir rompu son vœu de chasteté. Dans la version qui attribue la métamorphose à Zeus, Héra se venge en persuadant Artémis de tuer l'ourse d'une flèche; Zeus envoie alors Hermès sauver le bébé, Arcas, du sein de Callisto. D'après une variante plus récente, Callisto donna naissance à son fils normalement, puis fut tuée par Arcas, adulte, au cours d'une chasse dans les montagne d'Arcadie. Une autre histoire rapporte que Callisto, sous la forme d'une ourse, fut attrapée par des bergers qui l'offrirent à son père Lycaon; un jour, l'ourse s'égara dans l'enceinte sacrée de Zeus Lycien, et fut tuée par Arcas pour ce sacrilège. Selon Ovide, cependant, Zeus détourna la main d'Arcas et les transforma tous les deux, mère et fils, en étoiles, les constellations de la Grande Ourse et de la Petite Ourse. Héra fut si offensée de l'honneur accordé à Callisto qu'elle persuada l'Océan de refuser d'admettre l'ourse dans son flux; c'est pourquoi Callisto n'a ainsi aucun repos, tournant sans fin autour de l'étoile Polaire, sans jamais s'arrêter.

CALYPSO. Déesse, ou nymphe, fille du titan Atlas. Elle vivait dans l'île mythique d'Ogygie, sur laquelle Ulysse fit naufrage au retour de Troie. Calypso l'aima et le garda chez elle pendant sept ans, lui offrant l'immortalité s'il consentait à rester auprès d'elle. Mais Ulysse avait la nostalgie d'Ithaque et de sa femme; Zeus eut alors pitié de lui et envoya Hermès persuader Calypso de l'aider à retourner chez lui. Calypso donna au héros des outils de charpentier et du bois de construction ainsi que des provisions pour le voyage. Selon certains, elle donna à Ulysse un fils auquel on attribue des noms différents.

CAMILLE. 1. Fille de Métabus, roi de la tribu italique des Volsques, et de Casmila. En raison de sa cruauté, Métabus fut chassé de sa ville natale de Privernum; il prit sa fille, encore petite, avec lui. Au cours de sa fuite, il arriva à la rivière Amasénus, qu'il n'avait aucun moyen de traverser. Il attacha Camille à sa lance et, après avoir fait une prière à Diane, la lança sur l'autre rive. Ayant traversé la rivière à la nage, il trouva sa fille saine et sauve, et la consacra à Diane. Il l'éleva dans les montagnes, la nourrissant de lait de jument, et lui apprit plus tard l'art de la chasse et de la guerre. Aimée et protégée par Diane, elle pouvait courir sur du grain sans l'écraser, et sur la mer sans se mouiller les pieds. Elle fut l'alliée de Turnus dans sa lutte contre Enée, chevauchant comme les Amazones, avec un sein nu, à la tète de la cavalerie volsque et d'un groupe composé des meilleures vierges-guerrières. Camille tua un grand nombre d'ennemis; mais, par la suite, l'Etrusque Arruns la transperça de sa lance, avec l'aide d'Apollon, sous le sein dénudé. Diane chargea sa nymphe, Opis, de la venger rapidement; celle-ci tendit une embuscade à Arruns et le tua d'une flèche.

2. Marcus Furius Camille fut probablement dictateur à Rome entre 369 et 389 av. J.-C. (bien que trois autres dictatures fussent connues). Il semble bien avoir été un personnage historique, néanmoins un ensemble considérable de légendes sont nées autour de son nom. Les Romains, selon une tradition, assiégèrent la ville étrusque de Véies, pendant dix ans, sans succès (le siège de Troie eut la même durée). Puis ils apprirent par un devin de Véies que la cité ne tomberait pas tant que le lac Albain, qui avait grossi anormalement, ne serait pas asséché. Ce qui fut fait, et Camille, déjà trois fois consul, devint dictateur. Il fit creuser alors un tunnel sous la ville, et ses hommes surprirent le roi de Véies dans le temple de Junon, qui était au-dessus d'eux; celui-ci déclarait que le camp qui offrirait le sacrifice qu'il s'apprêtait à faire gagnerait la guerre. Les hommes de Camille firent alors irruption du tunnel, dans le temple, achevèrent eux-mêmes le sacrifice et prirent possession de la ville. Camille transporta la statue de Junon de ce temple à Rome. Peu après, il fut accusé d'avoir détourné une partie du butin de Véies et d'avoir célébré son triomphe avec trop de magnificence. Cependant, on pense qu'il conquit, par la suite, la ville voisine de Falérii. Auparavant, certains disent que le maître d'école de l'endroit avait livré ses élèves, les fils des familles les plus importantes, aux mains de Camille; mais celui-ci avait refusé son offre et renvoyé les enfants chez eux, indemnes.

Quelque temps plus tard, après avoir comparu devant la cour pour avoir disposé à tort du produit du sac de Véies, Camille parti en exil; à ce moment précis, une armée de Gaulois (les Sénones) s'avançait sur Rome. Les Romains furent écrasés par les Gaulois à la rivière Allia (événement historique aux alentours de 390 av. J.-C.), et Rome elle-même fut prise et mise à sac; seul le Capitole (selon une tradition) resta intact : les Gaulois massacrèrent les prêtres et les anciens qui étaient restés dans la ville. Camille fut promu commandant en chef, et organisa la résistance romaine à Ardée. Afin d'obtenir l'approbation du Sénat pour sa nomination, un messager fut envoyé au Capitole. Mais les traces qu'il avait laissées en grimpant jusqu'à la citadelle furent découvertes par les Gaulois, et Brennus, leur roi, déclara que ses hommes devaient suivre son exemple, et escalader la falaise. Cependant, les oies sacrées de Junon réveillèrent les gardes, qui repoussèrent les assaillants et leur infligèrent de lourdes pertes. Bientôt, à court de munitions, les Romains essayèrent d'acheter les Gaulois avec de l'or. Alors que l'on pesait les mille livres d'or, les Gaulois essayèrent de tromper les Romains; et, lorsqu'un commandant romain vint s'en plaindre, Brennus jeta son épée dans la balance, en s'écriant : «*Vae victis*» («Malheur aux vaincus»). A ce moment-là, Camille arriva, conduisant une armée puissante, et cassa les termes de la capitulation : l'épée, et non l'or, déciderait de l'issue du combat. Il obtint une victoire complète sur les Gaulois et rentra en triomphe, escorté par ses troupes. Beaucoup de gens, en particulier les membres les plus pauvres de la communauté, voulurent transférer la ville à Véies, dont l'emplacement, pensaient-ils, était plus stratégique. Camille, cependant, persuada les gens que la victoire était inutile s'ils abandonnaient Rome; il resta en fonction jusqu'à ce que les bâtiments fussent reconstruits. Plus tard, selon la tradition, il défit les Volsques, entreprit des réformes militaires, encouragea l'accession des plébéiens aux charges principales de l'Etat et, en 367, consacra un temple romain à la Concorde.

CASSANDRE (on l'appelle aussi Alexandra). Fille de Priam, roi de Troie, et de sa femme Hécube. Homère la présente comme la plus belle de leurs filles; Othryonée de Cabésos devint l'allié de Priam lors de la guerre de Troie sur la promesse qu'il épouserait Cassandre à la fin des hostilités. Coroebos, le fils du roi phrygien Mygdon, fut aussi l'un de ceux qui vinrent à Troie dans l'espoir d'obtenir sa main. Mais ces deux prétendants furent tués dans la bataille. Des traditions plus récentes dotent Cassandre de grands pouvoirs de prophétie. Lorsqu'elle était jeune, raconte-t-on, Apollon tomba amoureux d'elle et la courtisa, lui apprenant l'art de la divination en récompense des faveurs qu'il escomptait. Mais Cassandre se refusa ; alors, il la condamna à prophétiser avec justesse, mais sans être jamais crue. Selon une autre version, cependant, lorsque Cassandre et Hélénos étaient enfants, alors que tous deux jouaient dans le temple du dieu, le jour de sa fête, des serpents sacrés touchèrent de leur langue leurs oreilles et leur bouche ; c'est ainsi qu'ils acquirent leurs dons de prophétie.

Avant de rendre ses oracles, Cassandre entrait en transes ; sa famille la croyait folle. Lorsque Pâris vint pour la première fois à Troie, elle comprit qui il était, bien qu'il eût été exposé, enfant, sur le mont Ida, et qu'il fût inconnu de ses parents. Elle prédit tout le mal qui résulterait du voyage de Pâris à Sparte (où il enleva Hélène). Elle reconnut aussi le danger du cheval de bois. Mais les Troyens demeurèrent sourds à ses avertissements. Au moment de la prise de Troie et de l'incendie, Ajax, le fils d'Oïlée, l'attrapa alors qu'elle s'était réfugiée dans le temple d'Athéna, s'agrippant à la statue sacrée de la déesse ; il l'entraîna, renversant la statue, et la viola sur place, pendant que la statue détournait les yeux d'horreur. Pour ce sacrilège, et parce qu'ils n'avaient pas châtié Ajax, Athéna punit les Grecs en faisant périr nombre d'entre eux pendant leur retour. Elle imposa aussi un tribut au peuple d'Ajax, les Locriens, qu'ils durent payer pendant mille ans. Cassandre fut attribuée à Agamemnon, qui en fit sa favorite ; elle lui donna deux fils, Télédamos et Pélops. Plus tard, il la ramena à Mycènes, chez lui. Là, elle tomba sous les coups de Clytemnestre, la femme d'Agamemnon ; auparavant, elle avait vu et prédit le sort qui les attendait, lui, elle, et leurs enfants, évoquant les actes funestes pour lesquels la famille d'Agamemnon (la maison d'Atrée), avait été maudite dans les temps passés ; cet épisode est mis en scène par Eschyle, dans sa tragédie, *Agamemnon.*

CASSIOPÉ. *Voir* ANDROMÈDE.

CASTOR et **POLLUX.** Les « jumeaux célestes » sont les fils de Tyndare, roi de Sparte, et de Léda, et sont les frères d'Hélène et de Clytemnestre. Homère considère les quatre enfants comme de simples mortels, quoique, ultérieurement, il y eût différentes versions rapportant leur origine. Quelquefois, on attribue un père divin à Pollux, parfois à Hélène et lui. Selon une autre version, Castor et Pollux étaient tous deux fils de Zeus, d'où leur nom de Dioscures. Ils furent immortalisés et considérés comme les protecteurs particuliers des marins, auxquels ils apparaissaient sous la forme des feux Saint-Elme.

Ils furent des dieux importants, aussi bien à Sparte qu'à Rome. Les Dioscures, encore jeunes, prirent part à l'expédition des Argonautes ; Castor, cavalier émérite, avait peu d'occasions de montrer ses talents, mais Pollux, très habile à la lutte, battit Amycos, le roi brutal des Bébryces. Lors du voyage de retour, tous deux aidèrent Jason et Pélée à détruire la ville d'Iolcos, en châtiment pour la trahison de son roi, Acaste, envers Pélée. Selon Ovide, les Dioscures prirent part à la chasse au sanglier de Calydon. Thésée et Pirithoos ayant emmené Hélène en Attique, où Thésée voulait l'épouser, les Dioscures conquérirent Aphidna, où Thésée avait laissé la jeune fille. Ils sauvèrent leur sœur, enlevèrent la mère de Thésée, Aethra, qu'ils ramenèrent à Sparte, et mirent sur le trône d'Athènes un rival, Ménesthée.

Castor et Pollux voulaient épouser Phoebé et Hilaera, les filles de leur oncle Leucippos, qui vivait en Messénie. Les jeunes filles étaient déjà fiancées à Idas et Lyncée, les fils d'Apharée, roi de Messénie. Mais les Dioscures les enlevèrent, pour les conduire à Sparte ; là, Hilaera donna Anogon à Castor, et, de Pollux, Phoebé eut Mnésiléos. Cela fut le début d'une inimitié entre les quatre jeunes hommes (qui étaient cousins), dont l'épilogue fut la mort de trois d'entre eux. Ces morts survinrent de la façon suivante : les quatre cousins revenaient d'une expédition montée pour voler du bétail en Arcadie et se réjouissaient du butin ; soudain Idas annonça que celui qui terminerait le premier sa part de viande aurait la moitié du troupeau, et le second l'autre moitié. Il avait lui-même partagé la viande, et son frère et lui avaient mangé presque toute leur portion. Cette conduite déloyale rendit les Dioscures furieux : ils se mirent en route pour la Messénie, reprirent possession du troupeau et le ramenèrent à Sparte. Idas et Lyncée partirent à leur poursuite ; Lyncée, qui était doué d'une vue extraordinaire, vit depuis le mont Taygète, les jumeaux se cachant au loin, dans un chêne creux. Idas survint par-derrière, et frappa Castor de son javelot. Pollux poursuivit alors ses deux cousins jusqu'à la tombe de leur père, en Messénie. Idas lança vers lui la pierre polie du tombeau, mais sans réussir à le blesser. Là-dessus, Pollux frappa Lyncée de sa lance, pendant que Zeus foudroyait Idas. Pollux revient alors vers Castor, qui était sur le point de mourir ; mais Zeus exauça la prière de Pollux qui demandait à partager son immortalité avec son frère. Ainsi, chacun à son tour passerait un jour au palais d'Hadès, et un jour sur l'Olympe. Selon des auteurs grecs plus récents, Zeus plaça les jumeaux dans le ciel et en fit la constellation des Gémeaux.

Les Romains adoptèrent le culte des Dioscures avec beaucoup d'enthousiasme, en particulier après l'apparition des deux héros à la bataille du lac Régille, opposant la jeune République, menée par Aulus Postumius, et les armées de Tarquin le superbe et ses alliés latins. (De même, on racontait qu'ils avaient aidé les armées de Locres d'Epizéphyre, dans le sud de l'Italie, contre la cité voisine de Crotone). A Régille, les Dioscures chargèrent l'ennemi à la tête de la cavalerie romaine; peu de temps après, ils apparurent aussi sur le Forum romain à des kilomètres de là, vêtus exactement de la même façon. Là, ils firent boire leurs chevaux à la source qui se trouvait près du temple de Vesta et annoncèrent la victoire à la foule. Le temple de Castor et Pollux fut érigé sur le forum pour commémorer cet événement, et les Dioscures devinrent les protecteurs de l'ordre des chevaliers *(equites)*.

CÉCROPS. 1. Homme-serpent, qui jaillit du sol, et deuxième roi mythique de l'Attique. Il épousa Alauros, la fille d'Actaeos, et hérita de son beau-père le royaume d'Acté, auquel il donna le nom de Cécropeia. On disait que le haut de son corps était celui d'un homme et que le bas était une queue de serpent. Aglauros lui donna un fils, Erysichton, qui ne survécut pas à Cécrops, et trois filles, Pandrosos, Aglauros et Hersé. Lorsque Athéna et Poséidon se disputèrent la possession de l'Attique, Cécrops attribua la région à Athéna qui avait planté un olivier sur l'Acropole, tandis que Poséidon n'avait su que faire jaillir une source d'eau saumâtre. Cécrops passait pour avoir créé la cour de justice de l'Aréopage, à Athènes, à l'occasion du jugement d'Arès, accusé du meurtre d'Halirrhothios; le dieu fut acquitté. Cécrops mit fin aux sacrifices humains dans son royaume et fut le premier à reconnaître la suprématie de Zeus sur les autres dieux en lui offrant des gâteaux rituels *(pelanoi)*, pour remplacer la chair humaine ou animale. Cranaos lui succéda.

2. Huitième roi d'Athènes, fils d'Erechthée et de Praxithéa. Il était le fils aîné, mais il fut choisi comme roi, non pas par son père, mais, après la mort de celui-ci, par son allié thessalien Xouthos. Il épousa Métiadousa et eut un fils, Pandion, qui lui succéda.

CENTAURES. Êtres monstrueux ayant le corps et les jambes d'un cheval, et le torse, la tête et les bras d'un homme. Ils avaient pour père Centauros, un fils d'Apollon et de Stilbé, ou bien Ixion qui les aurait engendrés d'une nuée à laquelle Zeus avait donné l'apparence d'Héra, pour le tromper. Ils vivaient sur le mont Pélion, en Thessalie; ils se nourrissaient de chair et avaient des mœurs brutales et paillardes, à l'exception de Chiron, qui était doux et sage et qui servit de tuteur à de nombreux héros grecs.

Les principaux mythes associés aux Centaures concernent leur guerre contre les Lapithes, peuple thessalien voisin et descendant (comme eux, selon une version) d'Ixion; mais ce peuple était aussi civilisé que les Centaures étaient sauvages et sans retenue. Le combat éclata pendant le mariage du roi des Lapithes, Pirithous, avec Hippodamie (ou Déidamie). Les Centaures avaient jadis revendiqué le royaume de Pirithous, prétendant qu'ils étaient les héritiers véritables d'Ixion. Pirithous, pensant le conflit résolu pacifiquement, les invita à son mariage. Les Centaures s'y rendirent, mais, enivrés par la boisson, à laquelle ils n'étaient pas habitués, ils tentèrent d'enlever les femmes des Lapithes; l'un d'eux, Eurythion, essaya même d'emmener la mariée. Un combat s'ensuivit, et de nombreux Centaures furent tués. Cette scène fut sculptée sur les métopes du Parthénon.

Les Centaures furent chassés de Thessalie jusque dans le Péloponnèse; ils trouvèrent refuge en Arcadie, ou au cap Malée. Pendant la chasse au sanglier d'Erymanthe, Héraclès fut reçu par le centaure Pholos; celui-ci lui offrit de la viande rôtie, mais pas de vin, bien qu'il y eût une jarre scellée dans la grotte. Héraclès protesta contre l'avarice apparente de son hôte, mais Pholos déclara que Dionysos, à son passage dans la région, avait donné la jarre à l'ensemble de la tribu, comme propriété commune. Selon une autre version de l'histoire, le dieu avait interdit aux Centaures de l'ouvrir avant la venue d'Héraclès; mais malgré cela, Pholos hésitait. Héraclès, cependant, insista, faisant remarquer à Pholos que la condition de Dionysos était maintenant remplie. Lorsque la jarre fut ouverte, les autres Centaures, moins civilisés que Pholos, furent attirés par l'odeur agréable et se rassemblèrent autour d'eux. Une lutte éclata, et Héraclès dut les chasser de ses flèches empoisonnées avec le venin de l'hydre. L'une des conséquences du combat fut la mort accidentelle de Chiron et de Pholos. Ce dernier mourut alors qu'il examinait une flèche. après le combat, stupéfait que des objets si petits pussent tuer des êtres aussi grands que les Centaures. Il laissa tomber la flèche sur son pied et fut tué par le poison. Chiron fut, de même, égratigné par l'une des flèches qui avaient percé le centaure Elatos : celui-ci s'était réfugié auprès de Chiron, espérant, en vain qu'il le guérirait. Les autres s'enfuirent à Eleusis, en Attique; là, Poséidon les cacha à l'intérieur d'une montagne. Eurythion fut, plus tard, tué par Héraclès, alors qu'il tentait d'enlever et de violer une fille de Dexaménos, roi d'Olénos, qui était alors l'hôte d'Héraclès.

Mais l'un d'eux, Nessos, se vengea cruellement sur Héraclès de tout le mal que le héros avait causé à sa race. Après son mariage avec Déjanire, Héraclès, ramenant sa femme, fut obligé de traverser un fleuve en crue, l'Evénos, en Etolie; Nessos proposa de transporter Déjanire sur son dos, à travers le courant. Héraclès le vit, essayant de violer sa femme, et lui décocha une flèche empoisonnée. Avant de mourir, Nessos, apparemment pour se faire pardonner, dit à Déjanire de prendre du sang de sa blessure et de le garder. Alors, si jamais l'amour d'Héraclès faiblissait, elle pourrait le gagner de nouveau en imprégnant une tunique de ce sang et en la donnant à porter à Héraclès. Mais le sang était empoisonné, et lorsque, des années après, Déjanire eut à se plaindre des infidélités de son mari, elle fit ce que Nessos lui avait proposé; Héraclès, revêtu de la tunique qui le brûlait, eut une mort horrible.

CÉPHALE. Fils de Déion, roi de Phocide et de Diomèdé, ou bien d'Hermès et d'Hersé, fille d'Erechthée, roi d'Athènes. La version la plus connue du récit romantique des amours de Céphale et de Procris est racontée par Ovide dans *Les Métamorphoses;* elle réunit peut-être deux légendes plus anciennes concernant des personnages mythiques nommés tous deux Céphale, l'un athénien, l'autre phocéen. Lorsque Céphale épousa Procris, tous deux se jurèrent un amour éternel. Cependant Céphale, qui aimait beaucoup la chasse, quittait le lit conjugal tôt le matin, pour chasser le cerf sur le mont Hymette. Sa beauté attira sur lui l'attention d'Eos, l'Aurore, qui tomba amoureuse de lui et l'enleva, plutôt contre son gré, car il aimait passionnément sa femme. Selon certains auteurs, Céphale donna un fils à Eos, Phaéton, et resta auprès d'elle pendant huit ans; cependant, Ovide semble raccourcir cette durée. D'après lui, Céphale retourna en Attique, et là, il devint jaloux de Procris, car Eos, dépitée, avait déclaré qu'il regretterait le jour où il l'avait épousée. Il décida de se déguiser en étranger, et d'éprouver sa femme en lui offrant une forte somme pour qu'elle devienne sa maîtresse; Eos l'aida en le faisant changer d'apparence. Ainsi déguisé, Céphale harcela Procris jusqu'à ce qu'elle cède à ses propositions, quoique avec beaucoup de réticences. Il lui révéla alors son identité, et la blâma pour sa trahison. Elle fut tellement horrifiée par cette ruse qu'elle s'enfuit sur-le-champ; dès lors, elle évita la compagnie des hommes et vécut dans les montagnes où, vouée à Artémis, elle passait son temps à chasser. Quelque temps après, Céphale la retrouva et, plein de remords, la supplia de revenir. C'est alors que Procris se vengea : Ovide ne précise pas la nature de sa vengeance, mais d'autres auteurs racontent comment, après avoir guéri le roi de Crète, Minos, d'une maladie qui provoquait la mort de toutes les femmes qu'il possédait, elle le prit elle-même pour amant. Pasiphaé, la femme de Minos, devint jalouse de Procris, qui dut revenir vers Céphale, à Athènes. Selon une autre légende, elle accepta d'un autre les même propositions que celles que Céphale, déguisé, lui avait faites : elle reçut une couronne d'or d'un certain Ptéléon, et devint sa maîtresse. Lorsqu'elle revint vers Céphale, elle apporta avec elle un javelot magique et un chien de chasse. D'après Ovide, qui insiste sur sa chasteté, c'étaient là des présents d'Artémis, mais selon la variante la plus récente de l'histoire, Minos les lui aurait offerts pour la récompenser de l'avoir guéri. Procris donna le javelot et le chien (dont le nom était Laelaps) à son mari, qui se passionnait toujours pour la chasse.

Pendant ce temps, à Thèbes, pour venger la mort du Sphinx, la déesse Thémis (ou Héra) avait envoyé un fléau sous la forme de la renarde de Teumesse, renarde si terrible que les gens du pays avaient peur pour eux-mêmes et pour leurs troupeaux. L'animal était si vif qu'aucun chien de chasse ne pouvait l'attraper. Amphitryon avait promis de faire disparaître la bête, en retour d'une faveur qu'il espérait obtenir de Créon, le roi de Thèbes; pour cela, il demanda à Céphale l'aide de Laelaps. Mais lorsque le chien partit à la poursuite du renard, un problème insoluble se présenta : le chien auquel, par la volonté d'Artémis, aucun animal ne pouvait échapper, avait pris en chasse un renard que, par une semblable volonté divine, l'on ne pouvait attraper. Zeus résolut le problème en transformant les deux animaux en statues de marbre. En récompense, Amphitryon donna à Céphale une île à l'ouest de la Grèce, qui prit, après lui, le nom de Céphallénie. Après ces événements (ou bien, selon d'autres versions, avant ceux-ci), Procris, toujours irritée de la passion de son mari pour la chasse, fut alarmée quand un serviteur lui raconta qu'il l'avait entendu, après une matinée d'activité épuisante invoquer avec des mots tendres une certaine «effluve», et lui demander de venir apaiser sa lassitude. Elle en conclut qu'il s'agissait là d'une nymphe dont Céphale était amoureux, alors que, en réalité, le mot signifiait seulement «brise» : Céphale demandait qu'un vent vînt rafraîchir son corps en feu. Guidée par son informateur, Procris se cacha dans les buissons, un matin près de l'endroit où Céphale se reposait habituellement; lorsqu'elle l'entendit, elle se mit à avancer vers lui; mais lui, croyant qu'une bête sauvage se glissait dans le sous-bois, lança son javelot infaillible vers sa femme. Au moment de mourir dans ses bras, elle lui demanda de ne pas épouser Effluve pour la remplacer : entendant cela, il comprit ce qui s'était passé et lui dit la simple vérité.

Pour l'homicide de sa femme, Céphale comparut devant le tribunal athénien de l'Aréopage et fut exilé à perpétuité. Il alla à Céphallénie, dont il devint le souverain, et épousa Clyméné, l'une des filles de Minyas. Leur fils fut Iphiclos.

CERBÈRE. Chien de garde des Enfers, rejeton de Typhon et d'Echidna et frère de l'Hydre et de la Chimère. On le décrit généralement comme possédant trois têtes, bien qu'Hésiode lui en attribue cinquante. Il avait une queue de serpent et une rangée de têtes de serpent se dressaient sur son dos. Sa fonction principale était de dévorer tout habitant du royaume d'Hadès qui tentait de se sauver. Il se couchait devant les ombres nouvelles venues lorsqu'elles pénétraient dans les Enfers. Cependant, il n'aimait pas que des mortels encore vivants pénètrent dans le royaume qu'il gardait. Orphée dut le charmer de sa musique, et la Sibylle de Cumes lui jeta un gâteau trempé dans du vin drogué, pour passer devant lui : de là vient l'expression «jeter le gâteau à Cerbère». Héraclès aussi eut affaire à lui : pour le douzième de ses travaux, il devait ramener Cerbère des Enfers. Hadès lui en donna la permission, si toutefois il n'utilisait pas d'armes pour le capturer. Héraclès, par sa seule force, réussit à transporter jusqu'à Mycènes le monstre dont l'aspect terrifia Eurysthée; puis il ramena son prisonnier aux Enfers.

Cerbère était si hideux que l'homme qui arrivait à le regarder était changé en pierre; quand de la bave tombait de sa gueule sur le sol, elle donnait naissance à l'aconit, poison violent.

CÉTO. Fille de Pontos (le Flot), et de Gaia (le Sol, ou la Terre); son nom signifie «baleine» ou «monstre marin». Elle épousa son frère Phorcys et donna naissance aux trois Grées (Pemphrédo, Enyo, Deino) dont les cheveux étaient gris à la naissance et aux trois Gorgones (Sthéno, Euryalé et Méduse). Hésiode fait d'elle aussi la mère d'Echidna et de Ladon.

CÉYX. Fils d'Eosphoros, l'étoile du matin, et mari d'Alcyoné. Céyx était hospitalier; il reçut Héraclès qui fuyait Eurysthée, et celui-ci l'aida à son tour en chassant les Dryopes de son royaume. Après la mort d'Héraclès, Céyx devint le tuteur de ses enfants; mais il n'était pas assez puissant pour tenir tête à la haine d'Eurysthée, et il se sentit obligé de les confier à Thésée. Céyx abrita aussi Pélée, exilé d'Egine pour le meurtre de Phocos.

La légende la plus connue concernant Céyx est celle de sa mort, et de sa transformation en oiseau. La version la plus simple précise seulement que lui et sa femme Alcyoné furent punis de cette façon pour s'être réciproquement donné les noms de Zeus et d'Héra, en raison de leur bonheur sans faille. L'histoire qu'Ovide rapporte, dans *Les Métamorphoses,* nous explique comment Céyx, alarmé par certains présages — son frère Daedalion avait été changé en faucon, un loup avait ravagé son troupeau de bœufs (punition pour avoir reçu le meurtrier Pélée) — décida d'aller consulter l'oracle de Claros, car Delphes était bloquée par les Phlégiens. Il partit contre l'avis d'Alcyoné, qui avait de sombres pressentiments. Elle lui avait demandé soit de remettre son voyage, soit de l'emmener avec lui. Cependant, il fit voile sans elle, lui promettant qu'il reviendrait dans deux mois.

Une violente tempête s'éleva, et Céyx fut noyé. Avant de mourir il eut une pensée pour Alcyoné et murmura son nom. Quand à elle, elle faisait sacrifice sur sacrifice à Héra, espérant le retour de son mari. Cependant Héra, incapable de supporter la vue de l'épouse aimante priant pour le retour de son mari mort, envoya Iris auprès du Sommeil; celui-ci, à son tour, dépêcha son fils Morphée («celui qui change de forme»), qui prit l'apparence de Céyx pour apparaître en rêve à Alcyoné. Il se pencha sur son lit, ruisselant; des larmes coulaient sur ses joues. Il lui apprit la mort de Céyx, dans la tempête. Inconsolable, Alcyoné courut sur le rivage et cria le nom de son mari. A ses appels, les vagues roulèrent le corps de Céyx à ses pieds. A l'instant même, elle fut transformée en martin-pêcheur, et voleta au-dessus du corps de son mari, jusqu'à ce que les dieux, prenant pitié d'elle, eussent ramené ce dernier à la vie, sous la forme d'un martin-pêcheur, tout comme sa femme. Ainsi, ils vécurent de nouveau ensemble; ils nichaient tous les hivers, pendant les «jours de l'alcyon», lorsque le père d'Alcyoné, Eole, calmait la mer pour eux pendant sept jours. Selon une version, Céyx devint non pas un martin-pêcheur mais un goéland.

CHAOS. Dans la mythologie, il n'est presque pas personnifié : il est le vide béant d'où sont sortis la Terre (Gaia), le Tartare, les Ténèbres (l'Erèbe) et la Nuit (Nyx). Selon certains, l'Amour (Eros) sortit de Chaos, bien que, généralement, on le considère comme le fils d'Aphrodite.

CHARITÉS. *Voir* GRACES.

CHARON. Fils de l'Erèbe (les Ténèbres) et de Nyx (la Nuit); il passait les Morts à travers le fleuve Styx, vers leur dernière demeure, dans le royaume d'Hadès. On le décrivait comme un vieillard sale, misérable et irritable, mais très vif. Il demandait à ses passagers le paiement d'une obole; pour cela, les Grecs enterraient les morts avec une pièce de monnaie dans la bouche. Lorsque Héraclès obligea le passeur à le transporter jusqu'aux Enfers, Hadès punit Charon en l'enchaînant pour un an.

CHARYBDE. Gouffre mythique situé à l'extrémité nord du détroit de Messine, en Sicile. Il était personnifié par un monstre femelle, fille de Poséidon et de Gaia, qui engloutissait l'eau de mer et la rejetait trois fois par jour, de façon à détruire tous les bateaux qui passaient. Scylla se trouvait sur le rivage opposé; lorsque Ulysse dut choisir entre les deux, il préféra s'approcher de Scylla, car Charybde signifiait la destruction certaine. Plus tard, lorsque Zeus eut foudroyé les compagnons du héros pour avoir tué les troupeaux d'Hélios, le bateau d'Ulysse fut aspiré dans le gouffre de Charybde; Ulysse survécut en s'accrochant à un figuier qui surplombait l'endroit. Quand le navire fut recraché, quelques heures plus tard, il saisit un bout de mât et fut ainsi sauvé.

CHIMÈRE. Monstre soufflant des flammes, et dont la tête est celle d'un lion, le corps celui d'une chèvre, et l'arrière-train ceclui d'un serpent. Il est le produit de l'union de Typhon et d'Echidna. *Voir* BELLEROPHON.

CHIRON. Au contraire des autres Centaures qui descendaient d'Ixion ou de son fils Centauros, Chiron était le fils de Cronos et de Philyra. Son apparence venait du fait que Cronos, désirant cacher sa passion à sa femme Rhéa, s'était uni à Philyra sous la forme d'un cheval. Aussi, le caractère de Chiron était entièrement différent de celui de ses congénères, les Centaures : il était sage et bienfaisant, ayant une grande connaissance de la médecine et de tous les arts, en particulier la musique. Il était un ami d'Apollon, qui lui transmit le don du tir à l'arc. Chiron fut le tuteur d'un grand nombre des héros de la mythologie, Jason, Asclépios, les fils d'Asclépios Macaon et Podalirios, Actéon et Achille.

Il vivait dans une grotte, sur le mont Pélion, en Thessalie, et épousa Chariclo, qui lui donna une fille, Endéis; le fils de celle-ci, Pélée, lorsqu'il fut abandonné sans armes sur le mont Pélion par Acaste, reçut l'aide de son grand-père Chiron, qui trouva l'épée qu'Acaste avait cachée. Il enseigna aussi à son petit-fils comment courtiser la nymphe Thétis. Fils de Cronos, Chiron avait reçu l'immortalité. Mais il y renonça volontairement; après l'attaque d'Héraclès contre les autres Centaures, avec des flèches empoisonnées, l'un d'eux, Elatos, s'était réfugié dans la grotte de Chiron; celui-ci, voulant le soigner, fut égratigné par la flèche, ce qui provoqua chez lui une agonie sans fin. Quelquefois, on dit qu'il transmit son immortalité au titan Prométhée. Selon une autre version de la légende, Chiron s'était blessé alors qu'il examinait les flèches d'Héraclès, qui lui avait rendu visite sur le mont Pélion. Il ne perdit pas entièrement son immortalité, cependant, car Zeus le plaça dans le ciel, sous la forme de la constellation du Centaure.

CHRYSÉIS. Fille de Chrysès, prêtre d'Apollon dans le sanctuaire du dieu, sur l'île de Chrysè, près de Troie. Lorsque l'armée grecque mit l'île à sac, Agamemnon fit de la belle Chryséis, sa concubine, déclarant qu'il la préférait à sa femme Clytemnestre. Chrysès vint lui offrir une riche rançon pour sa fille, mais Agamemnon refusa. Le prêtre invoqua alors Apollon par des prières particulières et des sacrifices, demandant au dieu de frapper les Grecs de la peste, jusqu'à ce qu'ils cèdent et lui rendent sa fille. Après neuf jours de peste , Agamemnon accepta à regret de rendre Chryséis à son père, mais seulement à la condition qu'Achille lui remît sa propre captive, Briséis, en compensation. De là naquit la colère d'Achille, l'un des thèmes principaux de *L'Iliade.*

Selon une autre tradition, Chryséis eut un fils d'Agamemnon et le nomma Chrysès, du nom de son grand-père; elle le fit passer pour le fils d'Apollon. Plus tard, lorsque Oreste, Pylade et Iphigénie (qui, selon cette version, avait survécu) revinrent en Grèce avec une statue d'Artémis qu'ils avaient prise au roi de Tauride, Thoas, le jeune Chrysès voulut les trahir; mais le vieux Chrysès révéla au jeune homme qu'il était le demi-frère d'Oreste et d'Iphigénie. Le petit-fils changea alors d'idée et aida Oreste à tuer Thoas et à revenir en Grèce.

CINCINNATUS. Lucius Quinctius Cincinnatus fut un héros des premiers temps de la République romaine ; il a sûrement existé, mais la plupart des faits qui le concernent sont mythiques. Selon la tradition, la tribu des Aequi assiégeait une armée romaine sur le mont Algide, en 458 av. J.-C., et Rome courait le danger de perdre la fleur de son armée. Pendant cette crise, le Sénat élut Cincinnatus, un humble fermier qui vivait au-delà du Tibre, comme dictateur. Une ambassade, envoyée vers lui pour le convaincre de prendre le commandement de l'armée, le trouva dans ses champs, vêtu seulement d'une tunique. Sa femme Racilia courut à leur maison pour prendre sa toge, afin qu'il puisse écouter les instructions du Sénat. Il retira la boue qu'il avait sur les mains et sur le visage et mit la toge ; il fut alors salué comme dictateur. Les plébéiens, cependant, se méfiaient de Cincinnatus et craignaient qu'il n'abusât de ses pouvoirs. Ce dernier recruta tous les hommes en âge de porter les armes et marcha sur le mont Algide ; il mit les Aequi en déroute, puis les obligea à passer sous le « joug ». Ainsi, sa tâche accomplie, Cincinnatus put résilier sa charge de dictateur pour six mois, après seulement quinze jours, et retourner travailler dans ses champs. Des années plus tard, dit-on, il fut invité de nouveau à être dictateur pendant une crise politique ; il avait plus de quatre-vingts ans. Spurius Maelius était soupçonné de vouloir rétablir la royauté. Il fut tué alors qu'il tentait d'échapper à l'arrestation ; sa maison fut rasée. Les tribuns du peuple (représentants officiels des intérêts de la plèbe) considérèrent cela comme une attaque contre le peuple ; ils tentèrent de punir Cincinnatus et ses amis en faisant élire des tribuns militaires au pouvoir suprême de l'Etat, l'année suivante, à la place des consuls. Mais la tradition rapporte qu'ils ne purent trouver que trois hommes éligibles, l'un d'entre eux était le fils de Cincinnatus, Lucius, et ils furent oligés de se désister.

CIRCÉ (« épervier »). Fille d'Hélios, le dieu-soleil, et de Persé, une Océanide ; elle était la sœur d'Aeétès, roi de Colchide. Magicienne puissante, elle vivait sur l'île Aeaea, identifiée par les auteurs classiques au cap Circeium, sur la côte ouest de l'Italie. Elle transformait ses ennemis ou ceux qui l'avaient offensée, en animaux. Elle changea Picus en pivert car il avait refusé son amour ; lorsque le dieu marin Glaucos lui demanda un philtre pour obtenir l'amour de Scylla, elle tomba amoureuse de lui et transforma Scylla en un monstre qui vivait dans une grotte à l'opposé de Charybde, dans le détroit de Messine. Cependant, Glaucos pleura Scylla et repoussa les avances de Circé.

Homère considère Circé comme une déesse et fait ainsi la description de sa demeure sur Aeaea : une maison de pierre au milieu d'une clairière, dans un bois dense; autour de la maison rôdent des lions et des loups, les victimes des ensorcellements de Circé; ils ne sont pas dangereux et, au contraire, se couchent aux pieds de tous les nouveaux venus. Circé travaillait sur un énorme métier à tisser construit par magie. Lorsque Jason et Médée fuyaient Aeétès, ils parvinrent, sur l'ordre de Zeus, à Aeaea, pour être purifiés par Circé du meurtre d'Apsyrtos. La magicienne accomplit la purification, mais lorsqu'elle apprit la nature du crime pour lequel ils désiraient être purifiés, elle les chassa, horrifiée par leur acte, et bien que Médée fût sa nièce. Lorsque Ulysse vint à Aeaea, il envoya une partie de son équipage dans l'île, en reconnaissance, mais Circé changea tous les marins en porcs, à l'exception d'Euryloque, qui avait suspecté une traîtrise. Ulysse lui-même, se préparant à secourir ses hommes, fut arrêté par Hermès qui lui enseigna comment échapper à la magie de Circé. Il donna à Ulysse de l'ail sauvage, et lui recommanda, avant de partager la couche de Circé, de lui faire jurer solenellement de ne lui faire aucun mal. Il passa une année auprès de Circé, et lorsqu'il sentit qu'il devait partir, elle lui donna des instructions pour son voyage de retour et lui conseilla d'aller au royaume d'Hadès consulter les âmes des morts.

Les Italiens possèdent d'autres traditions concernant Circé, selon lesquelles elle donna trois fils à Ulysse : Télégonos, Agrios et Latinos. Elle envoya Télégonos trouver Ulysse qui depuis longtemps était rentré à Ithaque, mais à son arrivée, Télégonos tua accidentellement son père. Il ramena le corps à Aeaea, ainsi que la veuve d'Ulysse, Pénélope et son fils Télémaque. Circé les rendit immortels et épousa Télémaque, tandis que Télégonos faisait de Pénélope sa femme.

CLIO. *Voir* MUSES.

CLYTEMNESTRE. (en grec : *Klytaimnestra)*. Fille du roi de Sparte, Tyndare, et de Léda; sœur d'Hélène et de Castor et Pollux. Elle fut d'abord mariée à Tantale (fils de Thyeste), à qui elle donna un enfant. Le cousin de Tantale, Agamemnon, roi de Mycènes, les tua tous les deux et fit de Clytemnestre sa femme. Celle-ci lui donna quatre enfants : Iphigénie, Electre, Chrysothémis et Oreste. Elle se rebella contre son mari qui avait sacrifié leur fille aînée Iphigénie à Artémis, afin d'obtenir des vents favorables pour partir vers Troie. Elle complota ainsi avec le frère de Tantale, Egisthe, qui était son amant, pour évincer son mari à son retour de Troie. Egisthe tua Agamemnon, et Clytemnestre tua la princesse troyenne Cassandre, qu'Agamemnon avait ramenée de Troie comme concubine. Oreste s'enfuit en Phocide et, avec l'aide d'Electre, il tua sa mère et Egisthe. Pour ce crime, les Erinyes frappèrent Oreste de folie.

COCLÈS. *Voir* HORATIUS.

CORIOLAN. Selon la légende, Caius Marcius (son existence historique est controversée) gagna le surnom de Coriolan en conquérant la cité volsque de Corioli. D'après Tite-Live, la date de cet événément se place en 493 av. J.-C. La tradition affirme, en tout cas, qu'il était un excellent commandant, mais, politiquement, très conservateur. Le Sénat avait proposé de distribuer du pain gratuitement aux plébéiens qui manquaient de nourriture, car, peu de temps auparavant, ils avaient quitté Rome et s'étaient retirés sur le mont Sacré, voisin. Coriolan, dit-on, s'opposa à la distribution, à moins que les plébéiens n'acceptassent de rétablir les patriciens dans leurs anciens privilèges. Il offensa si gravement les plébéiens dans son discours que selon certains, il aurait été lynché si les tribuns du peuple (les représentants des plébéiens) ne l'avaient assigné devant le tribunal. Toutefois, comme il ne reconnaissait pas son autorité, il négligea de se présenter et fut condamné à l'exil. Par une ironie du sort ce fut à Antium, cité volsque ennemie de Rome, qu'il trouva refuge. Là, il devint rapidement général et conduisit avec succès l'armée volsque jusqu'aux portes mêmes de sa propre ville natale. Aucune prière du gouvernement de Rome, aucune ambassade de prêtres et de sénateurs ne purent le convaincre de se retirer. Finalement, au moment où la situation paraissait désespérée, sa vieille mère, Volumnia (appelée Vétuvia par Tite-Live), sa femme Vergilia (que Tite-Live nomme Volumnia) et ses deux jeunes fils sortirent de la ville pour intercéder auprès de lui. Lorsque Coriolan essaya d'embrasser sa mère, celle-ci lui demanda tout d'abord si c'était sa mère ou une prisonnière de guerre qu'il accueillait. Alors, les résolutions de Coriolan s'écroulèrent grâce à l'entremise des femmes de sa famille, à la grande colère des Volsques qui, selon certains, le mirent à mort pour sa faiblesse. Tite-Live, au contraire, écrit qu'il vécut, aigri, jusqu'à un âge avancé, en exil.

CORYBANTES. Serviteurs mâles de Cybèle ; ils célébraient ses rites en dansant les armes à la main, et faisant résonner des tambours et des cymbales.

CRÉON. (nom courant, signifiant simplement «souverain»). **1.** Fils de Ménoecée (descendant de Cadmos et des «Hommes Semés»), il épousa Eurydicé, ou Enioché, et eut plusieurs fils. Quand le mari de Jocaste, Laïos, roi de Thèbes, alla à Delphes, Créon, qui était le frère de Jocaste, resta à Thèbes. Créon devint roi lorsque Laïos eut été tué par son fils Œdipe à un carrefour situé sur le mont Cithéron. Ce dernier avait été exposé dès sa naissance sur la même montagne et ne connaissait pas ses parents. Le Sphinx commença alors à ravager la région de Thèbes, et tua, selon une version, le fils aîné de Créon, Haemon. Créon offrit le royaume et la main de Jocaste à l'homme qui résoudrait l'énigme du Sphinx et qui, ainsi, débarasserait la contrée du monstre. Œdipe, qui avait été recueilli, quand il était bébé, et élevé sur le territoire voisin de Corinthe, revint alors dans son pays natal et triompha du Sphinx; puis il réclama son royaume et sa femme, ignorant qu'elle était aussi sa mère. Des années plus tard, un autre fléau, la stérilité, frappa le pays. L'oracle de Delphes déclara qu'une souillure devait être lavée, et les crimes de parricide et d'inceste commis par Œdipe furent révélés. Jocaste se pendit, Œdipe s'arracha les yeux. Créon remonta sur le trône de Thèbes. Selon les uns, il chassa Œdipe immédiatement, selon d'autres, il permit à l'ancien roi aveugle de rester à Thèbes; celui-ci devait plus tard être banni par ses fils, Etéocle et Polynice, qui, durant un temps, régnèrent ensemble sur la cité.

Peu de temps après, Etéocle et Polynice se querellèrent, et Etéocle, soutenu par Créon, bannit son frère. Œdipe se trouvait alors au sanctuaire de Colone, près d'Athènes, et Créon tenta de le ramener de force à Thèbes, car un oracle avait prédit que l'endroit où il vivrait et mourrait deviendrait prospère. Œdipe, cependant, refusa de revenir, et Thésée, le roi d'Athènes, chassa Créon. Polynice se mit alors à la tête d'une armée argienne et, avec les Sept Chefs, marcha contre Thèbes. Au cours de la bataille, Polynice défia son frère Etéocle en combat singulier. Ils périrent tous deux. L'un des fils de Créon, Mégarée fut tué pendant le siège, et un autre, Ménoecée, obéissant à un oracle, se sacrifia afin d'assurer la victoire aux Thébains, en se jetant des murailles dans le repaire d'un dragon. Créon rendit au corps d'Etéocle les honneurs funèbres; mais il ordonna que Polynice fût jeté dans la poussière de la plaine et interdit qu'il fût enseveli; il fit placer des gardes afin que ses ordres fussent respectés. Lorsque Antigone, la fille d'Œdipe, qui était fiancée au fils cadet de Créon, Haémon, passa outre l'interdiction, elle fut saisie par les soldats et amenée devant Créon, qui la punit en l'enterrant vivante. Tirésias conseilla à Créon d'enterrer les morts et de déterrer les vivants. Créon obéit, mais quand, après avoir enterré le corps de Polynice, il arriva au sépulcre d'Antigone, il trouva la jeune fille pendue dans sa tombe. Haémon, après avoir protesté en vain contre l'acte de son père, se jeta sur sa propre épée; Eurydicé, la femme de Créon, apprenant la mort du dernier de ses fils, se poignarda. Créon continua à vivre, régnant comme régent du jeune fils d'Etéocle, Laodamas. Plus jeune, Créon avait purifié Amphitryon du meurtre de son beau-père, Electryon, et lui avait accordé son aide lors de la guerre contre les Taphiens. Amphitryon s'était alors établi à Thèbes, où sa femme, Alcmène, donna naissance à Héraclès. Créon, plus tard, maria sa fille Mégara à Héraclès, mais en l'absence du héros, Lycos envahit Thèbes, tua Créon et s'empara du trône. Héraclès, qui était aux Enfers à ce moment-là, revint et tua l'usurpateur, mais , dans un accès de folie, il extermina de même les enfants de Mégara. Selon une variante de l'histoire, Créon fut tué par Thésée, qui avait attaqué Thèbes afin d'obliger Créon à ensevelir les corps des Argiens morts, ce que Créon avait interdit de faire.

Il existe de nombreuses versions de la légende de Créon. Voir, outre les trois pièces thébaines de Sophocle *(Œdipe roi, Œdipe à Colone* et *Antigone), les Sept contre Thèbes* d'Eschyle, *Les Phéniciennes* et *Héraclès* d'Euripide.

2. Roi de Corinthe, fils de Lycaethos. Alcméon lui confia pour les élever, Amphilochos et Tisiphoné, les enfants qu'il avait eus de Mantô. Mais, comme Tisiphoné devenait de plus en plus belle, la femme de Créon, jalouse, la vendit comme esclave; elle fut achetée par son père, Alcméon. Plus tard, lorsque ce dernier apprit son identité, il put retouver aussi Amphilochos. Jason et Médée se rendirent à Corinthe, après leur retour de Colchos. Créon leur souhaita la bienvenue, et, grâce à lui, ils vécurent en paix pendant dix ans, mettant au monde deux ou trois enfants. Puis, selon Euripide, les Corinthiens commencèrent à avoir peur de Médée, qui était à la fois une étrangère et une magicienne. Jason, de même, se lassait d'elle, car, en tant qu'étrangère, elle ne pouvait lui donner d'enfant légitime pouvant être son héritier selon la loi. Créon lui offrit sa fille Glaucé en mariage, et ordonna à Médée de partir en exil. Celle-ci fit cadeau à Glaucé d'une robe de mariée, qui la consuma lorsqu'elle la revêtit. Créon, qui était venu à son aide fut aussi brûlé. Selon une autre version, Médée empoisonna Créon et mit le feu à son palais, abandonnant ses enfants dans le temple d'Héra. Là-dessus, la famille de Créon se venga d'elle en mettant ses enfants à mort, puis prétendit que c'était l'œuvre de Médée elle-même.

CRÉUSE. (en grec : reine, princesse).
1. La plus jeune fille d'Erechthée, roi d'Athènes, et femme de Xouthos. Elle est la mère de Ion, Achaéos et Doris, les héros éponymes des trois grandes branches de la nation grecque, Ioniens, Achéens et Doriens. *Voir* ION.
2. Autre nom de Glaucè, la fille de Créon **2**, roi de Corinthe.
3. Fille de Priam et d'Hécube, et femme d'Enée; selon certains, elle était la mère d'Ascagne, le fils d'Enée, qui accompagna son père en Italie. Virgile nous raconte comment, dans la confusion qui suivit le sac de Troie et la fuite de la famille d'Enée de la ville en flammes, Créuse, qui marchait un peu en arrière de son mari, fut séparée des autres et disparut. Enée découvrit sa disparition quand il atteignit le sanctuaire de Cérès (Déméter), où ils avaient convenu de se rassembler. Comme il se précipitait vers la ville à sa recherche, il vit soudain son ombre s'élever devant lui. L'apparition lui apprit que Créuse se trouvait maintenant sous la protection de Cybèle, la Grande Mère, et lui prédit qu'il fonderait une nouvelle patrie en Italie.
4. Naïade (nymphe des eaux) et mère d'Hypsée, Cyrène, Daphné et Stilbé qu'elle eut de Pénée.

CRONOS. Fils d'Ouranos (le Ciel) et de Gaia (la Terre). Leurs enfants les plus intelligents furent les Titans et les Titanides. Cronos devint leur roi. Il épousa sa sœur Rhéa.

Selon la version la plus connue, sa mère, Gaia s'était plainte auprès de lui du traitement que lui infigeait Ouranos; il avait repoussé dans ses entrailles les Géants- aux-cent-bras (Hécatonchires) et les Cyclopes, alors qu'elle s'apprêtait à les mettre au monde, ou encore, il les avait emprisonnés. Elle donna alors à Cronos une faucille de silex avec laquelle il attaqua Ouranos, lorsque celui-ci vint rejoindre Gaia, et l'émascula. Cronos lança les organes génitaux tranchés derrière lui, et les gouttes de sang donnèrent naissance aux Erinyes, aux Géants et aux Nymphes. Ainsi Cronos régna à la place d'Ouranos; mais, rapidement, il devint aussi brutal que son père. Il emprisonna de nouveau les Géants et les Cyclopes dans la terre, et ayant été averti que l'un de ses propres enfants le détrônerait de la même façon qu'il avait, lui-même, détrôné son père, il les avalait un par un, au fur et à mesure qu'ils naissaient. Sa femme, Rhéa, une Titanide, et aussi sa sœur, donna naissance successiveent à Hestia, Déméter, Héra, Hadès, Poséidon et Zeus. Cronos parvint à les manger tous, à l'exception de Zeus, que Rhéa avait confié à sa mère Gaia ; elle lui substitua une grosse pierre enveloppée de langes, que son père dévora à sa place.

Zeus fut élevé en secret par les nymphes du mont Dicté (ou Ida), en Crète, nourri du lait de la chèvre Amalthée pendant que les Curètes frappaient leurs boucliers de leurs lances pour éviter que Cronos n'entendît les cris du bébé.

Zeus épousa, plus tard, l'Océanide Métis, qu'il persuada de donner à Cronos un vomitif, afin de lui faire restituer les cinq autres enfants. Une guerre s'ensuivit, au terme de laquelle Cronos fut détrôné, en faveur de Zeus, par ses enfants, et avec l'aide des Géants et des Cyclopes que Zeus avait libérés. Cronos fut jeté dans les profondeurs du Tartare, avec Japet et d'autres Titans, et les Hécatonchires furent chargés de les garder. Avant de vomir ses enfants, il avait rendu la pierre qui avait été substituée à Zeus ; cette pierre fut dressée à Delphes, pour marquer le centre du monde. Selon une tradition différente, Cronos aurait été non pas un tyran farouche, mais un souverain bienfaisant, régnant durant un Age d'Or ; après sa déposition, il partit régner sur les îles des Bienheureux, à l'ouest de l'Océan. Cet aspect de Cronos le relie à Saturne, le dieu romain à qui il fut identifié. Certains Grecs associent, à tort, le nom de Cronos, au mot *Chronos* (temps) et, de ce fait, le décrivent comme un vieil homme armé d'une faux, le Temps. La version la plus ancienne de la légende de Cronos nous est rapportée par Hésiode dans la *Théogonie.*

CUPIDON. *Voir* ÉROS ; PSYCHÉ.

CURÈTES. 1. Dieux crétois mineurs, qui, avec les nymphes du mont Dicté, ou Ida, prirent soin du bébé-dieu Zeus. Pendant que les nymphes s'occupaient du bébé dans la grotte, les Curètes dansaient devant l'entrée, frappant de leur lance des boucliers, pour dissimuler les cris de l'enfant à son père, Cronos. Le nom de Curètes dérive du mot grec *Kouroi,* « Jeunes hommes » ; ils étaient ainsi nommés soit parce que, disait-on, ils avaient servi le jeune Zeus, soit parce que, selon certains, ils prenaient l'apparence de jeunes hommes, et ressemblaient aux bandes de jeunes Crétois qui exécutaient les danses rituelles.

Hésiode rapporte qu'un certain Hécatéros engendra cinq filles, qui furent les mères des Curètes, et aussi des nymphes des montagnes et des satyres. D'après une autre légende, lorsque Minos, le roi de Crète, perdit son jeune fils Glaucos, les Curètes lui apprirent que son fils serait retrouvé et rendu à la vie par l'homme qui saurait trouver la meilleure image pour un veau nouveau-né, qui changeait continuellement de couleur. Polyidos le compara au fruit de l'églantier.

Zeus finalement foudroya les Curètes qui avaient pris la défense d'Héra contre lui et fait disparaître Epaphos, le fils qu'il avait eu d'Io.

2. Peuple qui vivait en Etolie, près de Calydon. Homère nous raconte comment ils essayèrent de sacager Calydon, et furent chassés par Méléagre. *Voir* MÉLÉAGRE.

CURIACES. *Voir* HORACES.

CURTIUS. L'existence du «Lacus Curtius», site célèbre sur le Forum romain, où se trouvait primitivement un marais, engendra diverses tentatives pour créer un personnage mythique, qui expliquerait ce nom.

1. Mettius Curtius, héros sabin qui prit part à la guerre légendaire entre Romulus et Titus Tatius, le Sabin. D'après une tradition, il se battit en combat singulier avec le Romain Hostus Hostilius, le tua et chassa les troupes romaines du Capitole. Il railla les Romains, leur disant qu'ils s'entendaient mieux à enlever les femmes qu'à se battre contre les hommes; cela, en mémoire de l'enlèvement des Sabines qui, selon la légende, avait eu lieu peu de temps avant cet épisode. Mais Romulus lança alors une si violente attaque que Mettius s'enfuit; son cheval s'emballa, et cavalier et monture furent précipités dans la mare qui prit, par la suite, son nom. Mettius se dégagea dans un ultime effort, tandis que ses hommes perdaient la bataille dans la vallée qui devait plus tard devenir le Forum romain.

2. Marcus Curtius. Lorsqu'un gouffre énorme s'ouvrit au milieu du Forum, à l'emplacement du «Lacus Curtius», le jeune Marcus Curtius, raconte-t-on, armé de pied en cap, se lança avec son cheval dans l'abîme. Les devins avaient en effet déclaré que les dieux des Enfers, à qui les Romains avaient négligé de sacrifier, réclamaient l'immolation du citoyen romain le plus valeureux. Le gouffre s'ouvrait tout droit jusqu'aux Enfers; Curtius s'y étant précipité, il se referma immédiatement, puis disparut. Selon cette version, l'événement date de 362 av. J.-C.

3. Gaius Curtius Chilo, consul légendaire qui vécut en 445 av. J.-C. Il consacra l'endroit du « Lacus Curtius » lorsqu'il fut touché par la foudre.

CYBÈLE. A l'origine, déesse phrygienne, Cybèle fut adaptée quelque peu maladroitement à la mythologie grecque, dans laquelle les légendes qui se rapportent à elle contiennent de nombreux traits contradictoires. Généralement, elle est identifiée à Rhéa, la mère de Zeus et des plus grands dieux grecs, et, comme Rhéa, elle personnifie la Terre nourricière.

Le mythe phrygien de Cybèle, cependant, se présente ainsi : un jour, Zeus s'était endormi sur le mont Dindyme, en Phrygie, et sa semence tomba sur le sol. Elle engendra un être étrange, qui possédait à la fois des organes mâles et femelles : les dieux furent alarmés du pouvoir d'une telle divinité et l'émasculèrent. La créature devint la déesse Cybèle. Les organes génitaux mâles qui avaient été coupés, cependant, tombèrent à terre et donnèrent naissance à un amandier, duquel une amande, un jour, tomba dans le sein de Nana, la fille du dieu-fleuve Sangarios. Le fruit pénétra ses entrailles, et elle conçut un fils, Attis, qu'elle exposa sur la montagne. Un bouc, miraculeusement, nourrit le bébé qui devint un beau jeune homme dont Cybèle devint amoureuse. Mais Attis négligea la passion de Cybèle, ou n'en fut pas conscient et, à la place, se prépara à épouser une fille du roi de Pessinonte. Cybèle, mortellement jalouse, frappa de folie à la fois Attis et son beau-père, si bien que, dans leur démence, ces derniers s'émasculèrent. La blessure d'Attis fut si mauvaise qu'il en mourut. Cybèle se repentit alors de sa cruauté et obtint de Zeus la promesse que le corps d'Attis ne se corromprait pas. Il fut enterré à Pessinonte, en Galatie (où Cybèle était connue sous le nom d'Agdistis), mais son petit doigt continua à remuer et ses cheveux à pousser. Une autre tradition affirme qu'il fut transformé en pin; cet arbre lui fut consacré.

Une légende différente fait de Cybèle la fille de Méion, roi de Phrygie, et de sa femme Dindyme. Elle fut abandonnée sur une montagne qui prit son nom, et fut nourrie par des lions et des léopards. Elle institua des jeux et des danses sur la montagnes, donnant à ses serviteurs, les Corybantes, les cymbales et les tambours qui devaient accompagner ses rites. Elle était douée du pouvoir de guérison et protégeait les enfants et les créatures sauvages. Un jour, elle vit Attis et devint amoureuse de lui; elle fit de lui son prêtre et lui fit jurer une fidélité éternelle. Cependant, Attis eut une aventure avec une nymphe, Sagaritis, rompant ainsi l'engagement qui le liait à Cybèle; celle-ci le frappa de folie, après quoi il s'émascula et mourut de sa blessure. Selon une autre version du mythe, Attis et Cybèle eurent un enfant, et lorsque le père de cette dernière, Méion, le découvrit, il tua le bébé et Attis. Cybèle, de désespoir, se précipita à travers la campagne, battant du tambour et pleurant la mort de son amant. La contrée fut frappée d'une peste, et un oracle apprit aux Phrygiens qu'ils devaient vénérer Cybèle comme une déesse et ensevelir convenablement Attis. Il fut enterré près du temple de Cybèle, à côté de Pessinonte, mais la déesse lui rendit la vie.

Une autre variante de la légende affirme que Attis fut l'objet des désirs d'un roi et que, comme il répugnait à céder, le roi le castra. Alors qu'il était mourant sous un pin. il fut aperçu par les prêtres de Cybèle qui le portèrent dans son temple, où il expira. Cybèle institua son culte,déclarant que seuls les eunuques pourraient être ses prêtres; puis il fut pleuré tous les ans par ses adorateurs.

Cybèle avait des relations étroites avec Rome, où elle était très populaire; elle y était identifiée à la «Bona Dea» : un mythe la concernant prit naissance en 205 av. J.-C. Cela se passait pendant la seconde guerre punique, lorsque son culte fut introduit à Rome; les livres Sibyllins avaient en effet révélé aux Romains que, pour s'assurer la victoire, ils devaient ramener la «Grande Mère» à Rome. L'oracle de Delphes les dirigea sur Pessinonte; là, les Romains trouvèrent une pierre vénérable censée représenter la déesse. Lorsque, cependant, ils la transportèrent à Rome, le bateau s'échoua à l'embouchure du Tibre. Alors, une jeune fille nommée Claudia Quinta, que l'on avait injutement accusée de luxure, invoqua Cybèle et tira légèrement l'amarre du navire. Le bateau avança aisément, prouvant ainsi l'innocence de la jeune fille.

Ovide fait figurer Cybèle dans le récit des errances d'Enée. Les navires avec lesquels il fit voile de Troie vers l'Italie avaient été fabriqués avec des pins du mont Ida, qui étaient consacrés à la déesse. Lorsque Turnus lança une attaque contre les navires d'Enée, et tenta de les incendier, Cybèle apparut dans son char conduit par des lions (elle était ainsi représentée par les artistes) au son des cymbales, des tambours et des pipeaux. Elle ordonna à Turnus de renoncer à son projet, et, au même moment, elle invoqua la pluie et le tonnerre pour éteindre les brandons. Le vent se leva et brisa les cordes qui amarraient les navires troyens dans le Tibre;

puis, les bateaux, se transformant en nymphes, s'éloignèrent à la nage dans la mer.

CYCLOPES. Les Cyclopes (leur nom signifie «œil rond») étaient la plupart du temps tenus pour des géants possédant un seul œil au milieu du front. Les légendes qui les concernent sont contradictoires. Hésiode, dans sa *Théogonie,* indique qu'Ouranos (le Ciel) et Gaia (la Terre) donnèrent naissance à trois Cyclopes, Argès (l'Eclair), Brontès (le Tonnerre) et Stéropès (la Foudre). Ouranos les emprisonna tous trois dans le Tartare, ainsi que d'autres de ses enfants dont il avait peur; ou bien, il les repoussa dans le sein de Gaia qui s'apprêtait à les faire naître. Cronos émascula son père, Ouranos, et délivra les Cyclopes, avant de les enfermer de nouveau dans le Tartare. Finalement Rhéa triompha de Cronos en lui dissimulant son fils Zeus; lorsque Zeus fut grand, il détrôna Cronos et relâcha les Cyclopes qui devinrent ses serviteurs; excellents forgerons, ils fabriquaient sa foudre. (Le trident de Poséidon et l'armure d'Hadès qui rendait invisible étaient aussi leur œuvres.) Apollon les tua pour venger la mort d'Asclépios, son fils, car ils avaient forgé la foudre dont Zeus s'était servi pour lui donner la mort.

Homère représente les Cyclopes comme des pasteurs géants ne possédant qu'un œil, et vivant dans des grottes sur une île, que l'on a identifiée à la Sicile. Ils étaient sauvages et inhospitaliers; lorsque Ulysse aborda dans leur pays, le Cyclope Polyphème, fils du dieu de la Mer Poséidon, et de la nymphe Thoosa, dévora six membres de l'équipage qu'il avait attrapés dans sa grotte. Il avait promis une faveur à Ulysse : celle de ne le manger qu'en dernier. Ulysse alors l'enivra et l'aveugla avec la pointe d'un épieu chauffé; il lui vola ses moutons et le laissa désemparé.

Un groupe de Cyclopes au service du roi Proetos construisit les murs de la cité de Tirynthe, la ville natale d'Héraclès. Ces murailles sont qualifiées de «cyclopéennes». Ils bâtirent aussi les murs de Mycènes et la porte des Lions; ils avaient un sanctuaire dans l'isthme de Corinthe. Ces Cyclopes sont appelés *encheirogasteres* (ceux qui ont des mains au ventre), car ils travaillaient pour gagner leur vie. Virgile situe les forges de Vulcain (Héphaïstos), le dieu du Feu, sur l'Etna, et représente les Cylopes comme les forgerons du dieu, occupés à fabriquer les armures des héros comme Enée, ainsi que la foudre de Jupiter (Zeus).

CYCNOS. 1. Fils d'Arès. Utilisant les ossements des pèlerins qu'il tuait sur la route et qui apportaient des offrandes à Delphes, Cycnos essayait de bâtir un temple à Arès. Il défia Héraclès qui se rendait au Jardin des Hespérides en combat singulier, mais ce dernier le tua. Arès voulut punir Héraclès pour cet acte, mais Zeus les sépara en lançant un éclair. Ce duel est situé soit à Itonos, en Phthie, soit près du fleuve Echédoros, en Macédoine. Héraclès reçut l'aide d'Athéna, dans la bataille, et certains disent qu'Arès fut blessé à la cuisse.

2. Fils de Poséidon et de Calycé; il était roi de Colone, près de Troie, et fut un allié de Priam pendant la guerre contre les Grecs. Poséidon avait rendu Cycnos invulnérable aux armes des hommes; mais lorsqu'il tenta de s'opposer au débarquement des Grecs, Achille parvint à l'étrangler. Poséidon transforma son corps en cygne (qui est le sens de *kuknos,* en grec) et le plaça dans le firmament sous la forme d'une constellation.

Cycnos se maria deux fois. Sa seconde femme, Philonomé, accusa à tort Ténès, le fils de sa première femme, Procléia, d'avoir tenté de la violer. Cycnos enferma Ténès et sa sœur Hémithéa dans un coffre qu'il jeta à la mer. Lorsque Cycnos découvrit la vérité, il tua Philonomé, mais ne réussit pas à gagner le pardon de Ténès. Ténès fut le héros éponyme de Ténédos.

3. Roi des Ligures, en Italie. Il avait pour ami Phaéton qui conduisait le char du Soleil; il devint aussi son amant. Lorsque Phaéton mourut, Cycnos fut si désespéré qu'Apollon, par pitié, le transforma en cygne; mais parce que Zeus avait causé la mort de Phaéton, l'oiseau se cachait du ciel. Tout comme Cycnos avait chanté la mort de Phaéton, les cygnes, depuis ce temps, font entendre, avant leur mort, un dernier chant de lamentation.

4. Fils d'Apollon et d'Hyrié. Selon Ovide, il fut indigné, car Phyllios qui prétendait l'aimer, ne lui avait pas offert le taureau sauvage qu'Héraclès l'avait aidé à capturer. Cycnos avait l'habitude de demander à Phyllios des présents en retour de ses faveurs et avait déjà reçu, en de semblables occasions, des oiseaux sauvages et un lion féroce. Mais Phyllios, à présent, le méprisait et lui refusait le taureau qu'il avait reçu l'ordre de se procurer. Alors Cycnos se jeta d'une falaise et fut transformé en cygne. L'oiseau vivait sur le lac Hyrié, au Tempé, lac ainsi nommé car la mère de Cycnos, Hyrié, s'y était noyée, de désespoir, à la mort de son fils.

CYPRIS. *Voir* APHRODITE.

CYRÈNE. Nymphe et chasseresse vierge, fille d'Hypsée, le roi des Lapithes, qui était lui-même fils du fleuve Pénée et de la naïade Créuse. Lorsque Apollon la vit se battre avec un lion, sur le mont Pélion, il fut tellement séduit par sa beauté et ses prouesses qu'il la transporta en Afrique dans son char; elle donna son nom à la ville de Cyrène. Elle eut deux fils d'Apollon, Aristée, le dieu des troupeaux et des arbres fruitiers, et le prophète Idmon. Selon une autre version, la Libye était ravagée par un lion féroce. Eurypylos, le roi de Libye, offrit son royaume à celui qui débarasserait le pays de l'animal. Cyrène y parvint, et fonda la ville qui porte son nom.

D

DACTYLES. Les Dactyles sont associés au mont Ida, en Crète, ainsi qu'au mont Ida de Phrygie, près de Troie. Les traditions qui les concernent sont obscures et variées. On situe leur naissance sur l'Ida de Crète, soit de la Titanide Rhéa, soit de la nymphe Anchialé; cette dernière aurait lancé de la poussière dans la grotte où Zeus vit le jour, faisant ainsi apparaître les Dactyles. Lorsqu'ils sont associés à l'Ida phrygien, Cybèle passe quelquefois pour leur mère.

Les Dactyles étaient des forgerons. Pour certains, ils étaient au nombre de dix, ce qu'expliquerait le nom qu'ils portent et qui signifie «doigts». Pour d'autres, ils comprenaient six mâles gigantesques et leurs cinq sœurs. Les mâles enseignèrent aux Crétois l'usage du cuivre et du fer; les femmes les mystères de la Grande Mère. Pausanias identifie les Dactyles mâles aux Curètes : l'aîné, nommé Héraclès, aurait fondé les jeux Olympiques. Selon d'autres sources, les Dactyles étaient au nombre de cent; ou bien encore, ils étaient trente-deux, qui exerçaient des charmes magiques, et vingt autres qui les détruisaient.

DANAÉ. Fille d'Acrisios, roi d'Argos, et d'Eurydicé **2.** Un oracle avait prédit que le fils de Danaé provoquerait la mort d'Acrisios; aussi, le roi emprisonna-t-il sa fille dans une tour de bronze (ou une tour aux portes de bronze). C'est là que Zeus descendit vers elle sous la forme d'une pluie d'or; Danaé lui donna un fils, Persée. Acrisios essaya de se débarrasser de cette menace pour sa vie et jeta à la mer, dans un coffre, la mère et l'enfant. Ceux-ci abordèrent sur l'île de Sériphos. Là, le frère du roi, un pêcheur nommé Dictys, les sauva tous deux et leur offrit nourriture et abri. Persée devint un jeune homme; mais pendant ce temps, le roi de l'île, Polydectès, projeta de faire de Danaé sa femme, malgré le refus opiniâtre de celle-ci. Il résolut de se débarrasser de Persée qui s'interposait entre Danaé et lui. Et, comme les nobles de l'île devaient lui payer un tribut, il demanda comme contribution à Persée de lui ramener la tête de la Gorgone Méduse. Pendant son absence, Polydectès emmura Danaé dans un sanctuaire et lui refusa toute nourriture jusqu'à ce qu'elle eût accepté son offre de mariage. Persée revint un an plus tard, avec sa femme Andromède ; il sauva Danaé, juste à temps, en transformant le roi et sa cour en pierre, à l'aide de la tête de la Gorgone. Persée donna la royauté à Dictys, puis il emmena sa femme et sa mère à Argos, où il tua accidentellement Acrisios. Selon Virgile, Danaé se rendit plus tard en Italie et fut jetée par une tempête sur la côte de Latium ; elle fonda la cité d'Ardée pour les colons argiens. L'un de ses petits-enfants fut Turnus, le rival d'Enée pour la main de Lavinia.

DANAIDES. *Voir* DANAOS.

DANAOS. Danaos et Egyptos étaient les fils jumeaux de Bélos, un roi dont le royaume s'étendait sur l'Assyrie, l'Arabie, l'Egypte et la Libye. Bélos donna la Libye à Danaos, et l'Arabie à Egyptos, mais ce dernier conquit l'Egypte, menaçant la sécurité de Danaos. Egyptos avait cinquante fils et Danaos autant de filles, connues sous le nom de Danaïdes. Egyptos proposa que les deux groupes de cousins se marient entre eux ; mais Danaos suspectait la proposition de son frère de n'être qu'une ruse pour le détrôner et lui prendre son royaume. Il construisit un grand navire, avec l'aide d'Athéna, et fit voile avec ses cinquante filles vers Argos, la ville d'où était venue son ancêtre Io. Sur sa route, il fit escale à Lindos, à Rhodes, où il érigea un temple à Athèna, en remerciement. A Argos, il revendiqua la royauté, faisant valoir sa parenté avec Io ; mais Gélanor, alors roi, contesta son titre. Le débat fut porté devant l'assemblée argienne, mais le problème fut réglé par la venue d'un présage : la veille de la réunion, un loup s'était précipité sur les troupeaux argiens et avait tué le taureau de tête. Le prodige fut interprété comme donnant la primauté à l'étranger, et ainsi, le royaume revint à Danaos. Celui-ci éleva un temple à Apollon Lycien (signifiant « dieu loup », selon l'une des interprétations du mot). Il rendit aussi l'eau aux habitants d'Argos, car, dans sa colère, Poséidon les en avait jusqu'ici privés : le dieu avait disputé à Héra le patronage du pays, et les divinités des fleuves autour d'Argos (l'Argolide) avaient préféré la déesse. Aussi, Poséidon avait asséché leurs sources. Plus tard cependant, étant tombé amoureux de la Danaïde Amymoné, il fit jaillir une source à Lerne. Selon une autre tradition, Danaos fut choisi comme roi parce qu'il avait appris aux Argiens à creuser des puits.

Les cinquante fils d'Egyptos vinrent à Argos à la recherche de leurs promises. Selon Eschyle, dans sa pièce *Les Sup-*

pliantes, ce fut peu après l'arrivée de Danaos à Argos. Selon cette version, Pélasgos, le roi des Argiens, aida Danaos à se défendre contre les jeunes hommes à qui leur père avait interdit de revenir tant que Danaos n'était pas mort. Cependant, ce dernier fut contraint de céder à leur désir, et les jeunes hommes prirent chacun leur femme. Mais les jeunes filles avaient reçu secrètement de leur père un poignard, avec l'ordre de tuer leur mari dans le lit nuptial. Toutes, à l'exception de l'aînée, obéirent. Cette dernière, nommée Hypermnestre, était amoureuse de Lyncée, son mari, qui avait respecté sa virginité ; elle lui fit part du complot et le supplia de se sauver. Il s'enfuit à Lyrcéia et, de là, il envoya à sa femme un signal pour lui annoncer qu'il était bien arrivé. Hypermnestre fut jetée en prison et traduite devant le tribunal par son père, mais la cour argienne, peut-être sur l'intervention d'Aphrodite, l'acquitta. A la longue, Danaos accepta Lyncée comme gendre et se réconcilia avec le couple. Les quarante-neuf autres Danaïdes apportèrent la tête de leur mari à leur père, pour prouver leur loyauté. Elles furent purifiées de leur crime par Hermès et Athéna sur l'ordre de Zeus. Puis Danaos décida de les marier à des jeunes gens d'Argos ; il ne demanda aucun présent nuptial et, au contraire, lui-même offrit, avec chaque jeune fille, de somptueux cadeaux, car les hommes du pays montraient peu de goût pour des épouses aussi meurtrières. En fin de compte, Danaos fut obligé d'organiser une course à pied, le gagnant choisissait sa préférée, et ainsi de suite, jusqu'à ce que toutes ses filles fussent choisies. Leurs enfants furent nommés les Danaens, nom qu'Homère donne à l'ensemble des Grecs. Selon une tradition, Lyncée vengea ses frères plus tard, en tuant Danaos, à qui il succéda. Il tua aussi toutes les Danaïdes, à l'exception d'Hypermnestre. Après leur mort, les Danaïdes furent punies pour leur crime, dans le Tartare ; elles devaient remplir d'eau une jarre percée. Horace consacre une ode à leur légende, citant tout particulièrement Hypermnestre.

DAPHNÉ. Nymphe, fille du fleuve Pénée, en Thessalie (ou, dans la version arcadienne, du fleuve Ladon) ; c'était une vierge chasseresse, comme Artémis. Il existe deux versions de sa légende. Selon la première, Leucippos, le fils du roi de Pise, en Elide, Oenomaos, tomba amoureux d'elle. Mais, comme elle était inflexible, il se déguisa en femme pour pouvoir être auprès d'elle ; il gardait, d'ailleurs, ses cheveux longs, en l'honneur du fleuve Alphée. Ainsi, il se donna le nom d'Oeno et demanda à chasser avec Daphné. Celle-ci accepta, mais Apollon en fut si jaloux qu'il inspira à ses compagnes le désir de se baigner. Leucippos, sous le déguisement d'Oeno, refusa de participer à la baignade, mais le dieu leur donna l'idée de la déshabiller. Lorsqu'elles découvrirent son sexe, elles le tuèrent pour sa ruse.

D'après la seconde légende, la plus célèbre, Apollon lui-même ne put gagner son amour. Ce fut Eros, de qui Apollon s'était moqué, qui lui inspira cette passion pour Daphné. Apollon avait comparé les armes légères et la taille menue d'Eros à ses propres prouesses au tir à l'arc. Aussi, Eros, pour le punir, envoya deux flèches de son arc du haut du Parnasse. L'une perça le cœur d'Apollon de sa pointe d'or et le fit soupirer après Daphné; l'autre, de sa pointe de plomb, frappa Daphné et la rendit insensible à l'amour; Apollon poursuivit Daphné à travers les forêts jusqu'aux rives du Pénée, le fleuve de son père où il s'apprêtait à la saisir; alors elle pria avec ferveur le dieu du fleuve de la sauver; elle fut enracinée à l'endroit même et fut transformée en laurier, auquel elle donna son nom. Apollon dut abandonner sa poursuite mais, étant le dieu de la musique et des archers, il décida que, désormais, une branche de laurier décorerait sa lyre, son carquois et la tête des ménestrels.

DAPHNIS. Berger sicilien, fils d'une nymphe. Hermès passait quelquefois pour son père et d'autres fois pour son amant ou ami. Ce nom de Daphnis (dérivé de *daphné* : laurier) lui fut donné soit parce qu'il avait vu le jour dans un bosquet de lauriers, soit parce que sa mère l'avait exposé à sa naissance dans un bosquet. Il fut élevé parmi les nymphes des bois, dont il était le protégé, et parmi le peuple de bergers du mont Etna et d'Himère. On disait qu'il avait inventé la poésie bucolique, dont les principaux adeptes, notamment Théocrite et Virgile, lui rendaient particulièrement honneur; il jouissait de la protection d'Apollon, d'Artémis et de Pan qui lui avait fait don de la syrinx.

Jeune homme, Daphnis s'était vanté de pouvoir résister aux tentations de l'amour. C'était là un défi à Eros et à Aphrodite; mais les dieux de l'amour se vengèrent bientôt de lui. Il devint passionnément amoureux d'une nymphe nommée Naïs, ou Echénais. Tout d'abord, il ne voulut pas lui avouer son amour; mais, finalement, cet amour causa sa perte car, lorsque sa passion désespérée, qui le faisait dépérir, arriva aux oreilles de la nymphe, celle-ci accepta d'être sienne à condition qu'il lui jurât une fidélité éternelle et qu'il renonçât à ses amours antérieures. Mais Xénia, une mortelle (quelquefois décrite comme une princesse), conçut une vive passion pour lui et l'amena à s'unir à elle après l'avoir enivré. Il essaya de se consoler en chantant son malheur aux gens de la campagne, jouant sa musique sur la syrinx de Pan. Cependant, il finit par tomber dans la rivière Anapos, et comme il avait rompu ses engagements envers Naïs, les nymphes de la rivière le laissèrent se noyer.

Il existe des variantes de la légende. Selon l'une d'elles, Daphnis se consuma d'amour non partagé pour Xénia. Pour d'autres, il trouva la mort en tombant d'une falaise; on disait qu'Hermès avait fait jaillir une source sur les lieux et l'avait enlevé au ciel. Une légende entièrement différente, d'origine phrygienne, rapporte que Daphnis aimait une jeune fille, ou une nymphe nommée Pimpléa ou Thalie, qui fut enlevée par des pirates. Il courut le monde à sa recherche et finit par la trouver à la cour du roi Lityersès, en Phrygie, où elle était esclave. Ce roi forçait les étrangers à concourir avec lui, à qui moissonnerait le plus de blé en un jour; il gagnait toujours et mettait le nouveau venu à mort. Héraclès, qui se trouvait en Phrygie à ce moment-là, accepta de prendre la place de Daphnis dans la compétition. Il battit et tua Lityersès et mit Daphnis sur le trône à sa place, avec Pimpléa pour reine.

DARDANOS. 1. Fils de Zeus et de la fille d'Atlas, Electre, ou bien de Corythos et d'Electre; il est l'ancêtre des Troyens; on place son lieu de naissance à Samothrace, mais aussi en Arcadie, en Crète ou en Troade. A la suite soit du déluge de Deucalion, soit du châtiment infligé par Zeus à son frère Iasion pour avoir séduit Déméter, il quitta Samothrace pour la Phrygie, où le roi Teucer l'accueillit et lui donna une partie de son territoire ainsi que la main de sa fille Batia. Dardanos construisit une cité sur les flancs du mont Ida, et l'appela Dardania. Plus tard, il hérita de l'ensemble du royaume de Teucer et nomma ses habitants les Dardaniens. Le fils de Dardanos, Erichthonios était le père de Tros. Parmi les enfants de Tros figurent Assaracos, qui régna sur Dardania, et Ilos, qui fonda la cité de Troie, l'appelant Ilion. (Le petit-fils d'Assaracos était Anchise, le père d'Enée; et le petit-fils d'Ilos était Priam, roi de Troie.) La version romaine de la légende, racontée par Virgile dans *L'Enéide,* situe la naissance de Dardanos en Italie et lui donne Corythos pour père. Selon cette tradition, il fonda Crotone, en Etrurie, et c'est alors que, se séparant d'Iasion, il partit pour la Troade. Cette légende justifie l'établissement final d'Enée en Italie; les dieux lui avaient ordonné de retourner dans la patrie de Dardanos.

2. Roi Scythe, père d'Idaea, qu'il tua pour sa cruauté envers les enfants qu'il avait eus d'un mariage antérieur.

DÉDALE. Artisan athénien mythique; son nom signifie «l'ingénieux». Il était célèbre pour ses nombreuses œuvres et inventions. Son père qui, selon la légende, descendait du roi Erechthée, était Eupalamos, «celui qui est agile de ses mains», ou Métion «intelligent». Socrate prétendait descendre de Dédale. Dédale, en grandissant, devint le meilleur peintre et sculpteur d'Athènes; ses œuvres étaient si vivantes qu'elles paraissaient réelles. Sa sœur lui confia son fils, Perdix (aussi nommé Talos ou Calos), comme élève. Mais le garçon se révéla meilleur artisan que Dédale lui-même, en inventant la scie (il s'était inspiré de la mâchoire du serpent, ou de l'arête dorsale du poisson), le compas du géomètre et le tour du potier. Dédale alors tua son neveu dans un accès de jalousie, en le poussant du haut de l'Acropole, ou d'une falaise, dans la mer. Athéna, qui l'aimait pour son habileté, le vit tomber et le transforma en perdrix, laquelle prit son nom. Pour son crime, Dédale dut comparaître devant l'Aréopage. Il partit en exil en Crète, soit qu'il y fût condamné, soit parce qu'il le voulut. Là, il fut accueilli par le roi Minos. A sa demande, Dédale accomplit des exploits de construction mécanique. Mais son invention la plus étrange fut un simulacre de vache dans laquelle la reine Pasiphaé se cacha pour assouvir sa passion pour un taureau. Le taureau fut trompé par l'imitation, et Pasiphaé conçut le Minotaure, qui était moitié homme, moitié taureau. Minos, honteux de l'existence de ce monstre, décida de la cacher et demanda à Dédale de construire le Labyrinthe, enchevêtrement souterrain de tunnels et de couloirs et qui n'avait qu'une seule entrée. L'ensemble avait été conçu de telle sorte que quiconque y pénétrait n'en pouvait ressortir. Le Minotaure fut installé au centre. Il était nourri de chair humaine; pour cela, les Athéniens, que Minos avait battus à la guerre, devaient envoyer chaque année, ou tous les neuf ans un tribut de sept jeunes hommes et sept jeunes filles, qui étaient jetés un à un dans le labyrinthe pour servir de pâture au monstre. Lorsque Thésée se rendit en Crète, quelques années plus tard, Dédale fabriqua le fil qui lui permit, avec l'aide d'Ariane, de s'échapper du Labyrinthe une fois le Minotaure tué. Quand Minos découvrit la trahison de Dédale, il l'enferma dans le Labyrinthe avec son jeune fils Icare (qu'il avait eu d'une esclave de Minos), et les garda emprisonnés. Se rendant compte que toutes les méthodes habituelles pour s'échapper demeuraient vaines, Dédale décida de s'envoler de l'endroit avec des ailes semblables à celles des oiseaux. Il construisit avec de la cire et des plumes une paire d'ailes pour Icare et une pour lui-même. Il conseilla à Icare de ne voler ni trop haut ni trop bas de peur que, d'une part, la chaleur du soleil ne fît fondre la cire, et de l'autre, que les embruns de la mer n'alourdissent les plumes. Puis il se lança dans les airs, suivi de près par Icare. Ils volèrent vers le nord-est, laissant derrière eux Paros, Samos et Délos ; mais lorsqu'ils atteignirent le détroit qui sépare les Sporades de la côte ionienne de l'Asie Mineure, l'enthousiasme d'Icare l'emporta trop haut dans les airs. Comme il s'approchait du soleil, la cire de ses ailes fondit, et il fut précipité dans la mer qui porte son nom. Dédale atterrit sur l'île qui porte depuis le nom d'Icaria, retira le corps de la mer et l'ensevelit. Une perdrix (qui était son neveu Perdix) fut le témoin plein de joie de son chagrin.

Selon une autre légende, Pasiphaé libéra Dédale du labyrinthe. Puis, après avoir construit un navire et inventé la première voile pour le faire avancer, Dédale s'embarqua sur le vaisseau avec Icare et s'enfuit de l'île.

Il se réfugia en Sicile, à la cour de Cocalos, roi des Sicanes, à Camicos. Mais Minos, qui avait décidé de se venger, finit par retrouver sa piste. Pour cela, il se rendit chez tous les souverains de l'Ouest, et leur proposa le même problème : comment enfiler un coquillage en spirale. Quand Cocalos revint avec le coquillage enfilé, Minos fut certain de tenir Dédale, car il était sûr que personne d'autre ne pouvait accomplir cet exploit. On dit que Dédale perça un trou au sommet du coquillage, et attacha le fil à une fourmi qui trouva son chemin à travers le coquillage, ressortant par le trou opposé.

Minos demanda alors à Cocalos de lui livrer Dédale ; mais Cocalos refusa, car l'artisan lui avait construit une cité inexpugnable. Minos assiégea la ville, puis Cocalos, faisant un geste de réconciliation, l'invita à un banquet et lui offrit de lui livrer l'homme qu'il désirait. Tout d'abord, Minos fut convié à un bain, pour lequel, traditionnellement, les trois filles du roi devaient l'assister. Cependant, Dédale, qui était passé maître dans l'art de la plomberie, avait équipé la baignoire de tuyaux par lesquels il fit passer un torrent d'eau bouillante. C'est ainsi que Minos trouva la mort. Selon une autre version, Cocalos fut tué dans la bataille contre les troupes de Minos.

Beaucoup d'autres constructions importantes et d'inventions sont attribuées à l'ingéniosité de Dédale. Il passait pour avoir édifié le temple d'Apollon à Cumes et pour l'avoir décoré de fresques racontant sa propre vie. En Sicile, on disait qu'il avait construit un réservoir sur le fleuve Alabon, un bain de vapeur à Sélinos, une forteresse à Acragas (Agrigente) et la terrasse du temple d'Aphrodite, à Eryx. Il laissa en ce même endroit un rayon de ruche miniature, en or.

On pensait qu'il était l'inventeur des mâts et des voiles et qu'il avait fait présent à l'humanité de la colle et de la plupart des outils de la menuiserie : la hache, la scie (si ce n'est l'invention de Perdix), le fil à plomb et le foret. De plus, une chaise pliante, exposée dans le temple d'Athéna Poliade, à Athènes, lui était attribuée. Il passait pour avoir sculpté de nombreuses statues de bois, dont quelques-unes avaient des yeux et des bras mobiles et pouvaient marcher; il y en avait en plusieurs endroits de Grèce et d'Italie. En Sardaigne, certaines tours sont appelées tours de Dédale. D'autre part, des traditions grecques attribuaient à Dédale les plans des Pyramides et des grands temples d'Egypte (par exemple l'autel de Ptah, à Memphis).

DEIMOS et PHOBOS. Fils d'Arès et d'Aphrodite. Leurs noms signifient «la Crainte» et «la Terreur». Personnifications de la Peur, ils accompagnaient leur père Arès sur le champ de bataille lorsque ce dernier faisait souffler un vent de fureur, lequel rendait les hommes assoiffés de guerre et de sang.

DÉJANIRE. Fille d'Oenée, roi de Calydon et d'Althée; elle fut la seconde femme d'Héraclès. Celui-ci avait entendu parler de la beauté de Déjanire, aux Enfers, par l'ombre de son frère, Méléagre, qui avait supplié Héraclès de l'épouser. Mais le héros avait pour rival le fleuve Achéloos, qui briguait aussi sa main. Tous deux décidèrent de lutter pour se départager. Achéloos se transforma en taureau, mais Héraclès lui brisa une corne et fut vainqueur. Ainsi, il épousa Déjanire et aida son père Oenée à soumettre les Thesprotes. Après cela, cependant, il tua accidentellement l'échanson d'Oenée et dut quitter le royaume. Il emmena Déjanire vers Trachis; mais le fleuve Evénos, en crue, leur barra la route. Le centaure Nessos offrit de transporter Déjanire sur l'autre rive, pendant qu'Héraclès passerait à gué. En dépit de leur ancienne inimitié, Héraclès accepta, mais lorsqu'il vit que Nessos avait profité du moment pour essayer de violer sa femme, il envoya au Centaure l'une des flèches empoisonnées avec le sang de l'Hydre. Avant de mourir, Nessos, faisant semblant de se repentir, conseilla à Déjanire, au cas où l'amour d'Héraclès viendrait à décliner, de tremper un vêtement dans son sang et de le donner à porter à son mari ; ainsi, sa passion reviendrait. Déjanire prit un peu du sang de la blessure de Nessos et le garda dans un flacon. Plus tard, après avoir donné à Héraclès plusieurs enfants, notamment Hyllos et Macaria, elle apprit qu'Héraclès avait pris pour maîtresse Iolé. Elle décida alors d'utiliser le fatal «philtre d'amour» de Nessos, et envoya à Héraclès une tunique imprégnée du sang du Centaure. Lorsque le héros la revêtit, il fut brûlé jusqu'à la mort. Déjanire, de désespoir, se tua. Telle est la matière des *Trachiniennes* de Sophocle.

DÉLIA. *Voir* ARTEMIS.

DÉMÉTER. Elle est la Grande Déesse Maternelle de la Terre, la divinité de la fertilité et la déesse des Mystères d'Eleusis ; elle figure parmi les douze grands dieux olympiens et parmi les six enfants de Cronos et de Rhéa. Elle eut de Zeus (son frère) Perséphone (Proserpine) avec qui elle était étroitement unie, dans le culte grec. Son nom signifie «Terre-Mère». Les Romains l'identifiaient avec la déesse italique du blé, Cérès ; elle fut aussi identifiée, dans les temps plus reculés, à la déesse égyptienne Isis, à la déesse phrygienne Cybèle, et à sa propre mère, Rhéa. Déméter passait pour ne vivre que rarement sur l'Olympe, préférant plutôt vivre sur la terre, en particulier à Eleusis, en Attique ; là, elle avait fondé les Mystères d'Eleusis pour commémorer le retour de sa fille Perséphone *(voir plus loin)*. Ils étaient célébrés chaque année, à l'automne ; les initiés retraçaient par la musique et les danses le drame de la perte et de la redécouverte de Perséphone.

La plupart des mythes relatifs à Déméter concernent la perte de sa fille Perséphone. Lorsque la jeune fille était encore très jeune, son père Zeus, sans consulter Déméter qui aurait refusé, avait accédé au désir d'Hadès de faire de Perséphone sa femme (le mariage entre oncle et nièce était courant en Grèce et permettait de garder les biens dans la famille). Perséphone cueillait des fleurs dans les bois, non loin d'Enna, dans l'île fertile de Sicile, l'une des terres favorites de Déméter. Elle était accompagnée de jeunes filles de la région, ses compagnes de jeux, ou bien par les filles d'Océan. Zeus fit pousser un beau narcisse dans un vallon ombragé et fleuri.

Alors qu'elle était séparée de ses compagnes, Perséphone aperçut le narcisse et le cueillit. Au même moment, la terre s'ouvrit et Hadès apparut sur son char tiré par des coursiers bleu sombre. Il s'empara de la jeune fille et retourna sur-le-champ au royaume des Ombres. Perséphone poussa un cri vers sa mère, mais personne ne vint à son secours; et lorsqu'elle atteignit le royaume d'Hadès, elle continua à soupirer, refusant toute nourriture.

Quand Déméter apprit la disparition de sa fille, elle partit immédiatement à sa recherche. Selon certains, elle avait entendu le cri que Perséphone avait poussé avant de disparaître. Munie de flambeaux allumés, elle erra par le monde pendant neuf jours et neuf nuits, sans manger ni boire. Elle rencontra alors Hécate qui vivait non loin des plaines d'Enna, dans une grotte et qui avait entendu parler de l'enlèvement. Hécate conduisit Déméter à Hélios, le dieu-soleil qui voit tout, et lui demanda de rapporter à celle-ci ce dont il avait été témoin. Il fit un récit détaillé de ce qui s'était passé, mais ajouta qu'Hadès, en tant que frère de Zeus, était pour la jeune fille un excellent parti et qu'il possédait un beau et vaste royaume. (Selon Ovide, la nymphe Aréthuse avait vu Perséphone au royaume d'Hadès, alors qu'elle se rendait souterrainement de Grèce en Sicile.) Déméter fut tellement désespérée à la nouvelle de l'enlèvement qu'elle frappa sur-le-champ la terre de sécheresse et de famine, accablant particulièrement la Sicile, région aimée qui avait trahi sa confiance en n'assurant pas la sécurité de Perséphone. Elle descendit de l'Olympe et erra à travers le monde. A son passage en Arcadie, son frère Poséidon l'aperçut et voulut la violer. Déméter tenta de s'échapper en prenant la forme d'une jument, mais Poséidon, dont l'animal sacré était le cheval, en revêtit l'apparence et s'unit à la déesse. Celle-ci donna naissance au cheval Aréion et à la déesse Despoina dont le nom signifie « la Maîtresse », et n'était divulgué que lors des Mystères d'Arcadie dans lesquels Déméter était représentée avec une tête de jument. Elle alla alors se cacher dans une grotte, où Pan finit par la trouver, et rapporta le fait à Zeus. Celui-ci envoya les Moires la raisonner, et elle reconnut enfin que le mariage de sa fille avec Hadès devait être accepté. Toutefois une version plus connue des faits est racontée dans notre document le plus ancien, l'*Hymne homérique à Déméter*. Selon ce poème, Déméter erra par le monde sous une forme humaine, accordant les bienfaits de l'agriculture à ceux qui l'accueillaient aimablement et punissant les gens inhospitaliers. Lorsqu'elle apparut devant la maison de Mismé, en Attique, cette dernière lui offrit une coupe de *kykeon* (pouliot, farine d'orge et eau). Mais le fils de Mismé, Ascalabos, se mit à rire car elle buvait avidement ; elle lui lança le reste de la boisson au visage, et il se transforma en lézard tacheté. Déméter vint à Eleusis, déguisée en vieille femme, courbée sous le poids du chagrin, et se reposa près d'un puits. Les filles du roi Céléos survinrent pour tirer de l'eau ; l'une d'elles, prenant pitié de l'étrangère, l'invita chez leur père à trouver abri et rafraîchissements. Là, Métanira, la reine, l'accueillit aimablement croyant qu'elle était une Crétoise nommée Doso. Tout d'abord Déméter refusa de s'asseoir, mais elle se laissa convaincre par les plaisanteries de la jeune esclave Iambé, et consentit à boire une coupe de *kykeon* ; elle refusa de boire du vin car elle était en deuil. La déesse fut tellement touchée par l'hospitalité de la famille royale qu'elle offrit d'entrer à son service. Métanira lui confia la charge de son fils nouveau-né, Démophon. L'enfant grandit rapidement, car Déméter essayait de le rendre immortel en l'oignant d'ambroisie le jour et en le plaçant dans le feu la nuit, afin de brûler en lui la partie mortelle. Cependant Praxithéa, l'une des servantes, découvrit ses opérations magiques et avertit sa maîtresse. Lorsque Métanira elle-même le vit, elle fut si stupéfaite qu'elle poussa un cri ; là-dessus Déméter, irritée de cette intrusion, laissa tomber l'enfant sur le sol. La déesse reprit alors son apparence véritable et ordonna à Céléos de lui ériger un temple à Eleusis ; elle lui apprit comment il devait accomplir des rites nouveaux et secrets en son honneur — les Mystères d'Eleusis.

Déméter passa une année entière dans le nouveau temple, refusant la compagnie des dieux. Pendant ce temps, la terre devenait peu à peu stérile, et Zeus comprit que si rien n'était fait pour apaiser la colère de sa sœur, la race des hommes ne tarderait pas à disparaître, et les dieux cesseraient de recevoir leurs sacrifices. Aussi, il envoya Iris à Eleusis pour apaiser Déméter et la supplier de rejoindre l'assemblée des Olympiens. Mais celle-ci refusa tout compromis tant que Perséphone ne lui serait pas rendue. Zeus y consentit à une seule condition : Perséphone ne devait rien avoir mangé pendant son séjour aux Enfers, car quiconque mangeait ou buvait alors qu'il se trouvait au royaume d'Hadès demeurait l'hôte de ce dernier à jamais. Zeus envoya Hermès chercher la jeune fille, et Hadès accepta de se séparer d'elle. Mais avant son départ, il lui offrit une grenade (selon la version d'Ovide, Perséphone l'avait cueillie tandis qu'elle errait dans les jardins). Lorsqu'elle atteignit Eleusis, Déméter lui demanda si elle avait mangé quelque chose chez Hadès. Perséphone nia tout d'abord avoir mangé quoi que ce soit, mais Ascalaphos déclara qu'il avait vu la jeune fille manger des grains de grenade ; celle-ci dut l'admettre : elle en avait mangé quelques-uns (les estimations varient de quatre à sept). Aussi, Zeus décida qu'elle devait passer un tiers (ou la moitié) de chaque année dans le royaume d'Hadès, avec son époux. Pendant que la semence était enfouie dans le sol, poussant et mûrissant (c'est-à-dire depuis les semailles, à l'automne, jusqu'aux moissons au début de l'été), Perséphone vivait auprès de sa mère. Mais une fois que le grain était récolté et mis en jarre, pendant les mois chauds d'été, la déesse allait rejoindre son lugubre mari, et le sol demeurait aride et stérile. (Au contraire, des versions modernes font de Perséphone une déesse de l'été qui va rejoindre Hadès durant les mois d'hiver et le quitte au printemps.)

Puis Zeus envoya Rhéa prier Déméter de renoncer à persécuter l'humanité ; et celle-ci accepta de répandre de nouveau ses bienfaits sur la terre. Elle fit d'Eumolpos son prêtre à Eleusis et donna à Triptolème (quelquefois identifié au fils de Céléos, Démophon, que Déméter avait essayé de rendre immortel) la mission d'apprendre l'art de l'agriculture à tous les hommes qui en manifesteraient le désir. Athéniens et Siciliens prétendent avoir reçu les premiers le don du blé. Déméter prêta à Triptolème son char tiré par des dragons ailés, pour son voyage. Elle fit aussi don à l'Attique du figuier récompensant ainsi un homme de cette région nommé Phytalos, qui l'avait reçue avec hospitalité pendant ses errances. Lorsque Triptolème revint à Eleusis après ses voyages, Céléos voulut le tuer pour impiété, mais Déméter l'en empêcha et l'obligea à transmettre son royaume à Triptolème.

Lors du banquet que Tantale offrit aux dieux, Déméter fut la seule parmi les immortels à goûter le ragoût composé des membres de Pélops, le fils de Tantale. Lorsque Pélops fut rendu à la vie, elle lui fit don d'une épaule d'ivoire pour remplacer celle qu'elle avait mangée. Déméter assista aux noces de Cadmos et d'Harmonie et là, elle rencontra Iasion, à qui elle s'unit sur une jachère trois fois retournée, en Crète. Zeus punit Iasion de cette audace en le foudroyant ; Iasion fut tué, ou bien, selon une autre version, estropié. Déméter, dit-on, lui donna deux fils, Ploutos (la Richesse) et Philomènos (ceui qui aime le chant). Ce dernier se contenta de sa condition de modeste fermier et inventa la charrette ; Déméter le récompensa en le transformant en une constellation, celle du Bouvier (*Boutès*). Elle s'était aussi prise d'affection pour une nymphe, Macris, qui vivait à Corcyre, dans une grotte ; et, par amour pour elle, Déméter enseigna aux Titans l'art de semer et de moissonner le blé sur l'île, qui fut nommée par la suite Drépané, la faux. En Thessalie, Déméter possédait un bois sacré qu'un certain Erysichthon décida d'abattre pour se construire une nouvelle salle à manger. La déesse elle-même lui apparut sous la forme d'une de ses prêtresses et lui conseilla d'abandonner son projet ; et comme il refusait, elle lui dit de mener à bien ses plans, car il aurait sûrement besoin de cette salle pour y dîner. Elle l'accabla alors d'une faim insatiable, de sorte que, plus il mangeait, plus il dépérissait, jusqu'à ce qu'il fût réduit à la mendicité. Il finit par se dévorer lui-même et en mourut.

A la suite de ce voyage, le nom de Déméter fut associé à de nombreux endroits, et la déesse était honorée à travers tout le monde grec. Elle était aussi particulièrement vénérée par les femmes, par exemple lors des Thesmophories à Athènes, cérémonie qui reçut son nom de l'épithète de la déesse « Thesmophoros » (la Législatrice) et qui était réservée aux femmes ; celles-ci rendaient un culte à la fertilité aussi bien pour elles-mêmes que pour la cité : Aristophane en fait le sujet de sa comédie, *Les Thesmophories*.

DESTINÉES (chez les Grecs : **Moires** ; chez les Romains : **Parques** ou **Fata**). Elles sont généralement personnifiées par trois déesses qui surveillent le destin des hommes plusqu'elles ne le déterminent. Dans l'épisode de la naissance de Méléagre, cependant, les Moires semblent avoir eu un rôle décisif ; cette légende nous suggère qu'à l'origine leur fonction aurait été de présider à la naissance des êtres humains et d'assigner à ce moment-là son lot à chacun. En effet, *Parcae* signifie « celles qui font naître l'enfant » et *Moirai* « celles qui coupent » ou « celles qui désignent ». Sept jours après la naissance de Méléagre, les Moires apparurent à sa mère et lui prédirent que son fils mourrait à l'instant où le tison qui brûlait dans la cheminée serait consumé. Celle-ci retira le tison, l'éteignit et le cacha ; quand Méléagre tua ses oncles, elle replaça le tison dans le feu et Méléagre mourut.

Pour Hésiode, les Moires étaient au nombre de trois, toutes filles de Nyx (la Nuit) : Clôtho (la Fileuse), Lachésis (le Sort) et Atropos (« qu'on ne peut tourner »). Il les considère aussi comme les filles de Zeus et de Thémis (dont le nom signifie Loi). Il illustre par là même l'ambiguïté de leur rôle : obéissaient-elles à Zeus, ou Zeus à elles? Les dieux pouvaient-ils transgresser la loi des Moires? Nombre d'auteurs classiques les considèrent comme plus puissantes que les dieux eux-mêmes; Homère et Virgile représentent en effet, tous deux, Zeus tenant une balance parfaitement équilibrée pour connaître les ordres du destin, plaçant sur chaque plateau les sorts respectifs des héros et voyant ainsi de quel côté la balance penche. Sous ce jour, Zeus apparaît comme exécuteur du destin plus que comme principe déterminant. De même, Zeus sait que son fils Sarpédon est destiné à mourir de la main de Patrocle, mais ne peut pas, ou ne veut pas transgresser les lois du destin, même pour sauver celui qu'il aime si tendrement. Tout ce qu'il est en mesure de faire est d'assurer à Sarpédon des funérailles grandioses dans son pays natal, la Lycie. Eschyle, dans son *Prométhée enchaîné,* nous dit, de même, que Zeus est soumis aux lois du destin. Dans une tradition grecque plus récente, le nom de Clôtho associé à la quenouille donna naissance à l'image que l'on se fait des Moires : trois vieilles femmes filant la destinée des hommes : l'une étirait le fil, la deuxième le mesurait et la troisième le coupait.

Les Moires ne jouèrent pas un rôle important dans la mythologie. Elles aidèrent Zeus dans son combat contre les Géants (elles tuèrent Agrios et Thoas à l'aide d'un bâton) et contre Typhon qu'elles persuadèrent, alors qu'il était déjà poursuivi par Zeus, de manger de la nourriture des mortels, lui assurant à tort que cela lui donnerait des forces nouvelles. Apollon, au contraire, trompa les Moires au profit de son ami Admète en les faisant boire; ainsi, elles laissèrent Admète vivre au-delà de la «part» de vie qui lui avait été assignée, pourvu qu'il trouvât quelqu'un pour prendre sa place aux Enfers.

DEUCALION. 1. Fils de Prométhée et de Pronoia. Il épousa Pyrrha, la fille d'Epiméthée et de Pandore. Lorsque Zeus décida de détruire l'humanité par un déluge, en raison de la méchanceté des hommes de la génération de bronze, ou bien des méfaits du roi d'Arcadie Lycaon et de son peuple, Prométhée lui conseilla de construire une «arche» et de la remplir de provisions. Après avoir flotté pendant neuf jours et neuf nuits, l'embarcation s'échoua sur le sommet du mont Parnasse (ou bien près de Dodone au nord-ouest de la Grèce). En débarquant, Deucalion et Pyrrha firent un sacrifice à Zeus pour le remercier de les avoir épargnés, puis ils se rendirent compte qu'ils étaient les seuls mortels en vie. Ils allèrent consulter l'oracle du sanctuaire de Thémis situé soit sur les rives du fleuve Céphise, soit à l'emplacement de l'oracle de Delphes; ou bien encore, Zeus leur envoya Hermès qui leur offrit ce qu'ils désireraient. Ils demandèrent une nouvelle race d'hommes. L'oracle ou le dieu conseilla à Deucalion et Pyrrha de jeter les os de leur mère par-dessus leurs épaules en se voilant la tête et en dénouant leur ceinture. Tout d'abord, le couple refusa de commettre un sacrilège en déplaçant les os des morts. Mais Deucalion comprit que la mère dont voulait parler l'oracle était leur Grande Mère, la Terre : aussi, ils ramassèrent des pierres et les lancèrent par-dessus leurs épaules ainsi qu'il leur avait été prescrit. Des pierres de Deucalion naquirent des hommes, de celles de Pyrrha, des femmes. La nouvelle race prit le nom de Lélèges. Par la suite, Deucalion et Pyrrha s'établirent en Locride et eurent des enfants. Les Athéniens, cependant, prétendaient que le couple avait choisi leur cité; ils montraient même la tente de Deucalion. Leurs enfants furent Hellèn, Amphictyon, Protogénie, Pandore et Thyia.

Ovide rapporte la légende du déluge et de la renaissance de l'humanité dans le premier livre des *Métamorphoses*.

2. Fils de Minos et son héritier sur le trône de Crète. Il eut deux fils, Idoménée et Molos, un fils naturel.

DIANE. Vieille déesse sylvestre italique, protectrice des êtres sauvages et des femmes. Elle était identifiée à la déesse grecque Artémis.

DIDON. Reine légendaire de Carthage; elle est la fille de Mutto, roi de Tyr, en Phénicie, et la sœur de Pygmalion; elle est connue pour l'amour qu'elle porta à Enée, comme nous le raconte Virgile dans *L'Enéide*. Là, le poète la fait fille de Bélos. Quand Pygmalion succéda à son père sur le trône de Tyr (le trône revenait tout autant à Didon qu'à lui-même), il assassina le mari de Didon, Sychée ou Sicharbas, le frère de son père, prêtre d'Héraclès Tyrien (Melqart). Pendant que Didon vivait à Tyr, elle avait été nommée Elissa, du nom d'une déesse.

Après la mort de son mari, Didon et sa sœur Anna s'enfuirent de Tyr, dit-on, à la tête d'un groupe d'amis, et abordèrent dans la région d'Afrique du Nord qui est maintenant la Tunisie. Là, sur le rivage, le roi du pays, que Virgile appelle Iarbas, lui vendit de la terre, «autant qu'une peau de bœuf pourrait en contenir» : Didon découpa une peau en lanières et ainsi, elle obtint un territoire suffisant pour y bâtir une citadelle. C'est la raison pour laquelle, selon la légende, la citadelle carthaginoise fut appelée Byrsa («peau»). D'après l'historien grec Timée, Iarbas, avec l'accord des notables carthaginois, pressa Didon de l'épouser. Mais pour échapper à cela (elle avait juré de ne jamais se remarier), elle se jeta dans un bûcher en flammes.

Virgile utilisa cet épisode de la légende et en fit le thème des premiers livres de *L'Enéide*, dans lesquels il raconte les aventures d'Enée avant son arrivée sur le site de Rome. Il dit comment Enée aborda en Afrique et vit la cité de Carthage en construction. Plus tard, il fut reçu par Didon qui écouta son histoire, puis tomba passionnément amoureuse de lui. Ce répit lui donna le temps de réparer les navires et permit à ses hommes de se reposer. Mais lorsqu'il songea à rester à Carthage et à épouser Didon, Mercure, envoyé par Jupiter, lui rappela qu'il était en route pour l'Italie; là devait s'accomplir sa destinée, et non pas en Afrique. Didon, qui s'était donnée à Enée, dans une grotte, considérait alors le héros comme son mari, ou que, du moins il s'était engagé d'une façon irrévocable à l'épouser. Lorsqu'elle apprit son intention de partir, elle fut saisie d'horreur; elle lui fit d'amers reproches, mais il refusa de changer ses projets et, malgré tous ses arguments, il mit ses navires à la mer. Didon donna l'ordre d'élever un bûcher pour faire disparaître tout ce qui lui rappelait le héros. Mais lorsque le bûcher fut allumé, elle se jeta dans les flammes, après s'être transpercée de l'épée qu'il lui avait donnée.

Cette légende est peut-être, à maints égards, l'invention de Virgile, mais ses fondements semblent remonter jusqu'aux premiers poètes épiques latins, Ennius et Naevius; elle a probablement son origine dans les guerres puniques. Varron, le grand savant du 1er siècle avant J.-C., adopta cette tradition, mais dans sa version, c'était Anna, la sœur de Didon, qui périssait dans les flammes par amour pour Enée.

Pour Virgile, le crime de Didon réside dans la rupture de son serment de ne pas se remarier. Même après sa mort, elle refusa de pardonner à Enée; quand le héros descendit aux Enfers accompagné par la Sybille de Cumes, il rencontra l'ombre de Didon; mais celle-ci ne lui adressa pas un mot et ne voulut pas répondre à ses questions.

DIOMÈDE. 1. Fils de Tydée et de Déipylé et roi d'Argos. Dans *L'Iliade*, il figure parmi les plus valeureux guerriers grecs qui combattirent à Troie. Il est l'ami et le compagnon d'Ulysse. Outre les aventures mentionnées dans le poème d'Homère, on lui prête un grand nombre d'autres exploits.

Son père, Tydée, avait été tué devant Thèbes, que les «sept alliés» de Polynice avaient tenté de prendre d'assaut; sa mère était une fille d'Adraste, le roi d'Argos, et le chef des Sept contre Thèbes. Diomède figurait parmi les fils des Sept (connus sous le nom d'Epigones ou «deuxième génération») qui, ayant atteint l'âge d'homme, marchèrent sur Thèbes pour venger leurs pères. L'expédition fut aussi heureuse que celle des Sept avait été malheureuse; ils perdirent un homme seulement, le fils d'Adraste, Aegialée. Adraste en mourut de chagrin à Mégare, sur le chemin du retour. Diomède, le fils de sa fille, devint régent sinon roi, à Argos, et le tuteur (avec Euryale) du jeune fils d'Aegialée, Cyanippos. Puis il épousa sa cousine Aegialé, la petite-fille d'Adraste.

Après la chute de Thèbes, Diomède se rendit à Calydon en compagnie d'Alcméon, pour châtier les fils d'Agrios qui avaient traîtreusement usurpé le royaume d'Œnée (le père du père de Diomède, Tydée) dans sa vieillesse. Diomède chassa Agrios et ses fils, dont il tua la plupart, et rendit le trône à Œnée. Lorsque celui-ci devint trop vieux pour régner, Diomède nomma comme successeur Andraemon, le gendre du vieil homme, et emmena son grand-père jusqu'à Argos, où le vieil homme mourut. Il fut enterré à Œné, ville qui prit son nom. Diomède avait été l'un des prétendants d'Hélène, et il aida Ménélas à reconquérir la jeune femme, lors de la guerre de Troie. Il se mit à la tête de quatre-vingts navires venant d'Argos, de Tirynthe, de Trézène, d'Epidaure et d'Egine. Il avait pour seconds Sthénélos et Euryale. Selon certaines versions, il aida Ulysse à attirer Iphigénie à Aulis et à comploter la chute et la mort de Palamède. Comme Ulysse, Diomède jouissait de la protection d'Athéna. Avec l'aide de la déesse, en un seul jour, il tua le prince troyen Pandaros, blessa Enée et combattit contre les dieux, chassant Arès du champ de bataille et frappant Aphrodite de sa lance. Lorsqu'il se trouva opposé à Glaucos, le chef des Lyciens, au lieu de se battre en duel, tous deux découvrirent que leurs familles avaient depuis longtemps des liens d'amitié, et ils échangèrent leurs armes. Diomède y gagna, dans l'échange, car sa propre armure était de bronze, tandis que celle de Glaucos était d'or. Il secourut Nestor lorsque les chevaux du vieil homme furent tués, puis partit avec lui à la poursuite d'Hector. Accompagnant Ulysse, il participa à l'expédition de nuit contre le camp troyen, dans la plaine, et tua Dolon et le roi thrace Rhésos, avec douze de ses hommes. De nouveau avec Ulysse, il alla chercher Philoctète pour le ramener de Lemnos à Troie, car le devin Hélénos avait prédit que seule la présence de ce dernier apporterait la victoire aux Grecs. On dit aussi que Diomède accompagna Ulysse pour voler le Palladion, statue sacrée d'Athéna placée dans la citadelle de Troie, car Hélénos avait déclaré que le camp qui la posséderait serait vainqueur.

Aidé par Athéna, Diomède fut l'un des rares héros grecs à bénéficier d'un voyage de retour calme et rapide après la guerre. Mais, au même moment, Aphrodite, pour se venger de la blessure que la lance dc Diomède lui avait infligée, avait poussé Aegialé, sa femme, à devenir la maîtresse du fils de Sthélénos, Comètès. Selon une version, c'était Nauplios qui avait encouragé Aegialé dans son infidélité pour se venger de Diomède lequel avait tué son fils Palamède. En outre, les titres de Diomède au trône d'Argos étaient contestés par la famille de Sthélénos, qui représentait la maison royale argienne, alors que Diomède n'était lié à celle-ci que par mariage. Il fut obligé de se réfugier à l'autel d'Héra, puis il quitta Argos, laissant son bouclier dans le sanctuaire. Le fils de Sthélénos, Cylarabès, devint roi d'Argos.

Accompagné de ses plus fidèles compagnons, Diomède fit voile vers l'Italie où il épousa Evippé, la fille de Daunus, le roi d'Apulie. Selon les poètes romains, ses compagnons Acmon, Lycos, Idas, Nyctée, Rhéxénor et Abas furent métamorphosés en oiseaux par Vénus (Aphrodite) pour avoir douté qu'elle pût leur faire encore plus de tort. Ils vivaient sur des îles au large de l'Apulie, nommées les îles de Diomède et n'accueillaient que les Grecs. Lorsque Vénulus fut envoyé par le prince rutule Turnus auprès de Diomède pour lui demander son aide contre Enée, celui-ci refusa, car il avait déjà suffisamment offensé Vénus, la mère d'Enée. En Apulie, Daunus passait pour lui avoir donné un territoire sur lequel il fonda une cité importante, qu'il appela Argyripa, plus tard Arpi. On attribuait aussi à Diomède la fondation de Bénévent, Sipontum, Canusium, Aequum Tuticum et Vénusia, du nom de Vénus comme gage de paix. Par la faveur d'Athèna, Diomède reçut les honneurs divins après sa mort, ou sa disparition du monde. On disait qu'il était enterré dans les îles où ses compagnons, transformés en oiseaux, aspergeaient chaque jour sa tombe d'eau.

2. Fils d'Arès et de la nymphe Cyrène; roi des Bistones, en Thrace. Il possédait quatre juments si féroces qu'elles étaient attachées à des abreuvoirs de bronze par des chaînes et des longes d'acier. Il les nourrissait de chair humaine. Le roi Eurysthée ordonna à Héraclès de capturer ces juments; ce fut

là le huitième de ses Travaux. *Voir* HÉRACLÈS.

DIONÉ. 1. Déesse primitive qui fut l'amante de Zeus. Son nom est la forme féminine de Zeus. Son culte — qui, peut-être, à l'origine ne se différenciait pas de celui d'Héra — se limitait à Dodone, en Etolie, un très ancien sanctuaire de Zeus où on l'adorait sous la forme d'un chêne. Homère fait de Dioné la mère d'Amphitrite, la déesse de la mer, et d'Aphrodite, mais pour Hésiode, cette dernière est plutôt la fille d'Océan.
2. Fille d'Atlas. Elle épousa Tantale **1.**

DIONYSOS ou **BACCHUS.** Dieu du vin et de l'extase libératrice : il est la divinité la plus importante du monde grec classique (période hellénistique) auquel son culte, pourvu d'un cérémonial complexe, était censé apporter le salut. La plus jeune des grandes divinités grecques pour Homère, il n'est qu'une divinité mineure — il semble être originaire de Thrace ou de Phrygie. Il était généralement accompagné des Silènes et des Satyres, divinités protectrices de la fertilité. A l'origine, il se peut qu'il ait été, comme Déméter, une divinité du blé et de l'agriculture dans son ensemble. Ses adeptes (en général des femmes : les Ménades, c'est-à-dire les «femmes possédées») se livraient à des danses effrénées sur les collines, vêtues de peaux de faon et portant à la main des torches et un *thyrse* (hampe ornée de feuilles de vigne ou de lierre, et couronnée de pommes de pin). Les Grecs de l'âge préhellénistique avaient conscience du caractère étranger de Dionysos et, dans beaucoup de provinces, les gouvernements aristocratiques rejetaient ses rites orgiastiques non grecs. Bon nombre des mythes relatifs à Dionysos relatent les châtiments qu'infligeait le dieu lorsqu'il était ainsi repoussé; ceux-ci reflètent sûrement un processus historique par lequel un culte étranger utilisant l'extase se superposa à la religion olympienne traditionnelle pratiquée par la classe dirigeante grecque. Dionysos portait les noms de Bromios, Lénaios «le dieu du pressoir», Lyaios «qui délivre des soucis», et Dendritès «le protecteur des arbustes»; il est souvent identifié à Iacchos, dieu en relation étroite avec Déméter et les Mystères d'Eleusis. Il était le patron de deux grands festivals athéniens d'art dramatique, les Lénéennes et les Dionysies urbaines, sources principales, respectivement, de la comédie et de la tragédie anciennes.

La version la plus connue de la naissance de Dionysos associe le dieu à Thèbes. Elle raconte comment Zeus, sous l'apparence d'un mortel, séduisit Sémélé, la fille de Cadmos, le fondateur de Thèbes. Lorsque Héra apprit que celle-ci était enceinte, elle prit la forme de la vieille nourrice de Sémélé, Béroé. Sous ce déguisement, elle fit avouer à Sémélé le nom de son amant, mais lorsqu'elle entendit le nom de Zeus, elle s'esclaffa et refusa de la croire, à moins que Sémélé ne le prouvât en persuadant le dieu d'apparaître sous sa forme véritable. Aussi Sémélé fit promettre à Zeus de lui accorder une faveur ; et quand celui-ci lui demanda quel était son désir, elle le pria de se montrer dans toute sa puissance. Zeus dut s'exécuter, mais Sémélé, aveuglée par sa clarté, se consuma entièrement. Avant qu'elle n'expirât, Zeus délivra son divin enfant du sein de Sémélé. Puis il fit une entaille dans sa propre cuisse, y plaça l'enfant et referma la cavité. Deux mois plus tard, il s'ouvrit de nouveau et donna naissance à Dionysos, qu'Hermès confia à Ino, la sœur de Sémélé, ou bien à la nymphe Macris, la fille d'Aristée, en Eubée. Dans la version thébaine de l'enfance de Dionysos, le dieu rencontre de grandes difficultés avec les incrédules. Tout d'abord Ino, Agavé et Antinoé, les sœurs de Sémélé, refusèrent de croire à son ascendance divine ; néanmoins, Ino, lorsque Hermès lui apporta l'enfant de Zeus, accepta de l'élever, déguisé en fille. Héra, éternellement jalouse des amours de Zeus, et en colère contre Ino et son mari Athamas qui abritaient le jeune Dionysos, punit ces derniers en les frappant de folie. Dionysos, cependant, garda de la reconnaissance envers Ino et essaya de la protéger contre Héra. Plus tard, lorsqu'il revint à Thèbes, Ino et ses sœurs se joignirent aux Bacchanales. Lorsque Héra poussa Ino à se jeter dans la mer avec son fils Mélicerte, Poséidon la transforma en une divinité marine, Leucothée, sous la forme d'une mouette.

Pendant son enfance, un jour où Héra se faisait particulièrement menaçante, Zeus transforma Dionysos en chevreau et le donna à élever aux nymphes du mont Nysa ; celles-ci étaient peut-être les Hyades, nymphes des pluies de printemps. Silène les aida dans leur tâche. Plus tard, Dionysos plaça les nymphes au firmament sous la forme d'un amas d'étoiles.

Il existait aussi un mythe plus ancien concernant la naissance de Dionysos et son origine, mythe qui fut plus tard ajouté à la version thébaine ; de là vient l'une de ses épithètes de « deux fois né ». Dans cette légende, Déméter — avec qui, en tant que dieu de la Végétation, il avait beaucoup d'affinités — l'aurait engendré de Zeus, la terre et le ciel donnant naissance aux récoltes. Dans la tradition des Mystères orphiques, cependant, Perséphone prend la place de sa propre mère. Selon cette tradition, Zeus s'unit à elle sous la forme d'un serpent, et leur enfant fut appelé Zagreus. Héra, jalouse, persuada les Titans de faire disparaître l'enfant. Malgré son apparence de chevreau, ils l'attrapèrent et le déchirèrent, membre par membre ; puis ils le dévorèrent tout entier, excepté le cœur qu'Athéna put sauver. Zeus le donna à manger à Sémélé, et ainsi, Dionysos fut conçu à nouveau (ou encore, Déméter ou Apollon rassembla ce qui restait de lui et le rendit à la vie). Lorsque Dionysos atteignit l'âge d'homme, il alla chercher sa mère Sémélé aux Enfers pour qu'elle reçût les honneurs qui lui étaient dus, sur l'Olympe. Plongeant dans le lac de Lerne, ou dans la baie de Trézène, il atteignit le royaume d'Hadès et emmena sa mère, qu'il plaça au nombre des immortels sous le nom de Tyonè. Dionysos fut souvent persécuté par ceux qui refusaient de le reconnaître comme dieu. Cependant, après une lutte acharnée, il finit par imposer son culte à toute la Grèce. Alors qu'il était encore aux soins des nymphes de Nysa, Lycurgue, fils de Dryas et roi des Edoniens, pourchassa ses nourrices et essaya de les tuer avec un aiguillon. Dionysos, terrifié, prit la fuite et trouva asile dans la mer auprès de Thétis, qui le soigna tendrement jusqu'à ce que les dieux eussent aveuglé Lycurgue ; plus tard, ils lui réservèrent une fin atroce. A Thèbes, sa ville natale, Dionysos eut affaire à son cousin Penthée, le fils d'Agavé, qui avait hérité du trône de Cadmos et refusait de reconnaître sa divinité. Leur affrontement fut le thème de la pièce d'Euripide, *Les Bacchantes*. Dionysos vint à Thèbes sous l'apparence d'un beau jeune homme, à la tête d'un groupe de Ménades lydiennes. Par ses pouvoirs, il frappa les femmes de folie et les conduisit sur les flancs du mont Cithéron, saisies d'un délire bacchique. Penthée emprisonna le jeune homme dans une tour, mais les chaînes tombèrent miraculeusement sur le sol et les portes de la prison s'ouvrirent d'un coup. L'étranger vint alors éveiller la curiosité du roi en lui parlant tout bas des orgies dont il pourrait être le témoin sur la montagne, s'il se déguisait en femme. Le dieu le travestit de la sorte et le conduisit à travers les rues, se moquant de lui dans son dos. Penthée espionna les Bacchantes thébaines d'un arbre. Celles-ci l'aperçurent et le prirent, dans leur folie, pour un lion des montagnes ; sous la conduite de sa mère Agavé et de ses tantes, elles le firent tomber et le mirent en pièces. Un peu plus tard, Agavé revint à elle et l'enterra, désespérée.

Dionysos envoya Agavé et ses parents Cadmos et Harmonie en exil au pays des Enchéléens. L'exil de Cadmos pouvait refléter une autre version du mythe de la naissance de Dionysos; pour le peuple de Brasiae, en Laconie, Sémélé donna normalement naissance à son fils et prétendit qu'il était le fils de Zeus; Cadmos ne la crut pas et l'enferma avec Dionysos dans un coffre qu'il jeta à la mer. Le coffre s'échoua sur la côte de Brasiae; Sémélé était morte, mais Dionysos fut recueilli et élevé dans une grotte voisine par sa tante Ino qui, dans sa folie, était parvenue jusque-là.

Une autre légende mettant Dionysos en relation avec la mer est rapportée dans «l'hymne homérique à Dionysos». Des pirates tyrrhéniens trouvèrent Dionysos, sous l'apparence d'un beau jeune homme ivre-mort, à la pointe de l'île de Chios ou d'Icaria. Ils décidèrent de l'enlever et de demander une rançon, ou de le vendre comme esclave, et le conduisirent par ruse sur leur navire, lui offrant de le ramener à Naxos, où il demeurait, disait-il. Le seul membre de l'équipage à protester contre un tel projet fut le pilote Acœtès, mais en vain : lorsqu'il mit le cap sur Naxos, les marins l'obligèrent à prendre une autre direction. Mais un miracle survint alors. Le vent tomba, des guirlandes de vigne couvrirent le bateau, les rames devinrent des serpents. Le mât et les voiles devinrent lourds de raisins, dont les grappes décorèrent la tête du jeune homme, et des bêtes sauvages apparurent et jouèrent à ses pieds. Frappés de folie, les marins se jetèrent par-dessus bord et furent transformés en dauphins, ou en poissons. Acœtès fut terrifié, mais Dionysos le rassura et lui ordonna de faire voile sur Naxos. Le marin devint un fidèle compagnon du dieu et l'un de ses prêtres. (Selon une version, ce fut lui, et non pas Dionysos, que Penthée emprisonna.) C'est à Naxos que Dionysos recueillit Ariane, abandonnée par Thésée, et fit d'elle sa femme. Leur couronne nuptiale fut placée dans le firmament et devint la constellation de la Couronne.

Nombre de provinces grecques, a-t-on dit, répugnaient, comme Thèbes, à compter Dionysos au nombre des dieux. A Orchomène, une autre cité béotienne, les filles du roi Minyas refusèrent de se joindre aux Bacchanales et restèrent chez elles. Mais le dieu les frappa de folie et elles déchirèrent l'un de leurs enfants; puis il les transforma en chauves-souris. De même à Argos, les filles du roi Proetos refusèrent de suivre les Ménades. Elles aussi devinrent folles et parcoururent les montagnes, croyant qu'elles étaient des vaches, et dévorèrent leurs propres bébés. Mélampous les délivra de leur délire, mais avant cela, la maladie s'étendit à toutes les Argiennes, car le roi refusait de donner à Mélampous l'énorme paiement qu'il demandait — un tiers du royaume. Une autre légende argienne raconte comment Persée se battit contre Dionysos et tua la plupart de ses suivantes, les Halai ou «Femmes de la mer». Mais, plus tard, ils se réconcilièrent, et les Argiens abritèrent la femme de Dionysos, Ariane, qui fut ensevelie dans leur ville. A Athènes, pendant le règne de Pandion, Dionysos avait enseigné la culture de la vigne à un humble paysan, Icarios, et à sa fille Erigoné. Lorsque Icarios offrit du vin à ses voisins, ceux-ci s'enivrèrent, et croyant qu'ils avaient été empoisonnés, le mirent à mort. Erigoné, qui ignorait ce qui était arrivé à son père, le chercha partout en compagnie de son fidèle chien Maera; lorsqu'elle trouva le corps, elle se pendit. Dionysos châtia les Athéniens en les frappant de folie, et leurs femmes se pendirent en grand nombre. Par la suite, l'oracle d'Apollon révéla aux hommes la cause de ce fléau; ils instituèrent alors une fête lors de laquelle on suspendait des figurines aux arbres en l'honneur d'Icarios et d'Erigoné. La jeune fille et son chien furent immortalisés sous la forme d'étoiles, la constellation de la Vierge et l'étoile Procyon.

En Etolie, Dionysos fut si bien reçu que le roi Œnée lui offrit sa propre femme, Althée ; celle-ci lui donna une fille, Déjanire, la future femme d'Héraclès. Dionysos remercia Œnée en lui offrant sa protection et en lui enseignant l'art de cultiver la vigne.

Dionysos, comme il convenait à un dieu d'origine étrangère, passait pour avoir beaucoup voyagé à l'extérieur de la Grèce. Héra, dit-on, le frappa de folie, et il erra dans des pays situés à l'est comme la Syrie et l'Egypte, jusqu'à ce qu'il eût atteint la Phrygie où Cybèle, ou Rhéa, le purifia et le guérit de son délire. Il adopta l'habillement phrygien et fut accompagné des Ménades lydiennes, des Satyres et des Silènes. Ses suivantes étaient vêtues de peaux de cerf et portaient à la main un thyrse; elles allaitaient les faons, déchiraient et dévoraient les bêtes sauvages et, selon la légende, elles se livraient à la débauche sexuelle. Lorsque le compagnon du dieu Silène se perdit, le roi Midas reçut celui-ci avec tant de faste que Dionysos lui offrit d'exaucer le vœu qu'il formulerait. Midas demanda que tout ce qu'il toucherait se transformât en or — faveur qui se révéla vite un fléau, car l'or ne peut être ni mangé ni bu. En Egypte, Dionysos fonda l'oracle d'Ammon. Un jour où il errait, sans eau, dans le désert, avec ses compagnons, il aperçut un bélier solitaire. Ils suivirent l'animal, mais celui-ci disparut, et une source jaillit à l'endroit où il se tenait. Le dieu plaça là son oracle et fit de l'animal la constellation du Bélier. Lorsqu'il atteignit l'Euphrate, il construisit un pont de lierre et de vigne entrelacés. Par la suite, il alla jusqu'au Gange, en Inde; après avoir imposé son culte dans le pays, il revint en Grèce dans un char tiré par des léopards. Lors de la bataille entre les dieux et les géants, Dionysos tua Eurytos d'un coup de thyrse; et les ânes que conduisaient les Satyres terrifièrent les géants par leurs braiements. Lorsque les dieux s'enfuirent en Egypte pour échapper au monstrueux Typhon, Dionysos se transforma en bouc. Il finit par se réconcilier avec Héra qu'il aida même à s'échapper d'un piège fabriqué par Héphaïstos — un siège qui emprisonnait la déesse — en enivrant le divin forgeron. Selon certaines traditions, il eut un fils d'une déesse; Aphrodite passait en effet pour lui avoir donné Priape qui, comme Dionysos, était un dieu de la Fertilité et de la Végétation. Dans *Les Grenouilles*, Aristophane fait de Dionysos un personnage comique. Les Romains l'identifièrent avec le vieux dieu rustique italique, Liber Pater.

DIS. Nom romain du dieu des Enfers; c'est une contraction de *dives*, littéralement, «le riche». *Voir* HADÈS.

DORIS. Fille d'Océan et de Téthys; divinité marine qui épousa Nérée. Les cinquante nymphes, appelées les Néréides («filles de Nérée») étaient ses filles.

DRYADES. Les dryades et les hamadryades étaient les nymphes des arbres, et à l'origine des chênes (*drys*). Elles vivaient très longtemps, mais n'étaient pas immortelles; Eurydice, la femme d'Orphée — qui mourut d'une morsure de serpent alors qu'elle fuyait Aristée — était une dryade. Selon une tradition plus récente, la vie d'une dryade était indépendante de celle de l'arbre, alors qu'une hamadryade vivait dans un arbre et mourait avec lui.

E

ÉAQUE. Fils de Zeus et de la nymphe Egine, la fille du fleuve Asopos. Zeus, sous la forme d'un aigle, l'enleva de chez elle, à Sicyon, et la transporta sur une île de la côte d'Argolide, qui prit plus tard son nom. Après avoir donné naissance à Eaque, elle laissa son fils sur l'île déserte; celui-ci demanda à Zeus de peupler l'île. Le dieu transforma des fourmis en hommes, qu'Eaque nomma les Myrmidons (de *myrmekes :* fourmis).

Nisos et Sciron briguaient tous deux le trône de Mégare et s'en remirent à son arbitrage. Eaque décida en faveur de Nisos et épousa la fille de Sciron, Endéis. Il eut d'elle deux fils, Pélée, père d'Achille, et Télamon, père d'Ajax et de Teucer.

Eaque était réputé pour son équité : quand la sécheresse frappa la Grèce, l'oracle de Delphes fit savoir que seules ses prières pourraient apaiser le fléau. Selon Pindare, Eaque aida Apollon et Poséidon à construire la muraille de Troie; trois serpents attaquèrent alors la muraille, mais un seul réussit à franchir la portion construire par Eaque. De ce fait, Apollon prédit que les descendants d'Eaque détruiraient la ville.

Eaque eut un autre fils, Phocos, d'une nymphe marine, Psamathé. Ce fils était un grand athlète, ce qui excita la jalousie de ses frères. Ceux-ci le tuèrent, puis furent exilés d'Egine par leur père, qui demeura le roi solitaire de l'île. Après sa mort, Zeus le fit juge des morts, aux côtés de Minos et de Rhadamanthe.

ÉCHIDNA. Monstre (littéralement «serpent»), né de l'union du mystérieux Chrysaor et de Callirhoé, la fille d'Océan; ou bien de Tartare et de Gaia, ou de Céto et de Phorcys. Le corps d'Echidna était à moitié celui d'une belle femme, à moitié celui d'un serpent vorace. Avec Typhon, elle engendra des enfants monstrueux : Chimère, l'Hydre de Lerne et Cerbère. Puis Echidna s'unit à Orthros et eut le Sphinx, le lion de Némée, la truie de Crommyon. D'autres créatures lui sont attribuées : Orthros, le chien de Géryon, auquel elle-même s'unit, le dragon Ladon qui gardait le jardin des Hespérides et l'aigle qui tourmentait Prométhée. Enfin Argos-aux-cent-yeux trouva un jour Echidna endormie et la tua, débarassant l'Arcadie d'un pénible fléau.

ÉCHO. Nymphe du mont Hélicon. Lorsque Héra voulut espionner Zeus, lors de ses intrigues galantes, Echo rendit furieuse la déesse par son bavardage continuel qui semblait être une aide délibérée à Zeus. Aussi Héra la réduisit-elle au silence. La nymphe ne pouvait parler que si on lui adressait la parole, et son discours se limitait à répéter les dernières syllabes proférées par les autres. Plus tard, Echo tomba amoureuse de Narcisse, mais il la repoussa. Dans sa détresse Echo se cacha et fut réduite à une ombre. Seule sa voix demeura, en écho. Selon une légende différente, Echo était une nymphe que Pan aimait, mais sans succès. Le dieu la frappa de mutisme, ne lui laissant que le pouvoir de répétition. Les bergers devinrent si furieux de cette habitude qu'ils la déchirèrent. Gaia (la Terre) cache en elle les différents morceaux qui gardèrent leur pouvoir de répétition.

ÉGÉE. Fils aîné (peut-être fils adoptif) de Pandion et de Pylia. Pandion était roi d'Athènes et avait épousé la fille du roi de Mégare, Pylas, à qui il succéda.

Pandion eut trois autres fils, Nisos, Pallas et Lycos. Cependant, selon une tradition, il avait adopté un fils de Scyrios, roi de l'île de Scyros, et l'aurait fait passer pour sien.

Quand Pandion mourut, Nisos devint roi de Mégare; les trois autres frères envahirent l'Attique et chassèrent les fils de Métion qui en étaient les souverains. Après leur victoire, Egée revendiqua et obtient de régner seul sur Athènes, bien qu'il eût promis de partager équitablement le territoire avec ses frères.

Egée se maria deux fois, mais n'eut pas d'enfants. Il consulta alors l'oracle de Delphes, qui lui donna une réponse obscure : il ne devait pas délier son outre à vin avant d'atteindre Athènes. Egée décida de demander à son ami Pitthée, roi de Trézène, d'interpréter l'oracle. Sur le chemin de Trézène, il s'arrêta à Corinthe, où Médée lui demanda refuge à Athènes; elle s'engageait à se servir de sa magie pour lui donner le fils qu'il désirait. Pitthée, comprenant que l'oracle avait aussi prédit la naissance d'un grand héros, fit boire Egée et l'unit à sa fille Aethra. Quand Egée sut que Aethra portait un enfant, il mit une épée et une paire de sandales sous un gros rocher. Puis il demanda à Aethra d'envoyer son fils à Athènes lorsqu'il serait capable de soulever le rocher et de prendre l'épée et les sandales; ainsi, Egée reconnaîtrait son fils L'enfant qui naquit fut appelée Thésée (on dit aussi que son père était Poséidon).

Quand Egée revint à Athènes, il épousa Médée qui lui donna un fils, Médos. C'est pourquoi elle montra par la suite une telle haine envers Thésée. Lorsque ce dernier vint à Athènes, auréolé de gloire, après ses exploits dans l'Isthme, Médée le reconnut, mais lui s'abstint de produire les preuves. Médée convainquit Egée d'envoyer le jeune homme combattre le taureau sauvage de Marathon, qui avait tué le fils de Minos, Androgée.

Thésée captura le taureau vivant; Médée alors décida de le tuer, faisant croire à Egée que Thésée allait se joindre aux fils de Pallas en rébellion contre le trône. Elle offrit à Thésée, en présence de son père, une coupe de vin empoisonné. Egée cependant remarqua de son fils portait l'épée qu'il avait laissée à Trézène, ou bien il vit l'épée alors que Thésée s'en servait pour découper la viande, et jeta la coupe au sol. Il le reconnut alors solennellement, et Médée s'enfuit avec Médos en Colchide. Thésée aida son père à repousser la famille de Pallas et de Lycos qui tentaient de prendre le pouvoir.

C'est à la suite de l'expédition de Thésée en Crète, contre le Minotaure, qu'Egée trouva la mort; Minos avait imposé à Athènes un tribut de sept jeunes gens et sept jeunes filles qui devaient être livrés au monstre chaque année, ou tous les neuf ans, selon une autre version; le puissant roi de Crète voulait venger son fils Androgée, tué soit par le taureau de Marathon, soit pendant qu'il se rendait à Thèbes pour participer aux jeux funèbres de Laïos. Minos attaqua Mégare et Athènes; Mégare tomba, et Athènes fut décimée par une épidémie. Egée se soumit alors au conseil de Delphes et accepta les conditions de Minos.

Mais quand Thésée revint, il oublia de changer les voiles noires, signe de sa mort, contre les blanches, ainsi qu'il avait promis de le faire s'il était vivant; Egée se jeta dans la mer, qui depuis porte son nom, du haut d'une falaise, et l'on construisit un autel sur le lieu de sa chute, ou bien de l'Acropole.

ÉGÉRIE. Nymphe italienne liée au culte de Diane à Aricie, dans le Latium, et aux Camènes, dans un bois non loin de la porte Capène, à Rome. Le second roi mythique de Rome, Numa Pompilius le Sabin, réputé pour sa sagesse et son savoir, épousa Egérie ou fit d'elle sa maîtresse et tenait compte de ses conseils. Ils avaient coutume de se rencontrer la nuit, à la porte Capène. où elle l'entretenait de politique gouvernementale et religieuse. Ovide raconte qu'elle vint à Aricie par suite de son chagrin à la mort de Numa. Là, Diane, pour apaiser ses lamentations, la changea en source.

ÉGISTHE. Fils de Thyeste et de sa fille Pélopia. L'oracle avait prédit à Thyeste qu'il serait vengé de son frère Atrée qui avait massacré ses enfants seulement s'il avait un fils de sa propre fille. Il viola cette dernière pendant qu'elle sacrifiait à Athéna (on dit aussi qu'il ne savait pas qui elle était). Pélopia lui déroba son épée et la cacha sous une statue d'Athéna.

Pélopia vivait alors dans le pays des Thesprotes. Là, Atrée la vit, alors qu'il cherchait Thyeste. Il la demanda en mariage, et Thesprotos, son tuteur, la lui donna, sans mentionner sa grossesse ni dire qui elle était. Quand Egisthe naquit à la cour d'Atrée, à Mycènes, sa mère l'exposa, et une chèvre le nourrit. Peu après, Atrée le trouva et, sachant qu'il était l'enfant de Pélopia, pensa qu'il était aussi le sien, et l'éleva.

Thyeste fut vengé dans les conditions suivantes : Agamemnon et Ménélas, envoyés par leur père Atrée à la recherche de Thyeste, s'emparèrent de celui-ci à Delphes, où ils étaient tous allés consulter l'oracle. Ils le ramenèrent à Mycènes où il fut emprisonné. Puis Atrée envoya Egisthe tuer son père, dans la prison. Celui-ci portait par hasard l'épée que Pélopia avait prise à son père, après son viol; Thyeste reconnut l'épée et révéla à Egisthe qu'il était son père.

Thyeste demanda à voir Pélopia, qui se rendit à la prison. Elle se rendit compte qu'elle avait commis un inceste, et se transperça de l'épée.

Egisthe, au lieu de tuer Thyeste, montra à Atrée l'épée souillée du sang de sa mère; Atrée crut Thyeste mort, et alla sur le rivage offrir un sacrifice en remerciement aux dieux; c'est là qu'Egisthe le tua.

Puis Thyeste et Egisthe régnèrent ensemble à Mycènes, mais Agamemnon et Ménélas les en chassèrent. Pendant qu'Agamemnon était à Troie, Egisthe, négligeant un avertissement d'Hermès, revint à Mycènes et séduisit Clytemnestre, la femme d'Agamemnon. Celle-ci accepta ses avances, soit en raison de la colère qu'avait suscitée en elle le sacrifice d'Iphigénie par son père, soit parce qu'elle savait que Agememnon avait l'intention de revenir avec une concubine, Cassandre.

Egisthe et Clytemnestre provoquèrent la mort d'Agamemnon et de Cassandre. Egisthe régna pendant sept ans après le meurtre, puis il fut tué à son tour par Oreste, le fils d'Agamemnon. Ce sont ces thèmes que développe la trilogie d'Eschyle, *l'Orestie,* ainsi que plusieurs tragédies de Sophocle et d'Euripide.

ÉLECTRE («ambre», et peut-être à l'origine «feu», «étin-

celle»).
1. Fille d'Océan et de Téthys ; elle épousa le Titan Thaumas et donna naissance à la déesse Isis et aux Harpyes.
2. Fille d'Atlas et de Pléioné ; *voir* PLEIADES.
3. Fille d'Agamemnon et de Clytemnestre. Elle n'est pas connue d'Homère, mais dans la tragédie classique, elle représente un personnage très important et donne son nom à deux tragédies parvenues jusqu'à nous, l'une de Sophocle et l'autre d'Euripide. Elle joue un rôle important aussi dans les *Choéphores* d'Eschyle et l'*Oreste* d'Euripide. Dans ces pièces, elle aide son frère Oreste dans sa vengeance contre leur mère, Clytemnestre et son amant, Egisthe, qui ont assassiné Agamemnon. Selon Sophocle, Electre sauva Oreste, encore jeune, des meutriers qui voulaient le tuer aussi. Elle l'envoya à la cour du roi Strophios, en Phocide. Adulte, il revint avec son cousin Pylade, le fils de Strophios, et rencontra Electre, toujours hostile à Clytemnestre et Egisthe ; ayant reconnu son frère, Electre les rejoignit, lui et Pylade, devant le tombeau d'Agamemnon où elle leur prodigua conseils et encouragements. Selon Euripide, cependant, Electre était mariée à un paysan pauvre mais honnête qui, plein de respect pour son sang royal et l'injustice de la situation, respectait sa virginité. Au retour d'Oreste, elle le reconnut grâce à certains signes et se joignit à lui pour tuer les meurtriers de leur père. Mais elle fut alors envahie par le remords, alors qu'Oreste était tourmenté par les Erinyes, qui, selon Euripide, n'étaient que les spectres de sa propre conscience hantée par la culpabilité. Dans sa tragédie, *Oreste,* il fait débuter l'action plus tard en faisant apparaître Ménélas juste au moment où le peuple de Mycènes va lapider Oreste et Electre pour leur matricide. Cependant, Ménélas ne voulut point persuader le peuple d'accepter Oreste pour roi ; aussi, Oreste et Electre s'emparèrent de sa femme Hélène et voulurent la mettre à mort pour se venger de tout le mal qu'elle avait causé à leur famille par son adultère avec Pâris. Mais Hélène était fille de Zeus, donc immortelle, et elle échappa à leur vengeance ; là-dessus, Oreste et Electre se saisirent de sa fille, Hermione, et demandèrent pour elle une rançon, jusqu'à ce qu'Apollon, qui avait à l'origine poussé Oreste à tuer Clytemnestre, acceptât de le délivrer de la folie dont les Erinyes l'avaient frappé, à la condition qu'il délivrât Hermione. Electre, sur l'ordre d'Apollon, épousa son cousin Pylade et lui donna deux fils, Strophios et Médon.
EMPOUSA. L'un des spectres de l'entourage d'Hécate. Elle

avait un pied d'âne et un pied de bronze. Elle possédait le pouvoir de se métamorphoser et s'unissait à ses victimes avant de les dévorer. Pour se débarrasser d'elle, il fallait l'injurier à grands cris, et allors elle fuyait en poussant des cris aigus.

ENCELADE. *Voir* GÉANTS.

ENDYMION. Fils d'Aethlios, lui-même fils de Zeus et de Calycé, fille d'Eole **2**. Endymion avait trois fils : Aetolos, Paeon et Epéios. Roi d'Elide, il passait pour avoir rattaché Olympie à son royaume, en ayant chassé son roi crétois, Clyménos. Pour savoir lequel de ses fils lui succéderait, il leur fit disputer une course à pied, qu'Epéios gagna. La Lune, Séléné, tomba amoureuse d'Endymion et lui donna cinquante filles. Puis, ne pouvant supporter l'idée de sa mort, elle le fit dormir d'un sommeil éternel; et, dès lors, il reposa, jeune et beau, dans une grotte du mont Latmos, en Carie (qui était sa patrie selon une version). Une autre légende rapporte que Zeus lui ayant accordé la réalisation d'un souhait, Endymion choisit de dormir éternellement dans la grotte, sans jamais vieillir. Les habitants d'Héraclée, en Carie, près du Latmos, lui érigèrent un sanctuaire à cet endroit. En Elide, cependant, la légende de son sommeil éternel était inconnue, et l'on montrait sa tombe à Olympie.

ÉNÉE. Fils d'Aphrodite et d'Anchise, descendant de Tros; il est donc membre de la maison régnante de Troie, par la branche cadette. Enée est un guerrier important, du côté troyen, d'après *L'Iliade,* immédiatement derrière Hector; mais il prend toute son importance dans les faits qui suivent la chute de Troie, alors qu'il conduit les survivants vers l'Italie. La légende existait bien avant Virgile, mais c'est lui qui a fait venir Enée en Italie. L'installation de celui-ci dans le pays est le sujet du poème de Virgile : *L'Enéide.*

Dans *L'Iliade,* Enée avait été le seul Troyen à qui l'on ait donné quelque espoir pour le futur : Poséidon avait prédit qu'il régnerait sur Troie dans les temps à venir et qu'il sauverait de l'extinction la race de Dardanos. Le hasard voulut qu'il devînt le successeur de Priam, lui qui se plaignait de ce que ce dernier ne l'eût jamais reconnu et lui eût préféré ses propres fils. Par ailleurs, Homère dans *L'Iliade,* et Virgile dans *L'Enéide,* peignent tous deux le héros comme l'homme le plus pieux et le plus scrupuleux de sa race.

Énée naquit sur le mont Ida, près de Troie; sa mère le confia aux nymphes et, quand il eut cinq ans, il fut rendu à Anchise, son père. Au début de la guerre de Troie, il dirigeait les troupes Dardaniennes (Dardanos était une ville sur les flancs du mont Ida), mais Hector était le commandant suprême. Enée ressentait vivement la supériorité d'Hector, le dédain de Priam et la domination de Troie (Ilion) sur sa propre ville.

Il fut chassé de Dardanos par Achille et se réfugia à Lyrnessos, qui, à son tour, fut saccagée. La population de la région dut se réfugier à Troie, la ville la mieux fortifiée; là, Enée intervint dans les événements décrits dans *L'Iliade*. Il épousa Créüse, une fille de Priam qui lui donna un fils, Ascagne.

Il existe plusieurs versions du destin d'Enée après la chute de Troie. Selon certains, Aphrodite conseilla à Anchise de se réfugier sur le mont Ida avant même que Troie ne fût tombée; de même, Enée quitta la ville à temps, terrifié par le présage de la mort de Laocoon. Selon *La Petite Iliade,* il fut prisonnier et esclave de Néoptolème.

Ou encore, il essaya de défendre la citadelle de Troie après la chute de la ville pour finalement la quitter avec l'accord des Grecs respectueux de sa piété. La tradition selon laquelle il s'enfuit de la ville en flammes, portant Anchise sur son dos, est bien antérieure à Virgile, de même que le récit de ses voyages et de ses rapports avec la Sicile et Carthage. La légende qui le fait venir en Italie centrale remonte au Ve siècle avant J.-C. Selon la tradition romaine, fixée par Virgile, Enée et quelques compagnons se battirent désespérément et sans succès, pendant la bataille finale, dans les rues de la ville en flammes. Enée assita à la mort de Priam et au triomphe de Néoptolème dans le palais royal. Puis il revint chez lui et, guidé par sa divine mère et inspiré en rêve par l'ombre d'Hector, il décida de fuir avec tout ce qu'il pourrait sauver.

Son père, tout d'abord, résista, mais plusieurs augures, une petite flamme jaillissant de la tête d'Ascagne et un éclair fulgurant, le décidèrent. Ainsi, ils partirent, cherchant un endroit sûr, sur le mont Ida. Enée portait son père, vieux et impotent (lui-même portait les Pénates, ou dieux Lares, dans ses bras) et tenait Ascagne par la main. Créüse suivait derrière, mais pendant la traversée de la ville sombre et qui se consumait lentement, elle fut séparée d'eux et se perdit. Enée, angoissé, revint la chercher, mais il ne rencontra que son ombre qui lui dit d'abandonner ses recherches. Les autres — beaucoup étaient venus se réfugier près d'Enée sur le mont Ida — restèrent là de nombreux mois à construire des navires qu'Enée ensuite mit à la mer. Il ignorait toujours sur quelle terre il s'établirait, mais espérait fonder une ville en Thrace.

C'est alors que l'esprit de Polydoros, le plus jeune fils de Priam, conseilla à Enée de partir. A Délos, l'oracle d'Apollon lui ordonna de partir à la recherche de la mère première de leur race. Anchise crut qu'il s'agissait de l'île de Crète, d'où était venu son ancêtre Teucer et dont le petit-fils, Ilos, avait fondé Troie. Quand ils atteignirent la Crète, la famine les surprit; Enée, enfin, entendit en rêve les Pénates, interprétant l'oracle d'Apollon : la patrie dont il parlait n'était pas celle de Teucer, mais celle de son gendre Dardanos (le père d'Ilos), originaire de l'Hespérie, ou de l'Italie. La flotte d'Enée repartit, mais elle fut détournée par une tempête sur les îles Strophades, où les Troyens furent dépouillés par les Harpyes. L'une d'elles, Célaeno, les informa que lorsqu'ils auraient faim à en manger leurs tables, là serait leur nouvelle partrie. Les Toyens firent voile jusqu'à Buthrote, en Epire, et trouvèrent là un compatriote, le devin Hélénos, qui régnait avec Andromaque, la veuve d'Hector. Hélénos conseilla à Enée d'aller à Drépanon, en Sicile, et lui dit qu'il était destiné à fonder une grande nation. Les Troyens évitèrent Charybde et Scylla et atteignirent Drépanon, en Sicile, près d'Eryx, où se trouvait le sanctuaire de Vénus, la mère d'Enée. C'est là qu'Anchise mourut et fut enterré. Les Troyens firent voile au nord, vers l'Italie, mais Junon (en grec : *Héra*) s'opposa au projet qu'ils avaient de fonder une nouvelle Troie; elle envoya une terrible tempête pour détruire leur flotte, ayant persuadé Eole de délier l'outre retenant les vents. Cependant, Neptune apaisa les vagues et, ainsi les Troyens purent aborder en Afrique, près de Carthage, cité que venait d'ériger la reine Didon. Vénus, inquiète de l'accueil qu'on réservait à son fils, envoya Cupidon (en grec : *Eros*), sous le déguisement d'Ascagne, afin que Didon tombât amoureuse d'Enée. Junon, qui espérait ainsi que son projet de s'établir en Italie serait abandonné, favorisa l'union dans une grotte, mais Enée refusa le mariage. Jupiter avait envoyé Mercure pour informer Enée qu'il devait repartir et qu'il ne devait pas oublier sa destinée. De son bateau Enée aperçut des flammes; elles s'élevaient du bûcher où le corps de Didon se consumait, car elle s'était suicidée. Enée revint vers la Sicile, où il fut accueilli par Aceste, roi d'Eryx, dont la mère était troyenne. On célébra les jeux funèbres d'Anchise. Junon poussa alors quelques Troyennes à se rebeller contre le projet de reprendre la mer et à incendier les navires. Quelques-uns furent brûlés, mais Jupiter fit pleuvoir pour sauver le reste. Puis Enée permit aux plus vieux et aux plus fatigués de rester avec

Aceste à Eryx, et ceux-ci fondèrent la ville d'Egeste, en Sicile.

Poursuivant sa route avec ses compagnons les plus jeunes et les plus résistants, Enée arriva en Italie ; pendant le voyage, il perdit Palinure, son timonier, et Misène, l'un des premiers compagnons d'Hector ; deux caps italiens prirent le nom de ces derniers. A Cumes, Enée consulta la Sibylle, une prophétesse très âgée, et, suivant ses instructions, il trouva le Rameau d'Or dans un bois, sur le bords du lac Averne. Grâce au talisman, tous deux descendirent aux Enfers. Là, Enée vit les ombres des morts ; Didon ne lui adressa mot, et se détourna. L'ombre de son père lui fit entrevoir la destinée de sa race et l'existence future de Rome. Rassuré par une telle vision, Enée quitta les Enfers avec la Sibylle, et rejoignit ses hommes.

Puis ils firent voile vers le Tibre et accostèrent sur ses rives, et là, ils firent un repas. Leur faim était telle qu'ils mangèrent aussi les miches de pain qui leur servaient de table ; Ascagne leur fit remarquer que la prophétie s'était accomplie. Le pays où ils se trouvaitent était le Latium, du nom de son roi, Latinus. Sa femme Amata et lui avaient promis leur seule fille Lavinia à Turnus, roi des Rutules, leur voisin. Mais, avant l'arrivée d'Enée, un oracle défavorable avait recommandé le mariage de Lavinia avec un étranger. Latinus vit en Enée un parti convenable et lui souhaita la vienvenue. Mais Junon intervint de nouveau et envoya la Furie Alecto, depuis les Enfers, pour rendre Amata hostile à la rencontre. Alecto poussa de même Turnus à entrer en guerre contre les étrangers ; celui-ci fit appel à ses alliés, qui regroupaient la plupart des rois locaux, dont la Volsque Camille, et Mézence, un Etrusque exilé. Enée, lui, reçut l'amitié des Etrusques, qui haïssaient Mézence pour sa cruauté, et de l'Arcadien Evandre, qui avait du sang troyen ; ce dernier s'était récemment établi à Pallantée (emplacement du mont Palatin, à Rome). Avant de quitter Pallantée, Enée fit le rêve suivant : le dieu du Tibre lui prédisait que, sur son chemin, il rencontrerait une énorme truie et ses trente porcelets ; là, dans trente ans Ascagne fonderait une ville appelée Alba-Longa (Albe-la-Longue) en souvenir de la truie. Plus tard, Enée sacrifia l'animal à Junon pour adoucir sa colère.

Vulcain (en grec : *Héphaïstos*) fabriqua à la demande de Vénus une armure neuve pour Enée. En l'absence de ce dernier, Turnus attaqua son camp et tenta de brûler les navires, mais ceux-ci se changèrent en nymphes qui s'enfuirent à la nage. Nisos et Euryale, deux Troyens, essayèrent de franchir les lignes de Turnus pour aller prévenir Enée de l'attaque, mais ils furent abattus. Quand Enée revint, la bataille lui était contraire. Pallas, le jeune fils d'Evandre, et un grand nombre d'hommes furent tués; mais Enée retourna la situation en mettant Mézence et son fils hors de combat. Une trêve fut décidée, et Turnus accepta de trancher par un combat singulier. Junon, cependant, poussa les Latins à rompre la trêve et, dans le combat qui s'ensuivit, Enée fut blessé. Vénus le soigna, et il attaqua Laurentum, la cité de Latinus, avec une telle violence que Amata, croyant que Turnus était mort, se tua. Une fois encore, Turnus demanda une trêve et un combat singulier. Mais sa sœur, Juturne, une nymphe qui l'avait aidé et tenu à distance d'Enée, abandonna sa cause. Enée le terrassa, Turnus lui demanda grâce, et le vainqueur était sur le point de se laisser fléchir quand il remarqua que Turnus portait en trophée le ceinturon de Pallas. Il l'exécuta alors sur-le-champ.

Puis il épousa Lavinia et règna sur les Latins et les Troyens réunis. Cependant, en guise de concession à la colère de Junon, les Troyens, sur la décision de Zeus, oublièrent leur langue et leurs coutumes et adoptèrent ceux de l'Italie. Enée fonda une nouvelle ville, qu'il appela Lavinium en l'honneur de sa femme : en cet endroit, dans les premiers temps, le culte de Vénus, de Vesta et des Pénates troyens demeurèrent importants. Son fils, Ascagne, fonda Albe-la-Longue, qui devint la capitale de la nouvelle race latino-troyenne, jusqu'au moment où, des siècles plus tard, Romulus fonda Rome sur l'emplacement de Pallantée, où Enée avait rendu visite à Evandre. La famille de Jules César prétendait descendre d'Enée par Ascagne, qui était aussi appelé Iule.

D'autres traditions plus récentes, rapportent qu'Enée rencontra Anna, la sœur de Didon, sur les rives du fleuve Numicus, qu'il fut purifié dans le fleuve et que, après sa mort, il fut reçu parmi les dieux.

ENFERS. *Voir* HADÈS.

ÉOLE. 1. Fils d'Hippotas et roi de l'île flottante d'Eolia (peut-être les îles Eoliennes, au nord de la Sicile) ; mortel à qui Zeus, qui l'aimait, donna le contrôle des vents. Il tenait les vents enfermés dans une grotte et pouvait les libérer comme il voulait, ou sur la demande des dieux. Eole menait une vie sans soucis avec sa femme Cyané, fille de Liparos (le premier roi de l'île), et avec leurs six fils et leurs six filles, qui s'étaient mariés entre eux. Il reçut Ulysse avec amitié et lui remit une outre de cuir où étaient enfermés tous les vents, à l'exception des Zéphirs qui devaient le ramener chez lui sans encombre. Mais les marins, croyant qu'il s'agissait d'un trésor, délièrent l'outre et tous furent rejetés sur les côtes d'Eolia; cependant Eole les renvoya.

Avant d'avoir les faveurs de Zeus, Eole, marin chevronné, avait inventé les voiles et appris à prévoir le temps.

2. Fils d'Hellèn et d'Orséis. Hellèn, héros éponyme des Hellènes, partagea la Grèce entre ses trois fils, Eole, Xouthos et Doros. Eole reçut la Thessalie et donna son nom à la race éolienne. Il épousa Enarété, dont il eut des enfants nombreux et inflents : Sisyphe, Créthée, Athamas, Salmonée, Déion, Magnès, Périérès et Macarée. Pour les filles : Canacé, Alcyoné, Pisidicé, Calycé, Cléoboulé, et Périmédé. Eole tua Canacé pour la punir de ses relations incestueuses avec Macarée. La plupart des enfants d'Eole devinrent rois de cités grecques. Il est souvent confondu avec Eole **1** — par exemple, dans la version d'Ovide de l'histoire d'Alcyoné.

3. Fils de Poséidon et de Mélanippé, fille d'Eole **2** et de Hippé. Son frère est Boeotos.

ÉOS. Déesse de l'aurore; elle était la fille du Titan Hypérion et de la Titanide Théia, et la sœur d'Hélios (le Soleil) et de Séléné (la Lune). Elle épousa tout d'abord le Titan Astreos («étoilé»), avec qui elle engendra les vents, les étoiles et Eosphoros, l'étoile du matin. Elle conduisait un char, tiré par deux chevaux, à travers le ciel, en compagnie de son frère Hélios; les chevaux étaient Phaethon («brillant») et Lampos («éclatant»). Homère l'appelle la déesse «matinale», «aux doigts de rose», ou «à la robe safranée». Elle fut amoureuse de nombreux jeunes et beaux mortels, mais généralement ses amours furent malheureuses (car Aphrodite lui gardait rancune pour avoir été l'Amante d'Arès). Elle épousa l'un de ces mortels, Tithonos, et supplia Zeus d'accorder à celui-ci l'immortalité. Mais elle négligea de demander pour lui la jeunesse éternelle, de sorte que Tithonos resta auprès d'elle, vieillissant sans fin, jusqu'à ce qu'il devînt aussi desséché qu'une cigale et qu'il stridulât comme cet insecte. Finalement, Eos l'enferma dans sa chambre, le confinant là, et elle se levait chaque jour plus tôt pour se sauver de son lit. Leur enfants furent Memnon et Emathion, rois respectivement d'Ethiopie et d'Arabie.

Eos aperçut Céphale à la chasse, en Attique, au petit jour, et l'enleva, ce qui causa à ce dernier une grande douleur car il aimait sa femme Procris. Eos donna un fils à Céphale, Phaethon, puis elle inspira aux deux époux les tourments d'une jalousie mutuelle, ce qui sema entre eux la dissension et aboutit plus tard à la mort de Procris de la main de son mari. Eos eut aussi pour amant le chasseur géant Orion. Elle l'emmena à Délos, dont le temple était consacré à la déesse-vierge, Artémis. Cette dernière, offensée, provoqua la mort d'Orion.

ÉPHAPHOS. Fils de Zeus et d'Io, que Zeus transforma en vache pour qu'elle échappât aux recherches de sa femme, Héra. Io alla d'Argos en Egypte où elle reprit sa forme humaine et prit le nom d'Isis. En Egypte, elle donna naissance à Epaphos, identifié par Hérodote au dieu-taureau Apis. Il fut enlevé à sa mère par les machinations d'Héra, mais lui fut rendu plus tard et devint roi d'Egypte. Il fonda une ville à l'endroit même où il avait vu le jour, et la nomma Memphis, du nom de sa femme, une fille du Nil. Memphis lui donna deux filles, Libye, et Lysianassa ; Libye fut plus tard la mère d'Agénor et de Bélos.

ÉPIGONES. Nom qui signifie « successeur » ou bien « seconde génération », et qui est donné aux fils des Sept Chefs. Sous le commandement d'Adraste, les Sept attaquèrent Thèbes pour venger Polynice, et tous périrent dans la bataille à l'exception d'Adraste lui-même. Dix ans après le désastre, leurs fils renouvelèrent l'attaque, sur le conseil de l'Oracle de Delphes, pour venger leurs pères et appuyer les prétentions au trône de Polynice. Leur chef était Alcémon, le fils d'Amphiaraos. Les autres Epigones étaient Diomède, fils de Tydée ; Sthénélos, fils de Capanée ; Euryale, fils de Mécistée ; Promachos, fils de Parthénopaos ; Thersandros, fils de Polynice ; Amphilocos, frère d'Alcméon et Aegialée, le fils d'Adraste, et qui fut le seul à périr. Les Epigones mirent les Thébains en déroute à un endroit appelé Glisas, et ceux-ci, sur les conseils de Tirésias, abandonnèrent leur ville et s'enfuirent chez les Enchéléens, où Cadmos et Harmonie s'étaient réfugiés après l'arrivée de Dionysos. Les Epigones établirent Thersandros, le fils de Polynice, sur le trône, et celui-ci invita les réfugiés à revenir. Les Epigones offrirent une part du butin, dans lequel figurait Mantô, la fille de Tirésias, à Apollon, à Delphes. Puis ils revinrent à Argos. Mais Adraste, qui les avait accompagnés, mourut de chagrin d'avoir perdu Aegialée, et fit de Cyanippos, le jeune fils d'Aegialée, son héritier. Diomède devint régent — ou roi, selon certains — d'Argos, mais après la guerre de Troie, Sthénélos, ou Cylarabès, monta sur le trône, car Cyanippos était mort.

On disait que les Epigones avaient presque complètement ravagé Thèbes; les murailles furent rasées et Thersandros hérita d'un pauvre royaume. Cette tradition semble s'appuyer sur des faits historiques, car dans *L'Iliade,* seule une «basse Thèbes» est mentionnée dans le catalogue des forces armées grecques, et non pas l'ancienne citadelle.

ÉPIMÉTHÉE. Fils du Titan Japet et frère de Prométhée. Prométhée signifie «le prévoyant», et Epiméthée «qui réfléchit après coup». Bien que Prométhée, de loin le plus intelligent, eût compris qu'il y avait un danger à accepter un présent des dieux, et en eût averti son frère, Epiméthée prit Pandore, que lui offrait Hermès, et l'épousa. Celle-ci était la première mortelle et possédait de nombreuses qualités (son nom signifie «tous les dons»). Mais Hermès avait mis dans son cœur la fourberie et lui avait confié une jarre contenant tous les maux. Pandore, dévorée de curiosité, ouvrit la jarre et délivra tous les maux de l'humanité, qui se répandirent alors pour la première fois sur la terre. L'espérance — seul bienfait que la jarre contînt — resta seule au fond, après que tous les maux furent sortis. Après ce désastre, Epiméthée et Pandore engendrèrent Pyrrha, qui épousa plus tard Deucalion (le Noé grec).

ÉRATO. *Voir* MUSES.

ÉRÈBE («ténèbres»). Fils de Chaos (le vide primordial); uni à sa propre sœur, Nyx (la Nuit), il engendra Aether («le Ciel supérieur»), Héméra (le Jour) et Charon. A l'exception de Charon, le passeur des Enfers, ces personnifications ont un rôle peu important dans la mythologie; Erèbe se rapporte à un lieu, les Ténèbres infernales, plus qu'à une divinité.

ÉRECHTHÉE. L'un des rois légendaires d'Athènes, souvent confondu dans la littérature classique avec son grand-père Erichthonios (à l'origine, ils n'étaient peut-être pas distincts l'un de l'autre). Il passe généralement pour le fils de Pandion, roi d'Athènes, et de sa femme Zeuxippé, mais Homère déclare qu'il jaillit tout droit du sol sans aucune ascendance humaine; Athéna l'éleva et le plaça dans son sanctuaire où il devint un demi-dieu et reçut des sacrifices.

La tradition la plus connue et la plus récente fait de lui un roi mortel plutôt qu'un être divin. Il épousa Praxithéa, une Naïade (nymphe des eaux) qui lui donna plusieurs fils,

Cécrops, Pandoros, Métion auxquels s'ajoutent peut-être Thespios, Sicyon, Euphalamos et Ornée. Comme filles : Procris (qui épousa Céphale), Orithyie (qui fut la femme de Borée), Chthonia et Créüse. Pendant le règne d'Erechthée à Athènes, une guerre éclata avec les habitants d'Eleusis qui avaient pour allié le roi thrace Eumolpos (selon une version différente, Eumolpos était le petit-fils d'Orithyie, et, dans ce cas, il n'aurait pas pu avoir ce rôle). Les Athéniens étaient serrés de près. Erechthée demanda à l'Oracle de Delphes comment il pourrait faire face à la menace; il lui fut répondu que, pour cela, il devait sacrifier l'une de ses filles. Chthonia fut choisie comme victime par ses parents et mourut, peut-être de son propre consentement (selon une légende, ses sœurs se sacrifièrent avec elle, mais, sur ce point, les traditions diffèrent). Erechthée remporta alors la victoire et Eleusis devint un territoire athénien, tout en gardant le droit de célébrer les Mystères de Déméter. Pendant la bataille, Erechthée tua Eumolpos, ou bien le fils de celui-ci, mais Poséidon, le père d'Eumolpos, se vengea en transperçant le meurtrier de son trident. Xouthos, un allié thessalien d'Erechthée, régna peut-être sur Athènes pendant un temps (et, dit-on, épousa Créüse). Cependant, lorsqu'on lui demanda de nommer le nouveau roi d'Athènes parmi les fils d'Erechthée, il choisit Cécrops et fut chassé d'Athènes par les autres membres de la famille.

ERGINOS. 1 Fils de Clyménos et roi des Minyens d'Orchomène, en Béotie. Avant de mourir, tué par les Thébains, Clyménos fit jurer à Erginos de le venger. Pour cela, Erginos leva une armée contre Thèbes, dont le roi était Créon, à cette époque. Erginos remporta la victoire, prit les armes et les armures des Thébains et les obligea à payer un tribut annuel de cent têtes de bétail, pendant vingt ans. Héraclès, âgé de dix-huit ans, venait de tuer le lion du mont Cithéron; il rencontra les envoyés d'Erginos qui se rendaient à Thèbes pour percevoir le tribut. Il leur coupa les oreilles et le nez qu'il leur suspendit au cou, et renvoya ainsi les messagers à leur maître. Puis il se rendit à Thèbes qu'Erginos attaqua. Armé par Athéna et soutenu par les Thébains, Héraclès battit Erginos et dévasta son territoire; Amphitryon, le beau-père d'Héraclès, fut tué dans la bataille. Héraclès imposa à Orchomène un tribut annuel de deux cents têtes de bétail. La fortune d'Erginos fut réduite au point qu'il atteignit la vieillesse sans s'être marié. Il consulta l'oracle de Delphes qui lui conseilla de mettre une lame neuve au soc de sa charrue.

Aussi, il prit une femme jeune qui lui donna deux fils, Trophonios et Agamède.

Pindare note que le fils de Clyménos défia Calaïs et Zétès à la course à pied en armes, et les battit; cette victoire mit un terme aux raillerie des femmes de Lemnos. Toutefois, il s'agit peut-être d'Erginos **2.**

2. Argonaute qui passe généralement pour le fils de Poséidon. Après la mort de Tiphys, il prit la barre sur l'*Argo.*

ÉRINYES (chez les Romains : Furies). Les Erinyes, esprits femelles de la justice et de la vengeance, personnifient un concept très ancien de châtiment. Elles étaient nées des gouttes de sang qui tombèrent sur Gaia, la Terre, lorsque Cronos mutila Ouranos; elle étaient donc des divinités chtoniennes. Selon une variante, elles furent enfantées par Nyx, la Nuit. Leur nombre reste généralement indéterminé, quoique Virgile, s'inspirant sûrement d'une source alexandrine, en dénombre trois : Alecto, Mégère et Tisiphoné (respectivement «l'implacable», «la malveillante» et «la vengeresse du meurtre»). Au sens large, les Erinyes étaient les protectrices de l'ordre établi. Dans *L'Iliade,* par exemple, elles ôtent la parole au cheval Xanthos; le philosophe Héraclite disait que si le soleil décidait de renverser sa course, elles l'en empêcheraient. Mais, surtout, elles persécutaient les hommes et les femmes qui avaient attenté aux lois «de la nature» et tout particulièrement aux droits de la parenté en commettant un parricide, en tuant un frère ou un allié. A l'origine, l'on pensait que les être humains ne pouvaient ni ne devaient punir des crimes aussi horribles; il revenait aux Erinyes de poursuivre le meurtrier de l'homme assassiné et d'en tirer vengeance. Némésis correspondait à une notion semblable, et sa fonction recouvre celle des Erinyes; comme elles, elle veillait à ce que la vengeance fût en définitive accomplie. Dans *Les Euménides* d'Eschyle, la troisième pièce de *L'Orestie,* trilogie dont le sujet est le meutre d'Agamemnon et la vengeance de ses enfants, les Erinyes poursuivent Oreste; celui-ci a tué sa mère, Clytemnestre, pour venger le meurtre de son père Agamemnon. Dans cette tragédie qui, dit-on provoqua une véritable terreur chez les spectateurs, à la première représentation, les Erinyes formaient le chœur. Les représentations qui nous en sont parvenues nous les montrent tenant des torches et des fouets; elles sont aussi parfois entourées de serpents. Seul l'acte commis par Oreste intéressait les Erinyes; il n'était question ni de le juger ni de lui trouver des circonstances atténuantes. Apollon lui-même dut s'opposer à leur vengeance implacable, bien qu'il eût encouragé le meurtre de Clytemnestre par Oreste et qu'il eût accordé sa protection à ce dernier, à Delphes, son plus important sanctuaire. Les Erinyes, nous rapporte Eschyle, poursuivirent Oreste jusque-là et ne le délivrèrent que quand les dieux les eurent persuadées d'accepter le verdict du tribunal d'Athènes, l'Aréopage. Là, Athéna intervint comme patronne de la cité et équilibra les suffrages : Oreste fut acquitté, mais il devait ramener de Tauride une statue sacrée d'Artémis ; les Erinyes furent alors accueillies à Athènes sous la forme plus clémente des «Euménides» (les «bienveillantes») ou des «Semnai Theai» (les «vénérables déesses»). Les Erinyes poursuivirent également Alcméon, qui avait aussi tué sa mère. Comme Oreste, Apollon l'avait encouragé à venger son père, mais il fut pourchassé par les Erinyes à travers la Grèce, jusqu'à ce qu'il eût trouvé refuge sur une terre qui n'existait pas encore au moment du meurtre de sa mère — échappant ainsi au pouvoir de ses poursuivantes. Les Erinyes frappaient leurs victimes de folie (d'où leur nom latin, dérivé de *furoi*). Quelle que fût la signification de leur nom grec — son origine est obscure —, les Grecs évitaient de mentionner leur nom publiquement ; les Athéniens préféraient employer les euphémismes mentionnés ci-dessus pour conjurer le mauvais sort qui leur était lié. Il y avait en Arcadie un endroit qui possédait deux sanctuaires consacrés aux Erinyes. Dans l'un des deux elles portaitent le nom de «Maniai» («celles qui rendent fou») ; ce fut en cet endroit que, vêtues de noir, elles assaillirent Oreste pour la première fois. Non loin de là, raconte Pausanias, se trouvait un autre sanctuaire où leur culte était associé à celui des Grâces (Charites, «déesses de la rémission») ; ce fut en ces lieux qu'elles purifièrent Oreste, vêtues de blanc, après sa guérison. Celui-ci offrit un sacrifice expiatoire aux Maniai et un sacrifice de remerciement aux Charites. Les Erinyes, généralement, habitaient dans le Tartare, l'Enfer grec, où lorsqu'elles ne surgissaient pas sur la terre pour punir les criminels vivants, elles faisaient subir des tortures sans fin aux damnés éternels. Cette vision de leur demeure s'harmonise avec la légende de leur enfantement par la Terre, ou la Nuit ; mais, selon une autre tradition, elles auraient été engendrées en réalité par Hadès, le dieu du Tartare, uni à Perséphone, avec qui elles avaient en commun cette double nature, bénéfique et maléfique.

ÉRIPHYLE. Fille de Talaos et de Lysimaché. Lorsque Polynice et les Sept chefs entreprirent l'attaque contre Thèbes, elle fut prise comme arbitre entre son mari Amphiaraos, le devin,et son frère Adraste, roi d'Athènes. Adraste, chef de l'expédition, voulait qu'Amphiaraos se joignît à eux, mais ce dernier savait par son art de devin que l'expédition serait malheureuse et que lui-même y périrait. Cependant, Polynice acheta Eriphyle afin qu'elle décidât en faveur d'Adraste, en lui offrant le collier de son ancêtre Harmonie, la femme de Cadmos. Amphiaraos avait solennellement interdit à Eriphyle d'accepter un quelconque présent de Polynice; mais, le moment venu, sachant qu'il allait mourir, il fit jurer à ses fils de venger leur père et de repartir, eux-mêmes, reconquérir Thèbes en temps voulu.

Alcméon, le fils d'Amphiaraos et d'Eriphyle, exécuta les deux commandements de son père. A la tête des Epigones, il prit Thèbes et mit Thersandros sur le trône, puis, à son retour, il tua sa mère Eriphyle. Toutefois, les Erinyes vengeresses le frappèrent de folie, et il apprit qu'il ne trouverait le repos qu'une fois établi sur une terre qui n'avait pas vu la lumière du jour au moment où sa mère avait été tuée. Il arriva enfin sur des terres formées par des dépôts d'alluvions, à l'embouchure du fleuve Achéloos.

ÉRIS. Déesse, fille de Nyx (la Nuit). Son nom signifie «discorde», dont elle n'est d'ailleurs guère plus que la personnification. Cependant, elle joue un rôle dans la légende des noces de Pélée et de Thétis. Elle était venue à la cérémonie sans avoir été invitée et avait lancé une pomme d'or au milieu de la foule, pomme qui portait l'inscription «à la plus belle». Sur la suggestion de Zeus, les trois déesses qui briguaient le titre s'en remirent au jugement de Pâris. Aphrodite avait soudoyé ce dernier en lui offrant la plus belle des mortelles, Hélène, et fut choisie; ce fut l'origine de la guerre de Troie.

Homère décrit les agissement d'Eris sur le champ de bataille, aux côté d'Arès, et précise qu'elle ne pouvait arrêter ce qu'elle avait mis en marche; seuls , les gémissements des agonisants la distrayaient.

Une autre déesse du même nom, ou bien la même déesse, mais sous un aspect différent, représente l'esprit d'émulation. Une version plus récente et plus moralisatrice de la légende d'Héraclès raconte comment le héros, au début de ses exploits — peut-être après avoir tué le lion du Cithéron —, rencontra deux belles femmes à un carrefour. L'une d'elles, la Paresse, lui offrit une vie de loisirs et de luxe. Mais l'autre, à qui Héraclès accorda sa préférence, était la discorde : elle lui avait offert une vie de batailles et de labeurs incessants, couronnée par la gloire.

ÉROS. Dieu de l'amour (*éros* signifie en grec amour charnel). Les Romains le nomment Amour ou Cupidon («désir»). Il existe plusieurs versions concernant l'origine du dieu, dans la tradition grecque. Selon Hésiode, Eros serait né au commencement des temps, de Chaos (le Vide), en même temps que le Tartare et Gaia; il aurait assuré l'union des éléments primordiaux, Ouranos (le Ciel) et Gaia (la Terre), et présidé aux mariages entre leurs descendants, les dieux et, enfin entre les hommes. Dans cette tradition, Eros est simplement la personnification de la puissance génératrice qui envahit les êtres vivants et les pousse à se reproduire. Sa naissance précède celle d'Aphrodite, la déesse de l'amour. Selon d'autres mythes, Eros était un dieu beaucoup plus jeune, fils d'Aphrodite et de son amant, Arès. En accord avec cette tradition, l'art et la littérature classique le dépeignent comme un beau jeune homme, fort et musclé. Pendant la période classique, il était souvent considéré comme le protecteur des amours homoxexuelles entre hommes et jeunes hommes, et sa statue était placée dans les gymnases. Comme dieu de la Fertilité, il possédait un culte à Thespies, en Béotie, et à Parion, en Mysie. Les métèques, ou résidents étrangers à Athènes, érigèrent une statue et un sanctuaire sur l'Acropole à Antéros, avatar d'Eros signifiant «l'amour partagé», à la mémoire de deux jeunes hommes, Mélès, un Athénien, et Timagoras, un métèque. Timagoras aimait Mélès, qui méprisait son amour et lui demanda, pour l'éprouver, de se jeter du haut de l'Acropole; Timagoras s'exécuta, et Mélès en fut à tel point accablé de remords qu'il se tua de la même façon.

A l'époque héllénistique, l'amour prit dans l'art et la littérature un tour de plus en plus romantique et une autre conception d'Eros fit son apparition; on le représentait comme un enfant ailé portant un carquois plein de flèches; l'on distinguait même plusieurs Amours, les Erotes (en latin : Cupidines), car les passions qu'il personnifiait paraissaient infinies. De là vint le mythe qu'il donnait à ses flèches une pointe d'or pour inspirer un désir passionné chez ses victimes, ou une pointe de plomb pour détourner les personnes de ceux qui tombaient amoureux d'elles : ainsi Eros pouvait inspirer l'amour aussi bien que le décevoir. On rencontre souvent cet Eros enfant chez les poètes romains; Virgile nous rapporte comment Vénus se servit de lui pour provoquer l'amour de Didon pour Enée. Pour le plus célèbre des mythes concernant

Cupidon, *voir* PSYCHÉ.

ESCULAPE. *Voir* ASCLÉPIOS.

ÉTÉOCLE. 1. L'un des premiers rois d'Orchomène, en Béotie; il est le fils d'Andrée et d'Evippé, ou du dieu-fleuve Céphise (fleuve de Béotie).
2. Fils d'Œdipe, roi de Thèbes, et de sa femme et mère Jocaste. Lorsque tous deux découvrirent l'inceste qu'ils avaient commis, Jocaste se pendit et Œdipe s'aveugla avec la pointe de la broche de celle-ci. Créon prit le pouvoir comme régent. Etéocle et son frère Polynice offensèrent par deux fois Œdipe que Créon avait convaincu de rester à Thèbes ou près de la ville. La première de ces offenses est assez obscure et concerne des plats d'argent appartenant à Laïos, le père d'Œdipe, et que les deux garçons avaient placés devant leur père aveugle : cet acte, pour quelque raison, offensa Œdipe. La seconde de ces injures est plus claire. Même après sa déchéance, selon la coutume, les fils devaient offrir au roi la part de viande réservée au monarque, c'est-à-dire l'épaule; un jour, ils tentèrent de le tromper en lui donnant la cuisse. Enflammé de colère par ces agissements, Œdipe maudit solennellement ses deux fils, leur prédisant qu'ils mourraient de la main l'un de l'autre. Toutefois Sophoche raconte une version différente, selon laquelle Créon aurait envoyé Œdipe en exil pour éviter que Thèbes ne fût souillée par la présence du roi criminel; Œdipe aurait maudit ses fils parce qu'ils n'avaient rien fait pour empêcher son bannissement.

Lorsqu'ils furent en âge de régner, Etéocle et Polynice décidèrent de se partager la royauté, chacun régnant alternativement pendant un an. D'après l'*Œdipe à Colone* de Sophocle, Polynice aurait régné le premier et aurait banni Œdipe pendant l'année. Le plus souvent, cependant, c'est Etéocle qui prend le pouvoir le premier, soit parce qu'il était l'aîné (sur ce point, les opinions différent), soit parce qu'un tirage au sort l'avait désigné; une fois l'année écoulée, soutenu par Créon, il refusa de rendre le pouvoir à son frère. Pendant ce temps, Polynice s'était rendu à Argos où il avait épousé Argia, la fille du roi Adraste, laquelle lui avait donné un fils, Thersandros. Etéocle s'était aussi marié et avait engendré un fils, Laodamas. Selon le géographe Pausanias, l'ordre des événements fut différent. Polynice avait quitté Thèbes pour éviter l'effet de la malédiction d'Œdipe et s'était établi à Argos, épousant Argia. Lorsque Etéocle monta sur le trône, il rappela Polynice; ils se querellèrent, et Polynice retourna à

Argos avec l'intention de conquérir le trône de Thèbes par la force. Quand, pour une raison ou pour une autre, Etéocle eut annoncé clairement qu'il ne rendrait pas le trône à Polynice, Adraste, le roi d'Argos, son beau-père, leva une vaste armée dirigée par les Sept Chefs, lesquels donnèrent leur nom à la pièce d'Eschyle *Les Sept contre Thèbes*. Puis, malgré les avertissements du devin Amphiaraos qui savait que l'expédition serait désastreuse, il assiégea la cité. Tout d'abord, cependant, Tydée fut envoyé en ambassade pour réclamer une dernière fois le trône pour Polynice; sa demande fut rejetée. Selon une version, il décida alors de participer aux épreuves athlétiques à Thèbes et remporta de tels succès qu'Etéocle, dans un accès de jalousie, lui tendit une embuscade comme il s'en retournait; mais Tydée tua ses cinquante assaillants, à l'exception d'un seul, Maeon.

La bataille qui se déroula devant Thèbes fut un désastre pour l'armée de Polynice. Il attaqua lui-même la porte que défendait Etéocle; les deux frères se rencontrèrent en un combat singulier et moururent de la main l'un de l'autre; la malédiction d'Œdipe se trouva ainsi accomplie. Créon resta le seul souverain de Thèbes jusqu'à ce que le fils d'Etéocle eût atteint l'âge de régner. Il ordonna de rendre aux Thébains tous les honneurs funèbres et de donner à Etéocle une sépulture royale. Les ennemis, cependant, et tout particulièrement Polynice, devaient être abandonnés à la putréfaction à l'extérieur des murs de la cité. D'après *Les Suppliantes* d'Euripide, Thésée, le roi d'Athènes, répondit aux prières que lui avaient adressées les mères des Sept Chefs morts, et il obligea Créon à ensevelir les Argiens. D'après une tradition différente, Antigone, la sœur de Polynice et d'Etéocle, aidée d'Argia, traîna le cadavre de Polynice sur le bûcher funéraire d'Etéocle et lui rendit ainsi les honneurs funèbres. Les trois grands tragédiens grecs donnent chacun une version de ces événéments, ainsi que le poète latin Statius dans sa *Thébaïde*.

EUMÉE. Fidèle porcher d'Ulysse et, avant lui, de son père Laerte. Il était prince de naissance, fils d'Orménos, lui-même fils de Ctésios, et son père était roi d'une île appelée Syria. Un jour, un bateau phénicien aborda sur l'île, et l'un des marins séduisit une esclave phénicienne de la maison de Ctésios; celle-ci s'enfuit avec les marins, emmenant avec elle Eumée encore enfant. La femme mourut en mer sept jours plus tard, et Eumée fut vendu à Laerte, le roi d'Ithaque. Il devint un serviteur zélé de la maison royale et, pendant l'absence d'Ulysse, il fit son possible pour que les porcs ne tombent pas aux mains des prétendants avides. Ulysse, à son retour, se présenta tout d'abord à la cabane d'Eumée, déguisé en mendiant; le vieux porcher le reçut avec hospitalité. Ce fut chez lui qu'Ulysse révéla son identité à son fils Télémaque. Un peu plus tard, le fidèle porcher aida le héros à vaincre les prétendants, dans la grande salle d'Ithaque.

EUMÉNIDES. (Littéralement «Les Bienveillantes»). Ce surnom euphémique était généralement donné aux Erinyes; Eschyle en fit, dans ce sens, le titre de la dernière pièce de sa trilogie *L'Orestie*. *Voir* ÉRINYES.

EUMOLPOS («qui chante harmonieusement»). Fils de Poséidon et de Chioné. Sa mère, honteuse de donner naissance à un bâtard, jeta son enfant à la mer; mais Poséidon le recueillit et le confia à Benthésicymé, fille qu'il avait eue d'Amphitrite, pour qu'elle l'élevât. Cette fille était mariée avec un roi éthiopien qui, lorsque Eumolpos fut grand, lui donna l'une de ses filles en mariage; un fils leur naquit, Ismaros. Mais Eumolpos tenta de violer la sœur de sa femme et fut banni avec son fils. Il s'enfuit en Thrace où il trouva refuge chez Tégyrios qui lui donna une de ses filles. Mais Eumolpos prit part à un complot contre son beau-père et fut exilé de nouveau; il se rendit à Eleusis où il se fit beaucoup d'amis. Par la suite, il fut rappelé par Tégyrios lui-même qui, vieux et sans enfant, fit de lui son héritier. Lorsqu'une guerre éclata entre Athènes et Eleusis, Eumolpos vint à l'aide des habitants d'Eleusis; mais son fils et lui-même y trouvèrent la mort. Poséidon, de colère, se vengea sur les Athéniens en tuant leur roi, Erechthée.

Le nom d'Eumolpos est associé à l'institution des Mystères d'Eleusis, en même temps que Céléos. Il initia Héraclès aux Mystères, après l'avoir purifié du meurtre des Centaures. Eumolpos était l'ancêtre de la famille des Eumolpides, d'Eleusis, et par son fils Céryx, celui de la famille des Céryces.

EUROPE. 1. Fille du roi phénicien Agénor et de sa femme Téléphassa. Zeus aperçut la jeune fille jouant avec ses compagnes au bord de la mer et tomba amoureux d'elle. Prenant la forme d'un beau taureau blanc, il se mêla aux jeunes filles et se coucha, se laissant caresser (certains auteurs affirment que le taureau était non pas Zeus lui-même, mais simplement un appât pour attirer la jeune fille vers lui). Europe le trouva si doux et si lisse qu'elle finit par s'asseoir sur son dos; aussitôt, le taureau se leva et s'élança vers la mer, s'éloignant à la nage dans les eaux profondes. Bientôt, les compagnes d'Europe les perdirent de vue; elles ne la revirent jamais plus. Celle-ci fut transportée en Crète, où le taureau la déposa sur le rivage. Zeus lui révéla alors son identité. Puis il s'unit à elle sous un platane qui, depuis lors, resta toujours vert, ou bien dans la grotte du mont Dicté où il avait été élevé. Europe lui donna trois fils : Minos, Rhadamanthe et Sarpédon. Zeus lui fit trois présents : une lance qui ne manquait jamais son but, Laelaps, le chien qui ne laissait jamais échapper sa proie, et Talos, l'homme de bronze qui faisait chaque jour le tour de la Crète et tuait les étrangers.

Astérios, le roi de Crète, épousa Europe par la suite. Ils eurent une fille, Crété : Astérios adopta les fils d'Europe et fit de Minos son héritier. Le père d'Europe, Agénor, tenait absolument au retour de sa fille, et il envoya à sa recherche Cadmos, Phoenix et Cilix ses fils, auxquels il interdit de revenir sans elle. Sa femme partit avec eux, et il ne revit aucun d'eux.

Europe donna son nom au continent européen; le taureau fut immortalisé parmi les étoiles et devint la constellation du Taureau.

2. Fille de Tityos et mère d'Euphémos.

EURYCLÉE. Vieille nourrice d'Ulysse, qui reconnut le héros à son retour de Troie. Ulysse avait sur la jambe une grande cicatrice que lui avait laissée la défense d'un sanglier. C'est grâce à cela qu'Euryclée le reconnut, alors qu'elle lavait les pieds d'Ulysse dans les appartements de Pénélope; dans son émotion, elle renversa la bassine. Cependant, Pénélope ne soupçonna pas la raison de sa surprise, et Ulysse dut la faire taire en la menaçant. Plus tard, losqu'il eut tué les prétendants, elle exulta et, de nouveau, le héros dut la réduire au silence. Elle apprit alors à son maître quelles servantes s'étaient offertes aux prétendants, et celles-ci furent mises à mort.

EURYDICE. 1. Dryade (nymphe des arbres) de Thrace, qui était aimée d'Orphée. *Voir ORPHÉE.*

2. Mère de Danaé; elle avait pour mari Acrisios et pour père Lacédaemon, le roi et le fondateur de Sparte.

3. Femme de Créon, le régent de Thèbes. Dans la tragédie de Sophocle *Antigone,* Eurydice maudit son mari pour tout le mal qu'il a causé à leur famille, puis elle se poignarda. Tous leurs enfants étaient morts; leur dernier fils, Haemon, s'était suicidé sur le corps d'Antigone. L'aîné, qui se nommait également Haemon, avait été tué par le Sphinx, et le second,

Ménoecée, ou Mégarée, avait sacrifié sa vie pour sauver Thèbes durant la guerre contre les Sept.
4. Fille d'Adraste **2** et femme d'Ilos, roi de Troie.
EURYLOQUE. Il épousa la sœur d'Ulysse. Noble de l'île de Samé (Céphallénie), il fut le compagnon d'Ulysse à Troie et pendant son voyage de retour. Il dirigea la reconnaissance vers le palais de Circé ; il fut le seul de ses compagnons à résister à l'envie d'entrer dans le palais, échappant ainsi à la boisson magique de Circé, qui transforma ses compagnons en porcs. Il vint raconter la chose à Ulysse, et rien ne put le persuader de retourner au palais, même après que son chef eut amené, par ruse, Circé à lui offrir une hospitalité sincère, avec l'aide d'Hermès ; mais, peu après, il surmonta sa terreur. Lorsque Ulysse, plus tard, aborda dans l'île du dieu-soleil Hélios, Euryloque convainquit ses compagnons de tuer les bœufs sacrés pour les manger, bien que Tirésias eût solennellement déconseillé à Ulysse un tel acte. Ce dernier, endormi, fut le seul à ne pas participer à ce sacrilège. Zeus châtia Euryloque et le reste de l'équipage en déchaînant sur eux un violent orage, auquel seul Ulysse échappa.
EURYMAQUE. Fils d'un noble d'Ithaque, Polybos ; il figurait parmi les prétendants de Pénélope, la femme d'Ulysse. Il était le plus poli et le moins odieux d'entre eux ; pendant la confrontation qui eut lieu dans le grand hall du palais, il se montra amical envers Ulysse. Mais le héros ne l'épargna point et le tua d'une flèche, juste après Antinoos. Il avait Mélantho pour maîtresse.
EURYPYLOS. 1. Fils de Poséidon et roi d'une partie de la Libye.
2. Mysien, fils de Télèphe, le roi de Pergame, et d'Astyoché, l'une des filles de Priam. Sa mère était peu désireuse de le voir partir combattre les Grecs, mais Priam la soudoya avec une vigne d'or. Eurypylos conduisit alors à Troie un important contingent de Mysiens. Il tua Machaon, le médecin, fils d'Asclépios, et fit un grand carnage de Grecs ; toutefois, l'arrivée de Néoptolème (le fils d'Achille, déjà mort) l'empêcha de mettre le feu aux navires grecs, et il fut tué d'un coup d'épée par ce dernier.
3. Fils d'Evémon d'Orminion, en Thessalie. Ancien prétendant d'Hélène, il conduisit quarante navires de la Thessalie à Troie ; il tua Axion, l'un des fils de Priam et Apisaon, le fils de Phausias, mais fut blessé à la jambe par une flèche de Pâris. Comme il revenait en boitant au camp, il rencontra Patrocle qui s'était rendu auprès de Nestor pour avoir des nouvelles de

la bataille, pour Achille. Machaon étant blessé, il n'y avait pas de docteur disponible ; aussi, ce fut Patrocle qui pansa Eurypylos.

Il figura parmi les Grecs dissimulés dans le cheval de Troie. Puis, pendant que la ville était mise à sac, il découvrit un coffre qui avait été abandonné là par Enée ou Cassandre, coffre qui devait être une malédiction pour le Grec qui s'en emparerait. Ouvrant le coffre, Eurypylos y trouva une vieille statue de bois représentant Dionysos, qui avait été sculptée par Héphaïstos et offerte par Zeus à Dardanos. Il émana d'elle une telle sainteté qu'Eurypylos fut frappé de folie. L'oracle de Delphes lui dit qu'il serait guéri lorsqu'il aurait porté la statue dans une contrée où l'on accomplissait un sacrifice inaccoutumé. Quand il arriva à Patras, Eurypylos trouva les habitants sur le point de sacrifier un jeune homme et une jeune fille à Artémis. Comprenant que c'était là le sacrifice indiqué par l'oracle, il montra la statue de Dionysos ; les gens, de leur côté comprirent que se réalisait l'oracle qui leur avait enjoint de cesser les sacrifices humains le jour où un roi étranger viendrait, amenant un dieu étranger. Eurypylos fut guéri, et les habitants de Patras adoptèrent le culte de Dionysos.

4. Fils de Poséidon et d'Astypalaea ; roi des Méropes de l'île de Cos. Alors que Héraclès revenait de Troie après l'avoir saccagée, Héra, de colère, lui envoya une violente tempête qui le jeta, avec son équipage, sur les côtes de Cos. Les Méropes prirent les marins grecs pour des pirates et essayèrent de les repousser. Cependant, Héraclès s'empara de la ville pendant la nuit et tua Eurypylos ; il fut blessé à son tour par Chalcodon.

EURYSTHÉE. Fils de Sthénélos et de Nicippé, ou de Ménippé ; roi de l'Argolide, comprenant Mycènes et Tirynthe. Il fut l'ennemi le plus implacable d'Héraclès, qui fut son esclave pendant ses douze travaux. En effet, Alcmène allait donner naissance à Héraclès, le plus important des fils de Zeus, mais Héra, jalouse de n'avoir eu aucun rôle dans la conception du plus grand de tous les héros, décida de priver l'enfant du trône de l'Argolide, qui lui revenait de droit. Zeus laissa échapper le secret de la naissance imminente du héros en déclarant devant les autres dieux que « ce jour un homme naîtrait d'une femme, appartenant à une race du sang de Zeus lui-même, et qu'il régnerait sur ceux qui habitaient autour de lui ». Par ailleurs, la femme de Sthénélos, Nicippé (ou Ménippé) éatait enceinte de sept mois à ce moment-là, et comme Sthénélos était un descendant de Persée, son fils était tout aussi à même d'accomplir la prophétie qu'Héraclès. De plus, après qu'Amphitryon eut tué accidentellement le roi de Mycènes, Electryon, le frère de Sthénélos, ce dernier s'était emparé du trône. Héra chargea alors Ilithyie, la déesse qui préside aux enfantements, de hâter la naissance d'Eurysthée et de retarder la délivrance d'Alcmène; mais une servante, Galanthis, amena par ruse la déesse à renoncer à son projet : cependant le temps avait passé, et il était trop tard pour qu'Héraclès réalisât la prophétie de Zeus.

Ainsi, Eurysthée hérita de l'Argolide, et lorsque Héraclès, dans un accès de folie, tua sa femme Mégara et leurs enfants, l'oracle de Delphes ordonna au héros de se mettre au service d'Eurysthée et d'accomplir dix (ou douze) travaux. Jaloux de la puissance et de la force d'Héraclès, ainsi que de ses droits au trône de l'Argolide, Eurysthée lui imposa une suite d'exploits si formidables que seul un véritable fils et protégé de Zeus pouvait les mener à bien. Eurystée, d'autre part, fit preuve de lâcheté : par exemple, lorsque Héraclès lui apporta la peau du lion de Némée, il se cacha dans une jarre en bronze. A la suite de cela, il défendit à Héraclès de pénétrer dans la ville (soit Tyrinthe, soit Mycènes) et lui envoya son oncle Coprée, un héraut, lui porter ses ordres. (Dans la pièce d'Euripide *Les Héraclides,* il est plus cruel que lâche.) Après l'apothéose d'Héraclès sur l'Olympe, Eurysthée continua de la persécuter à travers ses descendants. Céyx, le roi de Trachis, refusa de leur accorder sa protection, car Eurysthée l'avait attaqué, lui ordonnant de les lui livrer; aussi ils s'enfuirent en Attique. Là, Démophon, le fils de Thésée, les installa à Marathon et livra bataille à Eurysthée avec succès. Ce dernier s'enfuit de l'Attique, et le fils d'Héraclès, Hyllos, tua ses persécuteurs aux Roches Scironniennes, dans l'isthme de Corinthe. Selon une version différente, Eurysthée fut capturé vivant, mais fut mis à mort par ordre d'Alcmène, en dépit des protestations des Athéniens. Parce qu'ils avaient essayé de le sauver, Eurysthée promit aux habitants d'Athènes que son corps protégerait leur pays des invasions; aussi, ceux-ci l'enterrèrent-ils à la frontière.

EURYTION. 1. Centaure qui déclencha les hostilités pendant les noces de Pirithoos et d'Hippodamie. Il tenta, plus tard, de violer Mnésimaché, la fille du roi Déxaménos, d'Olénas, et fut tué par Héraclès, qui était l'hôte du roi. *Voir* CENTAURES.

2. Le bouvier du monstre Géryon. *Voir* HÉRACLÈS.

3. Fils d'Actor et de Démonassa, ou bien du fils d'Actor, Iros; il était roi de Phthie. Lorsque Pélée se réfugia chez lui, après le meurtre de son propre frère Phocos, Actor le purifia de son crime et lui donna en mariage sa fille Antigone, ainsi qu'un tiers de son royaume. Eurythion s'embarqua avec Pélée sur l'*Argo* et, plus tard, il l'accompagna à la chasse au sanglier de Calydon. Mais là, Pélée lança son javelot si sauvagement qu'il tua accidentellement Eurythion et n'osa pas retourner à Phthie. Lorsque Antigone reçut la fausse nouvelle du mariage de Pélée avec une autre femme, Stéropé, fille d'Acaste, elle se donna la mort. Après un an d'exil, Pélée revint à Phthie, et comme Eurytion n'avaient pas eu de fils, il lui succèda sur le trône.

EUTERPE. *Voir* MUSES.

ÉVADNÉ. 1. Fille d'Iphis et femme de Capanée. Après le siège de Thèbes par les Sept Chefs, elle se jeta sur le bûcher funéraire de son mari et périt.

2. Fille de Poséidon et de la nymphe de Laconie, Pitané. Sa mère confia l'enfant à Aepytos, fils d'Elatos, pour qu'il l'élevât. Lorsqu'elle fut enceinte, Aepytos consulta l'oracle de Delphes et apprit qu'Apollon était responsable de l'état de sa pupille. A son retour de Delphes, cependant, Aepytos constata qu'Evadné avait déjà donné naissance à son enfant et qu'elle l'avait alors caché ou abandonné. Apollon envoya deux serpents qui prirent soin du bébé et le nourrirent de miel, dans un bosquet, parmi les ronces et les violettes. Le moment arriva où Aepytos, guidé par les dieux, découvrit le garçon dont le nom était Iamos (de *ia,* violette) et l'éleva. Iamos hérita le don de prophétie de son père et devint l'ancêtre d'une famille de devins, les Iamides d'Olympie. La légende est racontée par Pindare.

ÉVANDRE. 1. C'est à l'origine l'un des noms de Pan ou d'une divinité qui lui est associée; il était honoré en particulier à Pallantion, une petite ville d'Arcadie. Selon une tradition, il était, comme Pan, un fils d'Hermès (le Mercure latin) et de Thémis, nymphe du fleuve Ladon. En Italie, il était quelquefois identifié à Faunus; il passait pour le fils d'Echémos, le roi de Tégée.

Sous cette apparence humaine, il intervient dans la légende d'Enée. Selon la version la plus connue, celle de Virgile, il avait émigré d'Arcadie soixante ans avant la chute de Troie, soit sous la pression des Argiens, soit à cause d'un homicide involontaire ou d'une rébellion. Selon la légende, il avait pour mère Carmenta, une déesse, prophétesse comme Thémis. Evandre et Enée avaient pour ancêtre commun le Titan Atlas, de qui les Arcadiens étaient issus, et qui avaient pour petit-fils Dardanos, aïeul d'Enée. Faunus (équivalent italique de Pan, mais qui était un roi humain dans la légende) accueillit Evandre et ses compagnons en Italie et lui offrit la terre de son choix. Evandre, dit-on, choisit le mont Palatin et lui donna le nom de Pallenteum, d'après sa patrie (Pallantion), en Arcadie; c'est ainsi qu'il fonda une colonie grecque sur l'emplacement de la future Rome. Il était déjà un vieil homme à l'arrivée d'Enée; il accueillit amicalement le nouveau venu, et les deux hommes devinrent alliés. Evandre reçut Enée sur le mont Palatin et fut son hôte lors d'une fête commémorant une visite d'Hercule dans le pays; le héros avait alors puni Cacus pour avoir volé du bétail et avait épousé l'une des filles d'Evandre. Evandre avait aussi un fils, Pallas; celui-ci fut l'allié d'Enée, à la tête d'un contingent. Mais Pallas fut tué par le chef ennemi Turnus; ce fut avant tout pour venger ce crime qu'Enée, lorsqu'il eut Turnus à sa merci, refusa de l'épargner.

2. Fils de Sarpédon; roi de Lycie.

F

FABULA ou **FAULA.** Acca Larentia, la femme de Faustulus — le berger qui avait trouvé Romulus et Rémus dans la tanière de la louve et les avait élevés — était, en raison de son association avec cet animal, quelquefois appelée *Lupa,* ce qui signifie, en latin, à la fois «louve» et «prostituée». Acca dut aussi nommée, par la suite, Faula, autre nom pour désigner les prostituées et, par altération du mot, *Fabula,* littéralement «légende» ou «histoire».

Il existe ainsi une légende différente concernant Fabula. Elle était, disait-on, une fille de joie qu'Hercule gagna aux dés en jouant avec le gardien de son temple, lors de sa visite sur les lieux de la future Rome, à l'époque d'Evandre. L'enjeu en était un dîner et une compagne pour la nuit; Hercule gagna, et le gardien lui procura Fabula. Elle épousa plus tard un certain Tarutius; mais elle avait tiré tant d'argent de la prostitution qu'elle laissa une riche succession au peuple romain.

FAUNUS. Divinité agreste italique, identifiée éventuellement au Pan grec. Il possédait des dons de prophétie; les Romains croyaient que sa voix s'était fait entendre dans la forêt d'Arsia, pendant la nuit qui suivit la bataille contre les Etrusques; selon elle, les Etrusques avaient perdu un homme de plus que les Romains. Cela donna à penser aux Romains qu'ils avaient gagné la bataille et, la nuit suivante, stimulés, ils renouvelèrent leur attaque et mirent l'ennemi en déroute.

Faunus passait pour le fils de Picus et le petits-fils de Saturne. Son nom est quelquefois associé à celui d'Evandre, l'Arcadien qui s'était établi sur l'emplacement de la future Rome avant l'arrivée d'Enée; il a même été identifié à lui. Pan était un dieu arcadien, et le nom d'Evandre, «l'homme bon», pourrait avoir une signification semblable à celle de Faunus («favorable», «bienfaisant»). On faisait aussi de Faunus un personnage mortel : on le considérait alors comme un descendant de Mars qui régnait sur les rives du Tibre et accueillit l'Arcadien Evandre à son arrivée en Italie; il donna à ce dernier une terre située sur l'emplacement de la future Rome.

D'après la légende, Faunus épousa une nymphe, Marcia, et engendra Latinus, roi des Latins à l'époque où Enée débarqua ; celui-ci épousa plus tard Lavinia, la fille de Latinus.

Un mythe mettait en relation Faunus avec la divinité sylvestre Picus et avec Egérie, la nymphe aimée de Numa Pompilius, le second roi légendaire de Rome. Egérie, qui possédait une grande sagesse qu'elle transmettait à Numa, conseilla à ce dernier de déposer du vin à la source où Faunus et Picus avaient l'habitude de boire. Ainsi, il les captura et les contraignit à lui dire comment il pouvait mander le dieu Jupiter. Lorsque Jupiter apparut, Numa demanda au dieu comment détourner la foudre et le persuada habilement de se contenter, pour le sacrifice qu'il fallait accomplir dans ce but, d'une tête d'ail au lieu d'une tête d'homme, de cheveux humains et de la vie d'un poisson au lieu de la vie d'un homme.

Faunus passe aussi pour l'époux ou le père de Bona Dea, connue aussi sous le nom de Fauna.

FAUSTULUS. Berger qui découvrit Romulus et Rémus enfants dans la tanière de la louve, après qu'ils eurent été abandonnés par leur grand-oncle, Amulius, le roi d'Albe-la-Longue. Son nom est un diminutif tiré de Faustus, « favorable », « de bon augure » ; c'est peut-être un dérivé ou synonyme (de même qu'Evandre) du nom de Faunus. Le berger éleva les jumeaux, devinant qu'ils étaient de sang royal. Il garda aussi le berceau dans lequel ils avaient été abandonnés sur le Tibre par les serviteurs du roi ; grâce à quoi, leur grand-père, Numitor, les reconnut.

G

GAIA ou **GÈ** (en latin : *Terra* ou *Tellus*). La Terre. Selon la *Théogonie* d'Hésiode, Gaia fut la première créature à naître du Chaos primordial, en même temps que le Tartare (le Monde Souterrain), Nyx (la Nuit), l'Erèbe (les Ténèbres) et Eros, la divinité de l'amour générateur. Gaia donna naissance à Ouranos (le Ciel), Pontos (le Flot) et aux hautes montagnes. Ouranos s'unit alors à sa mère et engendra les Titans et les Titanides, parmi lesquels figurent Cronos et Rhéa, les parents de Zeus et de ses frères et sœurs; et aussi Océan et Téthys, les divinités de l'Océan, fleuve coulant tout autour de la Terre. Ouranos et Gaia engendrèrent aussi les trois premiers Cyclopes, Brontès, Stéropès et Argès, les Hécatonchires, Cottos, Briarée et Gyès. Pendant ce temps, Nyx et l'Erèbe s'unirent pour donner naissance à Héméra (le Jour) et Aether (le Ciel supérieur).

Ouranos avait en horreur les monstrueux Cyclopes et les Géants-aux-cent-bras; il ne leur permit pas de voir le jour et les repoussa dans le sein de leur mère, de sorte que le corps de Gaia fut déchiré par la douleur. Indignée par la tyrannie de son époux, elle donna à son fils Cronos une faucille en silex et lui ordonna d'émasculer son père lorsque, la nuit venue, il s'étendrait sur elle. Cronos obéit et lança les organes génitaux tranchés loin dans la mer. Des gouttes de sang qui tombèrent sur la terre naquirent les Erinyes (Furies), les Géants (distincts des Hécatonchires, *voir* GÉANTS) et les Méliades (nymphes des frênes). Quant aux organes, ils flottèrent sur la mer et arrivèrent à Paphos, à Chypre, ou à l'île de Cythère, près de la Laconie, où l'écume (*aphros*) qui s'était amassée autour d'eux donna naissance à la déesse de l'Amour, Aphrodite.

Mais Cronos ne tarda pas à être aussi tyrannique envers sa famille que son père Ouranos l'avait été avant lui; il enferma ses frères les Cyclopes et les Hécatonchires dans le Tartare, et dévorait les enfants qu'il avait de Rhéa à mesure qu'ils naissaient. Il avait appris de Gaia et d'Ouranos que l'un de ses enfants le détrônerait. Cependant, Gaia aida Rhéa à sauver le dernier-né, Zeus. Au moment où Cronos allait avaler l'enfant, elle lui donna une grosse pierre qu'il dévora à la place, puis elle cacha le bébé dans une grotte, en Crète, où il grandit. Lorsqu'il atteignit l'âge adulte, Zeus se prépara à lutter contre son père et certains des Titans qui le soutenaient. En outre, Rhéa, ou Métis, donna à Cronos un vomitif qui lui fit restituer les autres enfants, les dieux Poséidon et Hadès, et les déesses Déméter, Hestia et Héra. Zeus délivra les Cyclopes et les Hécatonchires prisonniers dans le Tartare et les arma d'éclairs. Les deux camps engagèrent un combat gigantesque qui dura dix ans. Lorsque Zeus remporta la victoire finale, il emprisonna les Titans ennemis et, parmi eux, son père, dans les profondeurs du Tartare. Mais cela mécontenta Gaia, qui jugea tyrannique l'emprisonnement des Titans. Elle s'unit au Tartare et enfanta le monstre Typhon qui prit sa défense. D'autre part, elle incita les Géants (pas les Hécatonchires) conduits par Eurymédon, Alcyonée et Porphyrion à se rebeller contre Zeus : cette guerre prit le nom de Gigantomachie. Gaia produisit une herbe dont le suc devait rendre les Géants immortels et invincibles à la guerre ; mais Zeus fit régner partout l'obscurité et découvrit lui-même la plante, qu'il cueillit. Puis, avec beaucoup de difficulté, il réussit à vaincre ses ennemis, avec l'aide des dieux et des déesses qui lui étaient fidèles. Il enferma alors les Géants dans la Terre, d'où ils étaient sortis. Pourtant, Gaia rendit aussi un service à Zeus. Quand celui-ci épousa Métis en premières noces, elle lui prédit que le fils né de cette union le remplacerait sur le trône des dieux ; aussi, il avala Métis et, plus tard, il fit jaillir Athéna de sa tête. Gaia assista aussi au mariage de Zeus et d'Héra et offrit à Héra les pommes d'or que gardaient les Hespérides.

Elle passait pour l'inspiratrice de nombreux oracles et prophéties. C'est elle qui, selon la légende, fonda le sanctuaire pythique de Delphes, où, à l'origine, un culte lui était rendu. Elle transmit le sanctuaire à Thémis, mais celle-ci céda ses droits à la Titanide Phoebé, qui, à son tour, offrit l'oracle à Apollon. Le serpent Python appartenait à Gaia et, lorsque Apollon le tua, il dut pour la dédommager du meurtre, fonder les jeux Pythiques et employer la prêtresse pythique pour rendre ses oracles. Gaia veillait à l'accomplissement des serments, dont beaucoup étaient prononcés en son nom ; elle punissait ceux qui les rompaient et leur envoyait les Erinyes pour la venger.

Elle s'unit à Pontos, son fils, et donna naissance à des divinités marines : Nérée (le père des Néréides et de Thétis),

Thaumas, Phorcys, Céto et Eurybié. Elle eut aussi beaucoup d'autres enfants, dont quelques monstres, comme Echidno qu'elle engendra avec le Tartare, Erichthonios, qui naquit de la semence d'Héphaïstos et (selon certains auteurs) Triptolème qu'elle eut d'Océan. Elle produisit le scorpion, qui attaqua le chasseur géant Orion, lorsque ce dernier menaça de détruire toutes les bêtes sauvages de la terre, et lui infligea une morsure mortelle. Gaia possédait de nombreux autels dans toute la Grèce (alors que son époux n'en avait aucun).

GALATÉE. Fille de Nérée et de Doris. Son nom évoque la blancheur du lait. Elle vivait au large de la Sicile, où le Cyclope Polyphème faisait paître ses moutons et ses chèvres. Ce dernier tomba amoureux d'elle et la poursuivit. Mais Galatée, qui lui préférait un jeune berger nommé Acis, fils de Pan et de la nymphe Simaethis, repoussa les avances de Polyphème, ayant en horreur son corps monstrueux. Polyphème était très jaloux d'Acis, mais le jeune couple se moquait de ses démonstrations grotesques. Un jour, il les surprit alors qu'ils dormaient sur une rive verdoyante, les réveilla et poursuivit Acis ; il ramassa un énorme rocher, sous lequel il écrasa le jeune homme. Galatée, le cœur brisé, fit jaillir une source sous le rocher et fit d'Acis le dieu du cours d'eau. Dans une autre version, Acis n'existe pas et Polyphème finit par gagner le cœur de la nymphe en chantant et jouant de la flûte.

GANYMÈDE. Fils de Tros, le fondateur de Troie, ou de Laomédon, le père du roi troyen Priam. D'une grande beauté, il fut enlevé par les dieux, raconte Homère, et vécut parmi eux, servant d'échanson à Zeus. Selon des auteurs plus récents, Zeus seul enleva Ganymède dans un tourbillon, ou en chargea l'un de ses aigles ; ou bien, Zeus lui-même prit la forme de l'aigle. Puis il envoya Hermès avertir le père de l'enfant de l'honneur qui avait été accordé à son fils ; en récompense, il offrit au père deux juments immortelles, desquelles descendait l'écurie royale de Troie, et un cep en or, œuvre d'Héphaïstos. Zeus devint l'amant de Ganymède ; plus tard, il le fixa au firmament, faisant de lui la constellation du Verseau, le porteur d'eau, et plaça la constellation de l'Aigle à côté.

GÉANTS (Gigantès). Ils sont quelquefois nommés *Gegeneis,* « nés de la Terre ».

Les Géants avaient une apparence humaine, à l'exception de leurs jambes qui étaient prolongées par une queue de serpent. Ils furent enfantés par Gaia (la Terre), fécondée par le sang qui coulait des organes génitaux d'Ouranos, tranchés par Cronos. En même temps qu'eux naquirent les Erinyes et les Méliades (nymphes des frênes). (Pour les trois Géants-aux-cent-bras, distincts d'eux, nés aussi d'Ouranos et de Gaia, voir à la fin de l'article.) Lorsque Zeus emprisonna les Titans dans le Tartare, Gaia, indignée, poussa ses fils les Géants à déclarer la guerre aux dieux; cette bataille fut appelée la Gigantomachie. Selon la légende, l'attaque survint très longtemps après l'offense qui l'avait provoquée; Gaia avait la mémoire longue et une patience infinie, mais Zeus était préparé à l'assaut. Les Géants ne pouvaient mourir de la main d'un dieu; aussi Zeus, sachant que les dieux ne pourraient les vaincre sans l'aide d'un héros mortel, s'unit à une mortelle et engendra un héros puissant et d'une force sans égale, Héraclès. Gaia produisit alors une herbe capable de rendre les Géants à la fois immortels et invincibles aux coups des mortels. Zeus interdit au Soleil (Hélios), à la Lune (Séléné), et à l'Aurore (Eos) de se lever avant qu'il n'eût lui-même trouvé l'herbe et qu'il ne l'eût cueillie.

La bataille se déroula dans une région nommée Phlégra («les Terres ardentes»), où demeuraient les Géants. Cette région fut identifiée plus tard à Pallèné, en Thrace, ou à quelque autre région volcanique. Conduits par Eurymédon, avec Alcyonée et Porphyrion comme champions, les Géants s'avancèrent sur les dieux rassemblés, leur jetant des rochers et des pics, et brandissant des torches faites de troncs de chênes. Héraclès attaqua Alcyoné et l'abattit d'une de ses flèches empoisonnées; puis, comme le géant n'était immortel que sur sa terre natale, le héros le traîna loin de Pallèné pour qu'il expirât.

Porphyrion tenta de violer Héra, mais Zeus lui lança sa foudre et Héraclès l'acheva d'une flèche.

Un autre géant, Ephialthès, fut tué d'une flèche dans chaque œil, l'une décochée par Apollon, l'autre par Héraclès. Lorsque Encelade s'enfuit du champ de bataille, Athèna lança sur lui l'île de Sicile, qui l'écrasa; il ne fut pas tué, mais emprisonné pour toujours, et son haleine de feu sort quelquefois de l'Etna. Mimas subit le même sort : Héphaïstos l'ensevelit sous une masse de métal en fusion, et, depuis ce temps, il gît sous le volcan du Vésuve. Athèna attaqua le géant Pallas qu'elle tua et écorcha; puis elle recouvrit sa cuirasse de sa peau. Poséidon enterra Polybotès en lui lançant une partie de l'île de Cos, qui devint une nouvelle île, Nisyros. Hermès, portant le casque qui le rend invisible, terrassa Hippolyte; Artémis abattit Gration de ses flèches; Dionysos assomma Eurytos avec son bâton (thyrse); Hécate brûla Clytios avec ses torches infernales; et les Moires tuèrent Agrios et Thoas, armées de leurs massues de bronze. Chaque géant fut achevé par les flèches d'Héraclès, car le poison de l'Hydre, dans lequel elles avaient été trempées, était mortel même pour leur corps gigantesque, et seul un mortel pouvait leur porter un coup fatal.

Selon une version moins connue de la Gigantomachie, les Géants furent vaincus et mis en déroute par des bruits qui leur étaient inconnus : les braiements des ânes montés par Héphaïstos et les Satyres, ou le son étrange de la conque de Triton. Apollonios de Rhodes raconte comment les Géants (*Gegeneis*) attaquèrent les Argonautes en Mysie et furent tués par les flèches d'Héraclès. Les Géants-aux-cent-bras (Hécatonchires), Cottos, Briarée et Gyès, étaient nés de Gaia et d'Ouranos; il s'agissait de trois énormes créatures, possédant chacune cinquante têtes et cent bras. Leur père les avait repoussés dans les profondeurs de la Terre, leur mère. De colère, Gaia voulut se venger, et elle persuada Cronos d'émasculer son père et de le détrôner. Cependant, lorsque Cronos atteignit le pouvoir suprême, il emprisonna à son tour les Hécatonchires, les enfermant dans le Tartare en compagnie de leurs frères, les Cyclopes, car il craignait leur pouvoir. Gaia, de nouveau en colère, fit tout ce qu'elle put pour aider Zeus à vaincre Cronos et les Titans qui le soutenaient. Zeus délivra les Cyclopes et les Hécatonchires pour obtenir leur aide dans la bataille; sachant qu'ils étaient indispensables pour obtenir la victoire, il leur offrit du nectar et de l'ambroisie, la nourriture et la boisson des Immortels. A la fin de la guerre, cependant, Zeus renvoya les Géants-aux-cent-bras dans le Tartare, mais en tant que geôliers, cette fois, pour garder les Titans emprisonnés. Ils restèrent de fidèles alliés de Zeus, et, lorsque les autres dieux voulurent se rebeller contre lui, Thétis fit sortir Briarée du Tartare pour lui porter secours.

GÉRYON ou **GÉRYONES** ou **GÉRYONÉE.** Fils de Chrysaor et de l'Océanide Callirrhoé. Monstre à trois têtes, ou même à trois corps, il vivait sur une île du nom d'Erythie («la rouge»), loin à l'ouest dans l'Océan, au-delà des Colonnes d'Hercule. Il possédait un riche troupeau de bœufs que gardaient un berger nommé Eurytion et un chien à deux têtes, Orthros («matinal»), ou Orthos («droit»), né d'Echidna et de Typhon. Eurysthée chargea Héraclès de voler le troupeau de Géryon et de le ramener à Mycènes, ce qui constitua le dixième de ses travaux. Héraclès s'embarqua sur le fleuve Océan dans la «coupe» d'or que l'Océan, ou Hélios, lui avait donnée, sous la menace des flèches empoisonnées du héros. Il fit voile vers l'ouest et aborda l'île de Géryon ; puis il grimpa dans la montagne qui se dressait. Attaqué par Orthos, il tua le chien avec son bâton et fit de même de son maître Eurytion. Puis, comme il s'apprêtait à emmener le troupeau, Ménoétès, le berger d'Hadès, le vit et alla le dénoncer à Géryon. Ce dernier se lança à sa poursuite et le rejoignit au fleuve Anthémos où le héros le tua de ses flèches.

GORDIAS. Phrygien, père du roi Midas. Un jour qu'il labourait, un aigle se percha sur le timon de sa charrue et y resta toute la journée. Gordias se rendit à Telmessos, en Lycie, ville dont les habitants possédaient des dons de prophétie. Là, une jeune fille qui tirait de l'eau à un puits lui dit d'offrir un sacrifice à Zeus. Il épousa la jeune fille, qui lui donna un fils, Midas (selon une autre version, l'enfant avait pour mère la déesse Cybèle). Lorsque Midas fut grand, les Phrygiens se querellèrent pour savoir qui ils devaient choisir pour roi ; un oracle leur annonça que leur roi viendrait à eux dans une charrette. Gordias, accompagné de sa famille, apparut alors sur un tel véhicule et fut proclamé roi ; sa charrette fut consacrée à Zeus. Midas lui succéda plus tard. Par la suite, la tradition voulut que quiconque parviendrait à défaire le nœud qui attachait le timon à la charrette régnerait sur l'Asie entière. Cet exploit fut accompli par Alexandre le Grand, qui trancha la corde.

GORGONES. Ce sont trois créatures femelles d'aspect monstrueux ; elles étaient les filles de Phorcys et de Céto, deux divinités marines. Elles avaient pour noms : Sthéno («force»), Euryalé («dont l'aire est large»), et Méduse («roi» ou «reine»). Elles habitaient très loin, à l'ouest, sur les rives du fleuve Océan. Elles avaient pour sœurs les Grées et, selon certaines sources, Echidna. A l'exception de Méduse, qui fut tuée par Persée, elles étaient immortelles. Poséidon fut l'amant de Méduse, et elle était enceinte de lui quand elle fut tuée par Persée. Du sang répandu, ou bien du corps décapité, naquirent Chrysaor et Pégase. (Le mythographe Apollodore ajoute qu'Asclépios utilisait le sang de Méduse pour soigner ses patients, puisqu'il était le dieu de la médecine. Le sang qui coulait de l'une des veines avait le pouvoir de ressusciter les morts, mais le sang qui coulait de l'autre était mortel.)

Les traditions diffèrent en ce qui concerne l'aspect des Gorgones. Pour certains auteurs, elles étaient très belles, et Athéna aurait donné à Persée le pouvoir de tuer Méduse (*voir* PERSÉE), parce que celle-ci s'était vantée de surpasser la déesse en beauté. Par contre, les représentations que nous avons d'elles nous les montrent avec des faces rondes et hideuses, une chevelure de serpents et des défenses de sanglier; elles sourient d'une façon effrayante; leur nez est camard, leur langue pendante, leur visage couvert de barbe, leurs yeux étincelants, leurs mains de bronze, leur démarche impudente, et, quelquefois, elles possèdent un arrière-train de jument. Selon la légende, un seul regard sur ces créatures, ou, du moins, sur Méduse, changeait une personne en pierre. Lorsque Persée eut tué Méduse, il donna sa tête à Athéna, qui la fixa au centre de son égide. Toutefois, selon une croyance athénienne, la déesse aurait enterré la tête sous la place du marché, dans la ville, et aurait donné une boucle de ses cheveux à la ville de Tégée, pour la protéger en cas de guerre. L'ombre de Méduse, comme celle des autres mortels, s'en alla au royaume d'Hadès, où elle terrifiait les morts.

GRACES (en grec : *Charites*; en latin : *Gratiae*). Ce sont des divinités mineures, considérées d'ordinaire comme les compagnes d'Aphrodite. Sur leur parenté, les traditions diffèrent, mais le plus souvent, elles passent pour les filles de Zeus et d'Eurynomé, la fille d'Océan et de Téthys. Leur nombre varie, mais elles sont trois, le plus souvent, et personnifient la beauté, la douceur et l'amitié. Elles représentaient un des thèmes favoris des artistes, mais leur mythologie est peu étendue. Elles étaient connues sous beaucoup de noms différents. Hésiode parle d'une Grâce nommée Aglaia («l'éclatante»), qui passait quelquefois pour la femme d'Héphaïstos, à la place d'Aphrodite. Homère, dans *L'Iliade,* l'appelle Charis. Il rapporte aussi une légende où figure une Grâce nommée Pasithéa : pour que les dieux pussent aider les Grecs, Héra voulut endormir Zeus; pour cela, elle obtint l'aide d'Hypnos («le Sommeil»), en lui offrant la main de Pasithéa.

GRÉES. Ce sont les trois inquiétantes sœurs des Gorgones, et les filles de Phorcys et de Céto. Elles s'appellent Enyo («belliqueuse»), Pemphrédo («méchante») et Deino («effrayante»); certains auteurs omettent la dernière et n'en nommment que deux. Bien qu'Eschyle (dans *Prométhée enchaîné*) les fît ressembler à des cygnes, leur nom, *Graiae*, signifie «vieilles femmes» et, selon une tradition établie, elles étaient nées déjà vieilles, avec des cheveux gris, et ridées; elles étaient aussi aveugles et édentées, possédant toutefois un œil et une dent qu'elles se prêtaient à tour de rôle. Elles vivaient dans une grotte, sur les flancs de la chaîne de l'Atlas. Comme leurs sœurs les Gorgones, elles sont célèbres grâce au mythe de Persée; celui-ci obtint d'elles, par ruse, des conseils pour atteindre le repaire des Gorgones sur la côte de l'Océan: pour cela, il leur avait volé leur œil.

GYGÈS. Cet ancêtre mythique de la famille royale de Lydie, en Asie Mineure, était à l'origine un simple berger au service du roi de l'époque. Platon raconte comment, après un tremblement de terre, il découvrit une crevasse dans le sol, et y pénétra. Il arriva ainsi à une caverne qui contenait un cheval de bronze creux, dans lequel gisait un corps d'une taille supérieure à celle d'un homme. Gygès retira un anneau du doigt de ce corps et retourna à la surface, parmi les autres bergers. Alors qu'il était assis en leur compagnie, il découvrit qu'en tournant vers l'intérieur le chaton de la bague, il devenait invisible. Il se rendit à la cour, où, en utilisant son pouvoir, il séduisit la reine et tua le roi, tout en restant invisible; ainsi, il devint roi. Ce Gygès n'est pas le même que le célèbre roi Gygès, héros historique (bien qu'en partie légendaire), qui régna sur la Lydie de 685 à 657 av. J.-C., mais son prédécesseur éloigné. L'histoire des deux hommes, cependant, contient beaucoup de similitudes, comme le prouve la version d'Hérodote.

H

HADÈS (*Haides* est, probablement, à l'origine, une épithète signifiant «l'Invisible»). Il est le dieu des morts et le souverain d'un royaume souterrain, les «Enfers», où étaient enfermées les ombres des êtres humains morts ainsi que certaines créatures mythologiques comme les Titans. Le nom d'Hadès désigne uniquement le dieu, et non pas les lieux. Cette façon incorrecte de désigner les Enfers vient de l'emploi elliptique, en grec, du génitif, *Haidou,* pour «la maison d'Hadès».

Hadès était un fils de Cronos et de Rhéa, et il est, par conséquent, le frère de Zeus, de Poséidon, d'Héra et de Déméter; la fille de cette dernière était sa femme et la déesse des Enfers. Le nom d'Hadès était considéré comme de mauvais augure et était utilisé aussi peu que possible. Aussi, utilisait-on souvent des euphémismes comme *Plouton* (Pluton), «le Riche» (traduit en latin par *Dis,* de *dives*, riche), surnom faisant allusion à sa nature chthonienne. Comme Perséphone et Déméter, il passait pour favoriser les récoltes et dispenser l'abondance. Les Grecs le nommaient *Eubouleus* (le Bon Conseiller), *Klymenos* (Renommé), *Polydegmon* (riche en hôtes), *Pylartes* (aux portes solidement closes) et *Stygeros* (horrible); il était aussi connu sous le nom de Zeus Katachtonios, c'est-à-dire le Zeus des Enfers, épithète qui met en valeur ses pouvoirs et la domination absolue qu'il exerce sur son royaume. Les Romains le surnomment quelquefois *Orcus,* nom d'origine obscure. Hadès est conçu, chez les Grecs, comme une divinité menaçante et lugubre, appliquant à tous, sans discrimination et sans pitié, la loi de son royaume; cependant, il n'est jamais considéré comme malfaisant, satanique ou injuste. Sa demeure n'est en aucune manière l'«enfer», mais est néanmoins une prison, dont Hadès est le gardien (il est souvent représenté avec une clef à la main). Selon les traditions, les Morts étaient l'ombre de ce qu'ils avaient été parmi les Vivants; seuls le sang et la conscience leur faisaient défaut. Ils demeuraient aux Enfers, sans espoir de s'en échapper, et poursuivaient, pour la plupart, les activités qu'ils avaient eues sur la terre, mais d'une façon triste et mécanique. Leur séjour (appelé «la plaine des asphodèles») était désolé et n'offrait aucune possibilité de vie sociale. En pénétrant dans l'empire des Morts, escortées par Hermès, les ombres qui pouvaient payer une petite pièce de monnaie (une obole) étaient transportées sur l'autre rive du Styx par Charon, le vieux passeur; un chien de garde monstrueux, Cerbère, les empêchait de ressortir. Lorsqu'elles atteignaient la berge opposée, elles devaient comparaître devant les juges des Enfers, Minos, Rhadamanthe et Eaque. Mais on accordait assez peu d'importance à leur verdict, qui était considéré par la plupart comme une prolongation vaine de leur office terrestre, car la grande majorité des morts demeuraient pour l'éternité dans la plaine des Asphodèles. Selon certains, une faible minorité était admise, grâce à leurs mérites particuliers, dans les «Iles des Bienheureux», ou l'Elysée. Achille lui-même, selon Homère, ne se vit pas accorder cette faveur. En effet, lorsque Ulysse descendit au séjour des Ombres, pour consulter l'ombre de Tirésias, il rencontra l'ombre d'Achille; celui-ci lui déclara qu'il aurait préféré servir comme esclave chez un homme sans terres, chez les vivants, qu'être roi parmi les morts. Même Héraclès, qui avait été accueilli sur l'Olympe parmi les Immortels, était présent, croyait-on, aux Enfers.

Outre sa nature souterraine, le royaume des Morts avait d'étroites relations avec l'ouest. Lorsque Ulysse s'embarqua pour le Bois de Perséphone, il arriva en vue d'une côte sauvage où ne brillait jamais le soleil, située à la lisière du monde; là, coulait le fleuve Océan, dans les eaux duquel se déversaient les fleuves infernaux. Monde souterrain, le royaume d'Hadès passait pour avoir des entrées situées au cap Ténare, près de Sparte, dans le lac Alcyonien, à Lerne, et dans le lac Averne, en Campanie. Au-dessous des Enfers se trouvait le Tartare, où régnait la nuit éternelle et où étaient châtiés les méchants. Malgré tout, un petit nombre d'entre eux y étaient suppliciés. Parmi eux figuraient Tantale, Sisyphe, Tityos, Ixion, les Danaïdes, et surtout les Titans, que gardaient les Géants aux Cent Bras. Rares furent les mortels qui pénétrèrent aux Enfers et purent en sortir : Héraclès qui en ramena Cerbère, Orphée en faveur de qui Perséphone, par pitié, laissa partir Eurydice, Ulysse, qui vint consulter Tirésias; Enée qui, guidé par la Sibylle de Cumes, y accéda par le lac Averne et vint demander conseil à l'ombre de son père Anchise. Thésée et Pirithoos s'y rendirent aussi, dans l'espoir d'enlever Perséphone; mais Hadès les retint prisonniers sur des «chaises d'oubli» auxquelles ils demeurèrent rivés: certains auteurs athéniens prétendaient que Thésée avait été délivré plus tard par Héraclès.

Hadès intervient rarement dans les légendes. Le récit de l'enlèvement de Perséphone constitue le seul mythe important. De plus, il n'était que peu vénéré par les Grecs, qui considéraient que sa juridiction se limitait aux morts et que, en conséquence, il portait peu d'intérêt aux vivants. En effet, lors du partage originel de l'Univers, Hadès s'était vu attribuer les Enfers pour demeure éternelle; Zeus obtint le Ciel, et Poséidon la mer. Hadès, comme Poséidon, avait des liens avec les chevaux; le char dans lequel il enleva Perséphone était tiré par des étalons bleu sombre. Il possédait aussi des troupeaux, qui paissaient dans l'île mythique d'Erythie. Leur berger était Ménoétès, qui espionna Héraclès lorsque le héros s'empara des troupeaux de Géryon.

HAMADRYADES. *Voir* DRYADES.

HARMONIE. Femme de Cadmos de Thèbes. Elle est généralement considérée comme la fille d'Arès et d'Aphrodite, mais une tradition différente fait d'elle la fille de Zeus et d'Electre, la fille d'Atlas. Tous les dieux assistèrent à leur mariage. Cadmos fit présent à Harmonie, à cette occasion, d'une merveilleuse robe de mariée et d'un collier qui était l'œuvre d'Héphaïstos. Ces cadeaux devaient amener le désastre sur la descendance d'Harmonie. *Voir aussi* CADMOS.

HARPYES (*harpiai* : «les ravisseuses»). Femelles pourvues d'ailes, d'apparence monstrueuse, au nombre de trois ou quatre; on les tenait pour responsables de toutes les disparitions. Hésiode leur donne pour père Thaumas et pour mère l'Océanide Electre; elles ont donc pour sœurs la déesse Iris. De même que les Gorgones, elles ont donné naissance à deux traditions différentes. Dans la version homérique, la plus ancienne, elles étaient semblables au vent d'orage, qu'elles évoquaient par leur nom : Aello («bourrasque»), Okypété («vole-vite»); Célaeno («obscure comme une nuée d'orage») et Podargé («aux pieds rapides»). Podargé s'unit à Zéphir, le Vent de l'ouest, et enfanta Xanthos et Balios, les chevaux d'Achille.

Elles se précipitèrent sur les filles de Pandaréos, qu'Aphrodite et les autres déesses avaient élevées après la mort de leurs parents, les enlevèrent et les donnèrent comme servantes aux Erinyes, profitant de ce qu'Aphrodite s'était éloignée pour s'entretenir de leur mariage avec Zeus.

Les représentations que nous avons d'elles nous les montrent comme des oiseaux monstrueux à tête féminine, comme les Sirènes. (Pour cette raison, on les confondait avec les ombres ou les âmes des morts que l'on représentait de la même manière.) C'est sous cette forme, mi-humaine, mi-animale, qu'elles apparaissent dans la légende où elles jouent le rôle le plus important, celle de la malédiction de Phinée. Le roi thrace avait reçu avec hospitalité les Argonautes, alors qu'ils se rendaient à Colchos. Les Harpyes arrivèrent en volant dans la salle à manger de Phinée, s'abattirent sur les mets et souillèrent de leurs excréments sa table. Le roi conclut un accord avec les Argonautes, acceptant de les renseigner sur leur destin si eux-mêmes le débarrassaient de ce fléau. Selon la version la plus courante, Calaïs et Zétès, les fils ailés de Borée, pourchassèrent les Harpyes jusqu'aux Strophades, îles de la mer Ionienne; là, Iris leur apparut et leur demanda d'abandonner leur poursuite, faisant promettre aux Harpyes de laisser Phinée en paix. Celles-ci allèrent alors vivre dans une grotte du mont Dicté, en Crète. D'après une tradition différente, cependant, ni les poursuivants ni les poursuivies n'en réchappèrent et tous moururent d'inanition; l'une des Harpyes tomba dans la rivière Harpys (Tigres) dans le Péloponnèse en voulant échapper à Calaïs et Zétès; la rivière prit son nom à la suite de cela. Enée rencontra une Harpye, Célaeno, dans les Strophades; cette dernière lui prédit que les Troyens n'atteindraient leur nouvelle patrie que lorsque la faim les obligerait à manger leurs tables. Puis, avec ses compagnes, elle s'abattit sur le repas des Troyens qui ne purent les chasser car leurs plumes d'acier étaient plus solides que des épées.

HÉBÉ («la Jeunesse», en latin *Juventas*). Elle est la fille de Zeus et d'Héra et la sœur de Mars; son rôle est de servir le nectar aux dieux de l'Olympe. Dans *L'Iliade,* elle nettoie les blessures que Diomède a infligées à Arès. Lorsque Héraclès trouva la mort, brûlé par le feu de la tunique empoisonnée que sa femme Déjanire avait trempée dans le sang de Nessos, il fut reçu, purifié de ses éléments mortels, parmi les dieux qui lui attribuèrent Hébé pour compagne céleste. Pour qu'il pût partir en guerre contre Eurysthée et sauver les Héraclites, Hébé rendit sa jeunesse à Iolas, le neveu d'Héraclès, ce qui lui permit de tuer Eurysthée.

HÉCATE. Déesse chthonienne (infernale) inconnue d'Homère, mais possédant un culte important en Béotie, la patrie d'Hésiode. Son ascendance reste obscure : Hésiode fait d'elle la fille de Coeos et de Phoebé, une Titanide qui garda ses privilèges après la chute des autres Titans. Mais son père peut être aussi Persès, ou Zeus lui-même, et sa mère a été souvent identifiée à la sœur de Léto, Astéria, bien qu'elle eût passé souvent pour la fille de Déméter ou de Phéraea. Son association à Déméter a pour origine une croyance selon laquelle toutes deux veillaient sur la fertilité du sol; cette tradition venait certainement, pour Hécate, de Carie, en Asie Mineure. Hésiode indique que Zeus respectait Hécate (dont le nom signifie «qui étend son pouvoir au loin») plus qu'il ne le faisait pour toute autre divinité, et qu'il lui accorda des pouvoirs sur la terre, la mer et le ciel. Comme divinité chtonienne, cependant, Hécate était liée, particulièrement, au monde des Ombres (comme Perséphone, elle passe souvent pour la fille de Déméter). Elle présidait à la magie, et Médée invoqua son aide pour accomplir ses sortilèges, à Colchos et à Corinthe. Les carrefours avaient un grand rôle dans les rites de magie, qui se pratiquaient très souvent à ces endroits; Hécate, qui n'était pourtant pas identifiée à Artémis, était surnommée «l'Artémis des carrefours». On la représentait avec trois têtes portant des torches et entourée de chiens aboyants.

HECTOR. Fils du roi troyen Priam et d'Hécube. Lorsque Hector, dans *L'Iliade,* prie pour son tout jeune fils Astyanax, il semble considérer celui-ci comme l'héritier du trône de Troie, à travers lui-même. Mais Pâris est regardé comme son aîné par Homère, car, à l'époque de la mort d'Hector, Hélène déclare que dix-neuf ans se sont écoulés depuis que Pâris l'a emmenée à Troie; ce dernier est âgé à peu près de quarante ans, tandis qu'Hector est plus jeune. Celui-ci est cependant le chef des armées troyennes, son nom signifiant «qui tient fortement», «qui résiste», et blâme Pâris pour sa lenteur à agir, reproche que celui-ci accepte humblement. Avant la guerre, Hector avait épousé Andromaque, la fille d'Eétion, roi de Thèbe, en Troade. Au début de *L'Iliade,* elle a déjà perdu son père et ses frères, massacrés par Achille. Homère décrit Hector comme un homme ouvert, franc, valeureux, serein dans l'adversité et tendrement compatissant : ses adieux à Andromaque et à leur enfant constituent l'une des scènes les plus émouvantes du poème. Bien que réprouvant l'acte de Pâris, qui avait séduit la femme d'un autre, et allant même jusqu'à proposer de rendre Hélène à son mari, ce fut lui qui tua Protésilas, le premier Grec qui posa le pied sur le sol troyen. Par la suite, il mena la bataille avec une grande énergie. Au début de *L'Iliade,* l'armée troyenne restait cantonnée à l'intérieur des murailles de la ville ; mais la querelle qui prit naissance entre Achille et Agamemnon, amenant le premier à se retirer du combat, offrit quelques jours de répit qu'Hector mit à profit pour faire sortir son armée et attaquer les Grecs en rase campagne ; il les repoussa même jusqu'aux palissades qu'ils avaient érigées autour de leurs navires amarrés. Mais, au moment où Hector allait mettre le feu aux vaisseaux grecs, Poséidon intervint et rassembla les Grecs pour écarter le danger ; puis Patrocle se lança dans la bataille à la tête des Myrmidons d'Achille, revêtu de l'armure du héros. Cette intervention redonna assez de courage aux Grecs pour qu'ils repoussent les Troyens.

Mais bientôt, avec l'aide d'Apollon, son protecteur, Hector tua Patrocle et le dépouilla de son armure. La perte de son ami fit revenir Achille au combat, et celui-ci laissa éclater toute sa fureur contre le meurtrier de Patrocle. Hector, malgré les avertissements de Polydamas qui lui conseillait de se retirer devant Achille, s'abstint de battre en retraite vers la cité. Le jour suivant, après que les Troyens eurent été mis en déroute, Achille, aidé par Athèna, surprit Hector, et après une longue poursuite autour des murs de la ville, le tua. Hector, dans son dernier souffle, prédit la mort imminente de son meurtrier. Achille dépouilla le cadavre, puis, l'ayant attaché à son char avec des lanières, il le traîna derrière lui. Après cela, il jeta le corps à côté du cercueil de Patrocle, la face dans la poussière, et le traîna chaque jour autour du tombeau de son ami. Il refusa de rendre le mort à sa famille jusqu'à ce que sa propre mère, Thétis, l'en eût supplié et que Priam fût venu implorer la restitution du corps de son fils. Achille permit alors à Priam de reprendre le corps en échange d'une rançon et de le ramener à Troie. Une trêve de onze jours fut décidée pour les funérailles ; pendant ce temps, Aphrodite avait préservé le corps en l'oignant d'ambroisie. Au retour de Priam, Hélène déclara qu'Hector, plus que quiconque, l'avait traitée avec bienveillance. L'Iliade se termine sur les funérailles du héros. Après la chute de Troie, dont la mort d'Hector était un signe avant-coureur, le fils du héros, Astyanax, fut mis à mort par les Grecs qui craignaient la vengeance d'un descendant d'Hector.

HÉCUBE. Fille de Dymas, roi des Phrygiens, ou de Cissée ; sa patrie se trouvait sur les bords du fleuve Sangarios. D'après Apollodore, Priam, le roi de Troie, se sépara de sa première femme Arisbé avant d'épouser Hécube et d'en faire sa compagne principale. Celle-ci lui donna dix-neuf enfants. L'aîné fut Pâris, qu'elle fit exposer à sa naissance, car elle avait rêvé qu'elle donnait naissance à une torche; ce mauvais présage signifiait la destruction de Troie. Mais, par la suite, l'enfant fut recueilli (*voir* PARIS). Puis elle eut Hector, Hélénos, Déïphobe, Troïlos, Politès, Cassandre, Polyxène et Créüse. Dans *L'Iliade,* Hécube reste au second plan et n'apparaît que pour pleurer son fils Hector. Virgile raconte, par la bouche d'Enée, comment, lorsque Néoptolème saccagea le palais de Priam, elle empêcha le vieux roi de se battre contre lui; puis elle se réfugia près de l'autel pendant que son époux et son fils Politès étaient massacrés. Hécube fut attribuée à Ulysse comme esclave. Dans son *Hécube,* Euripide montre comment elle découvre le corps de Polydoros, son plus jeune fils, sur le rivage de la Chersonnèse thrace, tué par le roi thrace Polymestor; l'enfant avait été confié à ce dernier pour qu'il l'élevât. Pour se venger, elle demanda à Agamemnon la permission de faire venir Polymestor à Troie sous le prétexte de lui révéler la cachette du trésor troyen. Quand il fut là, elle tua ses enfants et l'aveugla; après quoi, Polymestor prédit qu'Hécube serait transformée en chienne aux yeux de feu. C'est pourquoi l'endroit où elle fut enterrée fut nommé «le tombeau de la chienne». D'après une autre tradition, elle fut lapidée par les compatriotes de Polymestor et, en mourant, se métamorphosa en chienne; c'est sous cette apparence qu'elle hanta la Chersonnèse, après sa mort. Dans *Les Troyennes,* Euripide montre Hécube accusant Hélène devant Ménélas avec tant de conviction que celui-ci jure de tuer sa femme en revenant à Sparte. Elle se lamente sur le meurtre de sa fille Polyxène, sacrifiée pour apaiser l'ombre d'Achille, et sur celui de son petit-fils Astyanax, dont elle mène le deuil.

HÉLÈNE (Héléné, Héléna). Fille de Zeus et de Léda et femme de Ménélas, roi de Sparte puis de Pâris, fils de Priam, le roi de Troie. Son nom n'est pas grec et a peut-être été à l'origine celui d'une déesse; il évoque les oiseaux et les arbres. Néanmoins, dans les poèmes homériques, elle est bien humaine, quoique dotée d'une beauté et d'un charme surnaturels que l'on pensait être un don d'Aphrodite; la déesse l'avait douée du pouvoir de séduire l'homme qu'elle désirait.

Une autre légende fait d'Hélène la fille de Zeus et de la déesse Némésis (car elle apporte le malheur avec elle). Némésis essaya d'échapper aux avances de Zeus et se transforma en oie; Zeus, lui, se changea en cygne et s'unit à elle. La déesse pondit un œuf dans un bois de Sparte; des bergers le découvrirent et l'apportèrent à Léda, la femme de Tyndare. Lorsque Hélène fut sortie de la coquille, Léda l'éleva comme sa propre fille. Mais, selon la tradition la plus connue, ce fut à Léda elle-même que Zeus s'unit, sous la forme d'un cygne.

Hélène avait pour frères Castor et Pollux, les Dioscures, et pour sœur Clytemnestre, la future femme d'Agamemnon. A moins que Castor et Clytemnestre n'aient eu pour père Tyndare, tandis que Pollux et Hélène étaient les enfants de Zeus, et immortels. Ou encore, Léda passe quelquefois pour avoir pondu deux œufs, l'un contenant le couple mortel, l'autre le couple immortel. Dans certaines versions, Hélène mourut quand même, mais, selon une tradition connue d'Homère, Ménélas fut admis, quand vint l'heure de sa mort, aux Champs Elysées, simplement parce qu'il était son époux. A l'âge de douze ans, Hélène fut enlevée par Thésée qui voulait faire d'elle sa femme. Il l'enferma sous la garde de sa mère Aethra, à Aphidna, en Attique, puis partit aider son ami, le Lapithe Pirithoos, à enlever une autre fille de Zeus pour l'épouser. Par malheur pour les deux héros, Pirithoos jeta son dévolu sur Perséphone, et lorsqu'ils se rendirent aux Enfers pour la ramener, ils furent retenus par Hadès qui les enchaîna sur les «chaises d'oubli». Pendant ce temps, Hélène fut délivrée par ses frères, les Dioscures, et emmenée à Sparte, avec Aethra.

Lorsque Hélène fut en âge de se marier, tous les célibataires dignes d'être élus demandèrent sa main. Ils affluèrent à la cour de Tyndare qui craignait que ceux qui seraient repoussés n'en vinssent aux mains et ne provoquent des troubles. Ulysse, qui figurait parmi les prétendants, conseilla à Tyndare de faire prêter à tous le serment de protéger la vie et les droits de celui qui obtiendrait Hélène pour épouse. Tous les prétendants acceptèrent et prêtèrent serment sur la peau d'un cheval sacrifié, pour donner encore plus de poids à leur parole. Puis Ménélas fut élu; ses richesses jouèrent probablement en sa faveur et, de plus, Clytemnestre, la sœur d'Hélène, avait déjà épousé son frère Agamemnon, roi de Mycènes.

Hélène donna à Ménélas une fille, Hermione; celui-ci eut aussi un fils, Nicostratos, dont la mère était soit Hélène, soit une jeune servante. (Le poète Stésichore affirme aussi que la jeune femme donna naissance à Iphigénie et qu'elle confia l'enfant à Clytemnestre, mais cette dernière est généralement considérée comme la mère d'Iphigénie.) Quelques années plus tard, Pâris, fils aîné de Priam, le roi de Troie, vint en visite à Sparte. Pour qu'il la désignât comme la plus belle des déesses, Aphrodite lui avait promis la main de la plus belle femme du monde : et lorsque Pâris vit Hélène, il comprit ce que signifiait cette promesse. Hélène, de son côté, succomba aux pouvoirs d'Aphrodite et se laissa convaincre par Pâris, de sorte que, lorsque Ménélas fut soudainement appelé en Crète pour préparer les funérailles de son grand-père Catrée, ils prirent la fuite en emportant avec eux de riches présents pour Pâris, provenant du trésor de Ménélas. Ils gagnèrent Troie en trois jours de navigation aisée, ou encore, selon des versions différentes, une tempête les écarta de leur route, et ils passèrent par Chypre, Sidon, et même par l'Egypte. Lorsque les amants arrivèrent à Troie, ils furent officiellement mariés, malgré l'hostilité de nombreux chefs troyens, dont Hector, et ils vécurent ensemble jusqu'à ce que Pâris fût tué ; événement qui survint dix-neuf ans plus tard, d'une flèche décochée par Philoctète. Hélène épousa alors le frère de Pâris, Déïphobe.

Lorsque, à son retour à Sparte, Ménélas découvrit la disparition d'Hélène, il vint trouver son frère Agamemnon, ainsi que tous les chefs grecs qui avaient été ses prétendants et qui avaient juré de lui accorder leur protection, afin de l'aider à ramener sa femme. Après l'échec d'une ambassade conduite par Ménélas et Ulysse, venus demander aux Troyens le retour d'Hélène, une immense expédition fut mise sur pied et fit voile vers Troie. Les sympathies d'Hélène pendant la guerre et le siège sont considérées comme ambiguës. A certains moments, trouvant sa situation pénible, elle se reproche sa faiblesse et l'iniquité dont elle fait preuve en restant avec Pâris ; et lorsque Ulysse vient à Troie en mission d'espionnage, elle ne le trahit pas, même après qu'il a tué un grand nombre de nobles Troyens. De plus, selon une version, elle l'aurait même aidé à voler le Palladion. Pourtant, quand les guerriers grecs sont cachés dans le cheval de bois, elle va examiner le cheval en compagnie de son époux, Déïphobe.

Les relations qui s'établirent entre Ménélas et Hélène, après la chute de Troie, sont décrites à la fois dans *L'Odyssée* et dans *Les Troyennes* d'Euripide. Dans la première œuvre, Ménélas met sept ans à revenir à Sparte, en passant par l'Egypte, et à l'arrivée, Hélène et lui sont réconciliés. Mais, pour Euripide, il reste très suspicieux à l'égard des sentiments véritables d'Hélène, et quand Hécube le convainc de la duplicité de sa femme et le persuade qu'elle ne mérite que la mort, il promet de la tuer en arrivant à Sparte. Stésichore, quant à lui, inventa une histoire différente des aventures d'Hélène, nouvelle version qui naquit des circonstances suivantes; on raconte que, après avoir composé un poème dénonçant l'adultère d'Hélène, il était devenu aveugle. Par la suite, il se trouva un général de Crotone, nommé Léonymos, qui alla demander à l'oracle de Delphes le moyen de guérir une blessure. Il apprit que, pour cela, il devait se rendre sur l'île de Leucé, dans la mer Noire, où Ajax, le fils d'Oïlée, le soignerait. C'est ce qu'il fit, et il raconta en revenant que les héros de la guerre de Troie vivaient toujours et qu'Hélène, qui était à présent la femme d'Achille, lui avait déclaré que Stésichore recouvrerait la vue quand il aurait dit la vérité sur elle. Aussi, le poète écrivit-il un nouveau chant («palinodie»), dans lequel il certifiait que Hélène ne s'était jamais rendue à Troie. Euripide, dans son œuvre romantique, *Hélène,* développe cette tradition. Selon lui, ce ne fut qu'une Hélène fantôme, façonnée par Héra, qui fut emmenée par Pâris à Troie; Zeus avait ordonné à Hermès d'emmener la véritable Hélène en Egypte, où le roi Protée veilla sur elle pendant toute la durée de la guerre. Hérodote donne une autre version de l'histoire, déclarant l'avoir entendue en Egypte : Pâris, sur le chemin du retour, fit escale dans un port égyptien; là, ses marins racontèrent à Protée comment il avait enlevé Hélène. Le roi s'indigna et garda Hélène prisonnière, renvoyant Pâris dans son pays. Cependant, lorsque les Grecs assiégèrent Troie, ils ne voulurent pas croire qu'elle ne se trouvait pas dans la ville. Ce n'est qu'après le sac de la cité que Ménélas accepta de reconnaître la vérité, et il se rendit alors en Egypte pour retrouver sa femme. Chez Homère, Ménélas et Hélène sont poussés par une tempête jusqu'en Egypte, alors qu'ils rentraient ensemble de Troie, car Ménélas avait négligé de sacrifier à Zeus. Comme ils étaient échoués sur l'île de Pharos, Idothée, la fille de la divinité marine Protée, conseilla à Ménélas de surprendre son père pendant son sommeil et de le maintenir à terre jusqu'à ce qu'il lui révélât le moyen d'accomplir son voyage de retour à Sparte. Ménélas agit ainsi, et Protée lui apprit qu'il devait revenir en Egypte et accomplir le sacrifice conforme. Le couple revint en Grèce le jour où Oreste était jugé à Argos pour le meurtre d'Egisthe et de Clytemnestre. Euripide, dans son *Oreste,* raconte comment Ménélas, l'oncle d'Oreste, refusa de le défendre, sur quoi Oreste et Pylade, en désespoir de cause, s'emparèrent d'Hélène et d'Hermione. Mais, au moment où ils allaient la tuer, Hélène disparut et devint, en compagnie de Castor et de Pollux, la protectrice des marins, apparaissant sous la forme de feux Saint-Elme. Mais cette légende, peu connue, diffère de la version habituelle selon laquelle elle termina, heureuse, sa vie à Sparte. C'est ainsi qu'elle accueillit Télémaque qui venait chercher des nouvelles de son père Ulysse. Selon cette tradition, elle survécut à Ménélas, mais, après la mort de celui-ci, son fils (ou leur fils) Nicostratos la chassa, et elle trouva refuge à Rhodes. Là, Polyxo, la veuve de Tlépolèmos, fit tout d'abord semblant de l'accueillir avec hospitalité; mais, pour venger la mort de son mari, survenue pendant la guerre de Troie, elle ordonna à ses servantes de se déguiser en Erinyes et de pendre Hélène à un arbre. Depuis ce temps, Hélène reçut un culte à Rhodes sous le nom de «Dendritis» (de *dendron* : arbre).

HÉLÉNOS. Fils de Priam et d'Hécube; il est le frère jumeau de Cassandre. Enfants, Hélénos et Cassandre s'étaient endormis dans le temple d'Apollon Thymbréen. Un serpent vint les lécher sur les oreilles et sur la bouche; ce fut ainsi qu'ils reçurent le don de prophétie. Hélénos était aussi bon guerrier que devin; et bien qu'il eût prédit à Pâris le désastre qu'il provoquerait en réalisant son projet de se rendre à Sparte, il combattit vaillamment pendant la guerre. Peu avant la fin du siège, les Grecs le capturèrent sur le mont Ida, grâce à un stratagème d'Ulysse; à la suite de cela, Hélénos leur révéla les conditions du succès de leur expédition. Ils devaient voler le Palladion, statue d'Athèna, dans le temple troyen, et apporter à Troie les os de Pélops; de plus, ils devaient convaincre le fils d'Achille, Néoptolème, et Philoctète abandonné sur une île, de prendre part au combat, ce dernier utilisant l'arc d'Héraclès et ses flèches empoisonnées; enfin, ils devaient construire le cheval de bois. Philoctète vint et tua Pâris d'une flèche. (D'après une tradition différente, Hélénos se fit capturer par les Grecs après la mort de Pâris, par dépit contre les Troyens qui avaient accordé la main d'Hélène à Deïphobe plutôt qu'à lui.)

Les prophéties d'Hélénos se réalisèrent, et Troie tomba. Il suivit Néoptolème à qui il conseilla de ne pas revenir par la mer, mais d'emprunter la voie de terre; ainsi, ce dernier échappa à la colère d'Athèna et de Poséidon. Néoptolème lui donna en mariage la veuve d'Hector, Andromaque, qui lui donna un fils, Cestrinos. Néoptolème permit aussi à Hélénos de construire la cité de Buthrote, en Epire, et lorsque Enée traversa cette région pour aller en Italie, il trouva là Hélénos, régnant sur une «nouvelle Troie». Le prophète prodigua à Enée des conseils encourageants, mais lui prédit un très long voyage.

HÉLIADES (les enfants du soleil). Hélios, le soleil, eut un grand nombre d'enfants, d'épouses différentes. Les Grâces passent quelquefois pour ses filles, et il les aurait eues de la nymphe Aeglé. Sa femme Perséis, ou Persé, une Océanide, lui donna des fils : Aeétès, roi de Colchide, Persès, roi de Tauride, Augias, roi d'Elide, et des filles comme la magicienne Circé, et Pasiphaé qui épousa Minos. De Néère (ou Clyméné) il eut Phaethousa et Lapétia qui gardaient les troupeaux sur l'île de Thrinacie (souvent identifiée à la Sicile). Avec Clyméné, il engendra un fils, Phaéthon, qui périt en conduisant le char de son père; avec Rhodè, ou Rhodos, il eut sept fils qui furent les ancêtres du peuple de Rhodes. Le Soleil prédit à ses sept fils que le premier peuple qui offrirait un sacrifice à Athèna jouirait éternellement de sa protection. Les sept lui firent sur-le-champ un sacrifice sans feu. L'Athénien Cécrops accomplit lui aussi un sacrifice qui venait plus tard que celui des sept fils d'Hélios, mais il avait utilisé le feu. C'est pourquoi les habitants de Rhodes aussi bien que les Athéniens passaient pour jouir de la protection d'Athèna et continuaient à lui offrir des sacrifices, les gens de Rhodes tou jours sans feu. Lorsque Phaéthon fut précipité du ciel, après avoir conduit le char de son père, ses demi-sœurs l'ensevelirent. Inconsolables, elles le pleurèrent pendant quatre mois sur les bords du fleuve Eridan (le Pô), et les dieux, par pitié, les transformèrent en une rangée de peupliers. Leurs larmes furent solidifiées en ambre par le soleil et tombèrent dans le fleuve.

HÉLIOS. Le Soleil, ou plutôt la divinité qui le personnifie, est appelé *sol* par les Romains. Hypérion (« celui qui va au-dessus ») et Phoebos (« le brillant »), sont deux surnoms qu'on lui donnait à l'origine, mais, par la suite, ils se différencièrent de lui. Hypérion passait souvent pour le père d'Hélios, et le nom de Phoebos était aussi donné à Apollon qui, à une époque plus récente, fut considéré comme un dieu-soleil et fut identifié à Hélios : comme lui, il était armé de flèches (les rayons du soleil). Hélios est celui qui voit et entend tout et, à ce titre, on le prenait comme garant des serments; Déméter le consulta pour savoir où Perséphone avait disparu. Mais son culte était peu important et, à l'exception du mythe de Phaéthon, il apparaît rarement dans la légende. Dans celle de Phaéthon, Hélios conduit un char tiré par de fougueux coursiers et traverse le ciel, d'est en ouest, pendant le jour annoncé par Eos, l'Aurore, dont le char précède le sien. Selon certaines traditions, il regagne l'est, de nuit, dans une grande coupe d'or qui flotte sur l'océan. dont les eaux entourent la terre.

Hélios eut un grand nombre d'enfants de sa femme Perséis, ou Persé, et de différentes amantes (*voir* HÉLIADES).

Il séduisit aussi Leucothoé en lui apparaissant sous la forme de sa mère, Eurynomé. Clytia, dont il était l'amant jusqu'alors, dénonça Leucothoé, par jalousie, à son père Orchamos, roi de Perse, qui, pour châtier sa fille. la fit enterrer vivante. Hélios transforma Leucothoé en arbre à encens. Clytia dépérit et se métamorphosa en héliotrope. dont la corolle suit la course du soleil dans le ciel.

Les difficultés que rencontrait Hélios avec ses amantes avaient été provoquées, disait-on, par Aphrodite, par colère contre le Soleil qui avait été témoin de ses amours avec Arès et l'avait dénoncée à son époux, Héphaïstos. Hélios aida un jour Héraclès en lui prêtant la coupe d'or dans laquelle il naviguait sur l'Océan; le héros s'en servit pour atteindre l'île d'Erythie sur laquelle paissaient les troupeaux de Géryon. Cependant, Héraclès, auparavant. avait menacé le Soleil de ses flèches, alors qu'il traversait le désert d'Afrique, accablé de chaleur.

Lorsque Zeus divisa la terre entre les dieux, Hélios était au loin dans le ciel, sur son char, et ne put recevoir de part. Zeus le dédommagea en lui donnant l'île de Rhodes qui venait d'émerger; on lui rendait là des honneurs particuliers. et trois de ses petits-fils, Camiros, Lindos et Ialysos, régnèrent sur les villes principales et leur donnèrent leurs noms. Le Colosse de Rhodes était une statue qui représentait Hélios, couronné de rayons, et qui se dressait à l'entrée du port de Rhodes. Hélios disputa aussi Corinthe à Poséidon, et Briarée. choisi comme arbitre, attribua la citadelle («l'Acrocorinthe») à Hélios. Le fils de celui-ci, Aeétès, régna sur la ville pendant quelque temps.

HELLÈN. Fils aîné de Deucalion, le Noé grec, et de sa femme Pyrrha. Il donna son nom aux Hellènes, appellation limitée à l'origine à une partie des Thessaliens, mais étendue plus tard à l'ensemble des Grecs. Sa femme, la nymphe Orséis, donna naissance aux ancêtres mythiques des trois grands peuples hellènes : Doros, ancêtre des Doriens, Eole. des Eoliens, et Xouthos. des fils de qui procédèrent les Ioniens et les Achéens.

HÉPHAISTOS (en latin : *Vulcanus* ou *Mulciber)*. Il est le fils d'Héra, qui. d'après Hésiode, le conçut seule. D'autres auteurs lui donnent Zeus pour père. Il est le forgeron et le maître de forges (fondeur) des dieux; son culte apparut pour la première fois, selon la tradition, dans l'île de Lemnos, au nord de la mer Egée, sur laquelle se dressait le volcan du mont Moschylos. Il possédait également un culte en Carie et en Lycie, en Asie Mineure, lequel s'étendit aux régions volcaniques plus à l'ouest, l'Etna en Sicile, les îles Lipari et la Campanie où se trouve le Vésuve. Héphaïstos semble avoir été, à l'origine, une divinité liée aux volcans.

Héphaïstos fut, par deux fois, précipité hors de l'Olympe. A sa naissance, Héra fut honteuse d'avoir un fils laid et difforme (il était boiteux), et le lança au loin. L'enfant tomba dans l'Océan et fut recueilli par Thétis et l'Océanide Eurynomé qui l'élevèrent pendant neuf ans dans une grotte, à l'insu des autres dieux et d'Héra. Ce fut là qu'il apprit sont art. Il fabriqua un trône d'or pour sa mère et le lui envoya; mais, pour se venger d'elle, il y avait dissimulé un piège qui, lorsqu'elle s'assit, la retint prisonnière sans qu'aucun des dieux pût la secourir. Héphaïstos fut invité sur l'Olympe, et les dieux le prièrent de délivrer Héra. Mais il refusa; Dionysos, en qui il avait confiance, l'enivra et réussit à lui enlever la clef du mécanisme. Selon une autre tradition, Héphaïstos envoya des sandales aux dieux, mais celles d'Héra étaient adamantines et firent tomber la déesse la tête la première.

Sur l'Olympe, il devint le plus habile des artisans, mais il était souvent tourné en dérision à cause de sa face disgracieuse et couverte de suie, son air affairé et les soucis que lui causait sa femme Aphrodite. En particulier, celle-ci le trompa avec Arès, et donna à ce dernier plusieurs enfants, juqu'à ce qu'Hélios révèle tout à son mari. Héphaïstos, dans sa fureur, emprisonna les amants sous un grand filet qui s'abattit sur eux alors qu'ils étaient étendus côte à côte. Il leur avait fait croire qu'il allait rendre visite à ses fidèles adorateurs de l'île de Lemnos. Lorsqu'il sut que le piège avait fonctionné, il invita tout l'Olympe à assister à la honte d'Aphrodite. Les dieux seuls répondirent à l'invitation, et d'ailleurs rirent tout autant du mari trompé que d'Arès. Enfin, Poséidon le convainquit d'accepter une contrepartie d'Arès, se portant garant pour ce dernier. La deuxième exclusion d'Héphaïstos de l'Olympe le montre réconcilié avec sa mère Héra. Cette dernière se querellait avec Zeus au sujet d'Héraclès qu'elle tourmentait avec acharnement; Héphaïstos prit le parti de sa mère d'une façon si véhémente que Zeus le saisit par un pied et le précipita du haut du ciel. Il tomba pendant tout un jour et. à la tombée de la nuit, il s'abattit à demi mort sur Lemnos, où les Sintiens le recueillirent. Ce fut la raison pour laquelle, selon cette légende, il devint leur protecteur et leur enseigna l'art de travailler le métal, art dans lequel ils surpassaient tous les Grecs. Héphaïstos fut toujours très utile aux Olympiens. Il bâtit des demeures et des palais splendides, permettant aux dieux de vivre dans le luxe. Il fabriqua même des armures pour des mortels, lorsqu'une déesse pouvait l'en persuader ; pour Thétis, par exemple, qui l'avait élevé, il forgea l'armure d'Achille, et pour Aphrodite, celle d'Enée. Il créa aussi Pandore que Zeus donna en mariage à Epiméthée, pour se venger de Prométhée qui avait aidé l'humanité. Les avis diffèrent quant à l'emplacement de la forge d'Héphaïstos. Les Grecs la situent généralement à Lemnos, où il travaille avec ses aides, les Cyclopes, qui sont tenus, de même que les Dactyles crétois et les Telchines, pour des divinités du feu. Les Romains localisaient la forge de Vulcain, lequel était identifié à Héphaïstos (et qu'ils considéraient quelquefois comme la personnification du feu), sous l'Etna, en Sicile. Mais il se vit aussi accorder un atelier sur l'Olympe où, lors de la grande bataille entre les dieux et les géants, il se servit de métal fondu pour étouffer le géant Mimas. Héphaïstos forgea aussi les chaînes qui liaient Prométhée au sommet du mont Caucase ; il fabriquait de même la foudre de Zeus et les flèches d'Artémis et d'Apollon. Il était né d'Héra avant que Zeus n'eût donné le jour à Athéna, qui, comme lui, avait été engendrée spontanément et était sortie de la tête de son père ; ce fut à Héphaïstos que revint la tâche de fendre le crâne de Zeus avec une hache pour permettre à la déesse de s'échapper. Plus tard, il tomba amoureux d'Athéna qui le repoussa si violemment que sa semence tomba sur la terre, qui donna naissance à Erichthonios. Lors de la guerre de Troie, alors qu'Achille luttait avec le Scamandre, Héphaïstos assécha le cours du fleuve d'un souffle de feu et sauva ainsi le héros de la noyade.

Parmi ses enfants (pour la plupart boiteux comme lui), figurent l'Argonaute Palaemon, Periphétès (nommé aussi Corynétès), un brigand d'Epidaure et Ardalos, l'inventeur de la flûte. Un grand nombre de statues des dieux, taillées à coups de hache, passaient pour l'œuvre d'Héphaïstos.

HÉRA (en grec ionien : *Here* ; en latin : *Juno*). Femme de Zeus et reine du ciel ; elle était la sœur aînée de Zeus et la fille de Cronos et de Rhéa. Le nom d'Héra signifie peut-être « la maîtresse » féminin de *heros* : « héros », « guerrier ». Son oiseau est le paon, symbole de la vanité, et elle personnifie le mariage.

Héra fut avalée à sa naissance par son père, qui craignait d'être détrôné par ses enfants. Seul, le sixième et le dernier, Zeus, échappa à ce sort grâce aux ruses de Rhéa et de Gaia. Lorsque Zeus eut consolidé sa position, il eut des aventures amoureuses avec un grand nombre de déesses et de nymphes, mais il décida que seule Héra était digne de devenir sa femme. Même alors, elle lui restait subordonnée, agissant parfois contre lui, mais à son insu. Parfois, fort en colère, Zeus la punissait sévèrement et, un jour, pour la châtier de la persécution qu'elle exerçait contre Héraclès, il la suspendit à un pic de l'Olympe, par les chevilles, après avoir attaché une enclume à chacun de ses poignets. Il existe plusieurs traditions différentes des mythes de la naissance et du mariage d'Héra. Selon certains, après sa naissance et une fois sortie de l'estomac de Cronos, elle fut élevée par Océan et Théthys durant la lutte entre les dieux et les Titans. Selon d'autres traditions, elle aurait été élevée par Téménos, en Arcadie, ou bien par les Heures, en Eubée, ou encore par les filles du fleuve Astérion, en Argolide. Elle était la protectrice de la ville d'Argos, après l'avoir disputée à Poséidon; lorsque les divinités locales (les dieux-fleuves Astérion, Inachos et Céphise) accordèrent la royauté à Héra, Poséidon assécha leurs cours et, de dépit, il inonda toute la campagne environnante, jusqu'à ce que Héra réussît à l'apaiser. Un auteur, Hygin, note aussi une version de sa naissance selon laquelle elle n'aurait pas été avalée par Cronos mais aurait, à la place de sa mère Rhéa, sauvé son frère et l'aurait élevé à l'insu de son père. D'après une tradition concernant leur mariage, Zeus aperçut Héra qui se promenait dans les bois non loin d'Argos; il provoqua une averse et vint s'abriter dans la tunique d'Héra, prenant la forme d'un coucou. Quand il fut enfoui en sécurité, sous les vêtements, il reprit son apparence véritable, prit la déesse dans ses bras et lui fit le serment de la prendre pour femme. Ou bien encore, Zeus aperçut Héra en Eubée, l'enleva sur le mont Cithéron et s'unit à elle dans une grotte. Lorsque la nourrice de celle-ci, Macris, vint à sa recherche, la montagne lui conseilla de s'éloigner, prétendant que Zeus se trouvait dans la grotte avec Léto. Plusieurs sanctuaires d'Héra, en Crète, à Samos, en Eubée et à Naxos, prétendaient être le lieu du mariage divin; de ce fait, un peu partout en Grèce, on célébrait la consécration du «mariage sacré», commémoré par des hommes et des femmes, ou bien symbolisé par des statues de bois, en souvenir de leur union. Les grenades et les pommes étaient consacrées à Héra; les premières étaient offertes aux mariées, à Athènes, où les mariages étaient célébrés traditionnellement pendant le mois d'Héra (Gamélion) ; les pommes d'or des Hespérides furent un présent de noces apporté par Gaia à Héra.

De bonne heure, Héra cessa d'être exclusivement la protectrice de la femme et joua un rôle important dans les mythes guerriers ; elle fut vénérée par les nobles et les rois. Dans les arts, on la représente comme une femme grande et imposante, portant un diadème ou une couronne et tenant un sceptre à la main. Elle donna naissance à Arès, Ilithyie et Hébé qu'elle eut de Zeus, et conçut Héphaïstos sans l'aide de son mari. Lorsque, cependant, Zeus fit de même, en faisant sortir Athèna de sa tête, aidé de la hache d'Héphaïstos, Héra, jalouse, enfanta Typhon et fit de lui l'ennemi de Zeus le plus dangereux (bien que le monstre passe généralement pour le fils de Gaia). De fait, Héra se vengeait souvent, par jalousie, des maîtresses de Zeus et de leurs enfants. Les victimes les plus célèbres de sa persécution vindicative furent Alcmène et son fils Héraclès (bien que le nom de ce dernier renfermât le sien). Elle persécuta aussi Léto, la mère d'Artémis et d'Apollon, Io, qui était une de ses propres prêtresses, Callisto et Sémélé.

Héra elle-même étant la protectrice du mariage monogame était un modèle de fidélité. Pendant la bataille entre les dieux et les géants, Zeus, peut-être pour la mettre à l'épreuve, inspira à Porphyrion un violent désir pour elle. Lorsque, cependant, ce dernier tenta de la violer, Zeus le frappa de sa foudre. Ephialtès conçut un projet semblable, et Artémis l'abattit. Lorsque Ixion tenta de s'unir à Héra, violant ainsi les lois d'hospitalité, car il était l'hôte de son époux sur l'Olympe, Zeus façonna une nuée à laquelle il donna l'apparence d'Héra ; ce fut à elle qu'Ixion s'unit. Il en fut châtié dans le Tartare, en subissant d'éternels tourments. Héra joue un rôle important dans la guerre de Troie, telle que nous la raconte Homère dans *L'Iliade* ; mais le poète ne fait qu'une brève allusion au jugement de Pâris, qu'elle tenta d'influencer en offrant à ce dernier la royauté universelle. Et c'est parce que Pâris lui refusa le prix de beauté qu'Héra persécuta Troie avec une fureur implacable. Selon la version du poète Stésichore, elle sauva Hélène du déshonneur en lui substituant un fantôme que Pâris emmena à Troie, tandis que Hermès, obéissant aux instructions d'Héra, emmenait la véritable Hélène en Egypte. Héra s'exposait souvent à des châtiments en aidant les Grecs en dépit des ordres de Zeus ; un jour, elle attira Zeus sous une nuée d'or, en provoquant son désir pendant que Poséidon stimulait les Grecs. Dans *L'Enéide*, cette haine de Junon (Héra) rejaillit sur Enée, mais Zeus finit par la convaincre d'accepter une union entre Troyens et Italiens conclue de telle façon que la part la plus importante reviendrait aux Italiens. Au contraire, Jason obtint la protection d'Héra pour la conquête de la Toison d'Or (la déesse lui était apparue sous le déguisement d'une vieille femme) ; mais, par là, Héra voulait surtout se venger de Pélias, le roi d'Iolcos, qui avait profané son autel en assassinant Sidéro, sa belle-mère. Par la suite, Médée poussa les filles de Pélias à découper leur père en morceaux et à le faire bouillir dans un chaudron. A Platée, prit naissance une légende selon laquelle Héra aurait abandonné Zeus, prétextant une infidélité de son mari. On raconte que Zeus, alors, suivant le conseil que lui donna le roi de Platée, Alalcoménée, ou Cithaeron, façonna une statue féminine en bois, qu'il couvrit d'un voile et qu'il plaça à côté de lui sur une charrette. Puis il fit courir le bruit qu'il prenait pour épouse la fille de Cithaeron, Plataea. Lorsque Héra l'apprit, elle en fut si furieuse qu'elle accourut sur-le-champ et renversa la statue. Mais alors, elle comprit la ruse et se réconcilia avec son mari en riant de bon cœur.

Un jour, Héra et Zeus discutaient âprement pour savoir qui, de l'homme ou de la femme, éprouvait le plus grand plaisir dans l'amour : chacun prétendait que l'autre sexe avait l'avantage. Ils consultèrent Tirésias qui avait appartenu aux deux sexes. Mais lorsqu'il déclara que la femme ressentait neuf fois plus les plaisirs de l'amour qu'un homme, Héra l'aveugla, tandis que Zeus lui accordait le don de prophétie et une longue vie. La déesse envoya aussi un sphinx qui ravagea la région de Thèbes, car Laïos n'avait pas rendu Chrysippos à son père Pélops à qui il avait enlevé le jeune homme.

Héra était vénérée par les femmes à travers tout le monde grec (elle transmit à sa fille Ilithyie la fonction de présider à la naissance des enfants, tout en exerçant sur elle une forte influence); les Romains, qui appelèrent Ilithyie, Lucina, identifièrent plus tard les deux déesses sous le nom de Junon Lucina. A Stymphale, en Arcadie, on rendait un culte à Héra vierge, épouse et veuve, culte qui regroupe l'ensemble de la communauté féminine. A Argos, la déesse retrouvait sa virginité une fois par an, en se baignant dans la source de Canathos.

HÉRACLÈS. Il est le plus célèbre et le plus populaire des héros grecs; il est le fils de Zeus et d'Alcmène. Le nom d'Héraclès, littéralement «la gloire d'Héra», signifiait plus probablement, à l'origine, «le don glorieux d'Héra», et évoquait Argos, la patrie du héros, où Héra était vénérée. Mais cette association semble contredite, dans les faits mythologiques, par la persécution implacable que la déesse exerça sur Héraclès, jalouse de la liaison de Zeus avec Alcmène. Une autre cité, Thèbes, entra d'ailleurs en rivalité avec Argos et revendiqua le héros comme le sien propre, de très bonne heure; Thèbes est d'ailleurs sa ville natale, selon la seule version qui nous est connue. Les informations que nous pouvons tirer des sources grecques les plus anciennes, sur Héraclès, sont limitées et nous avons dû nous contenter de quelques légendes plus récentes et de moindre intérêt pour présenter un récit complet (les références de ce type abondent, en plus de la tragédie d'Euripide, *Héraclès,* qui retrace sa folie). En tout cas, le personnage qui émerge des traditions qui nous sont parvenues est dessiné avec netteté. On l'a doté des qualités les plus nobles, la vigueur, l'endurance, la bonne humeur, la pitié envers les faibles, la générosité et un tempérament audacieux. Ses défauts sont aussi nettement marqués : caractère violent (tout particulièrement à l'égard de ceux qui commettent une injustice), concupiscence, gloutonnerie.

Pour l'histoire du mariage d'Amphitryon et de sa mère, Alcmène, *voir* AMPHITRYON.

Pour la conception et la naissance d'Héraclès à Thèbes, *voir* ALCMÈNE.

Zeus destinait à Héraclès le royaume d'Argos, ou au moins Mycènes et Tirynthe, auxquels il avait droit de par sa naissance, mais il fut berné par les machinations d'Héra. En définitive, au lieu de devenir un grand roi, Héraclès devint l'esclave d'Eurysthée, de beaucoup inférieur à lui. Toutefois, aguerri par une vie d'abnégation, il fut destiné à porter secours aux dieux eux-mêmes et remporta la victoire sur leurs ennemis, les Géants.

Il ne mit pas longtemps à prouver qu'il était le fils de Zeus. Agé de huit mois, il dormait, en compagnie de son demi-frère jumeau Iphiclès, dans un bouclier faisant office de lit d'enfant, dans leur chambre. Au milieu de la nuit, Héra fit entrer deux serpents pour tuer le petit Héraclès. Iphiclès les vit le premier et se mit à crier, mais Héraclès en saisit un de chaque main et les étouffa. Les parents se précipitèrent, et Amphitryon comprit sur-le-champ lequel des deux enfants était celui de Zeus. Selon une variante, il avait lui-même introduit les deux serpents dans le berceau, afin de savoir lequel des deux enfants était le sien. Beaucoup de maîtres contribuèrent à l'éducation d'Héraclès ; Amphitryon lui enseigna à maîtriser un cheval et à conduire un char. Eurytos, le roi d'Œchalie, fit de lui un archer habile. Autolycos lui donna des leçons de lutte, et Pollux lui enseigna le maniement des armes. Linos, frère du musicien Orphée, lui apprit à jouer de la lyre. Mais Héraclès n'était pas un élève appliqué dans cet art, et Linos dut punir l'adolescent ; là-dessus, Héraclès, de fureur, saisit son instrument de musique et en défonça le crâne de Linos. Malgré son jeune âge, il fut accusé de meurtre, mais il persuada la cour de l'acquitter, citant une sentence de Rhadamanthe justifiant le cas de légitime défense.

Après cela, Amphitryon envoya Héraclès garder ses troupeaux sur le mont Cithéron, près de Thèbes, et l'adolescent devint rapidement un homme fort et puissant, quoique d'une taille moyenne (d'après Pindare ; mais des auteurs plus récents le dotent aussi d'une belle stature). Son arme favorite était l'arc, mais il excellait aussi dans l'art de la lutte et du lancer de javelot. A l'âge de dix-sept ans environ, il combattit et tua seul (bien que d'autres traditions attribuent cet exploit au père d'Amphitryon, Alcée) un lion qui ravageait les troupeaux non seulement d'Amphitryon, mais aussi de Thespios, qui régnait sur la ville voisine, Thespis. Avant de réussir ce tour de force, le jeune homme logeait dans la maison de Thespios, qui le laissa courtiser sa fille ; ou bien, il le garda pendant cinquante nuits et mit chaque soir dans son lit une de ses filles ; ou encore, d'après Pausanias, il les envoya toutes en une seule nuit, où Héraclès avait le cerveau tellement brouillé par le vin qu'il crut s'unir avec la même cinquante fois. Chacune des filles donna naissance, le temps écoulé, à un fils.

Après avoir tué le lion du Cithéron, il rencontra, en revenant à Thèbes, les envoyés d'Erginos, le rois des Minyens d'Orchomène ; ces derniers se rendaient à Thèbes pour collecter le tribut annuel imposé par le roi à la mort de son père Clyménos, tué à Thèbes. Erginos avait battu les Thébains, les avait dépouillés de leurs armes et leur avait ordonné de payer ce tribut chaque année. Héraclès fut saisi de colère devant l'humiliation subie par sa ville natale ; il s'empara des envoyés, leur coupa le nez et les oreilles (qu'il leur attacha autour du cou) et il les renvoya vers leur maître. Puis, armé par Athèna, il mit en déroute Erginos, qu'il battit à un col dans la montagne, avec l'aide des Thébains ; ceux-ci avaient pris des armes que leurs ancêtres avaient consacrées, dans les temples, quoique Créon, à ce moment-là roi de Thèbes, eût proposé de remettre Héraclès aux mains d'Erginos. Héraclès mit le siège devant Orchomène, escalada les murailles dela ville pendant la nuit, et, sans l'aide de personne incendia le palais d'Erginos. Enfin, il imposa à la ville un tribut double de celui que les Thébains avaient dû payer. Pour le remercier, Créon lui donna en mariage sa fille Mégara. Celle-ci donna au héros trois fils : Thersimaclos, Créontidas et Déicoon. Iphiclès avait déjà engendré Iolaos, qui devait devenir le compagnon et l'écuyer d'Héraclès, uni à Automéduse, la fille d'Alcathoos.

Pendant qu'Héraclès se trouvait à Argos, Créon mourut, et Lycos, un usurpateur venu d'Eubée, s'empara du pouvoir. Lycos, qui passait pour le meurtrier de Créon, était gêné par la présence des filles et des petits-fils du mort dans la ville, et il se préparait à les faire mettre à mort quand Héraclès revint à l'improviste et tua l'usurpateur. Mais, pendant les réjouissances qui suivirent, Héraclès fut soudain frappé d'un accès de folie par Héra, au cours duquel il prit son arc et tua à coups de flèches ses trois fils ainsi que Mégara qui avait tenté de protéger l'un d'eux de son corps. Il était sur le point de tuer Amphitryon lorsque Athéna l'assomma d'un coup de pierre. On disait aussi qu'il avait brûlé les enfants d'Iphiclès, excepté Iolaos (d'après la version du mythographe Apollodore, cependant, Mégara survécut et épousa Iolaos). Euripide, dans sa pièce *Héraclès*, adopte une chronologie différente des faits. Il place les douze Travaux d'Héraclès (voir plus loin) entre le moment où le héros quitte Thèbes et l'époque où il revient trouver sa famille. Après avoir tué Lycos, il fut frappé de folie par Héra et tua sa propre femme ainsi que leurs fils (les prenant pour la famille d'Eurysthée) ; puis, il fut emmené à Athènes par Thésée qu'Héraclès avait délivré du royaume d'Hadès. Cette version rend compte des années pendant lesquelles Créon mourut et les enfants d'Héraclès atteignirent l'adolescence, mais elle ne tient pas compte de la raison, traditionnellement acceptée, pour laquelle il dut servir Eurysthée, c'est-à-dire l'expiation du meurtre de sa femme et de ses enfants.

Selon la version la plus connue de l'histoire d'Héraclès, ce fut à cause de cette série de meurtres qu'il dut entreprendre ses Travaux. Quittant Thèbes (l'exil était obligatoire en cas d'homicide) il se réfugia chez son vieil ami Thespios, le roi de Thespies, qui le purifia selon les rites. Mais Héraclès, incapable de trouver le repos, alla consulter l'oracle de Delphes.

Celui-ci lui dit de se rendre à Tirynthe, l'une des villes du royaume d'Eurysthée, et d'accomplir un certain nombre d'épreuves que lui imposerait le roi. Les Travaux sont généralement au nombre de douze, mais les auteurs les plus anciens s'accordent à dire que, parmi les douze, deux furent rejetés par Eurysthée comme imparfaits. C'est pourquoi on admet généralement qu'Héraclès reçut, à l'origine, l'ordre de n'accomplir que dix Travaux. (Ou bien encore, Héraclès dut passer douze ans au service d'Eurysthée.) D'après une source précise, ce fut seulement alors qu'il reçut le nom d'Héraclès; la Pythie l'aurait ainsi nommé, peut-être pour apaiser la colère d'Héra. Jusqu'à ce jour, son seul nom avait été Alcide, d'après le nom du père d'Amphitryon, Alcée. La prêtresse lui prédit aussi qu'il obtiendrait l'immortalité s'il surmontait les épreuves. Mais celles-ci constituèrent néanmoins un terrible esclavage pour le fier héros, car Eurysthée était un pleutre et aurait pu passer aux yeux d'Héraclès pour l'usurpateur d'un trône auquel lui avait droit par naissance. Selon certains, ce fut seulement après avoir pris connaissance de l'oracle que la folie s'empara de lui et qu'il tua sa famille.

L'ordre des Travaux d'Héraclès semble avoir été fixé par les scènes que décrivent les métopes du temple de Zeus, à Olympie (datant de 460 av. J.-C. environ). Euripide, cependant, présente une succession différente dans son *Héraclès*, et remplace même certaines épreuves par d'autres. Par exemple, il compte au nombre des Travaux le combat contre Cycnos, l'expédition contre les pirates dont il débarrassa la mer et l'épisode où il porta la voûte céleste pour Atlas (distinct ici des pommes des Hespérides, voir plus loin au n° XI). Même dans le «canon» établi, les onzième et douzième Travaux (ajoutés par la suite, puisque deux Travaux avaient été jugés imparfaits) sont souvent intervertis. L'ordre donné dans l'énumération qui va suivre est celui le plus communément accepté; la descente aux Enfers (XII) en constitue le point culminant. Les six premiers ont pour théâtre le Péloponnèse; les deux suivants des endroits plus reculés du monde grec, et les quatre derniers des lieux mythiques, parmi lesquels le séjour des Ombres. Durant ces épreuves, Athéna lui accorda généralement son aide.

1. Le Lion de Némée. Le premier monstre qu'Héraclès dut tuer et ramener à Eurysthée était le lion de Némée, créature invulnérable qu'avaient engendrée Orthos et Echidna. Héra l'avait placé dans la région de Némée, en Argolide, pour servir d'épreuve à Héraclès. A son arrivée à Cléonae, il s'arrêta dans la hutte d'un laboureur, nommé Molorchos, qui voulut lui offrir un sacrifice, comme à un dieu. Refusant pareil honneur, Héraclès lui demanda d'attendre un mois; ce mois écoulé, ou bien il mériterait un sacrifice au titre de héros mort, ou bien il aurait tué la bête, auquel cas Molorchos pourrait alors offrir le sacrifice à Zeus sauveur.

Un soir, Héraclès surprit le lion sur le versant d'une colline, après le repas de la bête; dissimulé, il tira sur lui à coups de flèches. Mais il s'aperçut rapidement que le monstre était invulnérable, car ses flèches, offertes pourtant par Apollon, rebondissaient sur son cuir. Le lion chargea, mais Héraclès évita l'assaut; il combattait les mains nues, armé de sa massue en bois d'olivier. Il en frappa le lion, puis l'étouffa, brisant sa massue dans la mêlée, puis il l'écorcha en utilisant les propres griffes du monstre pour entamer la peau coriace. Il nettoya la peau et s'en revêtit. Zeus mit le lion dans le firmament, au nombre des constellations. Molorchos était en train de sacrifier au héros lorsque, soudain, Héraclès arriva à Cléonae. A son retour à Tirynthe, le héros lança la peau aux pieds d'Eurysthée, qui en fut si terrifié qu'il sauta dans une jarre pour s'y cacher. Il ordonna à Héraclès de déposer dorénavant ses trophées à l'extérieur de la ville et de ne communiquer avec lui que par l'intermédiaire de son héraut, Coprée.

II. L'Hydre de Lerne. Le monstre, serpent d'eau au corps de chien, était un parent de la première victime d'Héraclès, car il était aussi un fils d'Echidna; il avait pour père Typhon. Il vivait à la source Amymoné, dans les marais de Lerne, près d'Argos. Il possédait plusieurs têtes, dont le nombre varie de cinq à cent; l'une d'elles, selon les mythographes les plus récents, était immortelle. Héra semble avoir délibérément placé là l'hydre, pour servir d'épreuve à Héraclès; elle lui avait donné pour allié un crabe géant, qui devait faire diversion pendant la bataille. Héraclès tenta de tuer l'hydre avec son épée, mais, bientôt, il dut appeler à son aide son neveu Iolaos; il lui demanda de cautériser avec un brandon les cous du monstre tronçonnés, car dès qu'il coupait une tête, deux autres repoussaient immédiatement. Héraclès écrasa le crabe d'un coup de talon, et Héra (qui le contrecarrait aussi vigoureusement qu'Athèna l'aidait), pour récompenser la bête, en fit la constellation du Cancer. Après s'être débarrassé des têtes mortelles, le héros trancha celle qui était immortelle, et l'enterra sous un rocher, sur la route qui va de Lerne à Elaeos. Puis il ouvrit le corps du serpent et recueillit son venin et (ce qui causera sa perte) le garda pour empoisonner ses flèches. Lorsqu'il revint à la cour d'Eurysthée, il apprit que le roi refusait de compter cet exploit au nombre des Travaux, sous prétexte qu'il avait bénéficié d'une aide extérieure.

III. La Biche de Cérynie. On ne sait si Héraclès reçut l'ordre de rapporter la biche vivante ou morte à Eurysthée. Euripide raconte que l'animal était un fléau, qu'Héraclès la tua et la consacra à Artémis. D'autres auteurs disent qu'il la poursuivit pendant un an et la captura vivante. Cette biche avait des bois dorés et était consacrée à Artémis, étant l'une des quatre biches de l'attelage de la déesse. D'après Pindare, il s'agissait en réalité d'une Pléiade, Taygèté, que la déesse avait ainsi métamorphosée pour la soustraire aux assiduités de Zeus. Selon lui, Héraclès poursuivit l'animal jusqu'au pays des Hyperboréens. Certains autres affirment qu'elle vivait dans les bois d'Œnoé, en Argolide. Son association à la ville d'Achaïe, Cérynie, est obscure. Héraclès la rejoignit en Arcadie, sur les rives du Ladon, et l'attrapa à l'aide d'un filet, alors qu'elle dormait. Mais comme il ramenait l'animal, il rencontra Apollon et Artémis qui lui firent des reproches et réclamèrent la biche; mais Héraclès rejeta la responsabilité sur Eurysthée, si bien que la déesse l'autorisa à ramener l'animal à Tirynthe, à condition de le relâcher ensuite sans lui faire de mal.

IV. Le Sanglier d'Erymanthe. Héraclès reçut ensuite l'ordre de capturer un énorme sanglier qui vivait sur le mont Erymanthe, en Arcadie, et qui ravageait la région de Psophis. C'est pendant qu'Héraclès était à sa recherche que le Centaure Pholos l'accueillit chez lui, avec de désastreuses conséquences pour ses congénères les Centaures, et lui-même. Ces êtres sauvages furent attirés vers la grotte de Pholos par l'odeur du vin auquel ils n'étaient pas habitués, et, après avoir goûté ce vin, ils prirent à partie Héraclès dans une querelle d'ivrognes. Celui-ci se trouva forcé de se défendre avec ses flèches empoisonnées et tua la plupart de ses assaillants. L'un des Centaures qui échappèrent au massacre, Nessos, sera plus tard à l'origine de la mort du héros. Après cet incident, Héraclès, captura le sanglier en le forçant par ses cris à sortir de sa tanière et en le poussant dans une neige épaisse. Il l'emprisonna alors dans son filet et le rapporta à Eurysthée qui, selon certains, se réfugia de nouveau dans sa jarre de bronze.

C'est à cette époque qu'Héraclès se joignit à l'expédition organisée par Jason pour ramener la Toison d'Or de Colchide. (*Voir* ARGONAUTES.) Il se sentait assez mal à l'aise parmi les Argonautes, car, bien que subordonné à Jason, il était, de loin, le héros le plus important à bord. Peut-être est-ce là la raison pour laquelle, pense-t-on, il quitta l'expédition bien avant son arrivée en Colchide ; certains affirment d'ailleurs que le commandement lui fut offert, mais qu'il s'effaça devant Jason, qui l'avait précédé. Selon les versions, la part qu'il eut dans l'expédition est variable. D'après certaines traditions, il ne s'embarqua jamais, car la proue sculptée dans le chêne de Zeus, à Dodone, et qui avait le don de prophétie, avait déclaré qu'il serait trop lourd pour le navire. Apollonios de Rhodes, le poète des *Argonautiques*, rapporte qu'Héraclès, accompagné du jeune Hylas, fils du roi des Dryopes Théodamas, que le héros avait tué dans une bataille, s'embarqua à Pagasae, sur l'*Argo*. Les Argonautes s'attardèrent à Lemnos pendant toute une année auprès de ses habitantes sans maris, puis Héraclès les convainquit de lever l'ancre. Il tua aussi les Géants (*Gegeneis*) qui constituaient un fléau pour les Doliones du nord de la Mysie, en Asie Mineure. Mais il brisa son aviron au large de la côte de Bithynie, ce qui entraîna une autre catastrophe : pendant qu'il coupait du bois pour se faire un nouvel aviron, son compagnon, Hylas, que l'on avait chargé d'aller chercher de l'eau, fut enlevé par les nymphes de la source qui le précipitèrent dans l'eau. Les Argonautes le cherchèrent pendant toute la nuit, mais, sur le conseil de Calaïs et de Zétès, ils levèrent l'ancre au matin, laissant Héraclès derrière eux. Ce dernier finit aussi par abandonner les recherches, mais non sans avoir fait promettre aux gens du pays de continuer à chercher le jeune homme, ce qu'ils firent désormais chaque année. L'Argonaute Polyphème, qui avait entendu les cris de Hylas et avait prévenu Héraclès, avait lui aussi été abandonné à terre et, après avoir fondé la ville de Cios, il veilla à ce que les recherches fussent poursuivies. Héraclès surprit plus tard Calaïs et Zétès sur l'île de Ténos et les mit à mort, pour se venger de leur traîtrise.

V. Les Écuries d'Augias. Augias était un fils d'Hélios, le dieu du Soleil, et, de même que son père, il possédait de nombreux troupeaux qu'il faisait paître dans son royaume d'Elide. Eurysthée ordonna à Héraclès de se rendre aux écuries d'Augias, qui étaient encombrées par une telle épaisseur de fumier qu'elles étaient devenues inutilisables, et de les nettoyer en une seule journée. Quoiqu'il fût dans la situation d'un esclave, qui devait exécuter les ordres qu'il recevait, Héraclès chercha à convenir d'un salaire avec Eurysthée et s'engagea à effectuer le travail en échange d'un dixième du troupeau. Le fils d'Augias, Phylée, fut témoin de la promesse de son père. Héraclès ouvrit des brèches dans le mur d'enceinte des étables et, détournant le fleuve Alphée, il fit passer ses eaux au travers des écuries, puis il fit rentrer le fleuve dans son lit avant la nuit et reboucha les brèches. Les étables redevinrent ainsi propres et saines, mais Augias refusa de respecter sa promesse, prétextant que le héros travaillait sous les ordres d'Eurysthée. Phylée, qui désapprouvait la déloyauté de son père, fut banni pour avoir manifesté ses sentiments. En revenant à Tirynthe, Héraclès fut reçu par Déxaménos, roi d'Olénos, et délivra sa fille Mnésimachè du Centaure Eurytion qui voulait l'épouser de force, et mit son prétendant à mort. A son retour, Héraclès se trouva doublement trompé : non seulement il n'avait pas reçu le salaire convenu, mais Eurysthée refusait de compter cette épreuve parmi les Travaux, puisqu'il avait cherché à gagner une récompense. Héraclès revint plus tard à Elis et, après de considérables difficultés, il conquit le pays et tua Augias, le remplaçant par son fils Phylée.

VI. Les Oiseaux du lac Stymphale. Le dernier Travail qu'Héraclès accomplit dans le Péloponnèse fut la destruction des oiseaux qui infestaient les rives boisées du lac Stymphale, en Arcadie; ils attaquaient les gens du pays en se servant, comme flèches, de leurs plumes aux pointes d'acier. De plus, ils dévastaient les récoltes par leurs souillures. Héraclès en débarrassa le pays en utilisant une crécelle de bronze fabriquée par Héphaïstos, et que lui donna Athèna. Le bruit de la crécelle les effraya et les fit sortir de leurs buissons, de sorte qu'Héraclès put en tuer un grand nombre de ses flèches.

VII. Le Taureau de Crète. Ensuite, Eurysthée envoya Héraclès plus loin et lui ordonna de ramener le taureau que Minos avait négligé de sacrifier à Poséidon et pour lequel Pasiphaé avait conçu un violent désir. Minos donna sa permission au héros, car le taureau lui avait déjà causé beaucoup d'ennuis et était dangereux. Héraclès le captura vivant et l'emmena à Tirynthe, puis il le relâcha. L'animal gagna Marathon et tua plus tard le fils de Minos, Androgée, roi de Paros, avant de tomber sous les coups de Thésée.

VIII. Les Juments de Diomède. Héraclès reçut l'ordre de se rendre en Thrace, d'où il devait ramener les juments mangeuses d'hommes qui appartenaient à Diomède, le roi des Bistones. Ce fut lors de son passage en Thessalie qu'Héraclès fut reçu par Admète, le roi de Phères, et qu'il secourut la femme de ce dernier, Alceste; elle s'apprêtait à prendre la place de son mari dans la tombe, et le héros lutta avec Thanatos (la Mort) lorsque celui-ci vint réclamer sa victime. De là, il se rendit en Thrace, s'empara des juments et les conduisit vers la côte pour les embarquer. Les Bistones, soulevés par Diomède qui avait découvert le vol, l'attaquèrent alors; mais Héraclès les mit en déroute et captura leur roi, qu'il donna à manger aux juments qui, dès ce moment, devinrent dociles. Mais, avant cela, elles avaient dévoré le jeune compagnon d'Héraclès, Abdéros, qui avait été chargé de les garder; Héraclès fonda la cité d'Abdère en souvenir de lui. Après avoir ramené par bateau les juments à Tirynthe, Héraclès les relâcha. Elles errèrent vers le nord, puis furent dévorées par des animaux sauvages sur le mont Olympe. (Certains auteurs affirment que c'est à ce moment qu'Héraclès se joignit aux Argonautes.)

IX. La Ceinture de l'Amazone. C'est pour contenter sa fille Admétè qui désirait un cadeau sortant de l'ordinaire qu'Eurysthée envoya ensuite Héraclès conquérir la ceinture d'Hippolyté, reine des Amazones. Celles-ci vivaient près du fleuve Thermodon, sur la côte nord de l'Asie Mineure. Héraclès réunit un groupe de compagnons, parmi lesquels Thésée et Télamon, et prit la mer, faisant escale sur sa route à l'île de Paros, l'une des Cyclades. Là, les habitants de l'île, dont le roi était Androgée, fils de Minos, le roi de Crète, tuèrent deux de ses hommes; Héraclès mit alors le siège devant leur ville jusqu'à ce qu'ils se rendissent, puis emmena avec lui deux des fils du roi comme otages, Alcée et Sthénélos. En Mysie, il fut l'allié du roi des Mariandynes, Lycos, qui combattait contre les Bébryces (Lycos fonda la ville d'Héraclée du Pont, dans le pays qu'ils conquirent). De là, il se rendit au pays des Amazones. La ceinture avait été donnée à Hippolyté par Arès, pour symboliser son pouvoir de reine sur son peuple; pourtant, lorsque Héraclès la lui demanda, elle la lui offrit sans soulever d'objection. Héra fut furieuse de voir le héros obtenir la victoire si facilement et, prenant les traits d'une Amazone, elle souleva les autres contre Héraclès, déclarant qu'il avait l'intention d'enlever leur reine; là-dessus, Héraclès crut qu'Hippolyté n'avait pas de parole et la tua; puis il enleva la ceinture de son corps et leva l'ancre. Une autre tradition raconte comment Héraclès captura Mélanippé et Thésée, Antiope, car toutes deux venaient immédiatement après Hippolyté. Mélanippé fut rendue à Hippolyté en échange de la ceinture, et Thésée ramena avec lui Antiope qui était amoureuse de lui. Pour cette raison, elle passait pour avoir trahi son peuple pour les Grecs.

En rentrant du pays des Amazones, Héraclès accepta d'aider Laomédon, le roi de Troie, dont les terres étaient ravagées par un monstre marin envoyé par Poséidon ; le dieu se vengeait ainsi sur Laomédon, qui avait refusé de lui payer le salaire convenu lorsque Apollon et lui-même avaient construit les murailles de Troie. Laomédon s'apprêtait à enchaîner sa fille, Hésioné, sur le rivage pour apaiser le monstre, mais Héraclès la délivra, convenant de tuer le dragon en échange des juments que Zeus avait données à Laomédon. C'est ce qu'il fit en combattant à l'abri d'un mur qu'Athéna avait construit pour le protéger ; il fut cependant avalé par le monstre, qu'il réussit à tuer de l'intérieur. Mais Laomédon revint de nouveau sur sa parole. Héraclès jura de se venger. (Selon une version différente, cet épisode prend place au retour du voyage sur l'*Argo.)*

Sur le chemin du retour, Héraclès s'arrêta à Aenos, en Thrace, où il tua Sarpédon, le frère du roi Poltys, bien que celui-ci l'eût reçu avec hospitalité. Il conquit aussi l'île de Thasos et lui donna comme rois Alcée et Sthénélos, originaires de Paros. Après l'arrivée du héros à Tirynthe, Eurysthée prit la ceinture de l'Amazone et la consacra à Héra, dans le temple de la déesse à Argos.

X. Les Bœufs de Géryon. Pour réaliser les Travaux suivants, Héraclès dut se rendre aux confins de la terre, et même jusqu'aux Enfers, décrits dans *L'Odyssée* comme une région bordant l'Océan à l'ouest. Lors de ces expéditions, il accomplit par ailleurs un certain nombre d'exploits (*parerga*) qui vinrent s'ajouter aux Travaux. Les bœufs appartenaient à Géryon, géant à trois têtes (qui était peut-être à l'origine une autre représentation d'Hadès) et paissaient sur l'île mythique d'Erythie (l'île rouge) que l'on situait généralement dans l'Océan occidental, au-delà de l'Ibérie (Espagne). Héraclès devait les subtiliser et les ramener à Argos. Il commença par se rendre en Libye, puis marcha vers l'ouest en direction de l'Océan. Incommodé par la chaleur, il brandit son arc en direction d'Hélios. Mais au lieu d'en être offensé, Hélios lui prêta la grande coupe d'or dans laquelle il retournait chaque nuit à l'est. Héraclès traversa l'Océan dans la coupe, et atteignit Erythie ; en passant par le détroit de Gibraltar, il éleva les «Colonnes d'Hercule». Après avoir tué le chien Orthos d'un coup de massue, il fit subir le même sort au berger Eurytion, puis embarqua le troupeau sur la coupe d'or. Ménoétès, qui faisait paître les troupeaux d'Hadès non loin de là, informa Géryon du vol et le géant se lança à la poursuite d'Héraclès; mais il ne tarda pas à être tué par les flèches du héros, sur les bords de la rivière Anthémos. Ensuite, Héraclès fit voile vers Tartessos (ville non identifiée dans le sud-ouest de l'Espagne), où il rendit la coupe à Hélios, et continua à pied, traversant l'Espagne et le sud de la France. Là, un grand nombre de Ligures essayèrent de lui prendre son troupeau et de tuer le héros, qui commençait à manquer de flèches. Mais Zeus fit providentiellement tomber sur les Ligures une pluie de pierres, dont Héraclès se servit aussitôt pour lapider ses ennemis. Depuis ce temps, des rochers jonchent la Provence (pays des Ligures).

En arrivant dans une région boisée au nord de la mer Noire, Héraclès fut dépossédé de ses chevaux pendant qu'il dormait. En les recherchant, il trouva une étrange femme, pourvue d'une queue de serpent, qui vivait dans une caverne. C'était elle qui lui avait volé ses chevaux, et elle consentit à les lui rendre seulement s'il s'unissait d'amour avec elle. Elle était la reine du pays, et le héros resta auprès d'elle assez longtemps pour lui donner trois fils. Ceux-ci furent nommés Scythès, Gélonos, et Agathyrsos, et donnèrent leurs noms à trois puissantes nations. Plus tard, en lui rendant les chevaux, la femme serpent demanda à Héraclès ce qu'il adviendrait de leurs fils. Le héros lui laissa un arc et lui dit de transmettre le pouvoir à celui des trois qui serait capable de tendre l'arc. Seul Scythès put remplir cette condition, et ses descendants, les Scythes, devinrent le peuple le plus puissant du sud de la Russie.

Ensuite, Héraclès fit passer le troupeau par le sud de l'Italie. Faisant une halte sur l'emplacement de Rome, il tua le monstrueux Cacus, puis il fut accueilli par le roi Evandre et fonda son propre culte, celui de l'« Ara Maxima » (le Grand Autel). Près de la ville de Baïes, en Campanie, il éleva une énorme digue le long de la côte. Lorsqu'il atteignit Rhegium en Italie du Sud, l'un de ses taureaux s'échappa et arriva à la nage jusqu'en Sicile; Héraclès dut partir à sa poursuite, laissant le reste du troupeau sous la garde d'Héphaïstos. Quand le taureau parvint au sud de la Sicile, le roi Eryx le joignit à ses propres troupeaux et refusa de le rendre à Héraclès qu'il défia à la lutte. Le héros gagna à la troisième reprise et le tua. Pendant qu'il faisait traverser l'isthme de Corinthe à son troupeau, le géant Alcyonée l'attaqua en lui lançant une pierre avec tant de vigueur qu'elle atteignit Héraclès, rebondit et tua son assaillant.

Les mésaventures d'Héraclès n'étaient cependant pas terminées car pendant qu'il parcourait avec ses bêtes la dernière étape, celles-ci furent attaquées par un taon envoyé par Héra, et Héraclès eut le plus grand mal à les rassembler. Eurysthée fut ébahi de voir le héros dont l'absence avait duré si longtemps qu'il le considérait comme perdu. Les animaux furent sacrifiés à Héra.

XI. Les Pommes d'Or des Hespérides. Héraclès s'était maintenant acquitté des dix Travaux imposés à l'origine par l'oracle de Delphes. Mais, comme Eurysthée en avait refusé deux, il dut en accomplir deux supplémentaires. Tout d'abord (l'ordre de ces deux Travaux, comme il a été mentionné plus haut, est quelquefois inversé), Eurysthée lui donna l'ordre de lui apporter les pommes d'or des Hespérides («filles du couchant»); celles-ci passent parfois pour les filles du Titan Atlas qui vivait non loin de leur jardin, portant la voûte céleste sur son dos.

Ces pommes, offertes en présent de noces par Gaia à Héra, poussaient dans un jardin situé aux confins du monde et où les Hespérides et le dragon Ladon (qui, selon la légende, possédait cent têtes) les gardaient.

La première difficulté fut, pour Héraclès, de trouver le jardin. Il consulta tout d'abord les nymphes du fleuve Eridan qui lui conseillèrent d'obliger Nérée à le renseigner; la divinité marine avait coutume de prendre les formes les plus fantastiques lorsque l'on essayait de l'attraper. Héraclès le trouva, le tint solidement malgré toutes ses transformations, et, à force de flatteries, il réussit à savoir où se trouvait le jardin dans l'extrême Occident. Sur sa route, il eut un grand nombre d'aventures. Il tua l'aigle qui tourmentait Prométhée enchaîné, délivrant le prisonnier de ses chaînes; il mit à mort Busiris, le roi d'Egypte, qui voulait le sacrifier à Zeus; en Libye, il lutta contre le puissant Antée, fils de Gaia, et le tua en le soulevant au-dessus du sol; il battit à la lutte un fils d'Arès, Lycaon, qui l'avait défié. A Rhodes, il vola un bœuf, le sacrifia, puis le mangea sous les injures du propriétaire de l'animal; c'est pour cela que par la suite, à Rhodes, les sacrifices offerts à Héraclès furent toujours accompagnés de malédictions. Il existe deux versions différentes de la façon dont Héraclès se procura les pommes. La plus célèbre raconte comment, grâce au conseil que lui donna Prométhée, il persuada le Titan Atlas d'aller les lui cueillir pendant que lui-même, aidé d'Athèna, soutiendrait le ciel à la place du Titan.

Atlas fut ravi de se reposer et n'eut aucune difficulté à obtenir les fruits de ses filles. A son retour, cependant, il refusa de reprendre son fardeau et décida de remettre les pommes lui-même à Eurysthée. Héraclès fit semblant d'accepter, mais demanda tout d'abord à Atlas de le soulager le temps de mettre un coussin sur sa nuque. Pendant qu'Atlas s'exécutait, Héraclès se baissa rapidement, saisit les pommes et s'enfuit avec les fruits en Grèce.

Dans une tradition connue d'Euripide, Héraclès tua Ladon et cueillit lui-même les fruits sur l'arbre qui les portait; ayant soif, il fit jaillir une source en frappant le sol. (Cette source devait, plus tard, sauver les Argonautes.) Selon une variante, Emathion, fils d'Eos et de Tithonos, se trouvait dans les environs en même temps qu'Héraclès et il tenta d'empêcher ce dernier de s'emparer des pommes, mais il fut tué. Héra plaça Ladon dans le firmament où il devint la constellation du Serpent. Cette version tient compte du mythe selon lequel Atlas avait depuis longtemps été transformé en une chaîne de montagnes, après que Persée lui eut montré la tête de la Gorgone. Quand Eurysthée eut les pommes, il les rendit tout de suite au héros, car il ne pouvait garder des objets aussi sacrés. Athèna les prit alors et les reporta dans leur jardin.

XII. La Descente aux Enfers. La dernière épreuve d'Héraclès (selon la classification habituelle) consista à ramener Cerbère, le chien de garde des Enfers, des portes du royaume d'Hadès. Eurysthée espérait, en lui imposant ce Travail, être débarrassé à tout jamais de son ennemi. Mais Héraclès eut l'avantage sur Hadès lui-même, remplissant l'ultime condition pour obtenir l'immortalité. Avant tout, il devait trouver le chemin qui conduisait aux Enfers : pour cela, il se fit initier aux Mystères d'Eleusis par Eumolpos (il dut se fair adopter par un citoyen d'Eleusis, Pylios, car il était étranger), et être purifié du meurtre des Centaures. Enfin, fort des rites de Perséphone, il put se diriger vers le royaume d'Hadès. Selon certains, c'est alors qu'il délivra Alceste de la mort. Il se rendit au Ténare, dans le sud du Péloponnèse, où Hermès, le conducteur des âmes, et Athèna, sa protectrice, vinrent à sa rencontre et l'escortèrent jusqu'au séjour des Morts. Lorsqu'ils atteignirent le Styx, le passeur Charon eut tellement peur d'Héraclès qu'il le transporta sur l'autre rive sans perdre de temps (pour cette faiblesse, Hadès lui fit passer une année enchaîné). Héraclès dut ensuite lutter avec Hadès lui-même pour avoir accès aux Enfers, et il le blessa devant l'entrée, si bien que le dieu dut se rendre sur l'Olympe pour que Jason le guérisse à l'aide de ses baumes ; il permit ensuite à Héraclès d'emmener Cerbère ; seulement, il devait s'emparer du monstre sans se servir de ses armes. Parmi les morts, Héraclès aperçut Thésée et Pirithoos, assis sur les « Chaises d'Oubli » sur lesquelles ils avaient été enchaînés pour avoir tenté d'enlever Perséphone. Hadès consentit à relâcher Thésée, car ce dernier n'avait été que le complice de son ami ; mais le châtiment de Pirithoos fut maintenu. Le héros rencontra aussi l'ombre de la Gorgone Méduse et celle de Méléagre. Hermès lui dit de ne pas avoir peur de Méduse, qui ne pouvait lui faire de mal. Quant à Méléagre, il fit le récit de sa mort à Héraclès, et lorsque ce dernier, pris de compassion, lui offrit d'épouser sa sœur, le mort lui parla de la beauté de Déjanire. Héraclès tint plus tard sa promesse. Il libéra aussi Ascalaphos prisonnier sous un rocher (pour avoir révélé que Perséphone avait mangé des grains de grenade) et tua l'une des vaches d'Hadès pour nourrir les ombres. Perséphone le pria de s'en aller avant de causer quelque autre dommage ; aussi, il attrapa Cerbère et rebroussa chemin avec sa prise, puis il émergea des Enfers, à l'air libre. Sur le chemin du retour à Tirynthe, l'apparition funeste du chien des Enfers causa un certain nombre de désastres : sa bave donna naissance à un poison mortel, l'aconit, et Eurysthée se trouvait déjà dans sa jarre de bronze bien avant leur arrivée. Héraclès renvoya le chien droit aux Enfers, ainsi qu'il en avait été convenu.

Il avait désormais rempli les conditions pour obtenir l'immortalité, mais sa vie était loin d'être terminée ; il dut même plusieurs fois servir comme esclave avant d'atteindre l'apothéose. Il commença par divorcer d'avec Mégara (qui avait survécu, selon certaines versions) ; il la maria à son neveu Iolaos, se considérant lui-même comme indigne d'elle, après avoir tué leurs enfants. Puis il prit part à un concours de tir à l'arc organisé par Eurytos, roi d'Oechalie, et dont le prix était Iolé, la fille de ce dernier. Héraclès fut vainqueur, mais, se souvenant de son mariage malheureux, Eurytos refusa de lui décerner le prix, malgré l'intervention de son fils Iphitos, qui avait beaucoup d'admiration pour Héraclès. Après le départ du héros furieux, quelques juments, ou têtes de bétail disparurent en même temps que lui (l'auteur du vol était en vérité Autolycos) ; Iphitos se rendit auprès d'Héraclès et lui demanda de rechercher le bétail avec lui. Héraclès emmena le jeune homme à Tirynthe, mais, brusquement, se sentant peut-être offensé par cette requête, il le précipita du haut du toit de sa maison, ou des murailles de Tirynthe.

Que le héros eût été responsable de son acte, ou que le meurtre eût été le résultat d'une attaque de folie envoyée par Héra, Héraclès fut, à la suite de cela, de nouveau atteint de démence. Il fit appel à Nélée, le roi de Pylos, pour qu'il le purifiât, mais celui-ci était un ami d'Eurytos et refusa. Héraclès alla consulter l'oracle de Delphes, mais la Pythie, par répulsion pour sa folie, se détourna de lui. Héraclès alors se saisit de son trépied et menaça de détruire Delphes. Apollon survint, et la lutte s'engagea entre eux deux, si bien que Zeus dut envoyer sa foudre pour séparer ses fils. La Pythie lui rendit enfin l'oracle désiré : il devait de nouveau se soumettre à l'esclavage, mais cette fois pour trois ans. D'autre part, il devait donner à Eurytos l'argent de sa vente comme «prix du sang», pour payer la mort d'Iphitos; Eurytos refusa cet argent.

Hermès vendit le héros à la reine Omphale, de Lydie, veuve de Tmolos. A son service, Héraclès accomplit de nombreux exploits, capturant les Cercopes et tuant Sylée, un Lydien qui obligeait les voyageurs à travailler à sa vigne; Héraclès le tua avec sa propre houe.

Il vainquit aussi les ennemis d'Omphale, les Itones, et détruisit leur ville. Certains auteurs prétendent qu'Omphale lui fit porter des vêtements de femme et lui apprit à filer. D'autres affirment que, au contraire, elle devint sa femme et lui donna un fils, Lamos. Lorsqu'il la quitta, il redevint sain d'esprit.

Héraclès, libre, entreprit une série d'expéditions pour se venger des différentes personnes qui avaient fait preuve d'injustice envers lui. Il commença par les ennemis qu'il avait à Troie, et réunit une armée et une flotte de dix-huit bateaux, qui fit voile vers Troie. Il prit comme lieutenant Télamon de Salamine. Il amarra ses navires et les confia à la garde d'Oeclès, mais les Troyens tuèrent ce dernier et tentèrent d'incendier la flotte. Héraclès mit alors le siège devant la ville et, bientôt, Télamon ouvrit une brèche dans la muraille. Cet exploit mécontenta le jaloux Héraclès, mais il se calma quand Télamon prétendit élever un autel destiné au culte du héros. Héraclès tua Laomédon et tous ses fils, n'épargnant que Podarcès (qu'Hésioné racheta avec son voile) et Tithonos. Héraclès s'empara des juments que Laomédon lui devait et donna Hésioné en mariage à Télamon; celle-ci donna plus tard naissance à Teucer. Il laissa le trône de Troie à Podarcès, qui fut désormais appelé Priam; les étymologistes grecs ont pensé, à tort, que ce nom dérivait du verbe *priamai* (acheter), par allusion au rachat de Priam.

Héraclès reprit la mer et s'éloigna de Troie, mais un vent violent envoyé par Héra le jeta plus au sud, sur l'île de Cos. Cette fois Zeus la punit pour sa cruauté envers son fils, et la suspendit par les poignets au sommet de l'Olympe, après avoir attaché une enclume à chacune de ses chevilles. A Cos, les Grecs furent attaqués par les Méropes dont le roi, Eurypylos, fut tué par Héraclès. C'est sur cette île qu'Athèna vint chercher Héraclès pour aider les dieux dans leur lutte contre les géants, à Phlégrae. La présence d'Héraclès était indispensable dans ce combat, car seul un mortel pouvait achever les ennemis des dieux (*voir* GÉANTS).

Ensuite, Héraclès livra bataille à Augias, le roi d'Elide qui avait refusé de lui payer le prix convenu pour débarrasser ses étables de leur fumier (voir, plus haut, la Ve épreuve). La première expédition fut sans succès, car Augias avait fait appel aux Molionides, les fils d'Actor, qui étaient d'excellents généraux. Héraclès fut banni de l'Argolide par Eurysthée et s'établit à Phénée, en Arcadie. Puis, comme les Molionides se rendaient aux jeux Isthmiques en qualité d'ambassadeurs, Héraclès les tua dans une embuscade. Il organisa alors une seconde expédition contre Augias, qu'il tua, et fit monter sur le trône le fils d'Augias, Phylée. Puis, d'après la légende, il fonda les jeux Olympiques, après avoir sacrifié à son père Zeus, à Olympie. Après cela, il se rendit à Pylos, où il avait d'anciens comptes à régler avec son roi, Nélée, qui avait refusé de le purifier du meurtre d'Iphitos. D'après certaines traditions, il avait déjà tué Nélée et ses fils à l'époque de la mort d'Iphitos, et la folie qui l'avait frappé — et qui eut pour conséquence sa servitude chez Omphale — était survenue après ces deux meurtres. En fin de compte, de tous les fils de Nélée, seul Nestor survécut : il était absent de Pylos, et vivait à Gérania.

Puis Héraclès dirigea son attention vers Sparte et vers son roi Hippocoon. Ce dernier avait chassé son frère Tyndare et s'était allié avec Nélée contre Héraclès. De plus, ses fils avaient tué le cousin d'Héraclès, Oenos, sous prétexte que celui-ci avait lancé une pierre à leur chien. Aussi, aidé de Céphée, le roi de Tégée, il marcha sur Sparte. Au cœur de la bataille, Iphiclès, Céphée et la plupart de ses fils furent tués. Mais Héraclès tua ses ennemis et rendit le royaume de Sparte à Tyndare. Stéropé, la fille de Céphée, protégea Tégée de ses ennemis en brandissant une boucle de cheveux de la Gorgone, qu'Athéna avait donnée à son père. Héraclès en profita aussi pour séduire la sœur de Céphée, Augé, qui lui donna un fils, Télèphe.

Enfin, Héraclès se souvint de la promesse qu'il avait faite à l'ombre de Méléagre et se rendit à Calydon, où Oenée était roi, pour épouser Déjanire. Il eut toutefois à lutter avec le dieu-fleuve Achéloos pour obtenir la main de la jeune fille ; mais il obtint la victoire en brisant l'une des cornes du dieu et fit de Déjanire sa femme. Puis il aida les habitants de Calydon à combattre les Thesprotes et séduisit la fille du roi Phylas, Astyoché, qui lui donna un fils, Tlépolémos. Pendant ce temps, Déjanire donna naissance à un fils, Hyllos, et à une fille, Macaria. Mais bientôt, ils durent quitter Calydon, car Héraclès, dans un accès de colère, avait tué d'un coup un jeune garçon, Eunomos qui, en servant à table, avait renversé du vin sur lui. Bien qu'Oenée eût pardonné ce meurtre au héros, celui-ci fut obligé de respecter la coutume appliquée aux meurtriers, et s'exila ; emmenant sa femme, il se mit en route vers Trachis. Alors qu'ils traversaient le fleuve Evénos, le Centaure Nessos essaya de violer Déjanire pendant qu'il la transportait de l'autre côté du fleuve en crue ; Héraclès le transperça d'une de ses flèches, dont il avait trempé l'extrémité dans le venin de l'Hydre. Au moment de mourir, Nessos dit à Déjanire de recueillir son sang et de s'en servir comme philtre d'amour si jamais Héraclès cessait de l'aimer ; et celle-ci, à l'insu de son mari, conserva le sang dans un flacon.

Une fois arrivé à Trachis, Héraclès entreprit un certain nombre d'expéditions en faveur de Céyx, contre les Dryopes et les Lapithes, et donna une partie de leur territoire à Aegimios, le roi des Doriens. Lorsque, pour le remercier, Aegimios lui offrit une maison et une terre dans son royaume, le héros refusa ce don pour lui-même, mais l'accepta pour ses descendants qui, le moment venu, s'allièrent au peuple des Doriens.

Héraclès se rendit ensuite en Thessalie où, à Itonos, il fut défié à la lutte par Cycnos, l'un des fils d'Arès, lequel construisait un temple pour son père en utilisant comme briques les crânes de ses victimes. Il tendait des embuscades aux pèlerins qui se rendaient à Delphes, les tuait, et s'emparait de leurs offrandes. Arès intervint en faveur de son fils, mais Héraclès tua Cycnos, et, avec l'aide d'Athèna, il lutta contre le dieu et le blessa. On dit que Zeus sépara les combattants en leur envoyant sa foudre. Selon une autre tradition, cet épisode eut pour théâtre la Macédoine, alors qu'Héraclès cherchait le chemin qui menait au jardin des Hespérides.

La dernière expédition entreprise par Héraclès fut la guerre contre Eurytos dont le héros voulait se venger car, bien qu'il eût remporté le prix dans un concours de tir à l'arc dont l'enjeu était Iolé, la fille d'Eurytos, ce dernier avait refusé de lui remettre la jeune fille. Héraclès laissa Déjanire à Trachis et se mit en marche vers Oechalie (en Thessalie, ou bien en Eubée), à la tête d'une armée d'alliés. Un violent combat s'engagea, dans lequel deux des fils de Céyx furent tués ; mais Héraclès finit par remporter la victoire et tua Eurytos ainsi que tous ses fils. Iolé essaya de s'enfuir en sautant du haut des remparts, mais ses vêtements se gonflèrent et freinèrent sa chute, de sorte qu'elle conserva la vie sauve. Héraclès fit d'elle sa concubine et l'envoya à Trachis avec d'autres prisonniers. Il donna également des ordres pour que Déjanire lui envoyât une tunique neuve, car il voulait offrir à Zeus un sacrifice d'action de grâces au cap Ténare, en Eubée. Lichas fut envoyé, mais Déjanire, craignant qu'Héraclès ne la délaissât pour Iolé, trempa la tunique dans le sang de Nessos avant de la remettre à Lichas. Celui-ci remit le vêtement à Héraclès qui le revêtit. Dès le début du sacrifice, le sang empoisonné commença à dévorer la chair d'Héraclès. Dans sa douleur, le héros saisit Lichas et le lança au loin dans la mer. Lorsqu'il essayait d'enlever le vêtement, il arrachait sa peau en même temps. Il fut transporté par bateau à Trachis, où Déjanire, comprenant comment Nessos s'était joué d'elle, se pendit de désespoir. Héraclès comprit ainsi ce qui s'était passé et se souvint, à ce moment, d'une prophétie selon laquelle il devait mourir non pas de la main de vivants, mais de celle d'un mort. Il envoya une ambassade à Delphes et reçut l'ordre d'ériger un bûcher sur le mont Oeta, en Thessalie, et d'y monter, puis de s'en remettre à Zeus. Prenant avec lui son fils Hyllos, il obéit à l'oracle. Cependant, après que Hyllos eut dressé le bûcher et que le héros y fut monté, personne n'eut le courage d'y mettre le feu ; seul Poeas, le roi des Moliens, qui faisait paître ses moutons non loin de là, accepta de le faire, après qu'Héraclès lui eut offert son arc et ses flèches lesquelles, selon la légende, ne manquaient jamais leur but. Et, tandis que les flammes dépouillaient Héraclès de ses éléments mortels, un éclair déchira le ciel, et le héros disparut. Selon la tradition il avait été enlevé sur l'Olympe, où il séjourna désormais parmi les dieux. Il se réconcilia avec Héra et épousa sa fille Hébé. Zeus le plaça parmi les constellations.

Après sa déification, Héraclès réapparut sur la terre à plusieurs occasions, pour aider ses amis. Il persuada sa nouvelle femme, Hébé (la personnification de la jeunesse), de rajeunir Iolaos afin qu'il pût venir en aide aux Héraclides, en Attique, qu'Eurysthée, le viel ennemi du héros, s'apprêtait à attaquer; Héraclès et Hébé accompagnèrent Iolaos dans la bataille, sous la forme de deux étoiles qui brillaient sur le timon du char d'Iolaos. Héraclès apparut plus tard à Philoctète, à Lemnos, et lui donna l'ordre de se rendre à Troie et d'aider les Grecs en utilisant l'arc qu'il avait autrefois donné à son père, Poeas; il promit à Philoctète que la blessure suppurante qui l'affligeait serait ainsi guérie. Héraclès devint un dieu très populaire et fut identifié, un peu partout en Méditerranée, à des dieux locaux qui possédaient certaines de ses caractéristiques; de ce fait, sa mythologie fut surchargée d'un nombre considérable de légendes annexes. Aucun des poèmes épiques retraçant ses exploits n'est parvenu jusqu'à nous, mais il est le héros de plusieurs pièces, notamment des *Trachiniennes* de Sophocle, de l'*Alceste* et de l'*Héraclès* d'Euripide. La légende d'Hercule connut un grand succès à Rome et en Etrurie, en partie sous l'influence des marchands phéniciens qui importèrent en Italie Melqart, leur dieu, qu'ils identifièrent à Héraclès. Reprenant les attributs de Melqart, le dieu italique devint le protecteur des marchands et des négociations; l'exclusion des femmes de son culte du Grand Autel (Ara Maxima) est en accord avec une telle identification, car celles-ci ne figuraient pas dans le culte phénicien. Chez les Etrusques, Héraclès (sous le nom d'Herclé) était un dieu de la guerre et aussi des eaux douces et salées; d'autre part, la paternité de Tyrrhénos, héros éponyme des Etrusques, lui fut attribuée, de façon à relier l'Etrurie à la Grèce. En outre, probablement parce qu'il avait ramené Cerbère des Enfers, il était considéré comme un dieu important du royaume des Morts. Certains Etrusques affirmaient, par fierté nationale, que si Rome s'était libérée du tribut imposé par l'Etrurie, elle le devait au dieu Herclé et non aux Romains. C'est ce même dieu (nommé Hercule par les Romains) qui, lors de son passage sur le site de la future Rome, aurait vaincu le monstrueux Cacus, et qui, par la suite, aurait épousé la fille d'Evandre, Lavinia. Celle-ci donna naissance à deux garçons, Pallas (nom que porte souvent le fils d'Evandre) et Latinus (qui est en général père de Lavinia). Il enseigna l'art d'écrire aux colons arcadiens d'Evandre et établit sur le mont Palatin quelques-uns des Grecs qu'il avait emmenés avec lui. Une tradition raconte que, pendant qu'il était dans la région, il joua aux dés avec le gardien d'un temple qui lui était consacré. Le gardien perdit, et comme convenu, il procura à son maître un repas, un lit et une femme, qui se trouva être Fabula, une prostituée du pays. Une variante de la légende de Cacus montre ce dernier sous les traits d'un maraudeur étrusque qui pillait la Campanie et fut tué par Héraclès, lequel protégeait les colons grecs établis dans la région.

HERCULE. *Voir* HÉRACLÈS.

HERMAPHRODITE. Fils d'Hermès et d'Aphrodite ; il fut élevé sur le mont Ida, en Phrygie. Il était doué d'une grande beauté, et lorsque, devenu grand, il quitta sa maison natale et se rendit à Halicarnasse, en Carie, la naïade Salmacis devint passionnément amoureuse de lui. Le jeune homme la repoussa, mais, un jour où, sans prendre garde, il se baignait dans sa source, elle l'enlaça, l'entraîna au fond de l'eau et supplia les dieux de réunir leurs deux corps à jamais. Ils furent unis en un seul être qui devint l'hermaphrodite ; celui-ci possède des proportions et une poitrine de femme, mais des organes mâles. De son côté, Hermaphrodite obtint de ses parents que la source exerçât un effet semblable sur tous les hommes qui s'y baigneraient par la suite.

HERMÈS (pour les Latins : Mercure). Fils de Zeus et de la fille d'Atlas, Maia. Messager de Zeus, il guide les ombres jusque chez Hadès, il protège les voyageurs et amène la chance ; il est aussi le patron des voleurs et des marchands. On le représente comme un jeune homme coiffé d'un chapeau ailé à larges bords et chaussé de sandales, également ailées ; il tient l'insigne du héraut, le caducée, baguette entourée de deux serpents : ces deux serpents, Hermès les avait trouvés aux prises et avait déposé son bâton entre eux ; ils s'y étaient alors enroulés. Comme dieu des voyageurs, c'est lui qui a débarrassé les pierres dont les routes étaient jonchées. Des monuments, les hermès, commémorent cette besogne ; érigés le long des routes, leur culte était associé à celui du phallus, Hermès étant aussi un dieu de la fertilité. A l'origine, les hermès étaient de simples amoncellements de pierres autour d'un pilier. Par la suite, ce pilier, de section carrée, fut surmonté d'une tête et orné d'un phallus ; ces hermès d'un type plus élaboré ornaient les rues des cités, les cours et les gymnases. Le dieu Hermès avait tout particulièrement la faveur des athlètes ; des statues le représentant sous la forme d'un jeune homme athlétique (*éphèbos*) étaient souvent érigées sur les terrains où l'on pratiquait les différents sports.

Né en Arcadie, il eut toujours dans cette région une grande popularité. Sa naissance est racontée dans l'*Hymne à Hermès* datant de l'époque homérique : Zeus rendait régulièrement visite à la nymphe Maia, fille d'Atlas et de Pleioné, dans une grotte du mont Cyllène, tandis qu'Héra était endormie. Maia lui donna bientôt un fils, Hermès. Né aux premières lueurs du jour, à midi il était déjà assez grand pour sortir seul de la grotte. Une fois dehors, il trouva une tortue, qu'il tua et dont il confectionna la première lyre; il adapta un cadre sur la carapace ainsi que sept cordes, faites de boyaux de mouton, ou des vaches qu'il devait voler par la suite. En effet, le même jour, dans la soirée, il se rendit en Macédoine et vola cinquante vaches du troupeau d'Apollon (ce dernier était en visite chez Hyménaeos, le fils de Magnès). Puis il les traîna par la queue jusqu'à Pylos, dans le Péloponnèse, près de la rivière Alphée. En chemin, il avait attaché du feuillage à ses pieds pour brouiller sa piste. Il sacrifia alors deux des animaux aux douze dieux de l'Olympe, mais s'abstint de manger de leur viande. Il brûla les têtes et les sabots pour supprimer toute trace de son méfait, puis cacha le reste du troupeau avant de jeter ses sandales en feuillage dans la rivière. Il s'en revint alors à la grotte de Maia et s'allongea innocemment dans son berceau. Apollon survint bientôt, à la recherche de son bétail (selon l'*Hymne à Apollon* d'époque homérique, c'est Battos qui l'aurait mis sur la bonne piste; pour cela il fut plus tard pétrifié par Hermès); il fut décontenancé de trouver Hermès dans son berceau, tout comme un nourrisson. L'enfant prétendit ne rien savoir du vol et affirma même ignorer le sens du mot «vache». Apollon fouilla la grotte et quoique n'ayant rien trouvé, fit comparaître Hermès devant le tribunal de Zeus. Là, Hermès, pour se disculper, raconta une histoire ingénieuse, mais Apollon ayant le dos tourné, il lui déroba son arc et son carquois. Zeus comprit à qui il avait affaire et il lui ordonna de rendre le bétail. Hermès montra à Apollon où ses vaches étaient dissimulées, puis il prit sa lyre et en joua merveilleusement; Apollon, enchanté, voulut posséder l'instrument. Hermès proposa alors un marché selon lequel Apollon, en échange de la lyre, oublierait le vol de ses vaches; le marché fut conclu. Quand Hermès lui rendit aussi son arc et son carquois, Apollon fut très amusé; ils devinrent de grands amis. Apollon fit de lui le protecteur des bergers, lui enseigna l'art de prévoir l'avenir à l'aide de petits cailloux et lui remit son bâton (en grec : *kerykeion*; en latin : *caduceus*) comme marque de ses pouvoirs. On nous montre souvent Hermès portant un bélier sur ses épaules : il est alors le «protecteur des troupeaux» *(nomios)*.

Héra avait la réputation de maltraiter les enfants que Zeus avait eus d'autres qu'elle-même; il était donc important pour Hermès de se réconcilier avec elle. Ainsi, il s'emmaillotta de nouveau dans ses langes — certains disent même qu'il prit la forme d'Arès, le fils d'Héra — et s'assit sur ses genoux, de sorte qu'elle lui donna le sein. Devenue sa nourrice, elle dut le traiter comme son propre fils.

Nombreux sont les exploits accomplis par Hermès comme héraut de Zeus et des autres dieux. Il sauva Dionysos, encore enfant, de la colère d'Héra. Aidant Zeus dans ses amours avec Io, il fut chargé de soustraire cette dernière à la garde d'Argos «aux nombreux yeux»; c'est à la suite du meurtre d'Argos qu'on lui attribue son surnom d'«Argéiphontes», «le meurtrier d'Argos». Arès ayant été capturé et emprisonné dans une jarre par les Aloades, c'est Hermès qui vint à son secours. Il accompagna aussi Zeus dans ses voyages à travers le monde, rendant visite, avec lui, à Lycaon, puis à Philémon et Baucis. Il organisa le concours de beauté entre Héra, Athèna et Aphrodite, dont Pâris devait être le juge. Il escorta Priam, venu jusqu'à la tente d'Achille demander le corps de son fils Hector. Et il aida Ulysse à éluder les artifices de Circé et de Calypso.

Hermès eut un grand nombre d'aventures amoureuses. Parmi les déesses, il aima tout particulièrement Aphrodite, laquelle lui donna Hermaphrodite et Priape. Tout d'abord, elle ne voulut rien savoir. Zeus prit alors pitié d'Hermès et envoya son aigle voler l'une des sandales d'or de la déesse, alors qu'elle se baignait dans le fleuve Achéloos. Hermès offrit de lui rendre la sandale en échange de ses faveurs; elle accepta. Il engendra Pan, soit d'une nymphe, soit de la fille de Dryops, Pénélope. Daphnis fut aussi l'un de ses fils. Il tomba amoureux également de nombreuses mortelles, dont Hersé, la fille de Cécrops. Quand la sœur de cette dernière, Aglauros, refusa à Hermès l'accès de la chambre d'Hersé, le dieu la transforma en pierre. Hersé lui donna Céphale. Il aima aussi Apémosyné; celle-ci courait si vite qu'il ne pouvait la rattraper; mais il plaça des peaux de bêtes sur son chemin, ce qui la fit glisser. Quand son frère Althaeménès découvrit qu'elle était enceinte, il lui donna des coups de pied jusqu'à ce qu'elle mourût.

Hermès rendit son plus grand service à Zeus après que Typhon eut coupé les tendons du dieu et les eut cachés dans une grotte, en Cilicie. Hermès, accompagné d'Aegipan, alla les reprendre au serpent Delphyné qui en était le gardien. Hermès est aussi associé aux Enfers : il accompagne les ombres des mortels jusqu'au Styx, que Charon leur fait traverser; dans ce rôle, il prend le nom de «Psychopompos», «conducteur des âmes». Il aida Héraclès quand celui-ci dut aller chercher Cerbère, et Zeus l'envoya chez Hadès demander le retour de Perséphone. Quand Orphée perdit son droit à ramener Eurydice parmi les vivants, Hermès raccompagna celle-ci chez Hadès.

HERMIONE. Fille de Ménélas et d'Hélène. Elle fut abandonnée par sa mère à neuf ans, lorsque Hélène partit à Troie avec Pâris. Selon la version d'Euripide, Oreste se saisit de sa cousine Hermione comme otage, pour obliger Ménélas à le sauver des Argiens; ceux-ci l'avaient condamné à mort pour le meurtre de sa propre mère, Clytemnestre, et de l'amant de celle-ci, Egisthe, après la chute de Troie. On raconte quelquefois qu'Oreste et Hermione étaient déjà mariés avant le retour de Troie de Ménélas; la cérémonie avait, selon certains, été décidée par Tyndare. Une tradition différente rapporte qu'Hermione aurait été déjà fiancée à Oreste avant l'expédition à Troie, mais que, pendant le siège, Ménélas changea d'avis et promit sa fille à Néoptolème, le fils d'Achille; à son retour, il célébra ce mariage. Peu après, cependant, Néoptolème se rendit à Delphes afin de réclamer à Apollon un dédommagement pour la mort d'Achille, et Oreste le tua là. D'après une variante, Hermione avait tenté, pendant son mariage avec Néoptolème, de tuer Andromaque, la concubine troyenne de son mari; elle accusait cette dernière de la rendre stérile par des enchantements. Mais Pélée, le grand-père de Néoptolème, l'empêcha de mettre son projet à exécution, et Hermione s'enfuit auprès d'Oreste, à Sparte; celui-ci tua plus tard Néoptolème à Delphes. Ensuite, il épousa Hermione, qui lui donna un fils, Tisaménos.

HÉRO et LÉANDRE. Héro était une prêtresse d'Aphrodite, à Sestos; Léandre était un jeune homme originaire d'Abydos, sur l'autre rive du détroit de l'Hellespont (Dardanelles). Ils se rencontrèrent et tombèrent amoureux l'un de l'autre, mais pour Héro, qui était consacrée à la déesse, le mariage était impossible. Afin de garder leur amour secret, ils décidèrent que Léandre traverserait le détroit à la nage chaque nuit et retournerait chez lui au matin. Pour le guider, elle allumait une lampe à la fenêtre de la tour qu'elle habitait. L'hiver venu, la lampe s'éteignit une nuit, et il se noya ; au matin, Héro aperçut le corps au pied de la tour, sur le rivage. De chagrin, elle se jeta dans le vide et mourut. L'histoire nous est racontée par le poète Musée.

HESPÉRIDES. Filles d'Atlas et de Pléioné, ou bien d'Atlas et d'Hespéris, ou encore de Nyx et de l'Erèbe. Ce sont des nymphes, au nombre de quatre ou de sept, qui habitaient un jardin dans l'extrême Occident et gardaient, avec l'aide du dragon Ladon, l'arbre qui portait les pommes d'or. Ces pommes avaient été offertes par Gaia à Héra, en cadeau de noces. Elles chantaient pour se divertir et avaient pour nom Aeglé, Erythie, Aréthuse, Hestia, Hespéra, Hespérousa et Hespéraea. Lorsque Héraclès reçut l'ordre, pour sa onzième (ou douzième) épreuve, de rapporter ces pommes à Eurysthée, il amena par ruse Atlas, qui soutenait le ciel sur une montagne voisine, à aller les chercher à sa place. Après le vol, cependant, Athèna veilla à ce que les fruits fussent reportés dans le jardin.

HESTIA. Elle fut identifiée par les Romains à Vesta ; elle est la déesse du foyer et l'aînée des trois filles de Cronos et de Rhéa. Bien qu'elle eût été courtisée par Apollon et par Poséidon, elle refusa de se marier ; étant elle-même restée vierge, elle imposa à ses prêtresses de le rester aussi ; ces dernières étaient appelées à Rome les Vestales. Elle ne figure dans aucune légende.

HEURES. Elles sont les filles de Zeus et de Thémis. Leur nom évoque les saisons de l'année et non les heures du jour. Leur nombre varie de deux à quatre, mais elles sont généralement trois : le printemps, l'été et l'hiver. Les Athéniens en reconnaissaient deux ou trois : Thallô (le Printemps), Carpô (la Moisson, l'Automne, la Fructification) et quelquefois Auxô («croître», c'est-à-dire l'Eté). Hésiode leur donne d'autres noms : Eunomia («la Loi et l'Ordre»), Diké (la Justice) et Eiréné (la Paix). Elles étaient les gardiennes des portes du ciel et, lorsque les dieux sortaient sur leur char, elles écartaient les nuages des portes de l'Olympe.

HIPPOLYTE. 1. Fils de Thésée, roi d'Athènes et d'Hippolyté, reine des Amazones, ou de la sœur de celle-ci, Antiope. Après la mort de sa mère, son père épousa la sœur d'Ariane, Phèdre. Selon une tradition, au moment de son second

mariage, Thésée envoya Hippolyte qui était l'héritier du vieux Pitthée, de Trézène, reprendre le trône de cette ville. Thésée lui-même fut plus tard exilé d'Athènes et se réfugia à Trézène avec Phèdre. Là, Phèdre tomba amoureuse d'Hippolyte qui, honorant la vierge Artémis, méprisa ses avances. Dans son *Hippolyte,* Euripide peint Phèdre comme une femme modeste qui, poussée à bout par sa vive passion, finit par se pendre, laissant une lettre à son mari, dans laquelle elle accuse Hippolyte. De plus, selon la tragédie, la rencontre d'Hippolyte et de Phèdre avait été facilitée par la longue absence de Thésée, parti aux Enfers. A son retour, celui-ci refusa les protestations d'innocence proférées par Hippolyte. Il demanda à Poséidon — qui passait quelquefois pour son père, et qui lui avait promis de réaliser trois vœux — de le débarrasser de son fils. Hippolyte, partant en exil, conduisait son char le long de la mer lorsqu'un taureau monstrueux sortit de l'eau et effraya ses chevaux ; il fut jeté à terre et traîné par son attelage sur les rochers. Thésée apprit la vérité par Artémis ; selon certains, la déesse rendit le jeune homme à la vie, louant pour cela les services d'Asclépios. Hippolyte refusa de vivre avec son père et se rendit, d'après les traditions italiennes, à Aricie, dans le Latium, où il devint roi ; il institua le culte de Diane (Artémis) au lac Némorensis (Némi) et fut identifié à une divinité mineure, Virbius. A Trézène, on racontait qu'Hippolyte était devenu la constellation du Cocher (Auriga) ; les jeunes filles lui dédiaient une boucle de leur chevelure, à leur mariage.
2. *Voir* GÉANTS.

HIPPOLYTÉ. 1. Reine des Amazones, dont Héraclès alla conquérir la ceinture, accomplissant ainsi son neuvième «travail». Il existe deux versions de l'épisode : ou bien elle fut tuée dans la bataille dont l'enjeu était la ceinture ; ou bien elle survécut et lança une attaque sur Athènes, afin de se venger de Thésée qui avait enlevé Antiope. On raconte quelquefois qu'elle perdit la bataille, fut capturée et épousée par Thésée, à qui elle donna un fils, Hippolyte *(voir l'article précédent).*
2. Fille de Créthée et femme d'Acaste.

HIPPOMÉDON. Il est l'un des Sept Chefs qui attaquèrent Thèbes. Il avait Typhon pour emblème. Il fut tué par Hyperbios à la porte Oncae. Son fils, Polydoros, fut l'un des Epigones qui, plus tard, vengèrent leurs pères et détruisirent la ville.

HORACES et **CURIACES.** Les trois Horaces et les trois

Curiaces furent choisis pour se battre en duel pendant la guerre légendaire qui opposa Rome à Albe-la-Longue, à l'époque où Tullus Hostilius régnait à Rome. Les deux villes craignaient qu'une bataille décisive n'anéantît leurs ressources, et elles décidèrent, sous serment, de régler leur différend en faisant combattre leurs champions, trois frères de chaque côté. Tite-Live considère les Horaces comme les Romains et les Curiaces comme les Albains, mais ajoute que leur appartenance était controversée. Revêtus de toutes leurs armes, les six frères commencèrent à se battre à l'épée. Rapidement, les Albains furent tous trois blessés, et deux des Romains furent tués. Le troisième, Publius Horatius (selon la tradition qui fait des Horaces les Romains), n'avait pas été atteint et s'enfuit. Les Curiaces, bien que blessés, le poursuivirent, mais à des vitesses différentes, si bien qu'Horatius revint à la charge et les tua l'un après l'autre. A son retour à Rome, il rencontra sa sœur, alors qu'il portait les dépouilles de ses trois ennemis. Celle-ci avait été promise à l'un des trois Curiaces et, lorsqu'elle aperçut les vêtements de son fiancé mort, qu'elle avait elle-même tissés, elle éclata en sanglots. Là-dessus son frère lui plongea son épée dans la poitrine en s'écriant : « Qu'ainsi périssent les Romaines qui pleurent un ennemi ! » Accusé de trahison pour avoir disposé des lois à sa façon, Publius Horatius fut condamné à mort. Toutefois, il était devenu si populaire qu'il fut acquitté en seconde instance par l'Assemblée du Peuple. Son père le purifia de son homicide en le faisant passer sous un joug, symbole de sa soumission à la loi.

HORATIUS COCLÈS. Héros légendaire qui défendit le seul pont qui traversait le Tibre, alors que la jeune République romaine était menacée par l'Etrusque Lars Porsenna; ce dernier voulait restaurer le roi Tarquin le Superbe, exilé, sur le trône. Il passait quelquefois pour un descendant de Publius Horatius *(voir article ci-dessus)*. Les gens du pays avaient trouvé refuge dans les murs de la ville. Le Janicule, colline qui domine le Tibre et Rome, avait été pris par les Etrusques, de sorte qu'il devenait nécessaire d'abattre le pont. Horatius, qui commandait le groupe chargé de garder le pont, exhorta ses camarades à ne pas s'enfuir et à abattre les piles du pont. Lui-même, accompagné de Spurius Lartius et de Titus Herminius, se tint à l'autre bout du pont et tint l'ennemi en respect jusqu'à ce que le pont fût sur le point de céder. Il donna alors l'ordre à ses compagnons de courir se mettre à l'abri, et, peu après, le pont s'écroula. Horatius adressa une prière au dieu du fleuve et sauta tout armé dans le Tibre, puis il nagea vers la rive sous une pluie de projectiles. Pour cet exploit, on lui éleva une statue sur l'emplacement de l'Assemblée (les Comices) et on lui donna la surface de terre qu'il pourrait circonscrire en un jour avec sa charrue. Le surnom de «Coclès» (le Borgne) a sûrement pour origine une statue d'un personnage borgne (en fait, le dieu Vulcain) qui, à l'époque historique, se dressait à l'entrée du pont de bois.

HYACINTHOS. Fils d'Amyclas, roi de Sparte et de Diomèdé, ou bien de Piéros et de la muse Clio. Hyacinthos était d'une grande beauté; Thamyris (qui serait le premier homosexuel) et, plus tard, Apollon tombèrent amoureux de lui. Le jeune homme préféra le dieu. Un jour que tous deux lançaient le disque, celui d'Apollon alla frapper accidentellement Hyacinthos (certains disent que Zéphyr, le vent d'ouest, fit dévier le disque par jalousie) et le tua. Ne pouvant rendre le jeune homme à la vie, Apollon transforma le sang qui avait coulé de la blessure en une «hyacinthe» (une sorte d'iris), dont les pétales portaient l'inscription *Ai Ai* («hélas») à la mémoire de son ami. Le dieu déclara qu'un jour, un grand héros serait immortalisé de la même manière — Ajax, le fils de Télamon — et que Hyacinthe devait être vénéré à Sparte.

HYDRE. *Voir* HÉRACLÈS.

HYMEN ou **HYMÉNAEOS.** Il est la personnification du mariage; son nom a pour origine le cri poussé par les invités d'une noce *o hymen, hymenaie* ou bien *hymen hymenai o*. Un mythe fut imaginé pour expliquer son culte; on racontait qu'il était un jeune Athénien d'une grande beauté, mais qu'il était trop pauvre pour épouser la jeune fille qu'il aimait. Or, un jour, des pirates l'enlevèrent en même temps qu'un groupe de jeunes et riches Athéniennes dont faisait partie celle qu'il aimait; il réussit à tuer les pirates et rendit les jeunes filles à leurs familles. Le père de la demoiselle aimée accepta alors de le prendre pour gendre. Un fils de Magnès, nommé Hyménaeos, fut aimé d'Apollon à l'époque où Hermès vola les troupeaux du dieu.

HYPERBORÉENS. Peuple mythique vivant loin au nord-est ou au nord-ouest de la Grèce. L'interprétation traditionnelle de leur nom (*hyperboréen* : «au-delà du vent du nord») les situe au nord; mais le nom peut aussi bien vouloir dire «au-delà des montagnes» et «ceux qui transportent (des marchandises)». Apollon passait, croyait-on, les mois d'hiver parmi eux, et sa mère, Léto, serait née dans leur pays. Persée leur rendit visite alors qu'il cherchait la Gorgone, et Héraclès, selon la légende, poursuivit jusque chez eux la biche de Cérynie. Pour Pindare, c'était un peuple bienheureux, habitant une sorte de pays enchanté et ignorant les maladies humaines. Selon une tradition, deux vierges hyperboréennes, Opis et Argé (ou Hyperoché et Laodicé) seraient venues à Délos avec Léto, Apollon et Artémis, et seraient mortes dans l'île. Par la suite, comme les deux jeunes filles n'étaient jamais revenues, les Hyperboréens envoyèrent leurs offrandes à Délos par l'entremise d'intermédiaires et enveloppées dans de la paille de blé.

HYPÉRION («celui qui va au-dessus»). Titan. Les traditions diffèrent à son sujet. Selon Hésiode, il est le fils de Gaia (la Terre) et d'Ouranos (le Ciel). Il épousa sa sœur, Théia, avec qui il engendra Hélios (le Soleil), Éos (l'Aurore) et Séléné (la Lune). Mais, le plus souvent, le nom d'Hypérion est donné à Hélios, le Soleil.

HYPERMNESTRE ou **HYPERMESTRE. 1.** Fille aînée de Danaos, roi d'Argos. Lorsqu'elle et ses sœurs furent mariées à leurs cinquante cousins, les fils d'Egyptos, Hypermnestre fut la seule à désobéir à son père qui leur avait ordonné de tuer leur mari. Elle aida Lyncée à s'échapper, et, pour cet acte, son père voulut la châtier. Mais Egyptos admit plus tard leur mariage, et Lyncée finit par venger ses frères assassinés en tuant Danaos et ses quarante-neuf belles-sœurs. Il s'empara du trône d'Argos et fut remplacé par son fils, Abas, né d'Hypermnestre.

2. Fille de Thestios; elle épousa Oïclès à qui elle donna un fils, Amphiaraos.

HYPNOS (en latin : *Somnus*). Le Sommeil, frère de Thanatos (la Mort) et fils de Nyx (la Nuit). Il a pour demeure une caverne située soit sur l'île de Lemnos, soit loin, vers le pays des Cimmériens. Cette grotte, éternellement sombre et brumeuse, est traversée par les eaux du Léthé, le fleuve de l'oubli; là, le dieu repose sur une molle couche, entouré de ses innombrables fils, les Rêves. Héra lui demanda un jour, par l'intermédiaire d'Iris, d'envoyer un de ses fils, Morphée, visiter Alcyoné : il devait lui apparaître sous les traits de son mari, Céyx, qui venait de se noyer en mer. Une autre fois, Héra voulut tromper la vigilance de Zeus pendant la guerre de Troie, afin que Poséidon pût intervenir en faveur des Grecs, alors qu'Hector avait repoussé ceux-ci jusqu'à leurs navires amarrés. Pour cela, elle emprunta la ceinture d'Aphrodite et se rendit à l'île de Lemnos, où elle essaya de persuader Hypnos d'endormir Zeus. Hypnos refusa tout d'abord : Héra lui avait déjà demandé d'endormir Zeus pour pouvoir attaquer Héraclès, et il avait alors risqué un sévère châtiment, dont seule Nyx avait pu le sauver. Toutefois, Héra réussit à convaincre Hypnos en lui offrant la main de Pasithéa, l'une des Grâces. Le dieu vola jusqu'au mont Ida, d'où Zeus regardait la bataille, et se percha sur un arbre sous la forme d'un engoulevent. Zeus s'unit à Héra, puis Hypnos l'endormit. Un autre jour, les deux frères, Hypnos et Thanatos, furent chargés par Apollon de transporter le corps de son fils, Sarpédon, dans son pays natal, en Lycie.

I

ICARE. *Voir* DÉDALE.

ICARIOS. 1. Fils d'Oebalos, roi de Sparte, et de la naïade Batia (mais il passe aussi pour le fils de Périérés et de Gorgophoné). Il fut impliqué dans l'expulsion de son demi-frère Hippocoon; cependant, on ne sait exactement quelle part il eut dans la brouille. Tyndare reprit plus tard le pouvoir avec l'aide d'Héraclès; ou bien, Icarios le rejoignit à Sparte, ou bien il resta en Acarnanie, le pays où il s'était réfugié. Icarios épousa une naïade (nymphe des cours d'eau), Périboea, qui lui donna deux filles, Pénélope et Iphthiné, et cinq fils. Lorsque Ulysse obtint la main de Pénélope, Icarios fut peu désireux de voir partir sa fille. Il essaya de persuader Ulysse de rester auprès de lui et alla même jusqu'à suivre le char qui emmenait les jeunes mariés, s'efforçant de convaincre sa fille de revenir; mais celle-ci se couvrit le visage de son voile, montrant ainsi qu'elle avait choisi de suivre son mari. Icarios érigea une statue à Aidos (la Pudeur) à l'endroit où la scène avait eu lieu.

2. Fermier de l'Attique, père d'Erigoné. Tous deux accueillirent Dionysos en Attique. Reconnaissant, le dieu enseigna à Icarios l'art de cultiver la vigne et de faire du vin; de plus, il lui offrit quelques outres de vin pour qu'il en fît goûter à ses voisins et qu'il répandît l'usage du vin. Mais les premières personnes à goûter ce vin, des paysans frustes des environs, s'enivrèrent et crurent qu'ils avaient été empoisonnés. Ils tuèrent Icarios à coups de bâton et enterrèrent son corps sur le mont Hymette. Erigoné partit à la recherche de son père et, lorsqu'elle découvrit sa tombe avec l'aide de son chien Maera, elle se pendit à un arbre voisin. Saisi de désespoir, le chien sauta dans un puits. Selon certains, les meurtriers se réfugièrent dans l'île de Céos, qui fut, de ce fait, frappée de sécheresse. Le roi, Aristaeos, consulta l'oracle de Delphes et reçut l'ordre d'apaiser l'ombre d'Icarios et de sacrifier à Zeus qui envoya les vents Etésiens pour délivrer l'île du fléau. A Athènes, irrité par le traitement infligé à ses protégés, Dionysos frappa les jeunes filles de folie; celles-ci, comme Erigoné, se pendirent aux arbres. Les Athéniens apprirent par Delphes la cause de cette malédiction, et punirent les meurtriers. En outre, ils instituèrent une fête annuelle liée aux vendanges, les «Aiora», au cours de laquelle les jeunes filles se balançaient sur des escarpolettes suspendues aux arbres. Dionysos plaça Icarios, Erigoné et Maera parmi les étoiles et en fit les constellations du Bouvier, de la Vierge et l'étoile du Grand Chien (la Canicule).

IDAS et LYNCÉE. Fils d'Apharée, roi de Messénie, et de sa femme Aréné; Idas, l'aîné, passe quelquefois pour le fils de Poséidon. Les deux frères étaient inséparables. Lyncée était doué d'une vue perçante qui lui permettait de voir à de très grandes distances et même à travers le sol. Mais Idas était non seulement l'aîné, mais aussi le plus fort des deux. Il était aussi connu pour son effronterie, trait de caractère qui devait causer sa perte. Il épousa Marpessa, la fille d'Evénos, qui était aussi courtisée par Apollon. Lors de la course de char organisée par Evénos pour départager les prétendants de Marpessa, Idas remporta la victoire avec le char ailé que lui avait prêté Poséidon. Evénos, vaincu à la course, poursuivit Idas jusqu'à la rivière Lycormas, puis se jeta dans ses eaux; depuis, la rivière porte son nom. Plus tard, Idas se querella avec Apollon au sujet de Marpessa et, dans son effronterie, en vint même aux coups avec le dieu, qui avait enlevé la jeune femme et l'avait transformée en martin-pêcheur. Zeus sépara les adversaires et demanda à Marpessa de choisir; elle choisit Idas qui, étant mortel, vieillirait en même temps qu'elle.

Marpessa donna à Idas une fille, Célopâtra, qui se maria avec le fils d'Œnée, Méléagre. Idas et Lyncée prirent donc part à la chasse au sanglier à Calydon, étant alliés à Œnée, le roi du pays. Ils se joignirent également aux Argonautes. Idas envahit plus tard le royaume de Teuthras, la Teuthranie, mais fut repoussé par Télèphe, le fils qu'Héraclès avait eu d'Augé, la fille de Teuthras. Idas et Lyncée trouvèrent la mort à la suite d'une querelle entre Idas et les Dioscures. Pour leur mort, *voir* CASTOR et POLLUX. Apprenant la mort d'Idas, Marpessa mit fin à ses jours; et Apharée n'ayant pas eu d'héritier, il transmit le royaume de Messénie à Nestor de Pylos (ou au père de ce dernier, Nélée).

IDOMÉNÉE. Roi de Crète et commandant des armées crétoises pendant la guerre de Troie. Son père était Deucalion, fils de Minos. On racontait qu'il avait emmené ses troupes à Troie dans quatre-vingts navires — ce qui représente un énorme contingent. Idoménée était le plus âgé des chefs grecs, bien qu'ayant figuré parmi les prétendants d'Hélène. Pendant les combats, Poséidon lui apparut sous les traits de Thoas, fils d'Andraemon, et l'exhorta, lui et les Achéens, à combattre avec plus d'ardeur contre les Troyens qui menaçaient les navires amarrés. Mérion et Idoménée se postèrent alors sur l'aile gauche et tuèrent plusieurs Troyens; mais Idoménée recula devant Enée et demanda de l'aide. Le javelot qu'il lui destinait tua Oenomaos à sa place. Accompagné de son écuyer, Mérion, il fut l'un des héros qui se dissimulèrent à l'intérieur du cheval de Troie. Puis, selon une tradition, il eut un retour sans encombres et régna tranquillement sur la Crète. Mais d'autres versions racontent que, lors du voyage de retour, une tempête se déchaîna sur la flotte; Idoménée fit alors le vœu de sacrifier à Poséidon le premier être humain qu'il rencontrerait en abordant en Crète. Or, la première personne qu'il vit fut son fils, qui l'attendait pour lui souhaiter la bienvenue; mais Idoménée dut rester fidèle à son vœu. Il fut banni de son royaume et s'établit, selon Virgile, sur la côte sud de l'Italie, dans la plaine de Sallente. Selon une variante, Méda, la femme d'Idoménée, fut séduite par un Crétois nommé Leucos, sur l'instigation de Nauplios. Puis Leucos s'empara de dix villes crétoises, tua Méda et sa fille et chassa Idoménée; telle serait la raison de l'exil de ce dernier en Italie.

On racontait également que, à cause d'Idoménée, les Crétois eurent la réputaiton d'être un peuple de menteurs; en effet, Idoménée avait attribué à Thétis le prix de beauté que lui disputait Médée, et celle-ci avait alors maudit la race d'Idoménée.

ILITHYIE. Déesse qui préside à l'enfantement. En grec, son nom est «Eileithyia», parfois mis au pluriel : «Eileithyiai». Homère connaît une pluralité de déesses, tandis qu'Hésiode fait d'Ilithyie une des filles de Zeus et d'Héra. Son culte a peut-être une origine crétoise, car on a retrouvé une tablette d'argile, à Cnossos, qui la mentionne, sous le nom d'«Eleuthia». Quelquefois, Héra elle-même (en tant que déesse du mariage) et Artémis (déesse «nourricière» de la jeunesse) sont mises au nombre des Ilithyies. Ilithyie obéit aux ordres d'Héra qui, par deux fois, essaya d'empêcher la délivrance de ses rivales en interdisant à sa fille de leur apporter son aide. Aussi, lorsque Artémis et Apollon furent sur le point de naître, Héra essaya d'éloigner Ilihtyie de leur mère, Léto, mais les autres déesses l'apaisèrent en lui offrant un lourd collier d'or. Héra retarda également la naissance d'Héraclès pendant plusieurs jours en demandant à Ilithyie de s'asseoir sur le seuil de la chambre d'Alcmène, avec les jambes, les bras et les doigts croisés. *Voir aussi* JUNON.

INACHOS. Dieu du fleuve Inachos, en Argolide ; il est le fils d'Océan et de Téthys. Lorsque Poséidon et Héra se disputèrent la possession de l'Argolide, Inachos et les autres fleuves, le Céphise et l'Astérion mirent fin à la querelle en attribuant le pays à Héra. De colère, Poséidon assécha les fleuves et inonda le pays — et, depuis ce temps, ils ne coulent que pendant les pluies. Inachos fut le premier roi d'Argos. Il épousa sa demi-sœur Mélia (le nom de sa mère est Argia); parmi leurs enfants figurent deux fils, Phoronée (qui, quelquefois, décide en faveur d'Héra à la place de son père) et Aegialée, et une fille, Io. Avant d'être aimée par Zeus, Io fut visitée par un rêve, et Inachos, obéissant à un oracle, envoya sa fille dans la campagne. Mais après que Zeus l'eut enlevée, il poursuivit le dieu en le maudissant, si bien que celui-ci envoya contre lui une Erinye, Tisiphoné, qui le frappa de folie. Inachos finit par se jeter dans le fleuve Halliacmon, qui prit alors le nom d'Inachos. Ovide raconta comment, lorsque Io arriva au bord du fleuve sous la forme d'une génisse et inscrivit son nom et son histoire dans le sable, à l'aide de son sabot, Inachos la reconnut. Argos vint la chercher, et Inachos alla se réfugier dans une grotte près de sa source ; là, il pleura en pensant à sa fille, mêlant ses larmes aux eaux de son fleuve.

INO. Fille de Cadmos et d'Harmonie ; elle épousa Athamas, roi d'Orchomène, et lui donna deux fils, Léarchos et Mélicerte. Sa sœur Sémélé périt brûlée par les foudres de Zeus qu'elle avait voulu voir dans toute sa gloire, après avoir donné naissance à Dionysos. Mais, bien que Ino n'eût, tout d'abord, pas cru à l'ascendance divine de l'enfant, Hermès la convainquit de prendre soin de son jeune neveu et de le protéger de la colère d'Héra. Ino habilla l'enfant avec des vêtements féminins, et le stratagème réussit pendant un certain temps ; mais Héra finit par découvrir la vérité, et frappa de folie Ino et Athamas. Ino et ses sœurs, Agavé et Autonoé, furent tout d'abord saisies par un délire bacchique (cela fut aussi considéré comme un châtiment que leur infligea Dionysos, car elles avaient refusé de le reconnaître comme dieu), au cours duquel elles déchirèrent le fils d'Agavé, Penthée, qui les espionnait. Jadis, Ino avait comploté de tuer Phrixos et Hellé, les enfants qu'Athamas avait eus de sa première femme, la nymphe Néphélé ; mais la mère des enfants leur envoya un bélier, sur lequel ils s'envolèrent. Enfin, Héra punit cruellement Ino; elle l'incita avec Athamas à tuer leurs enfants. Athamas tua Léarchos à coups de flèches, et Ino jeta Mélicerte dans un chaudron d'eau bouillante, ou encore, elle se précipita dans la mer avec lui, du haut d'une falaise, dans le golfe Saronique. Ino fut alors transformée en une déesse marine, sous le nom de Leucothée (la Déesse Blanche) qui, avec Mélicerte — re-nommé Palaemon — venaient au secours des marins en détresse.

Selon une tradition différente, Ino s'enfuit de la maison d'Athamas avant la mort de ses enfants, et resta au loin si longtemps qu'Athamas se remaria avec Thémisto, qui lui donna deux enfants. Les Romains identifièrent la déesse Leucothée à la «Mater Matuta», déesse de la croissance, et Palaemon à «Portunus». Ils racontaient que Leucothée avait rendu visite à la déesse Carmenta, qui lui avait offert des galettes grillées; cela, en souvenir du grain qu'Ino avait fait griller, lorsqu'elle complotait de se débarrasser de Phrixos.

IO. Fille d'Inachos, dieu-fleuve et premier roi d'Argos, et de Mélia; elle passe aussi pour la fille de Iasos, fils de Triopas. Elle était l'une des prêtresses d'Héra, mais elle s'attira la haine de la déesse en provoquant l'amour de Zeus. Io rêva à plusieurs reprises que Zeus venait vers elle en murmurant, et la suppliait de le rejoindre dans les prairies de Lerne. Lorsque Io parla à son père des rêves qu'elle avait eus, Inachos consulta les oracles de Delphes et de Dodone qui, après quelques réponses évasives, lui dirent qu'il devait bannir sa fille du pays à jamais s'il ne voulait pas que son peuple fût foudroyé par Zeus. A peine sortie de la maison de son père, Io fut transformée en une belle génisse blanche — soit par Héra, soit par Zeus —, mais fut aussi tourmentée par un taon que lui envoya Héra et qui l'empêchait de s'arrêter suffisamment longtemps pour que Zeus pût profaner sa virginité. La déesse chargea également Argos, berger géant possédant cent yeux — et dont deux seulement se fermaient en même temps — de surveiller l'animal, dans le même but. Mais Zeus ne perdit pas pour autant l'espoir de rejoindre Io. Il chargea Hermès d'éloigner Argos de la belle génisse; le dieu fut obligé de se déguiser en berger pour endormir les soupçons du géant aux cent yeux, qu'il réussit cependant à endormir entièrement en lui racontant des histoires et en lui jouant des berceuses sur son pipeau. Dès que tous ses yeux furent clos, Hermès sortit son épée et en transperça le géant. Mais la mort d'Argos n'aida pas Zeus, car le taon continuait à tourmenter

Io, et de plus, l'ombre d'Argos maitenant la poursuivait. Elle se mit à errer à travers la terre, passant par Dodone qui la salua comme la future épouse de Zeus, puis longea la mer Adriatique, donnant son nom au golfe Ionien; puis elle se dirigea vers le nord, et arriva dans la région, proche de l'Océan, où Prométhée était enchaîné à la montagne. Ce dernier la renseigna sur son destin. Ensuite, elle traversa la Scythie et le Caucase, longea la mer Noire et passa par le Bosphore («le passage de la vache», en souvenir d'elle). De là, elle se dirigea à l'est, vers le pays des Gorgones et des Grées, et finit par arriver en Egypte où, dans la ville de Canope, Zeus la rejoignit et lui rendit sa forme primitive; touchant de la main le corps de Io, il engendra un fils, Epaphos («le toucher de Zeus»). Epaphos régna sur l'Egypte et l'Afrique et donna naissance à de nombreuses dynasties, au nombre desquelles figure la famille royale d'Argos.

Telle est la version d'Eschyle, raconté dans la pièce *Prométhée enchaîné*. La légende que rapporte Ovide est assez différente. Selon lui, Zeus aperçut Io se promenant près du fleuve; il lui demanda de le rejoindre à midi dans les bois, et là il recouvrit d'une nuée l'endroit où il s'unit à elle. Héra vit les nuages qui s'étendaient sur Argos et soupçonna l'aventure, mais Zeus transforma Io en génisse avant que les nuages ne fussent dispersés. Il jura que l'animal était une génisse ordinaire, mais Héra ne se laissa pas duper. Elle demanda qu'on la lui offrît, ce que Zeus ne put refuser. Ses soupçons n'étant pas dissipés, Héra la confia à la garde d'Argos et, en arrivant sur les rives du fleuve Inachos, Io inscrivit son histoire dans la poussière, pour son père. Celui-ci comprit ce qu'il était advenu de sa fille et pleura. Cependant, Hermès réussit à tromper la surveillance d'Argos et à le tuer.

Héra, après avoir transporté les yeux de son serviteur sur la queue de son paon, envoya contre Io une Erinye qui, sous la forme d'un taon, la tourmenta à travers toute la terre. Io arriva finalement en Egypte, où Zeus eut pitié d'elle, et où elle-même demanda grâce à Héra. Elle retrouva sa forme humaine et fut adorée sous le nom de la déesse égyptienne Isis. Elle donna naissance à Epaphos, qui reçut lui aussi un culte, idientifié au dieu-Taureau Apis.

IOLAOS. Fils d'Iphiclès et d'Automéduse, la fille d'Alcathoos; il était le neveu et le conducteur du char d'Héraclès. Il acompagna son oncle pendant toute la durée des Travaux, et intervint en particulier dans le combat contre l'Hydre de Lerne; il prit part également aux expéditions contre Géryon et Laomédon et à la chasse au sanglier de Calydon. Lorsque Héraclès rompit son mariage avec Mégara, dont il avait tué les fils dans un accès de folie, il la donna en mariage à Iolaos. Après la mort d'Héraclès, bien que déjà âgé, il vint au secours des Héraclides, en Attique, lorsque Eurysthée tenta de les écraser. Il adressa des prières à Zeus, Héraclès et Hébé, l'épouse divine d'Héraclès, et retrouva sa jeunesse. Il eut ainsi la force de mener ses armées à la victoire et de capturer, ou même de tuer Eurysthée de ses propres mains. On racontait que Héraclès et Hébé l'assistaient dans la bataille, sous la forme d'une étoile posée sur le timon de son char. Selon une tradition différente, Iolaos fut chargé de coloniser la Sardaigne et y emmena Mégara et une partie des cinquante enfants qu'Héraclès avait eus de la fille du roi Thespios. D'après une tradition, il aurait été enterré à Thèbes, où Pindare composa une ode à sa mémoire.

ION. Fils de Xouthos, ou d'Apollon et de Créüse, la fille du roi d'Athènes, Erechthée. Ses origines font l'objet de deux traditions différentes. Selon la première, Xouthos, le fils d'Hellèn, un Thessalien, se rendit à Athènes où il épousa Créüse, la plus jeune fille du roi Erechthée. Ils eurent deux fils, Achaeos et Ion. Plus tard, Xouthos fut chargé de choisir parmi les fils d'Erechthée, lequel devait être le successeur de ce dernier; il décida en faveur de Cécrops, et fut chassé d'Athènes par les autres fils. Il se réfugia en Achaïe, dans le nord du Péloponnèse, région appelée alors Aegialée («bord de la mer»). Après la mort de Xouthos, Achaeos retourna en Thessalie, et Ion essaya de conquérir l'Aegialée. Mais le roi du pays, Sélinos, lui offrit la main de sa fille, Hélicé, et fit de lui son héritier. Lorsque Sélinos mourut, Ion baptisa les habitants d'Aegialée — qui portaient déjà le nom de Pélasges — les «Ioniens» et fonda la ville d'Hélicé, du nom de sa femme, dans le golfe de Corinthe, à l'embouchure du fleuve Sélinos. Quelque temps après, une guerre éclata entre Eleusis et Athènes, et les Athéniens rappelèrent Ion et en firent leur chef. Ces derniers furent vainqueurs, mais Ion fut tué et fut enseveli à Potami («les Fleuves») en Attique. Plus tard, les Ioniens furent chassés d'Aegialée par les descendants d'Achaeos; telles furent les circonstances dans lesquelles, selon la légende, le peuple ionien émigra de l'Attique en Asie Mineure, où il s'établit au centre de la côte ouest; le pays fut alors appelé l'Ionie.

Euripide raconte une seconde version de la légende, dans sa tragédie *Ion*. Il fait d'Ion le fils de Créüse et d'Apollon; le dieu s'unit à la jeune femme alors qu'elle était déjà la femme de Xouthos. Créüse exposa l'enfant dans une grotte de l'Acropole. Apollon demanda alors à Hermès de ramener le petit garçon à Delphes, où la Pythie l'éleva et le plaça au service du dieu. Plusieurs années plus tard, Xouthos et Créüse, n'ayant pas eu d'enfant, vinrent à Delphes demander conseil à l'oracle. Celui-ci répondit à Xouthos que le premier homme qu'il rencontrerait en quittant le temple serait son fils. Il rencontra Ion; on en conclut qu'Ion devait être un fils illégitime de Xouthos et que celui-ci devrait annoncer la nouvelle à Créüse avec tact. Xouthos l'appela Ion, car il l'avait rencontré «sur le chemin» (*ion*, en grec). Pendant ce temps, une vieille esclave et quelques femmes rapportèrent à Créüse des rumeurs selon lesquelles Xouthos aurait eu l'intention de replacer sur le trône la maison d'Erechthée en la personne de son fils bâtard : Créüse complota alors de tuer le bâtard supposé de son mari. Xouthos donna une fête en l'honneur d'Ion et, après que les libations eurent été répandues, Créüse empoisonna le vin du jeune homme. Mais Apollon vint en aide à son fils. En effet, Ion entendit un esclave proférer une parole de mauvais augure et ordonna que les libations fussent renouvelées; et lorsque le vin de sa propre coupe fut répandu sur le sol, l'une des colombes sacrés d'Apollon vint le boire et mourut sur-le-champ. Ion comprit alors que Créüse avait tenté de l'empoisonner et s'apprêta à la tuer, lorsque la Pythie, horrifiée à l'idée que le temple pût être souillé par un matricide, apporta les vêtements de bébé d'Ion prouvant ainsi qu'il était le fils de Créüse. Selon la légende, Ion devint roi d'Athènes et divisa son peuple en quatre tribus ioniennes, les Géléontes, les Aegicores, les Argadées et les Hoplètes, du nom de ses fils. Xouthos et Créüse eurent deux fils, Doros et Achaeos.

IPHICLÈS. Fils d'Amphitryon et d'Alcmène, et frère jumeau, selon la légende, d'Héraclès, dont le père, cependant, est Zeus. Amphitryon découvrit qu'Iphiclès était son propre fils et non celui de Zeus, à la terreur que l'enfant montra devant les deux serpents envoyés par Héra (ou Amphitryon lui-même) dans la chambre des enfants; Héraclès, lui, saisit les serpents et les étrangla. Iphiclès était le père d'Iolaos, le conducteur de char d'Héraclès, fils que lui avait donné Automéduse, la fille du roi de Mégare, Alcathoos; pendant sa folie, Héraclès non seulement tua les enfants qu'il avait eus de Mégare, mais aussi les autres enfants d'Iphiclès Ce dernier épousa plus tard la plus jeune des filles de Créon et prit part à la chasse au sanglier de Calydon. Il lutta aux côtés d'Héraclès contre Augias et Laomédon; il fut mortellement blessé dans la guerre contre Hippocoon de Sparte et fut transporté, mourant, à Phénée, en Arcadie, où les honneurs lui furent plus tard rendus sur sa tombe, comme pour un héros.

IPHIGÉNIE. Elle est la fille aînée d'Agamemnon et de Clytemnestre. Elle est généralement identifiée à l'Iphianassa mentionnée par Homère, bien que les *Chants cypriens* distinguent les deux (Stésichore affirme qu'Iphigénie était en réalité la fille de Thésée et d'Hélène, et qu'elle avait été confiée à Clytemnestre à sa naissance).

Lorsque Agamemnon eut rassemblé l'armée et la flotte achéennes à Aulis, en Béotie, en vue d'attaquer Troie, un vent contraire se leva et l'empêcha de mettre à la voile. Le devin Calchas, interrogé, déclara qu'Artémis manifestait ainsi sa colère contre Agamemnon qui l'avait offensée ou qui avait négligé d'accomplir un sacrifice qu'il lui devait. La cause exacte de cette colère varie souvent. Tantôt Agamemnon s'était vanté d'être meilleur chasseur qu'Artémis elle-même; tantôt il avait juré de sacrifier à la déesse le plus beau produit de l'année, lequel était Iphigénie, sa jeune fille, et il n'avait donc pas respecté sa promesse; ou encore, Artémis le punissait pour un crime commis par son père Atrée, qui avait négligé de lui sacrifier le plus bel agneau de son troupeau. Eschyle, quand à lui, pensait que la raison de la colère divine résidait dans le présage envoyé par Zeus pour l'assurer du succès de l'expédition à Troie : deux aigles, symbolisant les Atrides, avaient déchiré une hase pleine sous les yeux de toute l'armée grecque. Artémis, qui protégeait les animaux sauvages, fut tellement irritée par le sacrifice d'un animal innocent qu'elle empêcha la flotte de partir. Quoi qu'il en fût, Artémis demandait le sacrifice d'Iphigénie. Pour faire venir sa fille — qui vivait à Mycènes — Agamemnon envoya un message à Clytemnestre, dans lequel il lui demndait de lui envoyer Iphégénie pour la marier à Achille. Clytemnestre ne pardonna jamais cette duperie à Agamemnon. (*L'Iliade,* cependant, ne connaît pas le sacrifice d'Iphigénie, et Agamemnon offre même ses trois filles en mariage à Achille, pendant le siège de Troie.) Iphigénie fut conduite à l'autel et là, selon Eschyle (suivi par Lucrèce), elle fut immolée par les prêtres devant son père; ou bien, selon Euripide, qui s'appuie sur les *Chants cypriens,* Artémis lui substitua une biche au dernier moment; elle transporta la jeune fille en Tauride (en

Crimée), et en fit sa prêtresse, dans un temple où l'on accomplissait des sacrifices humains. Dans ce temple se dressait une statue de bois représentant Artémis, et tous les étrangers qui arrivaient dans le pays lui étaient immolés.

De nombreuses années passèrent, et Oreste, le frère d'Iphigénie, reçut l'ordre d'un oracle de ramener la statue d'Artémis en Attique, afin d'expier son crime, et par la même occasion, de guérir de son délire ; les Erinyes l'avaient frappé de folie après qu'il eut vengé le meurtre de son père en tuant sa mère Clytemnestre. Lorsqu'il arriva en Tauride, accompagné de son cousin Pylade, il fut emprisonné par Thoas, le roi du pays. Iphigénie apprit qu'ils étaient tous deux grecs et qu'ils venaient d'Argos ; aussi, elle offrit de sauver l'un des deux à condition qu'il se chargeât d'une lettre pour son frère Oreste. C'est ainsi que le frère et la sœur se retrouvèrent. Pour sauver Oreste et Pylade, Iphigénie parla à Thoas du matricide commis par Oreste, que ce crime rendait impur : toutes les victimes sacrificielles, la statue d'Artémis et elle-même, sa prêtresse, devraient être purifiées dans la mer, tandis que les habitants du pays détourneraient le regard. Ils furent aidés dans leur stratagème par Poséidon et ils s'embarquèrent tout les trois sur le navire d'Oreste, avec la statue. Athéna apparut à Thoas pour calmer la colère de ce dernier et lui dit qu'Apollon et Artémis avaient décidé de transporter la statue en Attique. Celle-ci fut placée dans un temple en Attique — les villes de Hales et de Brauron revendiquent toutes deux cet honneur — où Iphigénie devint la prêtresse d'Artémis pour le restant de ses jours. Les sacrifices humains à la déesse cessèrent (sauf, selon une tradition, en Tauride), bien qu'à l'époque historique on eût encore coutume, à Hales, de faire revivre les anciens rites en faisant une légère entaille sur la gorge des victimes symboliques, devant la statue. D'après Hygin, Iphigénie rencontra plus tard sa sœur Electre à Delphes. Croyant qu'Iphigénie était une femme de Tauride qui avait tué Oreste, Electre essaya de la tuer, mais l'arrivée d'Oreste l'en dissuada.

On racontait tantôt qu'Iphigénie était morte à Mégare où elle avait un sanctuaire, tantôt qu'Artémis l'avait rendue immortelle, ou encore qu'elle était mariée à Achille et vivait à Leucé (l'Ile Blanche), ou dans les Champs Elysées. Elle fut vénérée comme déesse vierge, à l'instar d'Artémis.

IRIS. Déesse, fille du Titan Thaumas et de l'Océanide Electre. Iris porte les messages des dieux. Elle symbolise l'arc-en-ciel (sens de son nom, en grec) qui reliait, pensaient les

Grecs, la Terre au ciel; d'où sa fonction de messagère. Callimaque raconte qu'elle dormait sous le trône d'Héra et restait toujours chaussée afin de pouvoir délivrer les messages à l'instant; pour Homère, elle était le plus souvent au service de Zeus. Elle avait pour époux Zéphyr, le vent d'ouest.

ISIS. Grande déesse égyptienne, dont le culte se répandit dans le monde gréco-romain, et qui fut identifiée par les Grecs à Io.

ISMÈNE. Fille d'Œdipe et de sa propre mère Jocaste, et sœur d'Antigone. Dans la tragédie, elle accompagne Antigone, dont elle met le personnage en valeur; elle aide sa sœur lorsque Œdipe, aveugle, s'enfuit en Attique, mais refuse d'ensevelir avec elle le corps de leur frère mort, Polynice. Ismène s'offrit à mourir avec Antigone.

IULE. *Voir* ASCAGNE.

IXION. Ixion fut le premier homme à verser le sang d'un membre de sa famille : il est le «Caïn» grec. Il était roi de Thessalie, et le fils d'Antion, ou bien de Phlégyas, ou encore de Peision. Il régnit sur les Lapithes et demanda la main de Dia, la fille de Déionée, qui, selon certains, lui était parent. Ils eurent un fils, Pirithoos (Zeus passe aussi quelquefois pour le père de ce Pirithoos). Ixion avait promis à Déionée de somptueux cadeaux, et il invita son beau-père à Larissa, la capitale de la Thessalie, afin de les lui remettre. Mais, traîtreusement, il creusa un puits qu'il emplit de charbons ardents et y fit tomber Déionée quand celui-ci arriva. Personne ne consentit à purifier Ixion d'un crime que nul n'avait osé commettre avant lui; Zeus seul eut pitié de lui — peut-être par amour pour Dia, la femme d'Ixion — et l'invita sur l'Olympe pour la cérémonie, lui donnant une place à la table des dieux. Là-dessus, Ixion tenta de séduire Héra, l'épouse de Zeus. Celle-ci s'en plaignit à Zeus qui, pour voir jusqu'où irait Ixion, façonna une nuée en tous points semblable à la déesse. Ixion s'unit alors à la nuée. Zeus le prit en «flagrant délit» et le condamna au supplice éternel, dans le Tartare : il l'attacha à une roue enflammée et ailée, possédant quatre rayons tournant sans cesse. La nuée Néphélé donna naissance à un fils monstrueux, Centauros, qui engendra avec les juments sauvages du mont Pélion, en Magnésie, la race des Centaures. Selon certains, Néphélé enfanta les Centaures eux-mêmes; on raconte également que la roue d'Ixion était entourée de serpents et non de flammes, et tournait dans les airs plutôt que dans le Tartare.

J

JANUS (en latin, «porte», ou «barbacane»). Dieu romain des commencements, des portes et entrées et des passages; dans les arts, on le représente pourvu de deux visages (regardant dans des directions opposées), ou même de quatre visages. Il figure rarement dans les légendes. Il intervient, par exemple, dans la légende de la nymphe Carna, que nous rapporte Ovide. Carna avait coutume de tromper ses amoureux en les entraînant dans une grotte, avec la promesse qu'elle les y suivrait et se donnerait à eux; puis elle disparaissait promptement. Mais lorsqu'elle utilisa la même ruse avec Janus, celui-ci la vit s'enfuir grâce à son second visage, celui qui regardait en arrière; la nymphe lui accorda alors ses faveurs, et, en compensation, il lui accorda le pouvoir de chasser les vampires nocturnes — pouvoir dont elle se servit pour sauver leur fils, Proca, qui devint plus tard le roi d'Albe-la-Longue. Lorsque Tarpéia, une jeune Romaine, livra le Capitole de Rome aux Sabins, Janus empêcha l'ennemi d'entrer en faisant jaillir devant les portes une source d'eau chaude et sulfureuse. Il passait quelquefois pour l'un des premiers rois du Latium et aurait reçu Saturne (Cronos) chez lui lorsque Zeus le chassa de Crète. Sa femme était Camisé, et leur fils, Tibérinus; celui-ci se noya dans le Tibre, auquel il donna son nom.

JAPET. Titan, fils d'Ouranos et de Gaia. Clyméné, une Océanide, lui donna les Titans Prométhée, Epiméthée, Atlas et Ménoetios. Lors de la guerre entre les dieux et les Titans, ils furent emprisonnés par Zeus dans le Tartare.

JASON (en grec : *Iason* ou *Ieson*). Héros thessalien; il est le fils aîné d'Aeson, le petit-fils d'Eole, et d'Alcimédé, ou Polymédé. Aeson était l'héritier légitime du trône d'Iolcos, en Magnésie, mais lorsque son père Créthée mourut, le demi-frère d'Aeson, Pélias, fils de Poséidon et de Tyro, usurpa le pouvoir, ne laissant à Aeson que le titre de simple citoyen; selon une variante, Pélias devint régent à la mort de Aeson, pendant l'enfance de Jason. Mais, dans les deux versions, la mère de Jason, n'ayant pas confiance en Pélias, envoya secrètement le jeune garçon au centaure Chiron, afin que celui-ci l'élevât. Chiron et sa mère Philyra semblent avoir eu d'autres élèves à leur charge, en même temps que Jason, car, lorsque Jason mit sur pied l'expédition de la Toison d'Or, beaucoup de ses anciens camarades lui apportèrent leur aide. Chiron donna à Jason son nom, qui signifie probablement «guérisseur» car, parmi beaucoup d'autres enseignements prodigués sur le mont Pélion, il lui avait appris la médecine. Pendant ce temps, Pélias, qui connaissait l'existence de Jason, et qui l'avait acceptée, reçut de l'oracle de Delphes le conseil de se méfier d'un descendant d'Eole, qui viendrait à lui, chaussé d'un seul pied. Aussi essaya-t-il d'exterminer toute la famille, Jason le premier. Cependant, lors de la grande fête religieuse annuelle, au moment où Pélias s'apprêtait à sacrifier à son père Poséidon sur le rivage d'Iolcos, Jason, maintenant adulte, décida d'aller vers lui et de lui réclamer le pouvoir (selon une variante, Pélias, qui connaissait son existence, l'avait invité au sacrifice). En quittant le mont Pélion, Jason avait dû traverser la rivière Anauros, laquelle, en cette saison, était en crue. Mais comme il se préparait à traverser à gué, une vieille femme se présenta et lui demanda de la transporter sur l'autre rive. Bien qu'il fût impatient de poursuivre son chemin, il obéit, mais perdit une sandale dans le courant. Puis il reprit rapidement la route, sans penser davantage à la vieille femme, et ne sut jamais qu'il avait rendu service à Héra; la déesse haïssait Pélias qui négligeait son culte, et elle aida désormais Jason, jusqu'au jour où Pélias mourut. (Certains affirment qu'Héra révéla son identité à Jason et lui promit de le protéger; selon d'autres, c'était une coutume magnésienne de ne porter qu'une sandale, car, ainsi, on pouvait plus facilement marcher dans la boue.)

Après qu'Héra l'eut ainsi mis à l'épreuve, Jason arriva, un seul pied chaussé, sur la place principale d'Iolcos, au milieu des festivités, et demanda qu'on lui indiquât la maison de Pélias. Mais les serviteurs de Pélias attendaient depuis longtemps un homme à qui il manquerait une sandale, et avaient déjà averti leur maître de l'arrivée de l'étranger; le roi se présenta immédiatement et demanda à Jason son nom et la raison de sa venue à Iolcos. Jason lui répondit la vérité, déclarant qu'il était le fils d'Aeson et son héritier, et qu'il venait prendre possession du pouvoir. Pélias fut alors placé devant un problème délicat. Car, d'une part, il ne pouvait faire de mal au jeune homme pendant une fête religieuse ni violer les lois de l'hospitalité; ct, de plus, une partie de la population aurait soutenu l'héritier d'Aeson contre l'usurpateur. Mais, d'autre part, Jason menaçait son trône et sa vie et il devait, d'une quelconque manière, être éliminé. Il eut alors l'idée d'offrir à Jason d'être son successeur, à une condition : qu'il lui rapportât la Toison d'Or du bélier qui avait transporté Phrixos, le fils du frère de Créthée, Athamas, à Colchos. On racontait qu'il avait demandé à Jason ce que celui-ci, averti par un oracle qu'un homme était venu pour le tuer, aurait fait de l'homme en question. Jason avait répondu qu'il l'enverrait conquérir la Toison d'Or qui se trouvait en Colchide, le royaume d'Aeétès. Pélias s'empressa alors de le lui ordonner. Selon une variante, Pélias aurait prétendu être hanté par l'ombre de Phrixos (tué par Aeétès), qui lui apparaissait en rêve, et lui aurait ordonné d'aller reprendre la Toison. Dans cette version, les droits de Jason étaient soutenus par les frères d'Aeson, Amythaon et Phérès et par leurs fils, Mélampous et Admète. Jason avait réclamé le trône de son père, mais avait promis à Pélias qu'il lui laisserait emporter ses richesses personnelles. Pélias prétendit alors qu'il envoyait Jason à Colchos en qualité d'ambassadeur et d'héritier.

Après avoir consulté l'oracle de Delphes, Jason reçut l'aide des plus grands héros de la Grèce, y compris celle d'Héraclès. Chacun possédait des dons particuliers : Argos, qui construisit le navire, Tiphys, qui en fut le pilote, Lyncée à la vue perçante, Orphée, le divin ménestrel, et Pollux, le champion de boxe. La liste des Argonautes diffère sensiblement suivant les auteurs. (Pour le déroulement de l'expédition, *voir* ARGONAUTES). Au cours du voyage, Jason s'unit à Hypsipyle, reine de Lemnos, à laquelle il donna deux fils, Eunéos et Thoas. La magicienne Médée, la fille d'Aeétès, lui apporta l'aide nécessaire pour conquérir la Toison, puis s'enfuit de Colchide avec Jason. Celui-ci avait promis de l'épouser, et ils consommèrent leur union au pays des Phéaciens où les envoyés d'Aeétès les avaient rejoints. Alcinoos, le roi du pays, en profita pour refuser de leur livrer les nouveaux mariés qui purent ainsi poursuivre leur route vers Iolcos. Certains affirment que, durant l'expédition, Jason fut plus servi par ses dons de beau parleur et son succès auprès des femmes que par son courage et son bon sens; Médée était, semble-t-il, l'instigatrice essentielle. Héra, qui avait fait de Jason l'instrument de sa vengeance contre Pélias, demanda, pour cela, l'aide de deux déesses : Athéna, qui apporta son concours au héros dans les épreuves de force, et Aphrodite, qui suscita l'amour de Médée pour lui, si bien qu'elle trahit son père, Aeétès, et que, dans certaines versions, elle complota le meurtre de son frère Apsyrtos.

A leur retour de Iolcos, les Argonautes découvrirent que Pélias, se fiant à une rumeur selon laquelle l'*Argo* avait fait naufrage, avait fait disparaître Aeson. Jason savait que Pélias n'avait pas l'intention de lui rendre le trône d'Iolcos; aussi réfléchit-t-il avec ses compagnons sur la politique à adopter. Puis, ou bien les Argonautes remirent la Toison à Pélias et s'en allèrent tout de suite après avoir consacré l'*Argo* à Poséidon, à l'isthme de Corinthe, ou bien, à l'aide des enchantements de Médée, se débarrassèrent-ils de Pélias (*voir* MÉDÉE). Dans les deux versions, les filles de Pélias découpèrent leur père vieillissant en morceaux et le firent bouillir dans un chaudron, dans l'espoir que les drogues de Médée le rajeuniraient; Pélias mort, les Argonautes s'emparèrent de la ville.

Le trône d'Iolcos était libre à présent, mais les traditions s'accordent pour dire que Jason ne régna pas. Selon certains, il se retira volontairement à Corinthe avec Médée — qui était alliée au trône de la ville, car Aeétès y avait régné jadis — et laissa le pouvoir au fils de Pélias, Acaste. Selon une autre version, Jason fut chassé d'Iolcos par les habitants, horrifiés par un meurtre aussi sanglant; emmenant Médée, il trouva refuge à la cour du roi Créon, à Corinthe. A ce moment, Héra, qui n'avait plus besoin de lui, l'abandonna.

Jason et Médée vécurent à Corinthe pendant dix ans et eurent plusieurs enfants; certains nomment Thessalos, Alcimédès et Tisandros, d'autres Merméros et Phérès, ou encore un garçon, Médéios, et une fille, Eriopis. Ces dix années écoulées, Créon offrit la main de sa fille, Glaucé, à Jason; ce mariage pouvait être d'une grande utilité à Jason. Mais, auparavant, Jason devait répudier Médée qui, en tant qu'étrangère, n'avait pas le droit, aux yeux de la loi grecque, d'épouser légitimement un Grec. (Cette version est incompatible avec celle qui allie Médée au trône de Corinthe.) Jason divorça d'avec Médée, et Créon la bannit de Corinthe. Mais elle, de colère et de chagrin, décida de punir son mari et de briser son nouveau mariage. Ayant préparé sa vengeance, elle tua Glaucé, Créon et ses propres enfants, puis s'enfuit d'Athènes sur le char d'Hélios, tiré par des dragons ailés. Telle est la version de la *Médée* d'Euripide. Quelquefois, cependant, le meurtre des enfants est attribué aux Corinthiens qui, d'après cette tradition, les auraient ainsi punis d'avoir trempé dans le complot de Médée. Jason n'avait plus d'héritier, sinon, dans certaines versions, son fils Thessalos, qui avait survécu et qui succéda plus tard à Acaste sur le trône d'Iolcos.

Une légende indique que Jason trouva la mort à Corinthe, soit qu'il fût tué par Médée, soit qu'il se suicidât. Mais, selon la tradition la plus connue, il survécut encore quelque temps, rêvant à sa gloire passée; mais un jour, alors qu'il se reposait à l'ombre de son vieux bateau, à Corinthe, un élément de la carcasse — peut-être la proue aux dons prophétiques, qui venait de Dodone — se détacha et, en tombant, tua Jason sur le coup.

La légende de Jason a inspiré Pindare, Euripide et Apollonios de Rhodes.

JOCASTE. Fille de Ménoecée et sœur de Créon. Homère l'appelle Epicasté. Elle épousa en premières noces Laïos, le roi de Thèbes, puis leur fils Œdipe, après qu'il eut, sans le savoir, tué son père. Elle donna à ce dernier deux fils, Etéocle et Polynice, et deux filles, Antigone et Ismène. *Voir* ŒDIPE.

JUNON. Chez les Romains, elle est la déesse des femmes et du mariage, et l'épouse de Jupiter; elle fut très vite identifiée à Héra. Elle a également assimilé Ilithyie, la déesse qui préside aux enfantements, et porte alors le nom de Junon Lucina. Elle intervient dans une légende romaine : lorsque Jupiter fit sortir Minerve de sa propre tête, sans l'aide d'une femme, Junon, offensée, alla se plaindre à la déesse Flora. Celle-ci la toucha avec une herbe, et Junon devint enceinte; elle donna naissance au dieu Mars (Arès), le dieu de la guerre. Dans la mythologie grecque, Héra est bien la mère d'Arès, mais elle l'enfanta unie à Zeus. Par contre, elle donna le jour à Héphaïstos sans intervention masculine. Mais la légende romaine était certainement destinée à expliquer la date des «Matronalia», fêtes de Junon, célébrées le 1er mars. Le nom de Junon a peut-être pour racine le mot *juvenis*, «jeune» dans le sens de «nouvelle mariée»; chez les Romains, chaque femme avait sa «Junon» personnelle, esprit qui la protégeait, comme le «Genius» protégeait un homme. Junon avait également des liens étroits avec la Lune, comme Diane.

JUPITER ou **JUPPITER.** Il est le plus grand dieu du Panthéon romain, et, à l'origine, une divinité du ciel. Son nom a les mêmes racines que celles de Zeus, à qui il fut identifié. «Ju-» est apparenté à *dyeu*, «ciel», et «-piter», à *pater*, «père». Bien que son culte se fût largement répandu en Italie et eût une importance vitale dans la religion nationale, les légendes dans lesquelles il intervient sont essentiellement celles qui furent attribuées à Zeus. Il apparaissait comme la divinité du temps, et surtout de la foudre et de la pluie. Son prêtre était le flamine «Dialis», et son temple principal se dressait sur le Capitole. Il fut élevé à Jupiter Optimus Maximus (Très-Bon Très-Grand) par Marcus Horatius, au début de la République (environ 510 av. J.-C.), bien que l'origine du culte remontât probablement aux premiers rois de Rome.

K

KÈRES (en grec : *kèr*; au pluriel : *kèrés :* mort violente, destruction). Génies femelles de la mort, dont l'apparence et la fonction se rapprochent de celles des Erinyes ; elles apportent le malheur et la destruction avec elles et souillent tous ceux qu'elles touchent, engendrant la cécité, la vieillesse et la mort. Dans *L'Iliade,* la Kère traîne les morts aussi bien que les blessés jusqu'aux portes de l'Enfer. On la représente pourvue d'ongles acérés, les épaules recouvertes d'un long manteau rougi par le sang des corps qu'elle emmène. Parfois, les Kères sont conçues aussi comme des Destinées, et Thétis donne à son fils, Achille, le choix entre deux Kères — soit de rentrer anonymement dans sa patrie, soit de rester à Troie et d'y mourir en héros. Hésiode fait de la Kère une fille de Nyx (la Nuit) ; elle fut engendrée sans intervention mâle, en même temps que ses frères Moros (Lot, Destin), Hypnos (le Sommeil), Thanatos (la Mort) et quelques autres abstractions personnifiées.

KORÈ. *Voir* **PERSÉPHONE.**

L

LACÉDAEMON. Fils de Zeus et de l'Oréade (nymphe des montagnes) Taygèté ; ancêtre mythique des Lacédémoniens, il demeurait en Laconie. Il épousa Sparta, la fille d'Eurotas, roi de Laconie, et donna à la capitale du pays le nom de sa femme. Leurs enfants furent Amyclas et Eurydicé, qui épousa Acrisios. Amyclas succéda à son père, et fonda la ville d'Amyclées, près de Sparte. Il eut un fils, Hyacinthos.

LAERTE. Père d'Ulysse ; il est le fils d'Acrisios (ou Arcisios) et de Chalcoméduse, ou encore de Céphale et de Procris. Il épousa Anticlée, la fille du célèbre voleur, Autolycos. Selon certains, elle était déjà enceinte de Sisyphe au moment de son mariage, bien que cette version fût inconnue d'Homère. Lorsque Ulysse atteignit sa majorité, Laerte lui transmit le pouvoir royal, vraisemblablement en raison de son grand âge. Pendant l'absence d'Ulysse, d'abord à Troie et ensuite sur la mer, Laerte n'eut pas la force de défendre Pénélope et Télémaque contre les prétendants. Néanmoins, au retour de son fils, il sortit de sa triste retraite et le rejoignit dans la bataille contre les parents des prétendants ; avec l'aide d'Athèna, il tua Eupithès. Une tradition plus récente le met au nombre des Argonautes et des chasseurs de Calydon.

LAIOS. Fils de Labdacos et roi de Thèbes. Son père mourut alors qu'il était âgé d'un an seulement, le laissant aux soins du régent, Lycos, le grand-oncle maternel de Laïos ; celui-ci avait déjà assuré la régence pendant la minorité de Labdacos. Mais, bien plus tard, Amphion et Zéthos s'emparèrent du trône de Thèbes, et Laïos, qui avait atteint l'âge d'homme, s'enfuit à la cour du roi Pélops à Pise, où il fut accueilli avec bienveillance. Lorsque Amphion et Zéthos furent morts, après un court règne, Laïos revint à Thèbes pour réclamer le pouvoir, mais partit en emmenant le fils de Pélops, Chrysippos, pour qui, en lui apprenant à conduire un char, il avait conçu une vive passion. A la suite de cette aventure, Laïos tomba sous le coup d'une malédiction appelée sur lui par Pélops, ou bien due à la colère d'Héra. Le destin de Chrysippos, ensuite, varie ; tantôt, de honte, il se pendit, tantôt il fut tué par ses demi-frères Atrée et Thyeste, à l'instigation de leur mère Hippodamie, car tous trois étaient jaloux de lui.

Laïos, qui avait repris le pouvoir à Thèbes, épousa Jocaste (ou Epicasté), la fille de Ménoecée. Mais comme ils n'avaient pas d'enfants, Laïos alla consulter l'oracle de Delphes; celui-ci, au lieu de lui prodiguer des conseils, lui interdit formellement d'avoir un enfant, lui prédisant que ce fils le tuerait.

Laïos s'abstint un moment du lit de sa femme, mais un jour qu'il était ivre, il engendra Œdipe. Lorsque l'enfant naquit, il fut exposé sur une colline, les chevilles percées par une pointe de fer, pour hâter sa mort; mais des bergers entendirent ses cris et le sauvèrent. Des années plus tard, Laïos fut averti, par de nouveaux présages, que la prophétie dont il avait été l'objet allait s'accomplir. De plus (selon quelques auteurs), son royaume était ravagé par un sphinx envoyé par Héra en punition de quelque crime. Il se mit en route pour Delphes afin de consulter l'oracle; arrivant à un carrefour près du mont Parnasse, son attelage rencontra un jeune homme à pied qui refusa de laisser le passage. Lors de l'altercation qui s'ensuivit, Laïos frappa le jeune homme de son bâton ou de son aiguillon; alors, son adversaire le tua avec tous ses serviteurs sauf un, qui s'échappa. L'oracle fut ainsi accompli car le meurtrier de Laïos était Œdipe; ce dernier revenait de Delphes et partait volontairement en exil, car l'oracle lui avait prédit qu'il tuerait son père et qu'il épouserait sa mère. Laïos fut enseveli par Damasistratos, le roi de Platées. Toutefois, les tragédiens Sophocle et Euripide placent l'arrivée du Sphinx à Thèbes après la mort de Laïos, et expliquent le voyage de ce dernier à Delphes en donnant à Laïos des raisons de croire que son fils est vivant; ce qui l'amène à vouloir consulter l'oracle.

LAMIA. Fille de Bélos et de Libye. Elle fut aimée de Zeus, mais Héra lui fit dévorer son propre enfant. Lamia devint de plus en plus féroce jusqu'à ce que, devenue un monstre, elle allât se cacher dans une caverne, dévorant les enfants qu'elle ravissait. A l'époque historique, elle servait de croquemitaine dont les mères grecques menaçaient leurs enfants quand ils n'étaient pas sages.

LAOCOON. 1. Fils de Capys et frère d'Anchise; il était le prêtre de Poséidon à Troie. Il mit les Troyens en garde contre le cheval de bois laissé par les Grecs et lança même son javelot contre ses flancs; mais il fut tué peu après, avec ses deux jeunes fils, par deux monstrueux serpents qui sortirent de la mer, venant de l'île de Ténédos (scène que fait revivre le groupe de marbre du musée du Vatican). Croyant que la mort de Laocoon était un châtiment infligé par Poséidon ou Athèna, pour avoir frappé le cheval, les Troyens traînèrent la statue de bois de la plaine, où ils l'avaient trouvée, dans la ville. Leur décision se trouva renforcée par les fausses révélations faites par l'espion des Grecs, Sinon; celui-ci prétendit que le cheval était une offrande à Athéna, et qu'il amènerait la chute de Troie si les Troyens le détruisaient, mais que, par contre, il assurerait la sécurité de la ville s'il était introduit dans ses murs.

Deux explications furent données de la mort soudaine de Laocoon et de ses fils. Selon la première, qui est celle de Virgile, Athèna voulait ainsi convaincre les Troyens de la véracité des révélations de Sinon : la ruse des Grecs prendrait ainsi effet et causerait la ruine des Troyens. Cependant, Hygin donne une interprétation très différente : pour lui, Laocoon était un prêtre d'Apollon, et son châtiment n'avait rien à voir avec la guerre ; Laocoon s'était attiré la colère de son dieu en prenant femme contre sa volonté. Dans cette version, les serpents se cachèrent dans le temple d'Apollon après avoir tué Loacoon, tandis que dans celle de Virgile, ils se dirigèrent vers le temple d'Athèna, où ils se cachèrent derrière le bouclier que portait la statue de la déesse.

2. Fils ou frère d'Œnée, roi de Calydon. Il accompagna les Argonautes et protégea son neveu, ou son demi-frère Méléagre, pendant l'expédition.

LAPITHES. Peuple grec habitant le nord de la Thessalie; *voir*, CENTAURES, PIRITHOOS. Ils envoyèrent à Troie un contingent de quarante navires, sous les ordres de Polypoetès et Léontée.

LARA. Nymphe, fille du Tibre, qui refusa d'aider Jupiter à s'emparer de Juturne, dont il était amoureux; elle prévint cette dernière de ce qui se tramait contre elle et alla même jusqu'à informer Héra de toute l'histoire. De colère, Jupiter lui arracha la langue et chargea son fils Mercure (Hermès) de la conduire aux Enfers, où force lui fut de se taire. On racontait qu'avant d'avoir achevé sa mission, Mercure s'unit à elle dans un bois. Lara lui donna les Dieux Lares, protecteurs de la maison chez les Romains.

LATINUS. Selon Hésiode, il est le fils d'Ulysse et de Circé; d'autres auteurs grecs font de lui un fils d'Héraclès ou de Télémaque (le fils d'Ulysse). Virgile, cependant, le donne comme fils du dieu Faunus et d'une nymphe de la région,

Marica. Lorsque Enée arriva en Italie, Latinus régnait sur Laurentum, dans le Latium. Virgile nous dit qu'à cette époque il était déjà vieux et sans grand pouvoir (certains auteurs romains nous le montrent plus jeune). Sa femme, Amata, désirait marier leur fille unique, Lavinia, à Turnus, roi des Rutules d'Ardée; malgré sa préférence pour Enée et l'avertissement d'un oracle qui lui conseillait de marier sa fille à un héros étranger, Latinus fut contraint d'accepter cette décision. A la fin de la guerre qui s'ensuivit, Latinus donna la main de sa fille à Enée car Amata, croyant que Turnus avait été tué, avait mis fin à ses jours. La ville de Laurentum fut reconstruite un peu plus loin, et fut nommée Lavinium, en l'honneur de la jeune femme. D'après une variante de Tite-Live, après avoir accordé la main de Lavinia à Enée, Latinus se battit à ses côtés contre Turnus et fut tué dans la bataille, bien que la victoire eût penché du côté d'Enée. Toutefois, on raconte aussi que Latinus ne fut pas tué dans le combat, mais disparut, simplement, et fut reçu parmi les dieux sous le nom de Jupiter Latial. Selon la tradition, le Latium, dont la capitale était Rome, aurait pris le nom du roi mythique.

LATONA. *Voir* LÉTO.

LAVINIA. *Voir* LATINUS, ÉNÉE.

LÉANDRE. *Voir* HÉRÔ.

LÉDA. Fille de Thestios, roi d'Etolie, et femme de Tyndare, roi de Sparte. Elle était la mère des Dioscures, Castor et Pollux, d'Hélène (la future femme de Ménélas), Clytemnestre (épouse d'Agamemnon, le frère de Ménélas), Timandra, Philonoé et Phoebé. Toutefois, l'identité du père des Dioscures varie selon les versions. Pollux passait souvent pour le frère jumeau d'Hélène, engendrés tous deux par Zeus, et Castor pour leur demi-frère, engendré la même nuit par Tyndare; mais Castor était également considéré comme le fils de Zeus (signification de leur surnom, les Dioscures). L'ascendance d'Hélène est de même souvent contestée, car elle est aussi regardée comme la fille de Zeus — sortie d'un œuf pondu par sa mère à qui Zeus s'était uni sous la forme d'un cygne. La légende de la naissance d'Hélène était célèbre dans l'Antiquité (bien qu'elle fût inconnue d'Homère) et constituait, dans les arts, l'un des sujets favoris. On racontait aussi qu'Hélène était sortie d'un œuf pondu par la déesse Némésis et qu'elle fut seulement élevée par Léda.

LESTRYGONS. Peuple de géants anthropophages qui habitaient une ville appelée Télépylos, fondée par un certain Lamos, fils de Poséidon. Ce pays était remarquable par ses nuits courtes et l'abri sûr qu'offrait son port. La flotte d'Ulysse y jeta l'ancre, puis la fille d'Antiphatès, le roi des Lestrygons, conduisit les envoyés du héros devant son père qui, sur-le-champ, dévora l'un d'eux. Les autres marins s'enfuirent alors, poursuivis par toute la ville ; les géants coulèrent les bâteaux et repêchèrent les marins qui se débattaient dans l'eau comme des poissons, puis ils en firent leur dîner. Seul le navire qui portait Ulysse put s'échapper, car ce dernier l'avait prudemment amarré à l'entrée du port.

LÉTO (en latin Latona). Titanide, fille de Coeos et de Phoebé. Avant d'épouser Héra, Zeus s'unit à Léto, qui donna naissance aux deux grands dieux-archers, Apollon et sa sœur Artémis. Si «Léto», comme certains auteurs le suggèrent, est un dérivé du mot lycien *lada*, «femme», cela prouve l'origine non grecque de la déesse. L'histoire de la naissance d'Apollon et d'Artémis est la suivante. Alors qu'elle était enceintc, Léto fut obligée d'errer à travers de nombreux pays, car aucun lieu de la terre ne voulait lui donner asile. La raison en était la jalousie d'Héra, laquelle, sachant que les enfants de Léto seraient plus importants qu'aucun des siens, avait interdit à tous les pays de l'accueillir. De plus, elle avait décrété que les enfants de Léto ne pourraient naître dans un lieu où le soleil brillait, et lorsque celle-ci s'approcha de Panopée et de Delphes, le monstrueux serpent Python, envoyé par Héra, lui barra le passage. D'autres traditions racontent que beaucoup de contrées avaient peur de la taille immense de la Titanide, ou bien de la nature terrible des dicux qui allaient naître.

Lorsque Léto arriva à son terme, Zeus ordonna à Borée d'amener la jeune femme à Poséidon qui, à son tour, la transporta à Ortygie «l'île aux cailles»; Astéria, la sœur de Léto, s'était transformée en caille pour échapper à Zeus qui, lui, avait pris l'apparence d'un aigle, et s'était jetée dans la mer où elle était devenue l'île d'Ortygie, une île flottante, qui n'avait donc pas droit au nom de «terre». Poséidon fit déferler une vague par-dessus l'île, de sorte qu'elle fut abritée du soleil. Là, enlaçant un palmier, Léto donna naissance à ses enfants. Pour certains auteurs, Léto accoucha sur l'île voisine de Délos (laquelle passait, elle aussi, pour avoir été jadis une île flottante, sous le nom d'Ortygie), car Léto avait promis à l'île que son fils y bâtirait son temple. D'après cette version, Léto se serait adossée contre le massif du Cynthe, d'où les surnoms d'Apollon et d'Artémis, «dieux de Délos» et «dieux de Cynthe». Après la naissance des jumeaux divins, Poséidon fixa l'île au fond de la mer par un pilier. Il existe une variante, selon laquelle Léto aurait mis ses enfants au monde sur deux îles différentes, Artémis à Ortygie (c'est-à-dire l'île d'Astéria), puis Apollon à Délos. Toutes les déesses, sauf Héra et Ilithyie (la déesse des naissances) y étaient venues assister la Titanide, dont les douleurs durèrent neuf jours. A la fin, Iris fut envoyée pour corrompre Ilithyie, qui vint délivrer Léto à l'insu d'Héra. On racontait aussi que Léto emmena ses deux nouveau-nés en Lycie et voulut les laver dans le Xanthe; mais elle en fut empêchée par des bergers, qui furent alors chassés par des loups. A la suite de cela, Léto appela le pays «Lycie», du nom des «loups» (cette légende est fondée sur une fausse étymologie de la Lycie qui dériverait de *lykos*, «loup»). Puis la déesse transforma les bergers en grenouilles.

Il y eut toujours de tendres liens familiaux entre Léto et ses enfants. Apollon la vengea de Python, qui avait persécuté sa mère pendant qu'elle était enceinte. Il tua également Tityos, un géant d'Eubée qui avait essayé de faire violence à Léto, et fit en sorte que son ombre fût torturée éternellement dans le Tartare. En outre, Apollon et Artémis massacrèrent Niobé et la plupart de ses enfants, car celle-ci s'était impudemment vantée d'avoir eu plus d'enfants que Léto.

LIBYE. Fille d'Epaphos et de Memphis. Elle donna deux jumeaux à Poséidon, Bélos et Agénor, et un troisième fils, Lélex. Elle donna son nom à la Libye, nom donné par les Grecs à l'Afrique du Nord.

LICHAS. Héraut d'Héraclès qui fut chargé par son maître d'aller demander une tunique neuve à Déjanire, car Héraclès voulait célébrer un sacrifice au cap Cénaeon, en Eubée. Déjanire donna à Lichas une tunique trempée dans le sang de Nessos, et le héraut la remit à Héraclès. Pendant que le poison faisait son effet, Héraclès lança Lichas loin dans la mer, où ce dernier fut transformé en rocher.

LINOS. Musicien qui fit l'objet de plusieurs légendes différentes imaginées pour expliquer l'origine du chant des moissonneurs, l'*ailinon,* qu'on interpréta comme *ai Linon,* «pauvre Linos!». Ce chant est généralement considéré comme une complainte pour la mort de l'année écoulée, et dérive peut-être du phénicien *ai lanu*, «pauvres de nous!». La première légende, originaire d'Argos, fait de Linos le fils de Psamathé, une princesse argienne, fille du roi Crotopos. L'enfant avait pour père Apollon. A sa naissance, sa mère l'abandonna et il fut dévoré par les chiens de Crotopos. (Dans une autre version, il fut sauvé et élevé par des bergers.) Apollon envoya alors une peste ravager la ville ; Crotopos finit par en découvrir la cause et, pour apaiser le dieu, il institua la coutume de chanter cet hymne funèbre chaque année, à la mémoire de l'enfant. Selon certains, Crotopos tua Psamathé en apprenant la naissance de l'enfant. On racontait aussi que la peste envoyée par Apollon avait exterminé tous les enfants d'Argos. D'après une autre légende de la Grèce centrale, Linos était le fils d'Amphimaros et de la nymphe Uranie et fut tué par Apollon pour avoir prétendu chanter aussi bien que le dieu ; telle est l'origine du chant de Linos, que l'on chantait en souvenir de sa mort. Il passait aussi quelquefois pour le fils d'Apollon ou d'Oeagre et d'une Muse. On lui attribuait l'invention de l'harmonie et l'importation de l'alphabet phénicien en Grèce ; on disait aussi qu'il avait essayé d'enseigner à Héraclès le jeu de la lyre. Selon cette tradition, il tenta un jour de châtier l'adolescent, mais celui-ci l'assomma avec la lyre, le tuant sur le coup. A Thèbes, il passait pour un fils d'Isménios et aurait enseigné la musique à Thamyris et à Orphée.

LOTOPHAGES. Peuple mythique chez lequel Ulysse aborda après avoir contourné le cap Malée, à son retour de Troie. Quelques-uns des marins goûtèrent au fruit du lotus, qui faisait perdre la mémoire, et bientôt, leur seul désir fut de rester là, à manger le fruit qui procure un délicieux oubli. Ulysse dut les ramener de force vers les navires.

LUCRÈCE. Femme du chef romain Lucius Tarquin Collatinus. Alors que les armées romaines assiégeaient Ardée, Collatinus et quelques amis s'avisèrent de vanter les mérites de leurs épouses respectives. Collatinus proposa alors d'aller à Rome et, pour vérifier leurs assertions, de surprendre leurs épouses à leurs occupations. Lucrèce fut la seule à faire honneur à son mari, tandis que les autres épouses avaient mis à profit l'absence de leur mari pour faire la fête. Parmi les hommes qui vinrent à Rome, il y en eut un, Sextus Tarquin, le fils de Tarquin le Superbe, qui fut très troublé par la beauté et la vertu de Lucrèce, si bien qu'il revint en secret quelques jours plus tard à Collatia, où Lucrèce le reçut avec hospitalité. Mais pendant la nuit, il força la porte de sa chambre et, la menaçant de son épée, il la viola. Elle manda par lettre son père et son mari, qui arrivèrent, accompagnés de Valérius Poplioca et de Lucius Brutus. Elle les fit jurer de venger son honneur, puis se transperça d'un poignard. Selon la légende romaine, c'est à la suite de cet événement que les nobles de Rome se soulevèrent contre leur roi et fondèrent la République; d'après une tradition, Collatinus et Brutus en furent les premiers consuls.

LUNA. *Voir* SÉLÉNÈ.

LYCOMÈDE. Roi de Scyros. Après avoir été banni d'Athènes, Thésée partit en exil à la cour de Lycomède, car il possédait des biens sur cette île. Le roi le reçut courtoisement, mais il craignait, en secret, que Thésée ne lui dérobât son royaume et, un jour, il le précipita du haut d'une falaise. Selon certains, il voulut ainsi plaire à Ménesthée qui avait usurpé le trône de Thésée à Athènes. C'est chez Lycomède que Thétis vint cacher son jeune fils Achille, car elle avait peur qu'Achille fût appelé à Troie et qu'il y fût tué. Elle demanda à Lycomède de vêtir le garçon avec des vêtements féminins et de le dissimuler aux capitaines grecs. Mais la ruse de Thétis fut déjouée et, après le départ d'Achille pour Troie, l'une des filles de Lycomède, Déidamie, donna au héros absent un fils, Néoptolème.

LYCOS. 1. Roi, ou régent de Thèbes; il est le fils de Chthonios, l'un des «Hommes Semés». Lycos et son frère Nyctée furent élevés en Eubée, mais, après avoir tué Phlégyas, le roi d'Orchomène, en Béotie, ils furent exilés à Hyria, aussi en Béotie. De là, ils se rendirent à Thèbes, où le roi Penthée leur accorda la qualité de citoyens. Selon une légende différente, les deux frères étaient originaire d'Hyria, ou d'Eubée, et non de Thèbes, et ils étaient les fils de Poséidon et de la Pléiade Célaeno. A Thèbes, ils gagnèrent vite la faveur de tout le monde. La fille de Nyctée, Nyctéis, épousa le roi Polydoros, le fils de Cadmos, et, lorsque le roi mourut, Nyctée assura la régence à la place de Labdacos, le fils du mort. La fille de Nyctée, Antiope, fut séduite par Zeus et, par peur de la colère de son père, elle s'enfuit à Sicyon; Nyctée partit alors à sa poursuite. Mais il fut tué en essayant de la ramener, ou bien, honteux du déshonneur subi par sa fille, il mit fin à ses jours. Avant de mourir, il fit jurer à Lycos de punir Epopée, le roi de Sicyon, qui avait accueilli Antiope. La régence de Thèbes passa alors à son frère Lycos, qui marcha sur Sicyon, renversa Epopée et se saisit d'Antiope qu'il ramena de force à Thèbes. Sur la route, en passant par le mont Cithéron, elle mit au monde les fils de Zeus, les jumeaux Amphion et Zéthos. Lycos l'obligea à abandonner les bébés dans une grotte de la montagne où des bergers les trouvèrent et les élevèrent. Lycos confia Antiope à sa femme Dircé, qui la traita comme une esclave et l'enferma dans un donjon.

Lorsque Labdacos atteignit sa majorité, Lycos lui céda le pouvoir, mais, après un an ou deux de règne, il fut tué par Pandion lors de la guerre contre Athènes. Lycos reprit alors le pouvoir, cette fois pendant l'enfance de Laïos, le fils de Labdacos; selon une version, il décida alors de devenir roi à la place de Laïos. De nombreuses années plus tard, les fils d'Antiope, Amphion et Zéthos, qui avaient grandi, vinrent à Thèbes et mirent Lycos à mort (d'après une variante, Lycos fut sauvé par Hermès). Leur mère, Antiope, avait réussi à échapper à Dircé et ils infligèrent à celle-ci le traitement même qu'elle avait réservé à Antiope (elle voulait l'attacher à un taureau furieux). Lycos et Dircé eurent un fils, Lycos **2.**

2. Fils du précédent et de Dircé. Après la mort de son père, il se réfugia en Eubée : quelque temps après la défaite des Sept Chefs, mais avant l'expédition de leurs fils, les Epigones, contre Thèbes, il s'empara du trône de la ville, tuant le vieux Créon, qui assurait la régence à la place de Laodamas, le fils d'Etéocle. Héraclès, qui avait épousé Mégara, la fille de Créon, était absent de Thèbes à ce moment-là. Mais lorsqu'il revint, Lycos était sur le point de tuer Mégara et ses enfants (de même qu'Amphitryon, le beau-père d'Héraclès), car il croyait le héros mort et craignait l'influence de sa famille sur Thèbes. D'après l'*Héraclès* d'Euripide, ces événements auraient eu lieu pendant la douzième épreuve subie par Héraclès, lors de sa visite aux Enfers pour en ramener Cerbère. Cependant, la version la plus connue place cet épisode avant les Travaux; Travaux qui apparaissent alors comme un châtiment imposé par l'oracle de Delphes. En effet, Héraclès, de colère, tua Lycos, restaura Laodamas sur le trône, et sauva sa femme et ses enfants du bourreau. Mais, peu après, dans un accès de folie, il tua ses enfants qu'il prit pour ceux d'Eurysthée, et, selon certains, Mégara elle-même.

3. Roi des Mariandynes, en Bithynie. Lui, ou son père Dascylos, accueillit avec hospitalité les Argonautes lors de leur passage. Il chargea son fils Dascylos de les accompagner jusqu'à Thermodon, pour leur assurer un bon accueil. Héraclès, qui avait reçu l'ordre d'aller conquérir la ceinture de l'Amazone, séjourna aussi chez lui et lui apporta une aide opportune contre les barbares Bébryces, qui avaient attaqué le pays.

4. Fils de Pandion, roi d'Athènes. Après la mort de Pandion, les trois frères se divisèrent tout d'abord le royaume, puis Egée en chassa les deux autres. Lycos alla en Messénie, où il fit revivre le culte de Déméter et de Perséphone dans le bois sacré d'Andania. Il développa aussi ses dons prophétiques. Selon Hérodote, Lycos se réfugia dans la partie sud de l'Asie Mineure et appela le pays, qui était alors connu sous le nom de Termiles, Lycie, d'après son propre nom. On racontait aussi qu'il s'était établi dans la région en compagnie du Crétois exilé Sarpédon. Le clan athénien des Lycomides, composé des prêtres de Déméter et de Perséphone, prétendait descendre de Lycos.

LYCURGUE. 1. Fils de Dryas et roi des Edoniens, en Thrace. Lorsque le tout jeune Dionysos vint chercher refuge dans le pays, avec ses nourrices, Lycurgue le repoussa, chassant le dieu et ses suivantes avec un aiguillon et les accusant de répandre des croyances immorales. Dionysos sauta alors dans la mer, où Thétis le recueillit et les Néréides l'abritèrent. Lycurgue captura aussi les nourrices de Dionysos, ou les Ménades de son cortège, mais il en fut bien puni. D'après Homère, Zeus le rendit aveugle et lui réserva une fin rapide. Selon d'autres traditions, il fut frappé de folie, tandis que les femmes emprisonnées étaient miraculeusement délivrées; Dionysos revint et enivra Lycurgue, si bien que celui-ci ne reconnut pas sa propre mère et tenta de la violer. Lorsqu'il comprit qui elle était, il alla dans la campagne et se mit à abattre tout le vignoble avec une hache. Il tua en même temps son fils, Dryas, prenant les jambes de l'enfant pour des pieds de vigne. A la suite de ces crimes, la Thrace fut frappée de famine et un oracle indiqua que le seul moyen d'en délivrer le pays était de mettre Lycurgue à mort. Celui-ci fut alors lié et conduit sur le mont Pangée, où des chevaux sauvages le dévorèrent. Dans d'autres versions, il met lui-même fin à ses jours; ou encore, il tue sa femme et son fils, puis Dionysos le châtie en l'exposant aux panthères du mont Rhodope.

2. Roi de Némée.

3. Roi d'Arcadie et fils d'Aléos. Lorsque ses frères, Céphée et Amphidamos, prirent la mer sur l'*Argo*, Lycurgue resta en Arcadie et succéda à leur père sur le trône. Lycurgue tua, dans un défilé, le roi Areithoos, dont l'énorme massue de fer ne put le sauver. Il donna par la suite l'armure d'Areithoos à son écuyer, Ereuthalion. Comme le fils de Lycurgue, Ancée, avait été tué par le sanglier de Calydon, ce fut son neveu Echémos, le fils de Céphée, qui lui succéda. Lycurgue passe quelquefois pour le père de Iasos, lui-même père d'Atalante.

LYNCOS. Roi de Scythie qui, selon Ovide, tenta de tuer Triptolème; il voulait s'attribuer le mérite d'avoir apporté le blé à l'humanité. Déméter le punit en le transformant en lynx.

M

MACAR ou **MACARÉE** (le Bienheureux). **1.** Fils d'Eole. Il commit l'inceste avec sa sœur Canacé, et, lorsque celle-ci fut mise à mort par leur père, il se suicida.
2. L'un des marins d'Ulysse; il s'établit près de Gaète. D'après Ovide, il reconnut son compagnon perdu, Achéménide, parmi les marins de la flotte d'Enée; il lui raconta alors la fin du voyage de retour d'Ulysse.

MAIA. 1. Elle est l'aînée des Pléiades, les filles d'Atlas et de Pléioné, et la mère d'Hermès. Elle vivait dans une grotte du mont Cylène, en Arcadie. Zeus l'aimait et lui rendait visite, tard dans la nuit, quand Héra s'était endormie. Elle donna le jour à Hermès, qui grandit si vite que, le jour même de sa naissance, il vola les troupeaux d'Apollon. Maia semble avoir été épargnée par la jalousie habituelle d'Héra; pourtant, elle abrita la moins heureuse Callisto, ou du moins le bébé que celle-ci donna à Zeus, Arcas, qu'Hermès apporta à sa mère pour qu'elle l'élevât (Maia signifie «mère», ou «nourrice»).
2. Vieille déesse italique du printemps, qui donna son nom au mois de mai.

MANES. Chez les Romains, ce sont les âmes des morts qui sont aux Enfers; elles sont généralement appelées *di manes*. A une époque plus récente, le terme Mânes désignait aussi le séjour des Mânes : les Enfers, et aussi ses dieux, Hadès (Pluton) et Perséphone (Proserpine). Les Romains croyaient que les Mânes de leurs ancêtres (*di parentes*) quittaient leurs tombeaux pendant quelques jours en février (lors des *parentalia,* «jour de toutes les âmes», et *feralia*, «jour des offrandes»), durant lesquels ils devaient être apaisés par les offrandes.

MANLIUS. Marcus Manlius Capitolinus est un Romain — appartenant peut-être à la légende — qui commandait la garnison résistant encore sur le Capitole, alors que le restant de la ville de Rome était tombé aux mains des Gaulois, en 387 av. J.-C. (en fait, historiquement, le Capitole tomba probablement lorsque la ville fut prise). Lorsque Camille envoya un messager, afin de consulter la garnison, un Gaulois vit l'homme grimper le long de la falaise et pénétrer dans la citadelle; les ennemis lancèrent une attaque de nuit par le même chemin. Cependant, les oies sacrées qui se trouvaient dans le temple de Junon Monéta se mirent à cacarder et réveillèrent Manlius et ses soldats, qui repoussèrent les Gaulois. Le jour suivant, les Romains précipitèrent du haut de la falaise le capitaine de quart qui, bien que de service, n'avait pas entendu les attaquants, et récompensèrent Manlius qui, pour cet exploit, reçut le surnom de Capitolinus.

MARS. Dieu romain de la Guerre, identifié à Arès; il semble avoir été à l'origine un dieu sans caractéristiques précises, ou bien un dieu de l'agriculture. Son nom, dont le sens est inconnu, avait pris tout d'abord la forme «Mavors», et, dans certains dialectes «Mamers» (de l'étrusque *Maris*). Les fonctions du dieu paraissent avoir évolué à mesure que les Romains eux-mêmes, peuple d'agriculteurs, devenaient une nation guerrière. Mars possédait un culte très important, à Rome, et était considéré, après Jupiter, comme le principal protecteur de l'Etat; il était particulièrement révéré par l'armée, ce qui lui valut le surnom de «Gradivus». Il donna son nom au mois de Mars (*Martius mensis*), pendant lequel, durant certains jours, les prêtres de Mars, les Saliens, exécutaient une danse guerrière et chantaient des chants rituels. Ses fêtes principales, en relation avec ses fonctions agraires, étaient célébrées au printemps et au début de l'automne. Les Arvales (ancien collège de douze prêtres) chantaient un vieux chant sacré pendant les fêtes des Ambarvalies, au mois de mai, au cours desquelles on demandait au dieu de protéger les hommes et les champs. A une époque très ancienne, il fut identifié au dieu de la végétation Silvanus. Selon la tradition romaine, Junon aurait enfanté Mars, fécondée par une fleur, tandis que les Grecs attribuaient la paternité d'Arès à Zeus. Mars était marié à une déesse mineure, nommée Nério («féroce»). Dans la religion d'Etat, à Rome, son culte revêt la plus haute importance, car en engendrant Romlulus, uni à Rhéa Silvia, une Vestale, il aurait fondé la race romaine. Il aurait rejoint Rhéa Silvia pendant qu'elle dormait, et celle-ci lui aurait donné deux jumeaux, Romlulus et Rémus. Leur grand-oncle Amulius ordonna de noyer les enfants dans le Tibre, mais ces derniers furent sauvés par une louve; étant devenu grand, Romulus fonda la ville de Rome.

Le loup et le pivert, qui avaient l'un comme l'autre contribué à sauver les enfants, furent consacrés à Mars; Picus, le pivert, était un ancien dieu italique qui était un compagnon du dieu. Mars intervient dans deux légendes indépendantes des mythes grecs associés à Arès. La première concerne le bouclier sacré (*ancile*) qui descendit du ciel pendant le règne de Numa Pompilius. Selon un oracle, le destin de Rome reposait sur la présence du bouclier dans la ville; Numa fit faire onze répliques du bouclier et suspendit les douze dans le temple de Mars, de sorte que celui qui aurait voulu voler l'original n'aurait pas pu reconnaître le bon exemplaire. Les prêtres du dieu, les Saliens, furent chargés de garder les douze boucliers. Dans la seconde légende, Mars tomba amoureux de Minerve et choisit la vieille déesse Anna Perenna comme intermédiaire. Un peu plus tard, Anna déclara à Mars que Minerve consentait à l'épouser. Il se rendit alors dans la chambre nuptiale, mais lorsqu'il souleva le voile de la déesse qui s'offrait à lui, il vit qu'il s'agissait non pas de Minerve mais de la vieille Anna Perenna. Les autres dieux s'amusèrent fort de la plaisanterie. Le dieu donna son nom au Champ de Mars, sur lequel les Romains s'exerçaient à la guerre. Sous le règne d'Auguste, il reçut le nom d'«Ultor», «le Vengeur», pour commémorer le rôle de l'empereur dans la victoire sur les assassins de Jules César. Les soldats offraient un sacrifice à Mars pendant et après la bataille, conjointement avec la déesse Bellone qui passait tour à tour pour sa femme, sa sœur ou sa fille.

MARSYAS. Satyre phrygien. Athèna avait fabriqué une flûte à deux tuyaux pour imiter les lamentations des Gorgones pour leur sœur Méduse. Mais comme, lorsqu'elle jouait de l'instrument, son visage était déformé, elle le lança au loin en le maudissant. Or Marsyas découvrit la flûte et, nullement ébranlé par les coups que lui portait Athèna, il se mit à jouer, devenant si habile qu'il défia Apollon à un concours. La condition en était que le vainqueur ferait subir au vaincu le traitement qu'il voudrait; les Muses furent choisies comme juges. Les deux concurrents obtinrent d'aussi bons résultats, si bien qu'Apollon défia Marsyas de jouer de son instrument à l'envers — ce qui est possible pour la lyre, mais pas pour la flûte. Marsyas fut déclaré vaincu et Apollon l'écorcha vivant, le suspendant à un pin. Son sang, ou les larmes versées par ses amies les nymphes et les satyres, donnèrent naissance au fleuve Marsyas. La flûte, qu'Apollon jeta dans le Méandre, fut trouvée à Sicyon et dédiée au dieu par Sacadas, un berger ou un musicien. A l'époque romaine, le nom de Marsyas représentait, d'une façon assez inattendue, la liberté des communautés citadines romaines (*coloniae* et *municipia*) et la juridiction qui la garantissait.

MÉDÉE. Fille d'Aeétès (fils d'Hélios, le Soleil), roi de Colchide, et de l'Océanide Idyie dont le nom signifie, comme celui de Médée, «rusée», «savante». Très tôt, Médée, comme sa tante Circé, devint une magicienne habile et une prêtresse d'Hécate. Lorsque Jason vint en Colchide avec les Argonautes pour conquérir la Toison d'Or, Héra, qui voulait punir Pélias, le roi d'Iolcos, demanda à Aphrodite d'inspirer à Médée une vive passion pour Jason; celui-ci était d'ailleurs fort beau. Aphrodite chargea Eros de lui décocher un de ses traits et elle-même apparut à Médée sous les traits de Circé afin de lever les scrupules de la jeune femme. Aussi, lorsque Aeétès lui imposa des épreuves apparemment impossibles à surmonter, comme conditions pour obtenir la Toison d'Or, Jason demanda-t-il à Médée de l'aider. Médée accepta en échange d'une promesse de mariage, et (selon Ovide) parce qu'elle savait que son père complotait de tuer les Argonautes et n'avait aucune intention de leur livrer la Toison. Elle accomplit les rites nécessaires pour leur rendre Hécate propice, donna à Jason un onguent magique qui le rendrait insensible aux brûlures des taureaux-soufflant-le-feu, apprit au héros à vaincre les soldats qui naîtraient des dents du dragon, et tua, ou drogua, le dragon qui gardait la Toison d'Or dans un bois sacré. Puis, ayant appris qu'Aeétès projetait de tuer les Argonautes dans la nuit, Médée alla les rejoindre secrètement et les prévint qu'ils devaient fuir immédiatement. Avant de se rendre aux navires, elle emmena Jason au bois sacré et celui-ci s'empara de la Toison.

Il existe deux traditions concernant le sort que Médée fit subir à son frère Apsyrtos. Selon la première, c'est un jeune garçon qu'elle emmena en otage et qu'elle mit en pièces, alors que la flotte d'Aeétès, qui les poursuivait, se rapprochait; elle dispersa les morceaux qu'elle laissa en évidence, de sorte qu'Aeétès fut obligé de retarder la poursuite afin de les rassembler. Ou bien alors, Apsyrtos est déjà un homme et mène lui-même la poursuite à travers la mer Noire, puis, en remontant le Danube. Mais sur une île de l'Adriatique, Médée l'amena par ruse à rencontrer Jason, qui, traîtreusement, l'assassina. Circé purifia plus tard le couple de son crime, mais en apprenant les détails du meurtre, elle les maudit. Médée échappa finalement aux poursuivants de son père en consommant son mariage avec Jason dans une grotte de l'île des Phéaciens, persuadant ainsi le roi des Phéaciens, Alcinoos, de la protéger. Vers la fin du voyage, Médée vint au secours de Jason en tuant Talos, le géant de bronze qui protégeait la Crète de Minos, faisant trois fois par jour le tour de l'île et empêchant ainsi les intrus d'aborder; il faisait brûler ses victimes ou bien faisait couler leur bateau en lançant des rochers. Médée enleva le clou — planté dans sa cheville — qui fermait son unique veine, et Talos se vida de son sang.

On racontait que lorsque les Argonautes atteignirent Iolcos, Médée aurait rajeuni le père de Jason, Aeson. Pour cela, elle utilisa ses dons de magicienne et elle emplit ses veines d'une potion miraculeuse composée d'herbes, ou bien le fit lui-même bouillir dans le chaudron. Elle offrit à Pélias, l'oncle de Jason qui avait usurpé le trône d'Aeson, de lui faire subir le même traitement et persuada ses filles de le découper dans un chaudron; elle leur avait auparavant fait une démonstration avec un vieux bélier. Ainsi, elle poussa par ruse les jeunes filles à assassiner leur père, et les Argonautes purent s'emparer d'Iolcos. A la suite de ce meurtre, Jason et Médée — abandonnés à présent par Héra — quittèrent Iolcos pour Corinthe où (selon une tradition) Médée possédait certains droits sur le trône car son père avait jadis régné sur la ville. Là, ils eurent plusieurs enfants; puis, afin de se concilier les bonnes grâces de Créon, le roi de Corinthe, Jason offrit à ce dernier de divorcer d'avec Médée et, pour la sécurité de ses enfants, de prendre pour femme la fille du roi, Glaucè. Médée se vengea en offrant à Glaucè une robe de mariée qui la brûla vive et qu'elle lui fit apporter par l'intermédiaire de ses enfants. Ces derniers trouvèrent aussi la mort, soit assassinés par leur mère, soit exécutés par les Corinthiens qui les punissaient d'avoir pris part au complot. Créon, le roi, fut lui aussi brûlé par la robe, alors qu'il tentait de secourir Glaucè. Le nom et le nombre des enfants de Médée varient selon les différentes versions de la légende; certains nomment deux fils, Merméros et Phérès, d'autres trois, Thessalos, Alcimédès et Tisandros. Thessalos aurait été le seul à survivre.

Médée s'enfuit de Corinthe sur le char de son grand-père le Soleil, tiré par des dragons ailés. Elle se rendit à Athènes où le roi, Egée, avait envers elle une dette de reconnaissance; en effet, il avait juré de la protéger, quand elle en aurait besoin, en échange d'une promesse qu'elle lui avait faite de lui donner des enfants (Egée croyait qu'il n'avait pas d'enfant, alors que, en fait, il avait engendré Thésée). Médée revint donc l'épouser et lui donna un fils, Médos. Lorsque, quelques années plus tard, Thésée revint à Athènes pour faire valoir ses droits au trône, Egée tout d'abord ne comprit pas qui il était. Mais Médée le comprit vite et monta l'esprit d'Egée contre lui, le persuadant d'envoyer Thésée combattre le monstrueux taureau de Minos qui ravageait Marathon. Lorsque Thésée eut surmonté l'épreuve, Médée tenta de tuer le jeune homme en lui offrant une coupe de poison, mais Egée reconnut à ce moment certains objets que la mère de Thésée, Aethra, avait donnés à son fils, et lui arracha la coupe des mains. Médée s'enfuit, ou bien partit en exil, et retourna en Colchide avec son fils Médos qu'elle envoya en avant. A Colchos, Persès, qui avait tué son frère Aeétès et s'était emparé du trône, mit l'enfant en prison, car il avait été averti qu'un descendant d'Aeétès devait venir le tuer. Il prit Médos pour l'assassin, malgré les protestations de ce dernier qui prétendait être un Corinthien, fils de Créon, et se nommer Hippotès. A la suite de cela, les récoltes de Colchide furent mauvaises. Médée arriva alors, déguisée en prêtresse d'Artémis, et offrit à Persès d'enrayer la sécheresse s'il lui permettait d'accomplir les rites au cours desquels le garçon trouverait la mort. On racontait même qu'avant de l'avoir vu, Médée pensait réellement que Médos était un fils de Créon, et comme celui-ci avait fait beaucoup de mal à sa famille, elle voulut s'en débarrasser. Elle prépara minutieusement la cérémonie, mais, au milieu des rites, elle découvrit que le jeune homme était en réalité son propre fils, Médos. Elle lui donna alors une épée avec laquelle, se retournant, il frappa Persès, vengeant ainsi son grand-père Aeétès. D'après certaines versions, Médos monta sur le trône et conquit le pays des Mèdes (Médie) auquel il donna son nom. On ne sait rien de la mort de Médée.

MÉDUSE. *Voir* GORGONES; PERSÉE.

MÉGÈRE. *Voir* ÉRINYES.

MÉLAMPOUS («l'homme aux pieds noirs»). Devin célèbre qui fut l'ancêtre d'une famille importante de prophètes. Mélampous était le fils de deux Thessaliens, Amythaon et Idoméné, qui avaient émigré en Messénie; son frère Bias et lui furent élevés à Pylos. Un jour que Mélampous accompagnait le roi Polyphantès dans la campagne, un serpent mordit l'un des esclaves du roi, et celui-ci tua l'animal. Mélampous, cependant, trouva le nid contenant des petits, dans le tronc d'un chêne. Il fit pieusement brûler le serpent sur un bûcher, puis recueillit ses petits qui le remercièrent en lui «léchant» les oreilles pendant son sommeil, si bien qu'à son réveil il s'aperçut qu'il comprenait le langage des animaux et des oiseaux. Mélampous eut aussi des relations avec Apollon, qu'il rencontra au bord du fleuve Alphée, et avec Dionysos dont il contribua à propager le culte. Aussi devint-il un devin habile. Son frère Bias tomba un jour amoureux de Pérô, la jolie fille de Nélée, roi de Pylos, mais celui-ci ne voulut donner son consentement au mariage que si Bias lui apportait, en présent de noces, les troupeaux de Phylacos, roi de Phylacé, en Thessalie. Selon Homère, Nélée avait imposé cette condition à tous les prétendants de Pérô. Par amour pour son frère, Mélampous se chargea d'enlever le troupeau, qui était gardé par un chien féroce et vigilant; mais il fut pris sur le fait et emprisonné pour un an. D'après une tradition, Phylacos avait accepté de donner son troupeau à quiconque endurerait une année de captivité. Homère, quant à lui, donne une variante de la légende, d'après laquelle Nélée se serait saisi des biens de Mélampous et l'aurait forcé à quitter le pays; dans cette version, ce serait lui, et non pas Bias, qui aurait aimé Pérô.

Une année s'était presque écoulée, lorsqu'un jour, Mélampous entendit des vers qui se trouvaient dans le plafond de sa cellule déclarer que la nuit suivante, ils auraient fini de ronger la poutre principale. Mélampous supplia alors son geôlier de le mettre dans une autre cellule, et en effet, le plafond s'effondra. Phylacos fut tellement impressionné par ses dons de prophétie qu'il le consulta sur l'impuissance de son fils Iphiclos (ou bien ce fut Iphiclos lui-même qui vint le trouver). Mélampous demanda alors les troupeaux en échange de ses services. Lorsque le marché fut conclu, il sacrifia deux taureaux et invita les oiseaux au festin. Le dernier à arriver fut un vieux vautour qui raconta qu'autrefois Phylacos avait effrayé son fils encore enfant : il était en train de châtrer des béliers et s'était approché de l'enfant avec le couteau sanglant. Iphiclos se mit à crier, et Phylacos, en venant le consoler, planta la lame du couteau dans un chêne sacré où il l'oublia. Le couteau fut retrouvé dans les profondeurs du tronc de l'arbre, et, sur les conseils de Mélampous, Iphiclos prit, dix jours de suite, une boisson composée de vin et de la rouille du couteau. Il fut ainsi guéri de son infirmité, et engendra deux fils, Podarcès et Protésilas. Mélampous ramena les troupeaux à Pylos où il demanda la main de Pérô pour son frère Bias. On raconte aussi qu'il se vengea de Nélée qui, selon une version, lui avait confisqué ses biens.

Plus tard, Mélampous soigna aussi les filles de Proetos de la folie dont elles étaient atteintes. Homère nous raconte comment le devin alla s'installer à Argos, dans le royaume de Proetos, et offrit au roi de guérir ses filles en échange du tiers de ses terres; Proetos refusa. La folie de ses filles leur avait peut-être été infligée par Dionysos dont elles avaient rejeté le culte. En tout cas, la maladie atteignit alors toutes les femmes du pays, qui se mirent à errer dans les montagnes en se croyant transformées en vaches; de plus, elles tuèrent leurs propres enfants. Proetos finit par accepter l'offre de Mélampous, mais le devin augmenta son prix et demanda également un tiers du royaume pour son frère Bias. Proetos accepta ses conditions, et les deux frères conduisirent les femmes possédées en Arcadie, ou à Sicyon, et les purifièrent dans le temple d'Artémis. Pendant la poursuite, l'une des jeunes filles, Iphinoé, mourut, mais Bias (dont la femme, Pérô, était morte aussi), et Mélampous épousèrent les deux autres, Iphianassa et Lysippé. Mélampous eut trois fils, Abas, Mantius et Antiphatès (le grand-père d'Amphiaraos). Selon Pindare, il abandonna sa carrière de prophète en devenant roi d'Argos. Bias et Pérô eurent un fils, Talaos; sa seconde femme, Iphianassa, lui donna une fille, Anaxibie, qui épousa Pélias, le roi d'Iolcos.

MÉLÉAGRE. Prince de Calydon, et fils d'Œnée et d'Althée, ou bien d'Arès et d'Althée. Il prit part à l'expédition de l'*Argo*, durant laquelle son oncle, ou son demi-frère, Laocoon, le protégea. Il revint après avoir, selon certains tué Aeétès, et il épousa Cléopâtra, la fille d'Idas. Peu de temps après, Artémis envoya un sanglier féroce, qui ravagea Calydon, car Oenée avait négligé de lui offrir un sacrifice. Méléagre invita tous les héros de la Grèce à chasser le sanglier — ils furent obligés de participer à la chasse après avoir accepté l'hospitalité de Méléagre, et Oenée réunit de nombreux auxiliaires, offrant la dépouille du sanglier à celui qui le tuerait. Après neuf jours de fêtes, la chasse commença. L'Arcadien Ancée et plusieurs autres furent tués par le monstre. Puis Atalante, la chasseresse, blessa la première le sanglier en l'atteignant d'une flèche, laquelle fut suivie par celle d'Amphiaraos. Mais ce fut Méléagre qui acheva l'animal et obtint ses dépouilles.

Puis, brusquement, une querelle éclata, et Méléagre tua l'un ou plusieurs de ses oncles, les frères d'Althée. De plus, le peuple voisin, les Curètes, attaque Calydon. Selon d'autres versions, différentes de celle d'Homère, la querelle aurait pris naissance lorsque Méléagre offrit les dépouilles à Atalante (dont la présence parmi les chasseurs avait été critiquée par de nombreux héros, en raison de son sexe); Méléagre était amoureux de la jeune fille qui, d'ailleurs, avait la première fait couler le sang de l'animal. Les frères d'Althée, Toxée et Plexippos, avaient alors tenté d'enlever à Atalante les dépouilles du sanglier, et ce fut pour la venger que Méléagre tua ses oncles. Sa mère le maudit pour ce crime, souhaitant qu'il trouvât la mort en combattant; aussi, lorsque la guerre avec les Curètes éclata, Méléagre, de peur, resta chez lui. Profitant de sa défection, les Curètes prirent le dessus, assiégeant et brûlant même Calydon, jusqu'au moment où Cléopâtra, dans une ultime prière, parvint à émouvoir Méléagre. Celui-ci sauva Calydon au dernier moment, mais n'en reçut aucune récompense, car il s'était décidé trop tard.

D'après Homère, Méléagre serait mort avant la guerre de Troie, peut-être dans la bataille contre les Curètes. Cependant, d'autres auteurs, comme Eschyle, Bacchylide et Ovide, donnent une version différente de sa mort. A la naissance de Méléagre, les Moires se présentèrent dans la chambre d'Althée : les deux premières prédirent gloire et courage à l'enfant, mais la troisième déclara que Méléagre mourrait au moment où le tison qui brûlait dans l'âtre se serait consumé. Althée s'était alors saisie du tison et l'avait caché, après l'avoir éteint. Lorsqu'elle apprit que Méléagre avait tué ses frères, elle se rappela immédiatement l'existence du tison. Elle le sortit de sa cachette, le jeta dans le feu, et Méléagre expira. Ses sœurs, qui le pleurèrent à ses funérailles, furent transformées en pintades (*meleagroi*). Althée regretta son geste et se pendit.

MÉLIADES. Nymphes des frênes, nées des gouttes de sang répandues par Ouranos lorsqu'il fut mutilé par Cronos, son fils.

MELPOMÈNE. *Voir* MUSES.

MEMNON. Fils d'Eos et de Tithonos. Son frère était Emathion. Ils avaient tous deux la peau noire car, selon une légende, ils avaient passé leur enfance aux côtés du soleil (Hélios), en compagnie de leur mère, la déesse de l'Aurore; tous les jours, ils accompagnaient le char du dieu à travers le ciel. Memnon et son frère visitèrent ainsi les pays les plus chauds de la terre, et, le temps venu, Memnon devint roi d'Ethiopie et Emathion, roi d'Egypte. Après une campagne en Perse, où il s'empara de Suse, Memnon se rendit à Troie pendant la dixième année de la guerre, avec une armée d'Ethiopiens, afin d'aider son oncle Priam. Revêtu d'une armure forgée par Héphaïstos, il tua l'ami d'Achille, Antiloque, le fils de Nestor, ainsi que beaucoup d'autres. Enfin Achille l'attaqua, et le combat s'engagea entre les deux héros pendant que leurs mères, toutes deux déesses, plaidaient leur sort devant Zeus. Cependant, Memnon tomba, et Eos demanda à Zeus de lui accorder un honneur particulier. Selon certains, Zeus lui accorda l'immortalité ; d'autres disent que de la fumée qui s'éleva de son bûcher naquirent des oiseaux ; ceux-ci se divisèrent en deux groupes, entourèrent les flammes et se mirent à lutter les uns contre les autres. Les oiseaux morts tombaient dans le feu en offrandes à l'ombre du héros. Puis, chaque année désormais, ces oiseaux, appelés les Memnonides, s'assemblaient sur la tombe de Memnon et accomplissaient ce même rituel de mort, tombant sans vie au-dessus du tumulus.

MEMPHIS. Fille du dieu du Nil. Elle épousa Epaphos.

MÉNADES («Femmes possédées»). Ce sont les femmes qui composent le cortège de Dionysos et qui, prises d'une folie extatique, célèbrent son culte en chantant, dansant et jouant sur des instruments de musique, dans la montagne. Elles sont vêtues de peaux de faon ou de panthère, portent à la main le thyrse (bâton surmonté d'une pomme de pin) et sont couronnées de lierre, de feuilles de chêne ou de sapin. Elles brandissent aussi des torches, des serpents et des grappes de raisin. Insoucieuses des convenances, elles étaient douées d'une grande force physique, au point de pouvoir déchirer les bêtes sauvages et de les dévorer. Les Ménades d'Asie accompagnèrent Dionysos, durant sa marche triomphale, de Lydie jusqu'en Grèce, où le cortège fut grossi par des Grecques, la plupart du temps au grand dégoût de leurs maris. Ceux-ci essayèrent souvent de s'interposer : Penthée de Thèbes fut tué pour avoir espionné les Ménades. Ces dernières étaient aussi appelées Thyiades («inspirées») et Bacchantes («les femmes de Bacchus»).

MÉNÉLAS. Il est le plus jeune des fils d'Atrée, le roi de Mycènes, et d'Aeropé (ou encore, selon une version moins connue, il est le fils de Plisthène, le fils d'Atrée). Son frère Agamemnon et lui passèrent leur enfance à Sicyon, puis en Etolie, où Thyeste, le frère d'Atrée, régnait sur Mycènes. Lorsqu'ils furent en âge de gouverner, Tyndare de Sparte les aida à chasser Thyeste. Agamemnon épousa la fille de Tyndare, Clytemnestre, et usant de son ascendant sur son beau-père, il présenta Ménélas comme le mari idéal pour la demi-sœur de Clytemnestre, Hélène, qui était la fille de Zeus. Les prétendants à la main d'Hélène s'étaient présentés en nombre considérable et commençaient à se quereller, mais, finalement, tous se rallièrent à la proposition d'Ulysse de s'engager par serment à porter secours à celui d'entre eux qu'Hélène choisirait pour mari. Ce fut Ménélas qui fut choisi, et le couple eut une fille, Hermione. Ménélas eut aussi deux fils naturels, Mégapenthès, d'une esclave, et Nicostratos, d'une nymphe. Dans sa vieillesse, Tyndare légua le trône de Sparte à Ménélas, puis abdiqua en sa faveur.

Dix ans plus tard, Pâris, le fils de Priam, roi de Troie, vint à Sparte où Ménélas le reçut avec prodigalité. Malgré l'avertissement d'un oracle, qu'il n'avait pas compris, Ménélas laissa Pâris seul avec sa femme pendant qu'il allait assister aux funérailles de son grand-père Catrée, en Crète. Là-dessus, Pâris s'enfuit avec Hélène, emportant en outre de nombreuses richesses. A son retour, Ménélas se rendit à Troie avec Ulysse afin de réclamer Hélène, mais tous deux furent renvoyés avec des insultes. Alors Agamemnon, le frère de Ménélas, réunit une immense armée composée des peuples de toute la Grèce, rappelant aux anciens prétendants d'Hélène leur serment de soutenir le mari de la jeune femme et déclarant que l'honneur de tous les Grecs avait été bafoué.

Pendant la guerre, qui dura dix ans, Ménélas resta toujours au second plan, derrière Agamemnon et les héros les plus brillants. Il était un vaillant guerrier, mais par particulièrement adroit. Pendant la dixième année de guerre, un duel fut organisé entre Ménélas et Pâris, afin de décider de l'issue du combat; Ménélas aurait tué son ennemi si Aphrodite n'était intervenue pour sauver Pâris et le transporter dans la chambre d'Hélène. Plus tard, après la mort de Pâris, les Troyens donnèrent Hélène au frère de celui-ci, Déiphobe, chez qui, pendant la nuit où Troie tomba, Ménélas la trouva. Il avait décidé de la tuer sur-le-champ, mais la beauté d'Hélène et les pouvoirs d'Aphrodite l'en dissuadèrent. Il promit aux captives troyennes de la mettre à mort en arrivant en Grèce, mais bien avant d'aborder, il avait oublié sa colère. Ménélas et Hélène eurent un voyage de retour difficile, car ce dernier avait négligé d'apaiser les dieux de la Troie vaincue. De ses cinquante navires, cinq seulement furent sauvés, et Apollon tua son pilote d'une flèche. Le reste de l'équipage après de nombreuses aventures arriva finalement en Egypte. Là, en capturant Protée, le «Vieillard de la Mer» aux dons de prophétie, sur l'île de Pharos, Ménélas fut renseigné sur les moyens de gagner sa patrie en toute sécurité. Il accomplit les sacrifices nécessaires, puis reprit la mer, où un vent favorable le mena rapidement en Grèce ; il ramenait des richesses abondantes qu'il avait acquises pendant ses voyages. Avant d'aborder à Sparte, il fit escale à Mycènes au moment des funérailles de Clytemnestre et d'Egisthe qu'Oreste avait tués pour venger le meurtre de son père Agamemnon. Oreste, qui risquait d'être condamné à mort pour ce crime, demanda secours à Ménélas. Lorsque celui-ci refusa, Oreste et sa sœur Hermione enlevèrent Hélène et Hermione ; ils essayèrent de tuer la première, mais Aphrodite la sauva. Ménélas persuada alors le peuple de commuer la peine de mort en peine d'exil. Parti à la recherche de son père Ulysse, Télémaque arriva à Sparte alors que Ménélas et Hélène s'y étaient de nouveau tranquillement installés. Ménélas lui donna des nouvelles d'Ulysse, nouvelles qu'il tenait de Protée. Ainsi que le dieu l'avait prédit, Ménélas, après sa mort, reçut le don d'immortalité et fut transporté avec Hélène aux Champs Elysées. Oreste monta alors sur le trône de Sparte. Pour d'autres versions de la légende, *voir* HÉLÈNE.

MENTOR. Vieil habitant d'Ithaque, de noble famille ; Ulysse le chargea d'élever Télémaque et de veiller sur sa maison pendant son absence. Il accompagna constamment et soutint Télémaque. Athèna, en plusieurs occasions, prit ses traits.

MERCURE. Dieu romain, protecteur des commerçants (en latin, *merx* signifie « marchandise »). *Voir* HERMÈS.

MÉROPÉ. 1. L'une des Pléiades.
2. Fille d'Oenopion. *Voir* ORION.
3. Femme de Polybos, le roi de Corinthe et mère adoptive d'Œdipe.
4. Fille de Cypsélos et femme de Cresphontès, roi de Messénie.
5. Femme de Sisyphe.
6. Fille de Pandaréos.

MÉROPS. 1. Roi d'Egypte qui épousa la nymphe Clyméné.
2. Devin de Percote, près de Troie. Sa sœur Arisbé épousa Hyrtacos, le roi de Percote. Les fils de Mérops, Adraste et Amphios, allèrent à Troie avec des troupes d'Apaesos — malgré les prières de leur père, qui, par son art de devin, savait que ses fils seraient tués. Ce fut Diomède qui les tua.

MÉTIS. Fille d'Océan et de Téthys ; elle est la première épouse de Zeus. Celui-ci lui demanda de faire prendre à son père, Cronos, le vomitif qui lui fit ensuite restituer les frères et sœurs de Zeus. Bien qu'elle eût changé de forme pour échapper au lit de Zeus, Métis finit par devenir sa femme. Mais Gaia prédit à Zeus que si Métis avait une fille, celle-ci aurait autant de sagesse que lui; puis Métis aurait un fils qui deviendrait plus puissant que lui, et qui le détrônerait. Alors, Zeus attrapa Métis et l'avala, alors qu'elle était enceinte, puis, le moment venu, il donna naissance à l'enfant qu'elle portait, déjà grand, qui jaillit de sa tête : Athèna. En outre, il acquit la sagesse de Métis, laquelle l'aida à rester sur le trône des dieux.

MIDAS. Fils de Gordias et de Cybèle, ou d'une prophétesse de Telmessos. Midas succéda à son père sur le trône de Phrygie. Il joue un rôle dans plusieurs légendes. Dans la première, le vieux Silène, qui avait été le tuteur de Dionysos, fut capturé, ivre, par des paysans de Lydie et amené, enchaîné de guirlandes de fleurs, à Midas; celui-ci reconnut le compagnon de Dionysos, le traita avec bienveillance et l'hébergea avec prodigalité pendant dix jours et dix nuits. Puis il ramena Silène en Lydie et le rendit au dieu. Dionysos fut si content du retour de Silène qu'il offrit à Midas de lui donner ce qu'il désirerait; le roi demanda que tout ce qu'il toucherait fût changé en or. Midas fut tout d'abord ravi des résultats, mais sa joie se tranforma en horreur lorsqu'il se rendit compte que la nourriture et les boissons étaient aussi transformées en or. Il finit par supplier le dieu de lui retirer ce don, et reçut l'ordre de se laver dans l'eau du Pactole; depuis, le sable du fleuve resta chargé de paillettes d'or.

D'après une variante de la légende, Midas s'aperçut un jour que Silène avait coutume de venir secrètement, la nuit, boire à la fontaine de son jardin; il mélangea du vin à l'eau, si bien que Silène s'enivra. Midas le captura, car il désirait que Silène lui enseignât la sagesse, ce qu'il fit. Dans une autre histoire, il s'agit d'un concours de musique entre Apollon et Pan (ou, selon une autre tradition, Marsyas). Lorsque Tmolos, le juge, attribua le prix à Apollon, Midas exprima son désaccord. Sur quoi, Apollon, en colère, lui fit pousser des oreilles d'âne. Midas réussit à dissimuler à tout le monde cette humiliation en portant un bonnet phrygien, mais il dut montrer ses oreilles à son barbier. Le pauvre homme, qui avait reçu l'ordre de se taire, sous peine de mort, ne sut rester muet plus longtemps; il creusa un trou dans le sol, y chuchota la terrible nouvelle et reboucha le trou. Malheureusement pour Midas, la terre fit pousser des roseaux qui, lorsqu'ils étaient agités par la brise, répétaient au monde entier le secret du roi : «Le roi Midas a des oreilles d'âne!»

MIMAS. *Voir* GÉANTS.

MINERVE. Déesse romaine du Logis, peut-être d'origine étrusque. Elle fut de bonne heure identifiée à Athèna, et Rome était représentée sous ses traits.

MINOS. Fils de Zeus et d'Europe. Il devint roi de Crète après une querelle avec ses frères, Sarpédon et Rhadamanthe, qui quittèrent le pays; Sarpédon alla en Lycie, et Rhadamanthe en Béotie. (D'après une tradition différente, les trois frères se seraient disputés au sujet du beau Milétos, que chacun aimait.) Tous trois avaient été adoptés par Astérios, alors roi, qui lui-même avait épousé Europe, après qu'elle eut été aimée de Zeus. La querelle pour la succession du trône prit fin lorsque Minos demanda à Poséidon de lui envoyer une victime pour le sacrifice, digne de lui, et le dieu fit sortir de la mer un magnifique taureau. Les prétentions de Minos au pouvoir furent ainsi justifiées, mais l'animal était si beau que Minos négligea de le sacrifier. Là-dessus, Pasiphaé, la femme de Minos et la fille d'Hélios, conçut une passion pour le taureau, et l'ingénieux Dédale, alors en exil, construisit pour elle un simulacre de vache dans lequel elle se cacha; ainsi elle fut montée par le taureau. Selon certains, Poséidon se vengeait ainsi de la négligence de Minos, d'autres affirment que c'était Aphrodite qui avait inspiré à Pasiphaé sa passion contre nature pour se venger de l'indiscrétion d'Hélios vis-à-vis d'Arès et d'elle-même. Pasiphaé eut de Minos de nombreux enfants : Catrée, Deucalion, Glaucos, Androgé, Acacallis, Ariane, Phèdre et Xénodicé. Puis elle donna naissance à un monstre, fils de taureau, qui avait le corps d'un homme et une tête de taureau. Il fut nommé le «Minotaure», le «taureau de Minos». Minos demanda alors à Dédale, qui vivait à sa cour, de construire un labyrinthe à Cnossos dans lequel le Minotaure fut enfermé.

Minos exerça son empire sur toute la mer Egée et tint en échec presque toute la Grèce. On racontait qu'il avait gardé des liens étroits avec Zeus, son père, qui le recevait tous les neuf ans sur le mont Ida et lui transmettait les lois que Minos devait appliquer à la Crète (la civilisation préhellénistique de l'île reçut le nom de «minoenne», d'après son héros éponyme). Minos livra bataille contre Mégare et Athènes et, par deux fois, il remporta la victoire. Celle qu'il remporta sur Nisos, le roi de Mégare, était due à la traîtrise de la fille de

Nisos qui était tombée amoureuse de lui : elle coupa sur la tête de son père le cheveu qui le rendait invincible. Mais, malgré le service que lui avait rendu la jeune fille, Minos la répudia et la fit noyer. Minos en voulait à Athènes car son fils Androgée y avait trouvé la mort — soit qu'il eût traîtreusement été tué par le roi athénien Egée, soit qu'il eût été encorné par le taureau de Marathon. Minos ne put pas prendre la ville, mais, grâce à ses prières, la cité fut frappée d'une peste si terrible qu'Egée dut accepter de lui payer un tribut — annuel ou tous les neuf ans — de sept jeunes gens et sept jeunes filles destinés à nourrir le Minotaure. L'oracle de Delphes avait déclaré que seul le paiement du tribut pourrait délivrer la ville de la peste.

Lassée des aventures amoureuses de Minos, Pasiphaé qui, par son père Hélios, était apparentée aux magiciennes Circé et Médée, fit boire une drogue à son mari, de sorte que Minos faisait périr toutes les femmes à qui il s'unissait en leur transmettant un poison violent. Il fut guéri par Procris, qu'il récompensa en lui donnant un chien et un javelot magiques.

Plus tard, Thésée vint en Crète, faisant partie des victimes destinées au Minotaure, tua le monstre et enleva Ariane, la fille de Minos qui l'avait aidé. Dédale prit part à cet exploit, car c'est lui qui eut l'idée du peloton de fil grâce auquel Thésée put sortir du labyrinthe; pour le punir, Minos l'y enferma avec son fils Icare. Dédale trouva un moyen pour s'en échapper en fabriquant des ailes avec de la cire et des plumes; tous deux s'envolèrent, mais Icare mourut en tombant.

Minos poursuivit Dédale vers l'ouest, mais eut de grandes difficultés à le trouver. Il se présentait aux rois qu'il suspectait d'héberger le fuyard avec un coquillage en spirale et leur demandait d'y faire passer un fil. Enfin Cocalos, le roi de Camicos, en Sicile, lui rapporta le coquillage enfilé, et Minos sut ainsi que Dédale se cachait là — car ce dernier était le seul à pouvoir trouver la solution de ce problème. Il demanda qu'on le lui livrât. Cocalos fit semblant d'accepter, puis offrit à Minos de prendre un bain. Mais Dédale ébouillanta Minos (c'est lui qui avait installé la tuyauterie) et fut ainsi débarrassé de son ennemi. Deucalion succéda à Minos sur le trône de Crète, et Minos lui-même devint juge aux Enfers, avec son frère Rhadamanthe. La raison de ce privilège était qu'il avait reçu des lois de la main de Zeus.

MINOTAURE. Monstre qui avait le corps d'un homme et la tête d'un taureau; il était le fils de Pasiphaé et d'un taureau.

Le mot signifie le «taureau de Minos». *Voir* MINOS, PASIPHAÉ, THÉSÉE.

MINYAS. Fondateur mythique d'Orchomène, en Béotie; il laissa son nom au clan béotien ou thessalien des Minyens, auquel, selon la légende, les Argonautes appartenaient. Il était, disait-on, très riche, et avait amassé un trésor. Trois de ses filles, Alcithoé, Leucippé et Arsippé, refusèrent de participer au culte de Dionysos. Mais le jour de la fête du dieu, alors qu'elles passaient le temps en se racontant des histoires, soudain, le métier sur lequel elles tissaient se transforma en vigne et le fil en vrilles. La pièce s'emplit de fumée et de lueurs et dans la maison retentirent les cris de Bacchantes invisibles. Les jeunes filles, terrifiées, se réfugièrent dans des endroits obscurs et furent transformées en chauve-souris. Selon d'autres versions, Dionysos lui-même apparut et les frappa de folie, si bien qu'elles sacrifièrent Hippasos, le fils de Leucippé, puis rejoignirent les Ménades. Celles-ci furent si horrifiées du meurtre commis par les Minyades qu'elles les mirent à mort. Une autre des filles de Minyas, Clyméné, épousa Procris après la mort de Céphale.

MNÉMOSYNÉ. Titanide qui, unie à Zeus, enfanta les Muses.

MOIRES. *Voir* DESTINÉES.

MOLIONIDES. Ce sont les deux fils d'Actor et de sa femme Molioné, ou bien, selon Homère, de Poséidon et de Molioné. Ils se nommaient Eurytos et Ctéatos et étaient parfois considérés comme des frères siamois. Ils étaient célèbres pour leur force et leur courage et prirent part au siège de Pylos et à la chasse de Calydon. Leur principal exploit fut la guerre qu'ils livrèrent au profit de leur oncle Augias d'Elide, contre Héraclès; celui-ci voulait punir Augias qui avait refusé de lui payer le salaire qu'il lui devait. Les Molionides infligèrent une défaite à l'armée d'Héraclès, tuant son frère Iphiclès et Daméon, le fils de Phlios. Le héros qui selon la légende, était malade, dut battre en retraite. Il tua plus tard traîtreusement les Molionides en leur tendant un guet-apens alors qu'ils se rendaient aux jeux Isthmiques et viola ainsi la paix sacrée qui régnait pendant les jeux.

MOLOSSOS. Fils de Néoptolème et d'Andromaque. Il donna son nom aux Molosses d'Epire.

MORPHÉE. Fils d'Hypnos (le Sommeil); divinité des rêves qui apparaît aux rêveurs sous la forme d'êtres humains. Son nom est dérivé de *morphè* («forme») et signifie donc «çelui qui transforme».

MUCIUS. *Voir* SCAEVOLA.

MUSÉE. Personnage assez vague de la mythologie; il passait pour le fils ou le professeur d'Orphée. On lui attribue aussi certaines relations avec les Mystères d'Eleusis et les dons de prophétie.

MUSES. Filles de Zeus et de la Titanide Mnémosyné (la Mémoire). Elles étaient les déesses des arts nobles, de la musique, de la littérature et, plus tard, leur domaine s'étendit à certaines sciences comme l'histoire, la philosophie, l'astronomie. L'importance des Muses a pour origine leur popularité auprès des poètes qui leur attribuaient leur inspiration et aimaient invoquer leur aide. Leur nom (qui rappelle le latin *mens* et l'anglais *mind*) évoque la «mémoire» ou bien le «souvenir» car, dans les premiers temps, les poètes ne possédaient pas de livres écrits et ne se reposaient que sur leur mémoire.

On représentait généralement les muses pourvues d'ailes; elles avaient leur demeure dans les montagnes, en particulier celles de l'Hélicon (près d'Ascra), en Béotie, et de Piérie, près de l'Olympe. A l'origine, elles sont tout d'abord au nombre de trois : Mélété (la Pratique); Mnémé (la Mémoire) et Aoedé (le Chant). Pausanias dit que les Aloades furent les premiers à leur rendre un culte sur l'Hélicon. A Delphes, elles portaient le nom des trois cordes des premières lyres, Aiguë, Médiane et Grave (Nétè, Mésè et Hypatè). Hésiode, cependant, les a fixées au nombre traditionnel de neuf et leur a donné à chacune un nom, bien que leurs fonctions n'aient été déterminées que beaucoup plus tard — et varièrent selon les auteurs. Voici la liste généralement admise : Calliopé «à la voix harmonieuse» (la Poésie épique), Clio «célébrée» (l'Histoire), Euterpè «gaieté» (la Flûte), Terpsichore «joie de la danse» (la Poésie légère et la Danse), Erato «aimable» (la Lyrique chorale), Melpomène «chant» (la Tragédie), Thalie «abondance, bonne chère» (la Comédie), Polymnie «plusieurs chants» (la Pantomime) et Uranie «la céleste» (l'Astronomie). Les Muses étaient associées à Apollon qui, en tant que dieu de la musique et des devins, était leur maître. On racontait qu'elles dansaient avec lui et d'autres divinités, les Grâces et les Heures, lors des fêtes des dieux sur l'Olympe. Elles assistèrent aux noces de Téthys et de Pélée et à celles de Cadmos et d'Harmonie. Les Muses interviennent peu dans la mythologie. Lorsque l'aède thrace Thamyris se vanta de leur être- supérieur, elles allèrent à sa rencontre à Dorium, en Messénie, où elles l'aveuglèrent et le privèrent de sa mémoire. A d'autres, comme Démodocos, elles enseignèrent l'art du chant pour compenser leur cécité. Les Piérides, qui étaient les neuf filles de Piéros, un Macédonien, et de sa femme Evippé, engagèrent un concours de chant avec les Muses (qui portaient aussi quelquefois le nom de Piérides), mais elles perdirent car le jury était composé de nymphes. Pour les punir de leur adace, les Muses les transformèrent en choucas. Dans les même conditions, les Sirènes furent plumées par les Muses. Clio donna à Piéros Hyacinthos, et Calliopé eut d'Apollon deux fils, Orphée et Linos (ce dernier passe aussi pour le fils d'Uranie et d'Amphimaros). La mère du roi Rhésos était une Muse, et les Corybantes passaient pour les enfants de Thalie. Les Romains identifièrent les Muses à d'obscures déesses italiennes, les Camènes.

N

NAIADES. *Voir* NYMPHES.

NARCISSE. Fils du Céphise, fleuve de Béotie et de la nymphe Liriopé. Pendant son enfance, sa mère demanda au devin Tirésias s'il vivrait longtemps. Tirésias répondit « qu'il vivrait vieux s'il ne se regardait pas » ; personne ne comprit à cette époque cette réponse énigmatique. Arrivé à l'âge d'homme, Narcisse était si beau qu'un grand nombre de garçons aussi bien que de jeunes filles devinrent amoureux de lui, mais lui restait insensible. Enfin la nymphe Echo conçut une passion pour lui ; elle avait été punie par Héra, car son bavardage incessant avait averti Zeus de la présence de sa femme, alors qu'il courtisait les nymphes, et la déesse lui avait enlevé le don de la parole, ne lui laissant que la possibilité de répéter la dernière syllabe des mots qu'elle entendait. Narcisse l'ignora, et la nymphe dépérit au point de ne plus subsister que comme simple voix. Mais le jeune homme fut bientôt puni de sa crauté. Une fille qu'il avait méprisée invoqua Némésis, qui condamna Narcisse à la contemplation de sa propre image, reflétée par une source du mont Hélicon. Plus il se regardait, plus il était amoureux de lui-même. Cette vaine passion le tenait fermement, et il passait toutes ses journées penché au-dessus de la mare ; finalement, il se consuma et mourut. Les dieux le transformèrent en une fleur, le narcisse.

NAUSICAA. Elle est la plus jeune fille d'Alcinoos, le roi des Phéaciens. Elle donna des vêtements à Ulysse et le conseilla lorsqu'il fut jeté sur la plage du pays ; le héros avait aperçu la jeune fille jouant à la balle avec ses suivantes. Alcinoos voulut lui donner sa fille en mariage, mais Ulysse préféra rejoindre sa femme Pénélope le plus tôt possible.

NÉMÉSIS. Déesse, fille de Nyx (la Nuit). Elle personnifie la vengeance divine ; elle châtie les crimes et punit aussi les amants cruels. Zeus tomba amoureux d'elle et la poursuivit ; mais pour lui échapper, Némésis se transforma en une multitude d'animaux, et même en poisson. Finalement, elle prit la forme d'une oie, mais Zeus devint un cygne et s'unit à elle.

Némésis pondit un œuf d'où sortit Hélène. Selon une variante différente, Aphrodite trompa Némésis en revêtant la forme d'un aigle et fit semblant de poursuivre Zeus-cygne ; ce dernier se réfugia dans le sein de Némésis et lorsque celle-ci s'endormit, le dieu s'unit à elle ; puis elle pondit un œuf.

D'après certaines traditions, les constellations du Cygne et de l'Aigle furent placées au firmament pour commémorer l'exploit de Zeus. L'œuf de Némésis fut trouvé par un berger (ou bien par Hermès) qui l'apporta à Léda, la femme de Tyndare ; celle-ci éleva Hélène une fois qu'elle fut sorti de l'œuf. On racontait aussi que Léda elle-même, et non Némésis, avait pondu l'œuf.

NÉOPTOLÈME. Nommé aussi PYRRHOS. Fils d'Achille et de Déidamie. Lorsque Thétis, qui désirait dissimuler son fils pour éviter qu'il ne combattît devant Troie, le confia à Lycomède, le roi de Scyros, le jeune Achille, que l'on avait déguisé en fille et caché dans les appartements des femmes, séduisit Déidamie, la fille du roi. L'enfant à qui elle donna le jour fut appelé Pyrrhos (le Roux), soit à cause de la couleur de sa chevelure, soit parce qu'Achille, déguisé, avait reçu le nom de Pyrrha. Déidamie éleva le garçon jusqu'à ce qu'il eût atteint l'âge d'homme. Achille mort, les chefs grecs apprirent du devin Hélénos, qu'ils avaient capturé, que Troie ne pourrait être prise que si certaines conditions étaient remplies : l'une de ces conditions était la présence, parmi les guerriers, de Pyrrhos et de Philoctète. Ulysse et Phoenix allèrent chercher Pyrrhos à Scyros, et Phoenix lui donna le nom de Néoptolème (« le jeune guerrier ») en raison de sa jeunesse. Ulysse lui offrit l'armure d'Achille laquelle, en dépit des protestations d'Ajax, le fils de Télamon, lui avait été attribuée.

Le jeune homme obtint une gloire rapide en tuant un grand nombre de Troyens, parmi lesquels Erypylos, le fils de Télèphe. Ce fut plus difficile de persuader Philoctète, qui souffrait de sa blessure sur l'île de Lemnos, d'aider les Grecs. D'après Sophocle, Ulysse chercha à tromper le récalcitrant Philoctète en usant d'un stratagème auquel il voulut associer le jeune Néoptolème ; ce dernier, en effet, l'avait accompagné à Lemnos. Néopotolème, cependant, refusa de prêter la main à ces manœuvres. Seule, l'apparition soudaine d'Héraclès put décider Philoctète à les accompagner à Troie. Néoptolème figure parmi les héros qui se cachèrent dans le cheval de bois. Pendant le sac de Troie, il poignarda sans pitié Priam sur l'autel de Zeus ; plus tard, il immola la fille de Priam, Polyxène, sur la tombe de son père Achille, car l'ombre du héros en avait exigé le sacrifice. Néoptolème obtint pour lui Andromaque, la veuve d'Hector, et Hélénos, le frère de la jeune femme. Il eut un retour sans encombres jusqu'en Grèce. Cependant, le chemin qu'il emprunta varie selon les auteurs. Certains disent qu'il revint à Phtie où régnait le père d'Achille, Pélée (bien que, d'après une variante, Pélée eût été chassé par les fils d'Acaste, puis rétabli sur le trône par son petit-fils Néoptolème). Auparavant, il échappa à la tempête qu'Athéna avait déchaînée pour détruire la flotte grecque, car Thétis lui avait demandé d'attendre quelques jours avant de prendre la mer. Ou bien Thétis lui avait conseillé de revenir par voie de terre et d'éviter la mer, car elle savait qu'Apollon était en colère contre lui qui avait souillé du sang de Priam l'autel de Zeus, situé dans la cour du palais. Il existe également une tradition selon laquelle, en raison de la colère d'Apollon, Néoptolème n'aurait jamais atteint sa patrie ; il se serait plutôt rendu en Epire, par voie de terre, ou bien aurait été jeté sur la côte par une tempête. Là, il fonda son royaume et établit sa capitale à Ephyra ; il permit également à Hélénos de fonder la ville de Buthrote.

Une tradition rapporte que lorsque Néoptolème fut invité à juger le différend opposant Ulysse aux parents des prétendants de Pénélope, il déposséda par ruse Ulysse de l'île de Céphallénie. On racontait aussi qu'il avait réclamé la main d'Hermione, la fille de Ménélas, qui avait été également promise à Oreste. En partant, il laissa Andromaque à Hélénos. La mort de Néoptolème fit l'objet de plusieurs légendes différentes. Pour certains, il fut tué par Oreste, pour d'autres, il fut exécuté par les Delphiens après avoir profané leur sanctuaire, ou encore, à l'instigation d'Hermione, bien qu'il eût été innocent. Voici l'histoire de sa querelle avec Oreste. Hermione, selon cette version, avait été non seulement fiancée à son cousin Oreste, mais aussi réellement mariée à lui pendant que se déroulait la guerre de Troie. Cependant, Ménélas, son père, pour gagner l'alliance de Néoptolème, sans l'aide de qui Troie ne pouvait être prise, offrit à ce dernier la main d'Hermione. Après la guerre, alors qu'Oreste était frappé de folie après avoir tué sa mère, Néoptolème se rendit à Sparte pour réclamer l'épouse promise, et ainsi Hermione fut enlevée à Oreste. Ensuite, Néoptolème se rendit à Delphes ; les raison de sa visite varient. Tantôt il était venu se faire pardonner par Apollon pour le meurtre de Priam et le sacrilège qu'il avait commis par la même occasion, tantôt il voulait savoir pourquoi Hermione ne lui donnait pas d'enfant; ou encore, il avait décidé de punir Apollon d'avoir tué Achille en détruisant son temple. Oreste profita de l'absence de Néoptolème pour reprendre Hermione; puis, il se rendit à Delphes, rassembla quelques Delphiens, et tua lui-même Néoptolème (ou persuada les Delphiens de le faire) de la même façon que ce dernier avait tué Priam : sur l'autel d'un dieu. On raconte quelquefois qu'Hermione aurait poussé Oreste à le tuer, car elle haïssait Néoptolème et avait peur de lui en raison de la dureté avec laquelle il avait traité Andromaque. D'après une autre légende, Néoptolème pilla et brûla le temple d'Apollon et, pour ce sacrilège, il fut mis à mort par le prêtre du dieu ou par les habitants de Delphes. Andromaque lui donna trois fils : Molossos, Piélos, et Pergamos; après la mort de leur père, Hélénos épousa Andromaque et devint leur tuteur. Il obtint également une partie du royaume de Néoptolème. Cependant, Molossos resta et régna sur son propre royaume, appelant son peuple les Molosses. Les deux autres frères émigrèrent. Néoptolème fut enterré à Delphes (certains disent que ses cendres furent dispersées à Ambracie). Les Delphiens méprisèrent sa tombe jusqu'à ce que son ombre les eût aidés à se défendre contre une attaque des Gaulois; après cela, il lui rendirent les honneurs dus à un héros mort.

NEPTUNE. *Voir* POSÉIDON.

NÉRÉIDES. Ce sont les nymphes de la mer, et les cinquante filles de Nérée et de sa femme Doris. Parmi elles, Thétis qui fut courtisée par Zeus et Poséidon en même temps; Amphitrite, la femme de Poséidon; Psamathé et Galatée.

NÉRÉE. Divinité marine, plus ancienne que Poséidon lui-même. Ses parents étaient Pontos (le Flot) et Gaia (la Terre). Comme les autres dieux de la Mer, il possédait le don de prophétie et le pouvoir de changer de forme. Et il se servait généralement du second pour échapper aux questions qu'on lui posait. Héraclès obligea Nérée à lui révéler le chemin du jardin des Hespérides. Protée, un autre « vieillard de la mer », lui est souvent substitué.

NESSOS. Centaure qui causa la perte d'Héraclès longtemps après sa propre mort. Lorsque Nessos porta Déjanire sur l'autre rive du fleuve Evénos en crue, il essaya de violer la jeune femme; le héros l'abattit alors d'une flèche empoisonnée. Avant d'expirer, Nessos fit semblant de se repentir et conseilla à Déjanire d'imprégner de son sang une tunique d'Héraclès. Ce charme puissant, lui assura-t-il, lui rendrait l'amour de son mari s'il venait à faiblir. Plusieurs années plus tard, lorsque Héraclès captura Iolé à Oechalie, Déjanire crut que la jeune captive allait la supplanter et envoya à son époux une tunique trempée dans le sang de Nessos. Le poison de l'Hydre qu'il contenait fit mourir Héraclès dans d'atroces souffrances. C'est ainsi que Nessos fut vengé.

NESTOR. Nestor fut le seul survivant parmi les fils du roi Nélée, après l'attaque d'Héraclès contre Pylos, car il se trouvait alors à Gérénia, ville de la côte laconienne. A la suite de cela, il monta sur le trône de Pylos. Pendant le règne de Nélée, il y eut de nombreuses razzias de troupeaux entre Elis et Pylos, et Nestor, dans *L'Iliade,* raconte les exploits qu'il accomplit lors de ces batailles. Lors d'un raid contre Elis, il tua Itymonée et lui vola son bétail, composé de cinquante bœufs et de cent cinquante chevaux. Cette expédition servait de représailles contre Augias, le roi d'Elis , qui leur avait volé un attelage destiné à prendre part au jeux Olympiques. Nélée essaya d'empêcher Nestor de participer au coup de main en cachant ses chevaux. Mais le jeune homme combattit à pied et surpassa les auriges, tuant le gendre d'Augias, Moulios, et beaucoup d'autres. Il mit alors en déroute les Eléens et prit cinquante chars. Nestor était très habile dans plusieurs catégories de sports, et il gagna de nombreux prix aux jeux funèbres en l'honneur d'Amaryncée. Un autre de ses exploits fut de tuer un champion arcadien, Ereuthalion, en combat singulier, sur le Céladon. Il prit également part à la chasse au sanglier de Calydon, mais dut se réfugier dans un arbre.

Il est surtout célèbre dans *L'Iliade* où il apparaît comme un vieux roi très respecté et beaucoup plus âgé que les autres chefs ; on l'écoute toujours patiemment, bien qu'il raconte des histoires longues et décousues sur un lointain passé et qu'il donne des conseils qui sont souvent superflus ou bien inefficaces. Il fournit un contingent de quatre-vingt-dix navires et fut accompagné à Troie par ses fils, Antiloque et Thrasymédès. C'est lui qui suggéra l'entreprise d'espionnage dans le camp d'Hector, au cours de laquelle Dolon dut tué. Toutefois, le plan qu'il imagina pour persuader Achille par la voie diplomatique de rejoindre ses alliés échoua. Après la mort de ce dernier, les Grecs entendirent l'étrange hymne funèbre chanté par Thétis et les Néréides pleurant le mort, et Nestor les empêcha de s'enfuir en leur expliquant d'où provenaient ces cris. Lorsque Memnon attaqua l'armée grecque, Nestor aurait été tué si son fils Antiloque n'avait sacrifié sa vie pour lui. Au moment du départ des Grecs, après la prise de

Troie, Nestor avait de graves soupçons sur la façon dont les chefs avaient agi et il rentra de son côté, évitant de justesse la violente tempête qui fit mourur tant de Grecs. Ainsi, il revint sans encombre à Pylos où sa femme Anaxibie (ou Eurydicé) l'attendait toujours. Dix ans plus tard, lorsque Télémaque vint quérir des nouvelles de son père, Nestor l'accueillit et lui conseilla de consulter Ménélas. Nous ne savons rien de la mort du vieil homme. Il eut sept fils — l'un deux, Pisitratos, accompagna Télémaque à Sparte — et deux filles.

NIKÉ. Déesse de la victoire, dont elle est la personnification. Elle passait pour une fille du Titan Pallas et de Styx, mais lors de la bataille entre les dieux et les Titans, elle déserta le camp de son père. Elle escorta Héraclès vers l'Olympe. On la représentait avec des ailes et soutenant la couronne de la victoire au-dessus de la tête des conquérants.

NIOBÉ. 1. Fille du roi lydien Tantale et de Dioné; elle épousa Amphion de Thèbes et lui donna six fils et six filles (ou encore sept enfants de chaque sexe). Le jour de la fête de Léto, à Thèbes, elle se montra méprisante envers la déesse dont elle compara les deux seuls enfants, Apollon et Artémis, aux douze enfants qu'elle-même avait eus. Léto ressentit ces paroles comme une insulte et demanda à ses enfants de la venger. Apollon et Artémis criblèrent de flèches les enfants de Niobé et les tuèrent tous; les corps furent ensevelis par les dieux à Thèbes. (Selon d'autres versions, deux furent épargnés : une fille, Chloris parce qu'elle avait demandé grâce et un garçon, Amyclas). Niobé fut accablée de douleur et regretta amèrement d'avoir offensé Léto. Elle eut encore le temps de prendre un repas; puis les dieux, pris de pitié, la transformèrent en un bloc de marbre d'où jaillissait une source semblable à ses pleurs. Ce rocher se dressait sur le mont Sipyle, en Lydie.
2. Elle est la première femme, fille de Phoronée qui, lui-même, selon les traditions argiennes, était le premier homme. Elle fut également la première mortelle à devenir la maîtresse de Zeus, et donna au dieu un fils, Argos, roi de Phoronéa. Ce dernier donna son nom à la ville d'Argos.

NUMA POMPILIUS. Il est le second des rois légendaires de Rome, après Romulus. Selon les traditions, il régna de 715 à 673 av. J.-C. Il était d'origine sabine et, connaissant sa piété, les Romains lui demandèrent d'être leur roi. Ils lui attribuaient la création et l'élaboration de la plupart de leurs institutions sacrées, dont le culte de Janus; il aurait aussi fondé le collège des Vestales. On prétendait que sa maîtresse, la nymphe Egérie, qui vivait dans un bois près de la porte Capène, lui prodiguait toutes sortes de conseils en matières religieuse et politique. Lorsque sa femme Tatia mourut, Numa épousa la nymphe. Dans l'esprit des Romains, Numa était l'opposé de Romulus, car il était aussi pacifique que son prédécesseur avait été belliqueux. Des auteurs plus récents disent quelquefois que Numa avait acquis sa sagesse du philosophe grec Pythagore (qui, en fait, malgré les légendes qui lui sont attribuées, était un personnage historique, mais vécut bien après le règne traditionnel de Numa). Cette légende peut être expliquée par la célébrité de la philosophie pythagoricienne dans l'Italie méridionale.

Pendant le règne de Numa, l'« ancile », bouclier sacré ayant la forme d'un huit, fut envoyé des cieux par Jupiter, comme gage de la sécurité de Rome. Numa fit fabriquer onze boucliers semblables et les plaça tous dans son palais, la Régia, chargeant ses prêtres (les Saliens) de les garder. On racontait aussi qu'il fit venir Jupiter des cieux en utilisant les pouvoirs magiques que lui avaient révélés Faunus et Picus, deux divinités rustiques qu'il avait capturées en mélangeant du vin à l'eau de leur source. Ayant obtenu la présence de Jupiter, il réussit à persuader le dieu de renoncer aux sacrifices humains.

NYMPHES (en grec « jeunes femmes », « mariées »). Esprits féminins d'origine divine ou semi-divine — en général filles de Zeus —, qui passaient chez les Grecs, pour habiter dans des lieux naturels précis; elles furent peut-être, à l'origine , des déesses locales de la nature. Elles étaient considérées comme immortelles, ou du moins, pouvant vivre très longtemps (*voir* cependant HAMADRYADES). Elles étaient d'un tempérament amoureux et on leur prêtait de nombreuses aventures avec des dieux et des hommes, se terminant par la naissance de nombreux enfants. Les Anciens imaginaient les nymphes comme de belles jeunes femmes que l'on trouvait souvent dans l'entourage des dieux (en particulier de Pan, Hermès, Apollon, Dionysos et Artémis), en compagnie des satyres et des silènes. En général, elles jouent dans les mythes un rôle plus occasionnel que central. Elle ressemblent aux fées du folklore populaire et, comme elles, elles peuvent être aussi bien cruelles que bienfaisantes (par exemple, *voir* DAPHNIS).

Dans les croyances grecques, les Nymphes ne formaient pas un ensemble structuré, bien que, parmi elles, certaines catégories assez larges eussent été reconnues. Les Dryades étaient les Nymphes des arbres; les Hamadryades étaient attachées à un arbre particulier et mouraient avec lui. Les Méliades étaient les Nymphes des frênes et passaient pour avoir été engendrées par les gouttes de sang qui tombèrent des organes génitaux tranchés d'Ouranos. Dans les montagnes vivaient les Oréades, dans les sources les Naïades, et dans la mer les Néréides (filles de Nérée, l'un des Vieillards de la Mer). Les Océanides sont les filles d'Océan et de Téthys. D'autres nymphes sont attachées à des lieux ou a des éléments comme le sable, les prairies, les sources et les cours d'eau, quelquefois à des fleuves précis : par exemple, les nymphes du fleuve Achéloos.

NYX (la Nuit). Déesse de la nuit. Elle était considérée comme l'une des divinités les plus anciennes, étant sortie du Chaos primordial en même temps que l'Erèbe, Gaia, le Tartare et Eros. Elle engendra quelques-unes des abstractions personnifiées parmi les plus puissantes et les plus funestes : Thanatos (la Mort), Hypnos (le Sommeil), Moros (le Sort), les Kères, Oneiroi (les Rêves), Momos, Némésis (la Vengeance), Oizys (la Détresse), Eris (la Discorde), Géras (la Vieillesse), les trois Moires et de nombreuses autres. Elle les conçut sans l'aide d'un principe mâle; elle eut également de son frère l'Erèbe : Héméra (le Jour) et l'Aether. Lorsque Zeus voulut chasser Hypnos de l'Olympe, Nyx protégea son fils, et le roi des dieux fut obligé de se soumettre.

O

OCÉAN. Un Titan, fils d'Ouranos et de Gaia — quoique Homère fasse de lui le père de tous les dieux. Il règne sur l'Océan, le fleuve mythique qui entoure la terre. Océan et son épouse (et sœur) Téthys ne se joignirent pas aux autres Titans dans leur guerre contre Zeus; ils continuèrent donc à régner paisiblement sur leur vaste royaume. Ils donnèrent naissance à tous les dieux et à toutes les nymphes des rivières, des lacs et des mers, y compris les trois mille Océanides. Durant la guerre qui opposa Zeus aux Titans, Rhéa confia sa fille Héra à Océan et Téthys. Plus tard, ces deux derniers s'étant querellés, Héra tenta de les réconcilier.

Océan obtint la coupe en or de son beau-fils Hélios et la prêta à Héraclès; le héros put ainsi naviguer sur l'Océan et ramener les troupeaux de Géryon.

OCÉANIDES. Nymphes de la mer, elles sont les trois mille filles d'Océan et de Téthys et les sœurs des dieux des rivières. Leur rôle est de garder les eaux qui recouvrent la terre — et aussi les eaux du monde souterrain. Styx est de leur nombre. L'une d'entre elles, Doris, épousa Nérée, l'un des « Vieillards de la Mer», et mit au monde les Néréides. Sa sœur Amphitrite (dont certains font une Néréide) devint la femme de Poséidon. Métis, une Néréide elle aussi, fut amenée à jouer un rôle tout aussi important en devenant la première femme de Zeus dont elle conçut Athèna. Clyméné s'unit à Hélios, le dieu-soleil, et lui donna Phaéthon. Sa sœur Perséis eut plusieurs enfants du même dieu : Aeétès, Circé et Pasiphaé. Calypso, qui régnait sur l'île d'Ogygie, tomba amoureuse de son hôte Ulysse; mais il la quitta. Apollon et les Océanides se partageaient la tâche de guider les jeunes garçons jusqu'à l'âge adulte.

ŒDIPE («pied enflé»). Roi de Thèbes; fils de Laïos et de sa femme Jocaste (Homère la nomme Epicasté). La version homérique de son histoire diffère de la tradition ultérieure telle qu'elle nous est rapportée par Sophocle dans *La Thébaïde* (*Œdipe roi, Œdipe à Colone* et *Antigone*), par Eschyle dans *Les Sept contre Thèbes* et par Euripide dans *Les Phéni-*

ciennes ainsi que dans d'autres pièces qui ne nous sont pas parvenues.

Le roi Laïos, alors réfugié à la cour de Pélops à Pise, en Elide, enleva Chrysippos, le fils de son hôte. Pour beaucoup, cet acte est à l'origine de la malédiction qui s'abattit sur la lignée de Laïos. A son retour à Thèbes, Laïos épousa Jocaste, la fille de Ménoecée, un des «Hommes Semés». Mais, peu après, un oracle lui prédit que le fils qu'il aurait de Jocaste serait son meurtrier. Aussi, quand sa femme mit au monde un fils, il s'empara de l'enfant, lui perça le pied d'une pointe (soit pour hâter sa mort, soit pour empêcher son fantôme de marcher) et l'abandonna sur le mont Cithéron. Cependant, le berger thébain qu'il avait chargé de cette besogne désobéit et confia l'enfant à un berger corinthien qui, à son tour, le présenta à son roi, Polybos; ce dernier, sans enfant, décida de l'adopter et le nomma Œdipe.

Œdipe étant adulte, on se moqua lors d'un banquet de ce qu'il n'était pas le fils de Polybos, mais un fils naturel. Il se rendit à Delphes pour connaître la vérité, et là il apprit qu'il était destiné à tuer son père et à épouser sa mère; les prêtres, horrifiés, le chassèrent de Delphes. Prenant toujours le roi Polybos pour son père et la reine Méropé pour sa mère, il décida de ne jamais retourner à Corinthe et partit pour la Béotie. A un carrefour, il rencontra un étranger — le roi Laïos, mais il ne le savait pas — et son équipage; le conducteur ordonna à Œdipe de laisser le passage. Œdipe refusa et l'équipage poussa de l'avant, l'une des roues écrasant le pied d'Œdipe. De plus, le passager lui assena un coup avec son bâton; Œdipe, exaspéré, tua le conducteur et tous les gens de l'équipage, excepté un serviteur qui prit la fuite. Poursuivant son chemin, il s'en vint à Thèbes où il trouva la population en grand désarroi. Le roi Laïos venait d'être tué, sur son chemin vers Delphes où il était allé consulter l'oracle au sujet du Sphinx. Ce monstre terrifiait la ville de Thèbes et mangeait quiconque ne pouvait résoudre son énigme : «Quelle est la créature qui marche à quatre pattes le matin, à deux pattes à midi, à trois le soir et est la plus faible quand elle en utilise le plus?» Le monstre avait déjà supprimé bon nombre de gens, dont Haemon, fils du régent Créon (dans d'autres versions il est beaucoup moins âgé, et épousa plus tard Antigone; ou bien peut-être Créon avait-il deux fils du même nom).

Laïos étant mort, Créon offrit le trône, ainsi que la main de sa sœur, la veuve de Laïos, Jocaste, à quiconque débarrasserait Thèbes de ce fléau. C'est ce que fit Œdipe, en résolvant correctement l'énigme : il s'agissait de l'homme, qui, enfant, marche à quatre pattes et dans sa vieillesse s'appuie sur un bâton.

Il réalisait par là la seconde partie de l'oracle : ayant déjà tué accidentellement son père Laïos, il épousait maintenant sa mère Jocaste.

Dans la version homérique, Jocaste, ayant épousé son fils involontairement, se rend rapidement compte de son crime et se pend; Œdipe, malgré la fatalité qui lui a fait commettre deux crimes, continue à régner sur Thèbes. Le géographe Pausanias en conclut qu'une autre femme lui donna ses fils, et il cite Euryganie, fille d'Hyperphas; Homère ne parle pas de ses filles. Il ne parle pas non plus de son exil et le fait mourir à la guerre.

La version adoptée par Sophocle est tout autre. Œdipe et Jocaste, avec l'aide de Créon, frère de Jocaste, régnèrent sur Thèbes sans soucis durant plusieurs années, donnant naissance à deux fils, Polynice et Etéocle et deux filles, Antigone et Ismène. Puis, de nouveau, un fléau s'abattit sur Thèbes, et toute la région devint stérile. Créon se rendit à Delphes et en revint avec l'ordre de chasser les meurtriers de Laïos. Le prophète Tirésias désigna même Œdipe comme le coupable.

Au même moment, le roi Polybos de Corinthe mourut et les Corinthiens, voyant en Œdipe son héritier, lui envoyèrent un messager lui demandant de devenir leur roi. Il répondit qu'il ne pouvait pas, craignant d'approcher la reine Méropé, la femme de Polybos. Le messager — le berger corinthien qui autrefois avait confié Œdipe enfant à Polybos — démentit qu'il fût le fils de Méropé. Œdipe, remontant aux origines, fit venir le berger thébain à qui l'avait confié Laïos et, malgré les avertissements de cet homme, il découvrit de lui la terrible vérité sur son compte. Jocaste se pendit et Œdipe s'aveugla avec sa broche. Créon assura la régence et bannit Œdipe, comme l'avait ordonné l'oracle de Delphes.

Il n'est pas sûr qu'il se soit exilé tout de suite cependant. Selon une tradition, il resta à Thèbes pendant que ses enfants grandissaient, Créon étant régent. Il se serait violemment querellé avec Etéocle et Polynice et les aurait solennellement maudits, après qu'ils lui eurent servi un repas dans la vaisselle de Laïos, qu'il considérait comme maudite; une autre fois, ses fils lui ayant donné la deuxième part de viande seulement, il exprima le vœu de les voir se tuer l'un l'autre. C'est Créon qui le chassa de Thèbes, dit-on, peut-être quand Etéocle devint roi — et Œdipe partit accompagné de sa fille Antigone, laquelle était promise à Haemon, le fils de Créon.

Dans son *Œdipe à Colone,* toutefois, Sophocle nous montre Œdipe accusant Polynice de l'avoir chassé de Thèbes.

Les malédictions prononcées par Œdipe contre ses fils se réalisèrent peu après : tous deux réclamaient le trône de Thèbes ; ils décidèrent de régner tout à tour, chacun un an. Mais Etéocle, ayant pris le premier tour, refusa de céder le trône à la fin de son année.

Le roi Adraste d'Argos, père de la femme de Polynice, défendit les droits de son beau-fils et attaqua en même temps les sept portes de Thèbes. Avant l'attaque toutefois, Polynice se rendit à Colone, près d'Athènes, où Œdipe s'était réfugié, pour implorer sa bénédiction — un oracle en effet avait prédit la victoire à celui qu'Œdipe protégerait — il s'en alla avec une nouvelle malédiction. A la suite du même oracle, Créon, allié d'Etéocle, tenta de ramener Œdipe de Colone, voulant s'assurer de sa sépulture à Thèbes ; cela, selon la prophétie, sauverait la cité. Il fut repoussé par les troupes athéniennes de Thésée. En signe de reconnaissance, Œdipe assura Thésée que la présence de son corps garantirait Athènes contre toute attaque ultérieure de Thèbes. Puis il mourut à Colone, laissant sa bénédiction sur l'Attique qui lui avait servi de refuge. Seul Thésée connaissait l'emplacement de sa sépulture. Une autre tradition, en accord avec la tradition homérique, précise que les Thébains, après avoir célébré des jeux funéraires en honneur de leur roi, l'enterrèrent en dehors de la ville, à Céos ; mais un fléau affligea l'endroit et, là-dessus, ses os furent transportés à Itonos. Les habitants de la ville, peu enthousiastes, consultèrent l'oracle de Delphes ; ce dernier les incita à accepter cette sépulture, car Œdipe était maintenant l'hôte de Déméter, qui l'avait accueilli dans son bois.

ŒNÉE. Roi de Calydon, fils de Porthée et d'Euryté. Sa femme, Althée, fille de Thestios, lui donna plusieurs enfants, dont Méléagre. Quand Dionysos vint à Calydon, Œnée lui permit de s'unir à Althée ; une fille naquit de cette union, Déjanire, qui devait plus tard épouser Héraclès. En récompense, Dionysos apprit à Œnée l'art de la viticulture et, selon certains, donna son nom au vin (en grec : *oinos*).

D'autres font d'Arès le père de Méléagre. Œnée reçut Bellérophon et Alcméon ; il se peut aussi qu'il ait donné refuge à Agamemnon et à Ménélas durant leur exil. Il était tout aussi pieux qu'hospitalier. Cependant, il omit, lors des sacrifices donnés à l'occasion des moissons, d'acquitter sa dette envers Artémis ; la déesse envoya un énorme sanglier ravager Calydon — c'est cet animal que tua Méléagre, aidé de tout un groupe de guerriers. Après la chasse, une querelle éclata, qui amena Méléagre à tuer ses oncles, Toxée et Plexippos. A son tour, Althée, furieuse, causa la perte de son fils, puis elle mit fin à ses jours.

Œnée prit une seconde femme, Périboea, fille d'Hipponoos, soit en attaquant Olénos, royaume d'Hipponoos, soit en la séduisant. Pour d'autres, c'est le roi Hipponoos lui-même, sa fille étant enceinte d'un autre homme, qui l'aurait offerte à Œnée. Elle lui donna deux fils, Tydée et Olénias. Tydée, guerrier valeureux, se révéla d'un grand secours pour Œnée, jusqu'à ce qu'il fût exilé pour homicide. Le frère d'Œnée, Agrios, s'empara à ce moment-là de Calydon et en chassa le vieux roi. Tydée fut tué durant le siège de Thèbes, mais, après la guerre de Troie, son fils Diomède réussit à expulser les fils d'Agrios et à rentrer en possession du trône de Calydon. Œnée étant trop vieux pour régner, c'est Andraemon, mari de sa fille Gorgé, qui monta sur le trône; Œnée accompagna Diomède à Argos, où il mourut. On dit aussi qu'il fut tué dans une embuscade tendue en Arcadie par les fils d'Argos, soucieux de venger leur expulsion de Calydon.

OMPHALE. Fille de Iardanos et reine de Lydie; elle avait épousé Tmolos, un des premiers rois de la région. A la mort de son mari, elle régna elle-même. Quand Héraclès fut vendu comme esclave, elle l'acheta, et lui fit porter des vêtements de femme. Pour elle, il accomplit de nombreux exploits : il tua le brigand Sylée, extermina un serpent monstrueux qui ravageait la région et détruisit la cité des Itones. Elle lui donna un fils, Lamos.

ORACLE (de Delphes). *Voir* APOLLON; PYTHON; GAIA.

ORESTE. Fils d'Agamemnon et de Clytemnestre; roi de Mycènes, Argos et Sparte. Oreste était encore enfant quand son père fut assassiné par sa mère et Egisthe. Pour le soustraire au péril, sa sœur Electre ou sa nourrice l'emmena en Phocide où le roi Strophios, vieil ami et beau-frère d'Agamemnon, l'éleva en même temps que son propre fils Pylade. Les deux garçons devinrent des amis inséparables et restèrent liés durant les terribles événements qui devaient survenir. Selon la Clytemnestre de l'*Agamemnon* d'Eschyle, Strophios aurait pris Oreste à sa charge bien avant l'assassinat d'Agamemnon, par crainte d'une révolte populaire. Neuf ans plus tard, Oreste, maintenant adulte, demanda à l'oracle de Delphes ce qu'il devait faire pour venger l'assassinat de son père. L'oracle lui ordonna de tuer et sa mère et son amant. Se rendant en secret à Mycènes avec Pylade, il se fit connaître d'Electre (selon Euripide, cette dernière aurait été mariée par Egisthe à un paysan). Electre prit le parti de son frère et l'aida même à tuer ses parents. C'est là le sujet des trois différentes tragédies attiques : *Les Choéphores* d'Eschyle, l'*Electre* de Sophocle et l'*Electre* d'Euripide.

Les événements ultérieurs diffèrent selon les versions. Homère, qui connaissait les circonstances rapportées ci-dessus, fait l'éloge de la conduite d'Oreste, tout comme Sophocle par la suite ; mais il ne fait allusion à aucune conséquence funeste. Or les Erinyes (ou Furies) faisaient partie de la tradition grecque ; elles représentaient des esprits terrestres qui avaient pour fonction de punir les grands criminels, et tout particulièrement les parricides. Le poète lyrique Stésichore, qui situe son *Orestie* à Sparte, affirmait qu'Apollon avait donné un arc à Oreste pour chasser les Erinyes.

Dans les versions que nous présentent Eschyle et Euripide, Oreste est frappé de folie par les Erinyes juste après la mort de sa mère ; elles le poursuivent à travers toute la Grèce. Mais tout d'abord, selon certains, il fut traduit devant le tribunal de Mycènes par Tyndare, le père de Clytemnestre. Œax, qui haïssait Agamemnon pour avoir laissé lapider son frère Palamède, insista pour qu'Oreste fût banni. Selon Euripide, Oreste et Electre furent condamnés à mort, mais Ménélas qui, au départ, avait refusé de les aider, reçut un ordre d'Apollon : il devait dire aux Mycéniens de se contenter de les exiler pour un an. Peut-être aussi Oreste fit-il pression sur Ménélas en enlevant Hélène et leur fille Hermione (à qui il était fiancé). Hélène fut sauvée par Zeus qui l'emmena au ciel, mais Hermione fut détenue quelque temps en otage.

Chez Eschyle, Oreste se rendit à Delphes pour obtenir l'aide d'Apollon, comme le dieu avait été l'instigateur du meurtre de sa mère. L'oracle l'envoya à Athènes sous la protection d'Hermès pour être jugé par l'Aréopage, tribunal d'anciens établi par les dieux lorsque Arès avait tué Halirrhotios.

Athèna et Apollon, ainsi que les Erinyes, assistèrent au procès. Apollon fut l'avocat d'Oreste, les Erinyes représentèrent l'accusation. Les votes se trouvèrent équilibrés ; Athèna, qui présidait le jury, se prononça en faveur d'Oreste, avançant comme argument la préséance du père sur la mère.

Les Erinyes n'abandonnèrent pas Oreste tout de suite. Apollon apprit à Oreste qu'il devait, pour s'en débarrasser, voyager jusqu'en Tauride et ramener de la Chersonnèse Taurique (Crimée) la statue d'Artémis. Cet épisode fait l'objet de la pièce d'Euripide, *Iphigénie en Tauride*. Quand Oreste et Pylade parvinrent dans cette région, on se saisit d'eux pour les sacrifier à Artémis; c'était le sort réservé aux étrangers. Au dernier moment cependant, ils reconnurent dans la prêtresse d'Artémis la sœur depuis longtemps perdue d'Oreste, Iphigénie — elle avait promis d'épargner l'un d'eux sachant qu'ils venaient d'Argos, s'il promettait de porter une lettre à Oreste. Iphigénie prétendit alors devoir laver les victimes dans la mer pour les purifier du matricide, puis, ordonnant à tous de détourner les yeux des rites de purification elle s'embarqua avec la statue sacrée sur le bateau d'Oreste. Sur le chemin du retour, Oreste et Iphigénie auraient découvert un autre membre de la famille sur l'île de Sminthée, car Chryséis avait donné un fils à Agamemnon, Chrysès. Thoas, roi de Tauride, pourchassa Oreste jusque-là, mais il fut repoussé et peut-être tué par Oreste et le jeune Chrysès.

A leur retour en Grèce, Pylade épousa Electre, et Iphigénie redevint prêtresse d'Artémis. Oreste monta sur le trône de Mycènes et d'Argos; selon certains, tuant un usurpateur mycénien, son demi-frère Alétès, fils d'Egisthe et de Clytemnestre — puis, quand Tyndare mourut, il devint aussi roi de Sparte. Il agrandit encore le royaume en conquérant une portion importante de l'Arcadie. Il fit d'Hermione sa femme : elle avait été sa fiancée durant la guerre de Troie, mais Néoptolème, dans sa folie, la lui avait ravie, et Ménélas à son retour de Troie les avait unis. L'on fait parfois d'Oreste le meurtrier de Néoptolème, dans sa tentative pour reprendre sa femme : il l'aurait tué lui-même devant l'autel d'Apollon à Delphes ou aurait poussé les habitants de Delphes à le tuer, soutenant que Néoptolème avait l'intention de piller le temple. Hermione, quant à elle, aurait préféré Oreste, et lui donna un fils, Tisaménos, qui devint son héritier.

En plusieurs endroits, des sanctuaires commémorent la guérison d'Oreste. Le plus important se trouve à Mégalopolis : c'est là, dit-on, qu'Oreste, attaqué par les Erinyes, se trancha un doigt. Les Erinyes s'éloignèrent alors, et Oreste retrouva la raison.

Il mourut d'une morsure de serpent et fut enterré à Tégée, en Arcadie. Des siècles plus tard, un Spartiate guidé par un oracle retrouva la sépulture sous la forge d'un forgeron à Tégée. Les Spartiates ramenèrent les ossements dans leur cité et, par la suite, furent toujours victorieux dans leurs guerres contre Tégée.

ORION. Chasseur géant qui, dès l'époque d'Homère, donnait son nom à une constellation. L'on rapporte comme suit l'histoire de sa naissance : Hyriée, fondateur d'Hyria, en Béotie, n'avait aucun enfant. Un jour qu'il avait reçu avec hospitalité Zeus, Hermès et Poséidon, il demanda aux dieux de pallier cette carence. Ils lui dirent d'aller chercher la peau du bœuf qu'il leur avait sacrifié ; puis, une fois qu'il eut uriné dessus, ils l'enterrèrent. Neuf mois plus tard, en cet endroit, naquit un garçon à qui Hyriée donna le nom d'Orion (de *ouria* : urine) ; il devint un géant. Une autre tradition fait de lui le fils de Poséidon et d'Euryalé, fille de Minos. Sa taille lui permettait de marcher au fond de la mer tout en conservant la tête et les épaules hors de l'eau. Il eut de nombreuses maîtresses. Sa femme Sidé (« grenade ») lui donna les Coronides, Ménippé et Métioché. La même Sidé osa comparer sa beauté à celle d'Héra, qui pour cela la précipita aux Enfers. Orion se rendit alors à Chios, où le roi Œnopion lui promit sa fille Méropé s'il débarrassait l'île des bêtes sauvages ; mais par la suite Œnopion revint sur sa parole. Là-dessus, Orion s'enivra et viola Méropé ; Œnopion l'aveugla et le jeta sur le rivage. Se relevant, le géant marcha jusqu'à Lemnos où, aux forges d'Héphaïstos, il prit le garçon Cédalion sur ses épaules. Cédalion le guidant, Orion rentra de nouveau dans la mer et se dirigea vers l'est, face au soleil, dont les rayons le guérirent. Il retourna à Chios et tenta de tuer Œnopion, mais le roi, avec l'aide d'Héphaïstos, s'était caché dans une chambre souterraine.

Par la suite, Orion se rendit en Crète où il chassa en compagnie d'Artémis. L'Aurore tomba amoureuse de lui et l'enleva. Les dieux, et tout particulièrement Artémis, furent jaloux de ce qu'une déesse prît un mortel pour amant, et, sur l'île de Délos où elle-même était née, elle tua Orion de ses flèches.

Artémis apparaît aussi dans d'autres versions de la mort d'Orion. Selon l'une d'elles, le géant aurait imprudemment défié la déesse au lancer du disque ; selon une autre version, Artémis l'aurait tué pour avoir tenté de violer Opis. Ou bien encore, débarrassant Chios de ses animaux sauvages, il aurait cherché à violer Artémis elle-même ; un énorme scorpion l'aurait alors piqué au talon, causant sa mort. Mais peut-être aussi avait-elle cru qu'il voulait tuer tous les animaux de la terre. Pour d'autres encore, la déesse envisageait de faire d'Orion son mari ; là-dessus, son frère Apollon l'aurait trompée en lui montrant un objet loin dans la mer et en pariant qu'elle ne pourrait l'atteindre. Elle y parvint cependant, mais la cible n'était autre que la tête d'Orion, lequel nageait ou marchait dans l'eau loin du rivage. De chagrin, elle plaça son bien-aimé dans le ciel comme constellation.

Peut-être aussi le géant pourchassait-il de son ardeur les filles d'Atlas, les Pléiades : avec leur mère, Pléioné, elles auraient alors été transformées en étoiles et c'est pourquoi, depuis, Orion semble poursuivre les Pléiades dans le ciel.

ORPHÉE. Le musicien et le poète par excellence dans la mythologie grecque : la perte de sa femme Eurydice constitue le thème du plus célèbre des mythes romantiques.

Fils ou élève d'Apollon (ou d'Œagre, roi de Thrace), sa mère était la muse Calliope. Il était dévoué à Dionysos, dont le culte était très développé en Thrace. On doit à Orphée, si jamais il fut un personnage historique, les cultes mystiques orphiques.

La tradition nous présente Orphée comme un musicien merveilleux. Quand il chante et joue de la harpe toute la nature est enchantée et toutes les créatures le suivent. Les arbres et les pierres mêmes viennent l'écouter. Il accompagne les Argonautes en Colchide, apaisant les vagues sur leur passage et calmant les esprits ombrageux de l'équipage. Il les emmena à Samothrace où il les initia aux mystères des Cabires. A leur arrivée en Colchide, on dit qu'il endormit par son chant le serpent qui gardait le bois d'Arès et l'arbre sur lequel Jason prit la Toison d'Or. Il recouvrit le chant des Sirènes du son de sa lyre, les empêchant d'écarter les Argonautes de leur quête.

De retour en Thrace, Orphée épousa une naïade ou une dryade, Eurydice, qu'il aimait passionnément. Peu après, Aristée la poursuivant de son ardeur à travers les prés, elle tentait de lui échapper quand elle marcha sur un serpent : celui-ci la mordit à la jambe et elle en mourut. Envahi par un chagrin inconsolable, Orphée cessa alors de chanter et de jouer et languit en silence. Il se rendit à Ténare, en Laconie, où il s'engagea dans le passage qui conduit au monde souterrain. Quand il arriva au Styx, il joua de sa lyre si merveilleusement que même Charon et Cerbère le laissèrent passer. Les ombres sont transportées, et même Hadès et Perséphone sont émus. Ils lui accordent la faveur de retrouver Eurydice, mais à une condition : il la précédera et ne se retournera pas tant qu'ils n'auront pas atteint de nouveau le monde supérieur. Dans la version la plus ancienne, Orphée surmonte l'épreuve et témoigne ainsi du pouvoir de son maître Dionysos sur la mort elle-même. Par contre, chez Virgile et chez Ovide, la fin du passage est en vue et la lumière déjà visible, mais il ne peut résister : il se retourne pour voir le visage d'Eurydice. Il la perd dans cet excès d'amour et elle, dans un nuage, disparaît de nouveau chez Hadès. Il tente de nouveau de la suivre, mais le chemin est barré cette fois, malgré sa musique.

Orphée par la suite vit en reclus et évite surtout la compagnie des femmes. Les Ménades de Thrace, avec lesquelles il a maintes fois célébré les orgies dionysiaques, lui en veulent bientôt de négliger leur compagnie; un jour, elles le trouvent et le mettent en pièces, de même que les Titans avaient mis Zagreus en pièces. Selon certains, elles le désiraient toutes et c'est en se querellant qu'elles l'auraient ainsi déchiqueté. Seule sa tête fut épargnée. Elle tomba dans le fleuve Hébros et, roulant de-ci de-là et criant constamment «Eurydice», elle parvint jusqu'à la mer. Elle échoua finalement à Lesbos où les gens de l'île l'enterrèrent et fondèrent un sanctuaire et un oracle, s'assurant ainsi le don de l'art poétique. Les Muses rassemblèrent les fragments du corps d'Orphée et les ensevelirent en Pirée. Sa lyre devint une constellation.

Orphée fut, dit-on, le maître d'autres musiciens grecs : Musée, Eumolpos et Linos.

OURANOS (le Ciel). Après qu'elle eut émergé du Chaos, Gaia (la Terre) donna naissance à Ouranos, sans l'aide d'un principe mâle. Puis elle s'unit avec son fils pour engendrer les Titans et les Titanides, race de dieux géants dont naquit la génération des Olympiens. L'un des Titans, Cronos, aida Gaia à se venger d'Ouranos, qui haïssait ses enfants et les repoussait dans les profondeurs de la Terre lorsque leur mère leur donnait le jour. Gaia donna à son fils une faucille aiguisée (une «harpé»), et quand Ouranos vint de nouveau recouvrir Gaia, Cronos émascula son père. Les gouttes de sang qui tombèrent donnèrent naissance aux Erinyes, aux Géants et aux nymphes des frênes; les organes génitaux tranchés tombèrent dans la mer et flottèrent sur l'écume jusqu'à l'île de Chypre ou, selon une version différente, jusqu'à Cythère, où ils engendrèrent la déesse de l'Amour, Aphrodite. Ouranos n'a presque aucun rôle dans les mythes, et les Grecs ne lui rendirent jamais de culte.

P

PALLAS (radical : *Pallad-*). Epithète d'Athéna, dont le sens a été perdu. Plusieurs légendes furent imaginées pour en expliquer l'origine. D'après la première, Pallas était une petite fille, pupille d'Athéna et fille de Triton. Un jour, elle se disputa avec sa tutrice et frappa la déesse de sa lance, mais Zeus para le coup avec son bouclier magique, ou égide. Athéna répliqua alors et tua Pallas. Mais, très vite, elle regretta son geste et s'attribua le nom de la petite fille; puis elle façonna une statue de Pallas tenant l'égide. Ce fut le Palladion qui tomba des cieux dans Troie sous le règne d'Ilos.

On racontait que Zeus avait précipité l'image du haut de l'Olympe, car la Pléiade Electre s'y était agrippée alors qu'il la poursuivait; à ce moment précis, Ilos demandait un signe favorable à Zeus, et la statue tomba dans son camp. Le Palladion portait bonheur à Troie et, pour cette raison, Ulysse le vola pendant la guerre.

Une légende différente raconte qu'Athéna avait pris le nom du géant de ce nom qu'elle avait tué. *Voir* PALLAS **2.**

PALLAS (radical : *Pallant-*). **1.** Titan, fils de Crios et d'Eurybié. Avec Styx, il engendra Cratos, Bia, Zélos, et Niké; il passait aussi pour le père de Séléné, la Lune.
2. Géant tué par Athéna pendant la guerre entre les dieux et les géants. Ensuite, elle l'écorcha et utilisa sa peau pour s'en faire une armure. Selon certains, elle prit aussi son nom, Pallas.
3. Fils de Pandion, roi d'Athènes. Il aida tout d'abord son demi-frère Egée à s'emparer du trône, mais, peut après, il se disputa avec lui. Ses cinquante fils, les Pallantides, furent plus tard tués par Thésée.
4 *Voir* ÉVANDRE.

PAN. Dieu des pâturages et plus particulièrement des moutons et des chèvres. Comme son père Hermès, Pan avait des liens étroits avec l'Arcadie. Son nom évoque sa fonction pastorale et signifie «berger» ou, littéralement, «nourricier» (en grec archaïque *paon*). Dans l'Antiquité, il existait de nombreuses filiations pour Pan. On lui attribua comme père

Hermès, Zeus, Apollon, Cronos, et d'autres; sa mère était Callisto ou Pénélope (peut-être une fille de Dryops), ou Hybris, ou encore une chèvre. En tout cas, lorsque sa mère vit à qui elle avait donné naissance, elle s'enfuit et abandonna l'enfant; les nymphes l'élevèrent à sa place. L'enfant avait les membres inférieurs d'un bouc et de petites cornes sur la tête . (L'image médiévale du diable a pour origine cette représentation de Pan.) Mais, malgré la laideur du nouveau-né, Hermès fut fier de le montrer aux dieux de l'Olympe. Dieu rustique, Pan était lubrique et poursuivait les nymphes. Il passait aussi pour responsable de la fertilité du menu et gros bétail. Lorsque les bêtes restaient stériles, on fustigeait sa statue avec des scilles.

Comme Apollon, il était musicien, mais n'était pas vraiment doué. Il y eut un jour en Lydie un concours entre les deux dieux, et Tmolos, le juge, accorda le prix à Apollon; c'est à cette occasion que Midas, pour ses commentaires stupides, fut affligé d'oreilles d'âne.

L'instrument sur lequel jouait Pan était la «syrinx», ou flûte de Pan, au son de laquelle les nymphes et les satyres avaient coutume de danser. Il obtint sa flûte lors d'une de ses aventures amoureuses, alors qu'il poursuivait la nymphe Syrinx, ou Novacris. Lorsque cette dernière atteignit le fleuve Ladon, elle s'aperçut avec désespoir qu'elle ne pouvait le traverser et demanda aux nymphes de la transformer en roselière. Sa prière fut exaucée. Pan coupa quelques roseaux et en attacha les morceaux de différentes longueurs pour en faire une flûte. Pan aima aussi Séléné, la déesse de la Lune, et l'attira dans les bois en lui promettant une toison de laine blanche.

Il apparaissait parfois comme une divinité effrayante (comme le suggère le dérivé «panique»), en particulier, il se fâchait si on le dérangeait pendant son sommeil, tant la nuit que durant la chaleur du jour. Il était l'un des personnages préférés des poètes bucoliques, comme son demi-frère Daphnis, qu'il aima tendrement et qu'il pleura quand il mourut. Pan protégeait aussi les Athéniens; on racontait que, lorsque Pheidippidès se rendit précipitamment à Sparte pour demander de l'aide avant la bataille de Marathon (en 490 av. J.-C.) en traversant le mont Parthénion en Arcadie, le dieu l'appela par son nom et lui demanda pourquoi les Athéniens ne lui rendaient pas de culte alors qu'il était si souvent venu à leur secours. Aussi, après la victoire de Marathon, lors de laquelle les Perses s'étaient enfuis dans une grande «panique», Athènes éleva un sanctuaire à Pan et offrit des sacrifices et des processions en son honneur. Pan sema aussi la panique dans les rangs des géants lorsqu'ils livrèrent combat aux dieux, en poussant un grand cri qui les frappa de terreur. Les Romains identifièrent Pan au dieu des bois Silvain.

PANACÉE («qui guérit tout»). Fille d'Asclépios.

PANDORE. Elle est la première femme créée par Zeus pour punir la race humaine et pour discréditer Prométhée qui s'était montré l'ami des hommes; elle fut donc l'instrument de la vengeance de Zeus. Son nom signifie «tous les dons»; elle fut façonnée par Héphaïstos à partir de l'argile, Athéna lui insuffla la vie et l'habilla, Aphrodite lui donna la beauté pour faire aimer aux hommes ce fléau nouveau, et Hermès lui apprit le mensonge et la fourberie. Puis ce dernier l'offrit à Epiméthée, le déraisonnable frère de Prométhée, qui en fit sa femme. Les dieux avaient remis à Pandore une jarre ou une cassette scellée qui contenait tous les maux qui devaient un jour affliger l'humanité; elle contenait un seul bien, l'Espérance, tout au fond. Prométéhée avait conseillé à Epiméthée de ne jamais accepter un présent de la part de Zeus, mais Pandore eut tôt tait de causer le malheur des hommes. La curiosité naturelle aux femmes lui fit ouvrir la cassette, et toutes les peines, les maladies, les querelles et tous les malheurs s'envolèrent et se répandirent désormais sur les êtres humains. Pandore referma précipitamment le couverle, mais il était trop tard pour empêcher les maux de s'échapper sur la terre. L'Espérance resta enfermée dans la cassette et cria pour qu'on la fit sortir, afin d'alléger les peines qui allaient affliger maintenant les mortels. Ainsi, les hommes qui, jusque-là, avaient exclusivement composé la race humaine et qui avaient mené une existence exempte de soucis et de labeurs, furent obligés de s'épuiser à la tâche afin d'assurer leur existence. D'autres traditions racontent que la cassette appartenait à Prométhée et contenait tous les bien qu'il avait réunis pour l'humanité et qu'il gardait pour elle. Pandore la trouva dans la maison et, poussée par la curiosité, souleva le couvercle, laissant les biens s'envoler à jamais; seule l'Espérance, qui était plus lente que les autres, resta emprisonnée.

Pandore donna une fille, Pyrrha, à Epiméthée; celle-ci épousa Deucalion et, avec lui, elle survécut au déluge.

PÂRIS. Fils de Priam, roi de Troie, et de sa femme Hécube. Homère l'appelle plutôt Alexandre.

Le rang de Pâris dans l'ordre des fils de Priam varie selon

les auteurs. Pour Homère, il est le second après Hector, mais dans *L'Iliade,* Pâris est envoyé en ambassade à Sparte dix-neuf ans avant la mort d'Hector, ce qui fait de ce dernier de loin le plus jeune des deux. Ce fut également sa priorité de naissance qui lui donna le droit de garder Hélène, en dépit d'une opposition si puissante. La tradition qui fait de lui l'un des plus jeunes fils de Priam justifie la puissance de séduction du jeune homme.

Les légendes relatives à la naissance de Pâris et à son éducation sont inconnues d'Homère et ont certainement une origine plus récente. Un peu avant de le mettre au monde, sa mêre rêva qu'elle donnait naissance à une torche qui incendiait et détruisait toute la ville, ou bien qu'un monstre aux cent bras mettait la cité en ruine. Un devin (Aesacos, fils que Priam avait eu de la nymphe Alexirrhoé) ou une Sybille avertit Priam que ce rêve était de mauvais augure et que l'enfant devait mourir; Priam confia alors le nouveau-né à un berger, Agélaos, qui l'abandonna sur le mont Ida. Mais cinq jours plus tard, le berger le retrouva toujours vivant, car une ourse l'avait nourri; il eut pitié de l'enfant et l'éleva comme son propre fils.

Pâris devint un jeune homme d'une beauté frappante et, le moment venu, il se réconcilia avec sa famille. En effet, Priam avait envoyé ses serviteurs dans la montagne pour rapporter un taureau destiné à être le prix des jeux funèbres donnés par le roi. Le taureau choisi était l'animal favori de Pâris, et ce dernier suivit les serviteurs, bien décidé à prendre part aux jeux et à reconquérir l'animal. En effet, il remporta de si belles victoires qu'il excita la jalousie des fils de Priam; et lorsque Deïphobe tira l'épée contre lui, il chercha refuge à l'autel de Zeus dans la cour du palais. Cassandre l'aperçut et reconnut en lui le fils que Priam avait perdu; Pâris fut alors accueilli, et la vision d'Hécube oubliée. Il avait auparavant épousé une nymphe, Œnoné, fille du fleuve Cébren, et continua à vivre avec elle sur le mont Ida, en gardant les troupeaux de son père avec ses camarades.

C'est là qu'Hermès, sur l'ordre de Zeus, conduisit Héra, Athéna et Aphrodite qui se disputaient la pomme d'or lancée par Eris (la Discorde) lors des noces de Thétis et de Pélée; le fruit portait l'inscription «à la plus belle». Chacune des trois essaya d'acheter le beau juge, lui offrant : Héra, l'empire de la terre tout entière, Athéna, la victoire dans tous les combats et Aphrodite, la plus belle femme du monde. Ce fut la dernière proposition qui convainquit Pâris, et il accorda le prix à

Aphrodite. La déesse le protégea dès lors et favorisa sa rencontre avec Hélène. Priam, sans doute sous l'influence d'Aphrodite, envoya Pâris le représenter auprès du roi de Sparte, Ménélas. Pâris déclara peut-être qu'il avait l'intention de ramener Hélène avec lui, car la jeune femme était célèbre pour sa beauté et avait été demandée en mariage par tous les jeunes princes de Grèce. On racontait aussi d'Hélénos et Cassandre avaient prédit à ce moment que son départ amènerait la ruine de Troie; Œnoné , sachant qu'il allait l'abandonner, lui dit de revenir près d'elle sur le mont Ida, s'il était blessé : elle le soignerait grâce à ses connaissances en médecine.

Lorsque Pâris arriva à Sparte, Ménélas l'accueillit avec hospitalité tandis que sa femme Hélène tombait passionnément amoureuse de lui. Neuf jours plus tard, Ménélas dut se rendre aux funérailles de son grand-père Catrée, en Crète, et Pâris s'enfuit avec Hélène, emportant avec lui les trésors magnifiques des coffres de Ménélas. Les traditions diffèrent sur le temps qu'ils mirent pour atteindre Troie. Selon certains, ils furent jetés par une tempête envoyée par Héra sur la côte de Sidon en Phénicie, et, pendant le séjour qu'il firent dans le pays, Pâris s'empara de la ville. D'autres auteurs affirment qu'il atteignit Troie en trois jours. Mais il existe aussi des traditions qui racontaient, dans le but d'innocenter Hélène, qu'Héra avait substitué à la jeune femme une nuée façonnée à son image, et que ce fut cette ombre que Pâris aima et qu'il emmena à Troie, cependant que la véritable Hèlène était transportée en Egypte par Hermès.

Quelques années plus tard, quand il se fut révélé impossible de régler le différend par la voie diplomatique, une immense armée recrutée dans la plupart des royaumes et principautés de Grèce attaqua Troie sous le commandement suprême d'Agamemnon, le frère de Ménélas. Le récit de *L'Iliade* d'Homère commence au début de la dixième année du siège. Pendant les combats, le rôle prêté à Pâris est assez peu glorieux. Homère le nomme Alexandre («le protecteur des hommes»), nom qui implique un grand courage, mais il semble qu'en choisissant le présent d'Aphrodite il ait perdu toute la virilité dont Héra et Athéna auraient pu le doter. Pendant les combats devant Troie, le seul duel qu'il livra fut un combat singulier contre Ménélas, destiné à régler l'issue de la guerre. Pâris y fit figure de lâche car, alors que Ménélas le tirait par son casque, vaincu, Aphrodite fit céder la jugulaire et le transporta entouré d'un épais brouillard dans la chambre d'Hélène. Peu de gens le respectaient, et Hector raillait ses façons peu viriles. Pourtant, ce fut Pâris qui finalement tua Achille, bien que sa flèche eût été dirigée par Apollon. Peu après, Pâris fut à son tour abattu par une flèche provenant de l'arc d'Héraclès lequel était à présent dans les mains de Philoctète. Comme il gisait, blessé, il donna l'ordre à ses serviteurs de le transporter sue le mont Ida, où Œnoné avait promis de le guérir. Mais, après une absence de dix-neuf ans, celle-ci avait changé d'avis et Pâris fut ramené à Troie. Peu après, Œnoné regretta son refus, mais il était trop tard car Pâris était mort; de désespoir, elle se pendit.

PARQUES. *Voir* DESTINÉES.

PASIPHAÉ. Fille d'Hélios, le Soleil, et de l'Océanide Perséis. Elle devint la femme de Minos, le roi de Crète, et lui donna de nombreux enfants; mais elle finit par concevoir une violante passion pour un taureau — châtiment infligé par Poséidon, car Minos avait négligé de lui sacrifier l'animal. Dédale fabriqua une vache de bois dans laquelle Pasiphaé prit place pour s'accoupler au taureau. Ayant assouvi sa passion, elle conçut le Minotaure. Pasiphaé étant très jalouse des nombreuses aventures de Minos, elle l'affligea d'une malédiction telle que touts les femmes auxquelles il s'unissait mouraient dans d'atroces souffrances. Il fut guéri de cette malédiction par Procris.

PATROCLE. Fils de Ménoetios d'Oponte. Pendant son enfance. Patrocle tua accidentellement Clitonymos, fils d'Amphidamas, en se querellant au sujet d'un jeu de dés. Il dut alors s'exiler, et son père l'emmena à Phthie où le roi Pélée purifia Patrocle. Celui-ci se lia d'amitié avec Achille, qui était encore enfant; plus tard, ils devinrent les compagnons les plus fidèles. Lorsque Pélée décida d'envoyer son fils combattre à Troie, Ménoetios recommanda à son fils de veiller sur le fougueux prince. Quand Achille, pendant la dernière année de la guerre, se retira du combat pour protester contre la conduite d'Agamemnon envers lui, Patrocle, qui commandait en second le contingent des Myrmidons, se retira aussi. Mais lorsqu'il vit les Grecs en si mauvaise posture, il eut pitié d'eux. Conseillé par Nestor, il emprunta l'armure d'Achille et, à la tête des Myrmidons, il repoussa les Troyens loin des navires; Achille lui donna alors l'ordre de revenir au camp, mais Patrocle lui désobéit, tua Sarpédon le Lycien, puis avança sur les murs de Troie. Là il fut blessé par Euphorbe et tué d'un coup de lance par Hector. Une lutte acharnée s'engagea au-dessus du son corps; Hector réussit à s'emparer de l'armure d'Achille, mais le corps de Patrocle fut sauvé par Ménélas et Ajax, le fils de Télamon. En apprenant la mort de son ami, Achille jura que les funérailles de Patrocle ne seraient pas célébrées tant qu'il ne l'aurait pas vengé des Troyens : ce fut donc la mort de Patrocle qui ramena Achille au combat et l'amena à tuer Hector. Lors des funérailles de Patrocle (dont Thétis avait préservé le corps avec de l'ambroisie), Achille immola douze captifs troyens sur le bûcher funèbre. Après la mort d'Achille, plus tard, les deux amis furent ensevelis dans le même tombeau. et leurs cendres furent mêlées.

PÉGASE. *Voir* BELLÉROPHON.

PÉLÉE. Fils d'Eaque, roi d'Egine et d'Endéis. Son frère Télamon et lui tuèrent leur demi-frère Phocos en lui lançant un disque — soit parce qu'ils étaient jaloux de lui, soit pour obéir à leur mère; à la suite de ce meurtre, Eaque les bannit d'Egine. Pélée se rendit à Phthie où le roi Actor, après l'avoir purifié, lui offrit une partie de son royaume et la main de sa fille Antigone; celle-ci donna à Pélée une fille, Polydora.

Puis Pélée prit part à l'expédition des Argonautes; ensuite, il se rendit à Calydon pour aider Méléagre à tuer le monstrueux sanglier. Malheureusement, il frappa mortellement Eurytion, le fils d'Actor, et fut de nouveau banni, cette fois-ci de Phthie. Il alla à Iolcos où Acaste, un Argonaute lui aussi , était roi. Là, il participa aux jeux funèbres donnés en l'honneur de Pélias, le père d'Acaste. et il lutta contre Atalante. Mais d'autres infortunes guettaient Pélée. Astydamie, la femme d'Acaste, tomba amoureuse de lui. Pélée ne voulait en aucun cas tromper son hôte et repoussa les avances d'Astydamie. Dépitée, celle-ci répandit le bruit que Pélée allait épouser sa fille Stéropé, et en informa Antigone. Désespérée, la jeune femme se pendit. De plus, Astydamie accusa Pélée auprès d'Acaste de lui avoir fait des avances. Acaste, qui avait purifié Pélée du meurtre d'Eurytion, ne pouvait tuer son hôte et résolut de se débarrasser de lui par ruse.

Pour cela, il emmena Pélée chasser sur le mont Pélion et le mit au défi d'abattre autant de gibier que lui en une journée; il espérait ainsi épuiser Pélée. Mais ce dernier, pour prouver sa supériorité coupa la langue des animaux qu'il tuait et les montra quand Acaste l'accusa de n'avoir rien pris. Pendant la nuit, Acaste cacha l'épée de Pélée, œuvre d'Héphaïstos, sous un tas de fumier, et l'abandonna, endormi, sur la montagne, avec l'espoir qu'il serait tué par les Centaures. Heureusement, Chiron arriva à temps et rendit son épée à Pélée. Puis celui-ci comprit ce qui s'était passé, et rassemblant quelques-uns de ses anciens compagnons Argonautes, il attaqua Acaste et tua Astydamie; il fit passer son armée entre les morceaux du cadavre découpé de cette dernière. Selon certaines versions, il tua également Acaste. Il donna alors Iolcos aux Thessaliens, et lui-même retourna à Phthie, dans son royaume. Pour l'honnêteté dont il avait fait preuve en repoussant les avances de la femme d'Acaste, Zeus le récompensa en lui accordant l'honneur extraordinaire d'être l'époux de la déesse Thétis. Cette décision cependant avait aussi un motif caché, car Zeus avait lui-même désiré s'unir à Thétis mais il avait appris avec horreur, de Prométhée, que le fils de la déesse devait, en vertu des destins, être plus puissant que son père. Il se hâta alors de la marier à un mortel.

Pélée dut tout d'abord aller chercher sa femme dans une grotte marine en Magnésie et lutter avec elle pour la capturer, ou encore la tenir solidement pendant qu'elle prenait une multitude de formes. Leurs noces furent célébrées avec faste, et tous les dieux (sauf Eris) furent invités. Chacun apporta un présent : des chevaux immortels, Xanthos et Balios, et une armure fabriquée par Héphaïstos. Eris, qu'on avait omis d'inviter, vint cependant et lança son cadeau de noces; la célèbre pomme d'or que, plus tard, Pâris devait accorder à Aphrodite.

Thétis donna naissance à un fils, Achille et voulut le rendre immortel. Pour cela, elle le plaçait dans le feu pendant la nuit, et l'oignait d'ambroisie le jour. Mais Pélée vit un jour son fils dans le feu et poussa un cri. De colère contre cette intervention, Thétis quitta son mari et retourna vivre dans la mer. On racontait aussi qu'elle avait trempé le bébé dans le Styx pour le rendre invulnérable; toutefois, le talon par lequel elle le tenait ne toucha pas l'eau et resta vulnérable — c'est l'origine de l'expression : le talon d'Achille. Pélée, resté seul pour élever Achille, confia l'enfant à son vieil ami, le centaure Chiron, qui était précepteur dans la montagne (il avait éduqué Jason). Thétis cependant aimait tendrement son fils; elle lui rendit souvent visite et le consola. Mais, d'après des traditions différentes, Chiron était déjà mort à cette époque, et Homère attribue l'éducation d'Achille à Phoenix, qui avait fui la cour de son père Amyntor, roi d'Orminion. Pélée le fit roi des Dolopes. D'autres réfugiés vinrent à la cour de Pélée; parmi eux figurent Epigée de Boudeion et Patrocle, avec son père Ménoetios.

Après la mort d'Achille, pendant la guerre de Troie, Pélée. âgé , fut chassé de Phthie par les fils d'Acaste et trouva refuge dans l'île de Cos.

Après la guerre, son petit-fils Néoptolème reconquit Phthie et y régna pendant quelque temps. Durant l'absence de Néoptolème, en Epire, Pélée protéga sa concubine, la princesse troyenne Andromaque, d'Hermione et de Ménélas qui voulaient sa mort. Enfin Thétis vint chercher Pélée, à qui fut accordée l'immortalité, et tous deux vécurent ensemble dans la mer.

PÉLOPS. Fils du roi lydien Tantale et de la déesse Dioné, ou bien d'une Pléiade. On racontait que, dans sa jeunesse, son père Tantale avait reçu la visite des Olympiens auxquels il avait offert un dîner. Il décida de mettre à l'éprouve la clairvoyance de ses hôtes en leur servant son fils Pélops coupé en morceaux et préparé en ragoût. Les invités divins reconnurent tous la viande qu'on leur servait, sauf Déméter qui mangea une partie de l'épaule. Les dieux rendirent la vie à l'enfant, et Déméter lui offrit une épaule en ivoire; et depuis ce temps d'ailleurs, les descendants de Pélops portèrent une tache de naissance blanche sur l'épaule. Le poète Pindare, toutefois, conteste cette légende et affirme que les dieux n'eurent jamais l'intention de dîner avec Tantale; selon lui, Poséidon tomba amoureux de Pélops et l'enleva sur l'Olympe. Lorsque le règne de Tantale toucha à sa fin, les dieux renvoyèrent Pélops en Lydie, lui offrirent deux merveilleux chevaux ailés et lui apprirent à les diriger. Mais Pélops fut chassé de son royaume par Ilos, le roi de Troie, et se rendit en Grèce avec quelques fidèles. Là, il prit part au concours pour la main d'Hippodamie, une princesse de Pise. Son père Œnomaos exigeait de chaque prétendant qu'il prît la jeune fille sur son char; lui-même donnait la chasse aux concurrents et leur plantait sa lance entre les deux épaules. Ou bien il était lui-même amoureux d'Hippodamie, ou bien, selon une version différente, un oracle lui aurait prédit qu'il mourrait de la main de son gendre. Revêtu d'une armure que lui avait offerte Arès, il fixait le but de la course à Corinthe à quelque cent quarante kilomètres de distance. De plus, ses chevaux étaient immortels et lui avaient été offerts par Arès.

Pélops gagna la main d'Hippodamie en achetant Myrtilos, le cocher d'Œnomaos, à qui il offrit une nuit avec Hippodamie et la moitié du royaume s'il remplaçait les chevilles des roues du char de son maître par des chevilles en cire (selon certains, ce fut Hippodamie, qui, amoureuse de Pélops, s'assura le concours de Myrtilos). Pélops prit une bonne avance pendant que le père de celle qu'il aimait sacrifiait à son protecteur Arès. Puis, dès qu'Œnomaos monta sur son char, les roues cédèrent et il s'écrasa sur le sol. Pélops resté en arrière n'attendait que cela ; il revint et planta sa lance dans le dos d'Œnomaos. Celui-ci comprit avant de mourir que Myrtilos avait causé sa perte et le maudit, lui prédisant qu'il serait lui aussi tué par Pélops. En effet, Pélops, qui était à présent roi de Pise et était jaloux de Myrtilos, l'invita à faire une promenade sur son char magique ; puis, en longeant la mer, Pélops le poussa dans l'eau. Avant de mourir, Myrtilos maudit Pélops et ses descendants comme il avait été maudit lui-même. Après avoir traîtreusement assassiné Myrtilos, Pélops fut envahi de remords. Il éleva dans le stade d'Olympie une statue en l'honneur de sa victime ; le monument fut appelé Taraxippos (« qui effraye les chevaux »), car on pensait que l'ombre de Myrtilos le hantait, ce qui faisait se cabrer les chevaux à sa vue. Il essaya aussi d'apaiser Hermès, le père du jeune homme, en instituant le culte du dieu dans tout le royaume.

Pélops devint un roi très puissant et ajouta à ses possessions l'Elide, l'Arcadie et d'autres terres, si bien que l'ensemble de la Grèce méridionale fut appelé l'île de Pélops, le Péloponnèse. Il conquit l'Arcadie par traîtrise car, après avoir prétendu être l'ami de son roi, Stymphalos, il l'assassina, ce qui amena sur le pays une famine que seules les prières d'Eaque purent faire cesser.

Pélops eut, dit-on, de nombreux enfants ; parmi eux figuraient les fils qui donnèrent leurs noms aux villes d'Epidaure, de Sicyon et de Trézène. L'on reconnaît aussi Pithée, Alcathoos (le roi de Mégare), Létréos et Sciron (qui passe aussi pour le fils de Poséidon). Les plus célèbres furent cependant Atrée et Thyeste, qui furent frappés par la malédiction de Myrtilos. Pélops eut aussi un enfant naturel, Chrysippos, d'une nymphe. Il était d'une rare beauté et devint le favori de son père, si bien qu'Hippodamie et ses fils en furent jaloux. De plus, Laïos de Thèbes, qui s'était réfugié à la cour de Pélops, enleva le garçon durant un certain temps. Mais Chrisippos fut tué dans une embuscade que lui tendirent Atrée et Thyeste à l'instigation de leur mère. Lorsque Pélops découvrit le crime, Hippodamie s'enfuit à Midée, en Argolide, où ses fils régnaient à présent. Pélops donna ses filles Astydamie, Nicippé et Lysidicé en mariage aux fils de Persée qui régnaient sur Argos : elles épousèrent respectivement Alcée, Sthénélos, et Mestor.

Les traditions ne rapportent rien de la mort de Pélops. Un culte lui était rendu dans un temple d'Olympie fondé, selon une tradition par son descendant Héraclès. Malgré le meurtre de Myrtilos, Pélops laissa le souvenir d'un roi hospitalier et pieux, et des sacrifices lui étaient offerts dans son temple. Certains Grecs pensaient qu'il fonda les jeux Olympiques, bien que l'honneur en revint aussi à Héraclès.

PÉNATES. Les *Di Penates* étaient les dieux romains du garde-manger *(penus)*. Leur culte apparut de très bonne heure dans les foyers. Plus tard, les Pénates de l'Etat romain acquirent une importance particulière. Ces Pénates nationaux furent placés dans le temple de Vesta, sur le Forum, et étaient considérés comme les protecteurs de la nation tout entière. Ils étaient associés, dans la tradition, aux origines troyennes de Rome, et passaient pour les dieux domestiques d'Enée — ou bien pour les dieux de la citadelle d'Ilion; il les aurait transportés dans ses bras, hors de Troie en flammes, apportés dans son navire et placés dans un temple de la ville qu'il fonda dans le Latium, Lavinium. Plus tard, lorsque Rome fut fondée, les Pénates y furent transportés par les descendants d'Enée. Les Pénates nationaux étaient représentés par deux guerriers assis, portant des lances, et, à l'origine, étaient placés dans des jarres de terre qui restèrent toujours à Lavinium. Les Pénates étaient parfois identifiés à d'autres couples de dieux, les Dioscures ou les Cabires.

PÉNÉLOPE. 1. Fille d'un roi de Sparte, Icarios, et de sa femme la nymphe Périboea. Son père était peu désireux de se séparer d'elle et, lorsque Tyndare le persuada de marier sa fille à Ulysse, il fit son possible pour convaincre le jeune homme de rester à Sparte. Lorsqu'il vit qu'il avait échoué, il suivit néanmoins le jeune couple sur la route. Ulysse invita alors Pénélope à choisir entre son père et lui; se voilant silencieusement la tête, Pénélope choisit son mari. Pour les légendes concernant sa vie conjugale, *voir* ULYSSE.

La fidélité de Pénélope à son mari et sa patience sont devenues proverbiales. Elle attendit pendant plus de vingt ans le retour d'Ulysse, tenant en échec ses prétendants pendant trois ans en leur faisant croire qu'elle tissait un linceul pour son beau-père Laerte; pendant la nuit, elle défaisait secrètement son ouvrage. Elle se trouvait à bout de ressources lorsque son mari revint et tua les prétendants. Ulysse ne révéla pas son identité avant le moment opportun, et Pénélope n'accepta de le reconnaître que lorsqu'il lui eut décrit leur lit conjugal, qu'ils étaient les seuls à connaître. Ils avaient eu un fils, Télémaque, qui avait presque vingt ans quand Ulysse revint. Pénélope lui donna alors un second fils, Ptoligorthès («Destructeur de cités»). Après la mort d'Ulysse (selon des coutumes récentes), Pénélope épousa Télégonos, le fils que son mari avait eu de Circé, et donna naissance à un fils Italos, qui donna son nom à l'Italie. Circé accorda l'immortalité à Pénélope ainsi qu'à Télémaque qu'elle-même avait épousé.

Le nom de Pénélope (traduit du grec : «canard») est parfois expliqué par une légende d'après laquelle Nauplios, pour venger la mort de son fils Palamède tué traîtreusement par Ulysse, avait répandu le bruit qu'Ulysse était mort. Pénélope tenta alors de se noyer dans la mer, mais fut sauvée par les canards.

2. Fille de Dryops; unie à Hermès, elle donna naissance à Pan.

PENTHÉE. Le second (ou selon Pausanias le troisième) roi de Thèbes. Penthée était le fils d'Agavé, la fille de Cadmos et d'Echion, l'un des «Hommes Semés». Son règne fut court car il se brouilla rapidement avec Dionysos dont il refusait de reconnaître la divinité. Dans sa tragédie *Les Bacchantes*, Euripide nous montre comment le jeune Penthée jeta avec arrogance Dionysos en prison puis fut attiré par le dieu sur le mont Cithéron; là, il épia les Ménades qu'il suspectait de mauvaise conduite. Pendant que les femmes de sa famille, saisies de délire bachique, erraient dans la montagne en compagnie des Ménades, Penthée, déguisé en femme, grimpa sur un arbre pour observer leurs excès. Sa mère et ses tantes l'aperçurent et, le prenant dans leur folie pour un lion, elles le déchirèrent et dispersèrent les morceaux de tous côtés. Ainsi Dionysos fut vengé de Penthée qui l'avait méprisé et de sa mère et de ses tantes qui avaient calomnié leur sœur Sémélé, la mère de Dionysos. Les femmes furent exilées de Thèbes.

PENTHÉSILÉE. Reine des Amazones; elle est la fille d'Arès et de l'amazone Otrèré. Ayant tué accidentellement un parent — peut-être sa sœur Hippolyté —, elle fut purifiée de son meurtre par Priam, le roi de Troie. En reconnaissance, elle l'aida pendant la guerre de Troie. Les Amazones tuèrent beaucoup de Grecs dans la bataille, mais finalement Penthésilée fut tuée par Achille. Après lui avoir retiré son armure, Achille découvrit son corps et en tomba amoureux. Thersité se moqua alors de sa sensibilité, et le héros l'étendit à terre d'un seul coup. Une légende tardive donne un fils, Caïstos, à Achille et Penthésilée.

PERSÉE. Fils de Zeus et de Danaé. Persée naquit dans une tour de bronze, ou bien dans une tour aux portes de bronze, dans laquelle son grand-père, Acrisios, roi d'Argos, avait emprisonné sa mère ; un oracle l'avait en effet averti que le fils de Danaé serait la cause de sa mort. Zeus vit la jeune fille et voulut s'unir avec elle. Pour parvenir jusqu'à elle, il se transforma en pluie d'or qui tomba dans le sein de Danaé, la fécondant. Lorsque Persée fut né, Acrisios terrifié décida de se débarrasser de sa fille et de son dangereux petit-fils et les lança à la mer dans un coffre. Mais Zeus les protégea, et tous deux abordèrent sains et saufs sur l'île de Sériphos.

Ils furent recueillis par un pêcheur généreux, Dictys («filet»), qui se trouvait être le frère du roi local, Polydectès. Persée grandit dans la maison du pêcheur, mais, pendant son adolescence, Polydectès tomba amoureux de Danaé, et la poursuivit de ses assiduités. Cela irrita Persée qui fit bonne garde autour de sa mère, aussi Polydectès chercha-t-il un moyen d'écarter le jeune homme. Il imagina alors d'imposer un tribut en chevaux aux habitants de l'île (ou, selon certaines versions, il destinait ces présents à Hippodamie de Pise, qu'il voulait épouser). Persée ne possédait pas de chevaux, mais il lui offrit de lui apporter ce qu'il désirait d'autre ; cela servait exactement les plans de Polydectès, qui demanda à Persée de lui rapporter la tête de la Gorgone Méduse, mission apparemment impossible à mener à bien ; cependant, Athèna, qui haïssait Méduse car celle-ci s'était unie à Poséidon dans un temple qui lui était consacré, apparut à Persée et, lui offrant un bouclier de bronze, lui enseigna ce qu'il avait à faire. Tout d'abord, il devait se rendre dans la grotte des trois Grées, trois vieilles qui vivaient dans les montagnes d'Afrique ; elles ne possédaient qu'un seul œil et une seule dent qu'elles se passaient à tour de rôle. Elles étaient les sœurs des Gorgones, et Persée devait leur demander de l'aider, ce qu'il fit en employant la ruse ; lorsque l'œil passa d'une veille à l'autre, il tendit sa main et s'en empara, puis il demanda aux trois Grées de lui indiquer le chemin qui le conduirait vers les Gorgones et vers certaines nymphes, dont Athèna lui avait recommandé d'obtenir l'aide pour accomplir son exploit. Lorsque les Grées lui eurent, à regret, révélé ce qu'il voulait savoir, Persée lança leur œil dans le lac Tritonis pour les empêcher de prévenir leurs sœurs de son approche. Les nymphes qui vivaient non loin de là lui remirent trois précieux objets : un casque qui rendait invisible, une paire de sandales ailées et une besace dans laquelle il devait mettre la tête de Méduse. En quittant les nymphes, il rencontra Hermès, qui, admirant sa belle apparence, lui offrit un don supplémentaire : une épée courbe d'acier très dur; d'après une tradition, d'ailleurs, ce fut le dieu, et non les nymphes, qui remit à Persée les sandales ailées.

Utilisant ces sandales et le casque qui rendait invisible, Persée traversa l'Océan par les airs et arriva sur la côte où vivaient les Gorgones. Il trouva celles-ci endormies et, se tenant à distance de Sthéno et Euryalé qui étaient immortelles, il s'approcha de Méduse en utilisant son bouclier de bronze comme miroir : s'il avait regardé directement le visage de la Gorgone, il aurait été transformé en pierre. Il décapita le monstre avec l'épée d'Hermès et cacha la tête dans sa besace. Les sœurs de Méduse s'éveillèrent et se précipitèrent sur lui, mais leur poursuite demeura vaine car Persée était invisible et s'échappa.

Dans la version d'Ovide, après avoir essuyé des vents violents, Persée revint en Grèce en passant par le pays d'Atlas; celui-ci apprit que Persée était un fils de Zeus et tenta de l'éloigner par la force, car Thémis lui avait prédit qu'un fils de Zeus volerait un jour les pommes des Hespérides. Ovide ajoute que Persée, en colère, pétrifia Atlas en lui montrant la tête de Méduse, et le transforma en une chaîne de montagnes sur laquelle repose le ciel (cette légende s'oppose à la version la plus connue de la quête des pommes d'or entreprise par Héraclès, dans laquelle Atlas est toujours vivant, plusieurs générations plus tard).

Persée traversa l'Egypte où il vit la patrie de ses ancêtres à Chemmis. Puis survolant la côte phénicienne il regarda vers le bas et aperçut Andromède enchaînée à un rocher et offerte en pâture à un monstre marin; l'oracle d'Ammon avait en effet ordonné que la jeune fille subît un tel sort en expiation des paroles vaniteuses de sa mère Cassiopée. Le père d'Andromède, Céphée, roi de Joppa, promit à Persée la main de sa fille et son royaume en dot s'il réussissait à tuer le monstre. Le héros accepta et, comme la bête s'avançait pour dévorer Andromède, il l'attaqua et la transperça avec l'épée d'Hermès. Les préparatifs pour le mariage commencèrent. Phinée, le frère du roi à qui Andromède avait tout d'abord été promise, essaya d'interrompre les noces, et Persée fut obligé de pétrifier Phinée et ses complices, à l'aide de la tête de Gorgone. Andromède lui donna un fils, Persès, que Persée confia à Céphée; lorsqu'un an plus tard il emmena Andromède à Sériphos, il désigna son fils comme successeur sur le trône de Joppa.

A Sériphos, Danaé et Dictys avaient dû se réfugier dans un temple par suite des persécutions de Polydectès; Persée alla trouver ce dernier, et le roi n'eut que du mépris lorsque le héros prétendit avoir rapporté la tête de Méduse : là-dessus, Persée la lui montra et Polydectès fut changé en pierre. Maintenant que la tâche de Persée était accomplie, Athèna le quitta en lui recommandant de remettre les objets magiques à Hermès, qui les rendrait à leurs propriétaires respectifs. Persée laissa le pouvoir sur Sériphos à Dictys et se rendit avec Andromède à Argos, le royaume de son grand-père Acrisios. Mais Acrisios, apprenant la venue de son petit-fils, s'enfuit à Larissa en Thessalie, par peur d'un oracle qui lui avait prédit qu'il mourrait de la main d'un fils de Danaé. Persée le suivit sans mauvaises intentions et arriva juste à temps pour prendre part aux jeux funèbres que le roi thessalien Teutamidès donnait en l'honneur de son père. Or, en lançant le disque, Persée frappa accidentellement son grand-père, réalisant ainsi la prophétie. Revenant à Argos, il découvrit que Proetos (le frère jumeau d'Acrisios, et, selon certains le père véritable de Persée) avait usurpé le trône de son frère. Le héros le tua en le transformant en rocher et monta sur le trône de la ville. Mais il préféra ne pas régner sur Argos, ayant tué le roi précédent, et échangea son royaume contre celui de Tirynthe, dont le roi était Mégapenthès.

Hygin donne toutefois une version très différente de ces événements mythiques. Pour lui, Polydectès était un roi paisible qui épousa Danaé et mit Persée au service d'Athèna; d'autre part, Acrisios fut tué accidentellement par le jeune homme à Sériphos, pendant les jeux funèbres en l'honneur de Polydectès. Hygin indique aussi, et rejoint là la version d'Ovide, que Persée fut tué par Mégapenthès, qui vengeait ainsi la mort de son père Proetos. D'après la tradition la plus connue, Persée et Andromède régnèrent sur Tirynthe pendant de longues années et fondèrent de nouvelles villes dans les régions voisines de l'Argolide, à Mycènes et à Midée. Andromède eut cinq autres fils : Alcée, Sthénélos, Hélélos, Mestor et Electryon et une fille, Gorgophoné (la tueuse de Gorgone).

Bien que les légendes de Persée eussent été très connues et eussent constitué le sujet de nombreuses pièces, maintenant perdues, les traditions qui nous sont parvenues concernant sa mort sont peu fournies. On racontait que Persée se querella avec les suivantes de Dionysos, dont le culte fut introduit en Argolide à la même époque. Persée aurait également lancé une statue de Dionysos dans le lac de Lerne et aurait livré un combat contre une certaine «Femme de la Mer». Athèna mit Persée, Andromède, le monstre marin, Céphée et Cassiopée au nombre des constellations dans le firmament.

PERSÉPHONE ou **PERSÉPHASSA** (en latin *Proserpine*). Elle est la fille de Zeus et de Déméter; elle fut plus tard connue sous le simple nom de Koré, «la Jeune Fille». Epouse d'Hadès, le frère de Zeus, elle est donc reine des Enfers; cependant, elle était à l'origine une déesse du Blé, comme sa mère. Chez les Grecs, la fertilité du sol était étroitement liée à la mort, et les grains de semence étaient conservés dans l'obscurité pendant les mois d'été, avant les semailles de l'automne. Ce retour de la vie après l'ensevelissement est symbolisé par le mythe de Perséphone, enlevée, puis restituée, et donna naissance aux rites des Mystères d'Eleusis; pour les fidèles, le retour sur la terre de la déesse était une promesse formelle de leur propre résurrection.

Perséphone était d'une rare beauté, et sa mère Déméter l'élevait au secret en Sicile, son île favorite, où la jeune fille était en sécurité. Là, dans les bois d'Enna, Perséphone se divertissait en compagnie des Océanides. Mais un jour, alors qu'elles étaient occupées à cueillir des fleurs, Perséphone s'écarta du groupe, apercevant un beau narcisse bleu; la fleur avait été produite par Zeus, car ayant favorablement répondu à la demande de son frère Hadès qui voulait épouser la jeune fille malgré le refus de Déméter, il espérait obtenir l'accord de la déesse en la mettant devant le fait accompli. Maintenant que Perséphone était seule, Hadès jaillit du sol sur son char, se saisit d'elle malgré ses cris et l'emmena. La nymphe Cyané, qui était témoin de l'enlèvement, protesta en vain, et, de désespoir, s'évanouit dans les eaux. Lorsque Déméter découvrit plus tard où se trouvait Perséphone, elle obtint de pouvoir reprendre sa fille à la seule condition que celle-ci n'eût rien mangé dans la demeure de son soupirant. Toutefois, Ascalaphos révéla à Hadès que la jeune fille avait mangé des grains de grenade, et le dieu put ainsi faire valoir ses droits sur Perséphone. On en vint cependant à un compromis, et Hermès conduisit Déméter et Perséphone devant le trône de Zeus; celui-ci décida que la jeune femme passerait quatre (ou, selon certains, six) mois près d'Hadès comme reine des Enfers, et le reste de l'année sur la terre.

Perséphone semble avoir accepté son rôle de reine des Morts car, dans les légendes, elle agit toujours en accord avec son époux. Toutefois, certains auteurs ne la reconnaissent pas comme la fille de Déméter, mais comme celle du Styx et, selon eux, Perséphone avait toujours été la déesse des Enfers. Elle intervient peu dans les légendes (*voir* cependant ADONIS, PIRITHOOS, ZAGREUS), mais elle a une place importante dans les cultes de nombreuses villes, en particulier ceux d'Eleusis, de Thèbes et de Mégare ainsi qu'en Sicile et en Arcadie.

PERSÈS. 1. Titan d'une sagesse exceptionnelle, fils de Crios et d'Eurybié. Il épousa Astéria, puis donna naissance à la déesse Hécate.
2. Fils d'Hélios. Après le vol de la Toison d'Or, il usurpa le trône d'Aeétès à Colchos. Mais il fut tué plus tard par sa nièce Médée ou par le fils de celle-ci, Médos.
3. Fils aîné de Persée et d'Andromède; il fut confié par ses parents à Céphée et Cassiopée. Lorsqu'il eut atteint l'âge d'homme, il conquit un grand empire et donna son nom aux Perses.

PHAÉTON. 1. Fils d'Hélios, le Soleil, et de l'Océanide Clyméné. Dans sa jeunesse, il fut accablé de sarcasmes par son ami Epaphos, qui déclara qu'Hélios n'était pas du tout son père. Clyméné, qui s'était remariée avec Mérops, roi d'Egypte, envoya Phaéton au palais d'Hélios, situé à l'extrême Occident, au Levant. Après un long voyage, il arriva à destination et Hélios, pour lui prouver son affection paternelle, lui promit de réaliser le souhait qu'il choisirait de formuler. Phaéton demanda la permission de conduire le char du soleil à travers la voûte céleste, pendant la journée. Hélios fut terrifié par cette folle requête, mais dut tenir sa promesse. Les quatre chevaux furent attelés au char étincelant, et Phaéton prit les rênes. Son père lui prodigua, anxieux, de nombreuses recommandations, mais, une fois dans le ciel, le jeune homme s'affola et les chevaux s'emballèrent. Ils commencèrent par tracer une longue entaille dans la voûte céleste, donnant naissance à la Voie Lactée. Puis, alors que Phaéton se sentait de plus en plus mal, ils plongèrent vers le bas et frôlèrent la terre, provoquant une sécheresse et changeant en noir la couleur de la peau des populations équatoriales. Alarmé par le spectacle des désastres que Phaéton provoquait, Zeus lança un éclair qui précipita le jeune homme hors de son char. Son corps en flammes tomba dans l'Eridan. Ses sœurs, les nymphes, qui avaient vu sa chute, se réunirent sur la rive du fleuve et pleurèrent leur frère, au point qu'elles furent transformées en peupliers, arbres que l'on trouve fré-

quemment encore sur les rives de ce fleuve (le Pô). Cycnos, le roi des Ligures et parent de Phaéton, vint aussi le pleurer et fut transformé en cygne (sens de son nom); selon une légende le «chant du cygne» viendrait de ses lamentations funèbres. On racontait aussi que Zeus envoya le «déluge» pour refroidir la terre après ce désastre et que la constellation de l'Aurige fut créée en souvenir de Phaéton.
2. Fils d'Eos (l'Aurore). Aphrodite l'enleva et en fit son prêtre dans un temple syrien. Adonis était l'un de ses descendants.

PHÈDRE. Fille de Minos et de Pasiphaé. Bien que Thésée eût abandonné ou perdu la fille aînée de Minos, Ariane, après la mort de Minos, le frère de celle-ci, Deucalion, conclut une alliance avec le roi athénien et lui donna en mariage une autre de ses sœurs, Phèdre. Peu de temps après, Phèdre conçut une violente passion pour Hippolyte, le fils que Thésée avait eu d'un premier mariage avec la reine des Amazones; le jeune homme régnait sur Trézène, royaume que Thésée avait hérité de son grand-père Pitthée. Lorsque Phèdre vit l'horreur que produisait sur le visage d'Hippolyte sa déclaration, elle le dénonça à son père et l'accusa d'avoir tenté de la séduire. Puis elle se pendit; Hippolyte, maudit par Thésée, ne tarda pas non plus à trouver la mort. Phèdre donna à Thésée deux fils, Acamas et Démophon.

PHILÉMON. *Voir* BAUCIS.

PHILOCTÈTE. Fils de Poeas (*poia, poa* : herbe), un berger ou bien un roi de Malia et de Démonassa. Soit Poeas, soit Philoctète, passait sur le mont Oeta, cherchant ses troupeaux, au moment où Héraclès agonisait sur le bûcher qu'il venait de construire. Aucun de ses serviteurs ne voulait allumer le bûcher alors que leur maître était encore en vie, et Héraclès offrit à l'homme qui passait son arc et ses flèches empoisonnées s'il lui rendait ce service. Poeas figure peut-être parmi les Argonautes en même temps qu'Héraclès. Philoctète, qui avait été au nombre des prétendants d'Hélène, conduisit un contingent d'archers de sept vaisseaux, de Malia vers Troie. Lorsque la flotte atteignit Ténédos, il fut décidé qu'un sacrifice devait être offert à Apollon sur l'île de Chrysé, et Philoctète guida les chefs de l'expédition vers l'île. Mais pendant le sacrifice, un serpent d'eau mordit Philoctète au pied; la plaie s'infecta et ne voulut pas guérir. Certains auteurs mentionnent que le serpent gardait le sanctuaire, ou bien qu'il avait été envoyé par Héra en raison de l'aide que Philoctète avait apportée à Héraclès. D'autres affirment que la blessure avait été provoquée non par un serpent, mais par l'une des flèches d'Héraclès, empoisonnées avec le sang de l'Hydre. Philoctète souffrait tellement qu'il ne pouvait s'empêcher de pousser des cris et des malédictions qui terrifiaient l'armée; de plus, la puanteur que dégageait la plaie était insupportable. Aussi, sur la suggestion d'Ulysse, Philoctète fut abandonné sur l'île de Lemnos, pendant que la flotte continuait vers Troie; le contingent du blessé passa sous le commandement de Médon, un fils naturel d'Oilée. Pendant son séjour solitaire sur Lemnos, Philoctète survécut grâce à son arc dont les flèches ne manquaient jamais leur but. Il se nourrissait d'oiseaux et d'animaux sauvages qu'il abattait, mais sa blessure ne s'améliora pas.

Dix ans plus tard, Ulysse fit prisonnier le prophète troyen Hélénos, qui révéla que les Grecs ne pourraient prendre Troie que, entre autres conditions, s'ils pouvaient persuader Philoctète de venir combattre avec l'arc d'Héraclès. Sachant combien Philoctète devait le haïr pour avoir proposé de l'abandonner, Ulysse eut recours à un stratagème. Il emmena avec lui à Lemnos le fils d'Achille, Néoptolème, qui n'était pas présent lors de l'épisode de Ténédos, puis il fut décidé que le jeune homme proposerait à Philoctète de le ramener sain et sauf en Grèce. Philoctète, reconnaissant, confia alors son arc à Néoptolème qui lui révéla la vérité. D'après la tragédie de Sophocle, *Philoctète,* Néoptolème eut alors honte du rôle qu'il avait joué dans l'intrigue et décida de tenir sa promesse envers le blessé et de le ramener effectivement en Grèce; mais Héraclès, maintenant parmi les dieux, apparut et ordonna à Philoctète d'aller combattre à Troie, où il serait soigné. D'autres versions disent que c'est Diomède qui accompagna Ulysse et ne parlent pas d'une intervention d'Héraclès.

A Troie, le médecin Machaon, ou bien Podalirios, ou encore tous les deux, soignèrent la blessure de Philoctète et, bientôt, celui-ci tua Pâris d'une flèche empoisonnée. D'après *L'Odyssée,* Philoctète eut un retour heureux, mais d'autres légendes racontent qu'il fut poussé par des vents violents jusqu'en Italie méridionale où il fonda la ville de Crimissa près de Crotone; il éleva en cet endroit un sanctuaire où il consacra ses armes à Apollon protecteur des voyageurs.

PHOBOS. *Voir* DEIMOS.

PHOEBÉ («la Brillante»). **1.** Titanide, fille d'Ouranos et de Gaia. De Coeos, elle eut deux filles, Léto et Astéria. D'après

Eschyle, elle est la troisième protectrice de l'oracle de Delphes, après Gaia et Thémis.
2. Fille de Leucippos. *Voir* CASTOR et POLLUX.
3. Fille de Tyndare et de Léda.
4. Epithète d'Artémis.

PHOEBOS («le Brillant»). Epithète d'Apollon.

PHOENIX. 1. Héros éponyme de la Phénicie; il est le fils d'Agénor et de Téléphassa. Il passe quelquefois pour le père de Phinée, d'Europe ou d'Adonis.
2. Fils d'Amyntor, roi d'Orminion. Sa mère Cléoboulé persuada Phoenix de séduire la concubine d'Amyntor afin de détourner de celle-ci l'affection de son mari. Lorsque, cependant, Amyntor apprit que son fils avait passé la nuit avec la jeune femme, il le maudit, demandant aux Erinyes de priver Phoenix d'enfants, souhait qui se réalisa. Ce dernier voulut tuer son père, mais il s'en abstint, s'enfuit de la pièce où sa famille l'avait enfermé et quitta le pays (dans une tragédie perdue d'Euripide, Phoenix, bien qu'innocent, est aveuglé par son père et est plus tard soigné par Chiron à la prière de Pélée). Il se rendit à la cour de Pélée, à Phthie, où il fut accueilli avec hospitalité; Pélée le fit roi des Dolopes. Après avoir pris part à la chasse au sanglier de Calydon, il fut chargé par Pélée d'enseigner au jeune Achille l'art des armes. Il accompagna plus tard Ulysse à Scyros afin de persuader le jeune homme d'aller à Troie, puis il se joignit, malgré son âge, à l'expédition et devint le lieutenant d'Achille. Lorsque celui-ci se retira du combat, à la suite de sa querelle avec Agamemnon, Phoenix continua à se battre et accompagna l'ambassade qui vint offrir à Achille un magnifique dédommagement et les excuses d'Agamemnon. Le refus d'Achille le peina profondément, car il l'avait toujours considéré comme son fils. Après l'échec de ces négociations, il resta auprès d'Achille et, à la fin de la guerre, il rentra avec le fils de celui-ci, Néoptolème, mais il mourut en chemin.

PHOSPHOROS («celui qui apporte la lumière»). Personnification de l'Etoile du matin, il est le fils d'Eos (l'Aurore) et d'Astraeos, ou bien de Céphalé.

PICUS. Il existe deux traditions différentes dans lesquelles figure Picus. Dans la première, il passait pour un très ancien roi italique et pour le fondateur de Laurentum. On lui donnait comme père Saturne (ou Stercutus) et pour épouse la nymphe Canens; il était le père de Faunus. On racontait que

Picus avait été transformé en pivert (sens de son nom) par la magicienne Circé (Epervier), jalouse, dont il avait repoussé les avances. Dans la seconde tradition, Picus est considéré comme un dieu rustique qui possédait le don de changer de forme, préférant celle de l'oiseau consacré à Mars, le pivert. Il était également devin et rendait des oracles à l'un des sanctuaires de Mars, assis sur une colonne de bois. Picus et Faunus furent un jour pris dans un piège que leur tendit le roi Numa Pompilius; celui-ci avait mélangé du vin à l'eau de leur fontaine. Ils s'enivrèrent et furent facilement capturés. Ils essayèrent de se métamorphoser pour lui échapper, mais ils finirent par accepter d'enseigner à Numa comment inciter Jupiter à descendre des cieux (*voir* FAUNUS).

On racontait aussi que Picus avait guidé les Picènes, un peuple de l'Italie orientale, vers une nouvelle patrie. Telle serait l'origine de leur nom; d'après une tradition, il aurait aidé la louve à sauver Romulus et Rémus.

PIÉRIDES. 1. *Voir* MUSES. **2.** Voir PIÉROS.

PIÉROS. Roi macédonien qui donna son nom au mont Piéros situé au nord de l'Olympe. Il régnait sur Pella et avait pour père le Thessalien Magnès. Il apprit l'existence des Muses par un oracle, en Thrace, et introduisit leur culte dans son pays. Sa femme, Evippé, eut neuf filles (les Piérides). Les jeunes filles s'adonnaient à la musique et devinrent si habiles dans cet art qu'elles engagèrent un concours avec les Muses. Mais celles-ci, pour les punir de leur audace, les transformèrent en corneilles. Cependant, la muse Clio donna à Piéros un fils, Hyacinthos; le fils de ce dernier, Oeagre, épousa une autre muse, Calliopé, qui donna naissance, selon une légende, à Orphée et Linos, bien que cette filiation fût souvent contestée.

PIRITHOOS. Roi des Lapithes de Thessalie et ami intime de Thésée; il était le fils de Zeus et de Dia, la femme d'Ixion. Il succéda à Ixion sur le trône de Thessalie, mais bientôt une guerre éclata avec les Centaures qui, en tant que fils d'Ixion, réclamaient leur part du royaume. Après de violents combats, le différend fut réglé à l'amiable, et les Centaures reçurent pour pays le mont Pélion.

Pirithoos avait souvent entendu parler des exploits de Thésée, le roi d'Athènes, et, pour le mettre à l'épreuve, il organisa une razzia de bétail sur Marathon. Thésée partit à sa poursuite et le rattrapa; le combat allait s'engager entre eux lorsque, soudain, ils tombèrent tous deux dans les bras l'un de l'autre et se jurèrent une amitié éternelle. Ils prirent part ensemble à la chasse de Calydon et, selon certains, à l'expédition des Argonautes, lors de laquelle Thésée enleva la reine des Amazones et en fit sa captive. Puis Pirithoos décida d'épouser Hippodamie (ou Déidamie) la fille de Boutès. Il invita à son mariage un grand nombre d'amis, parmi lesquels Thésée et Nestor, de Pylos. Il invita aussi les Centaures du Pélion qu'il considérait maintenant comme des amis. Mais ces derniers, n'ayant pas l'habitude de boire, s'enivrèrent et tentèrent d'enlever la mariée et ses suivantes thessaliennes. Un combat acharné s'ensuivit, au cours duquel il y eut beaucoup de morts de chaque côté. Mais la victoire revint aux Lapithes. Les Centaures furent chassés de Thessalie, à l'exception de Chiron qui n'avait pas pris part au combat et qui resta sur le mont Pélion jusqu'à sa mort.

Hippodamie donna un fils à Pirithoos, Polypoetes, qui conduisit un contingent de quarante navires à Troie. Lorsque Hippodamie et Phèdre moururent, les deux veufs décidèrent d'épouser des filles de Zeus. Thésée choisit Hélène, et Pirithoos aida son ami à enlever la jeune fille à Sparte. Mais comme elle n'était pas encore en âge de se marier, ils l'enfermèrent dans la citadelle d'Aphidna, en Attique, sous la garde d'Aethra. Puis ils partirent à la recherche d'une épouse pour Pirithoos; celui-ci, narguant les dieux, jeta son dévolu sur Perséphone, la femme d'Hadès. Les deux amis descendirent aux Enfers par une entrée située à Ténare, en Laconie. Ils réussirent à se faire transporter par Charon sur l'autre rive du Styx et à éviter le chien des Enfers, Cerbère. Puis, ils réclamèrent ouvertement Perséphone à son mari. Hadès leur donna des chaises pour se reposer, mais, une fois assis, les deux héros y furent enchaînés sans pouvoir bouger et demeurèrent liés aux «Chaises d'Oubli». Plus tard, Héraclès délivra Thésée, mais lorsqu'il toucha Pirithoos, la terre trembla, et le héros dut abandonner son projet.

PITTHÉE. Fils de Pélops et d'Hippodamie d'Elide. Avec son frère Trézen, il s'établit en Argolide sur laquelle Aetios, un petit-fils de Poséidon régnait. A la mort d'Aetios, Pitthée et Trézen gouvernèrent ensemble jusqu'à ce que Trézen mourût; Pitthée demeura seul sur le trône et fonda une ville à laquelle il donna le nom de son frère. Pitthée était un homme sage et clairvoyant et lorsque Egée, le roi d'Athènes, lui soumit un oracle que lui-même ne pouvait interpréter, Pitthée en saisit le sens et prédit à Egée que son fils serait un grand héros. Puis il grisa Egée et lui fit passer la nuit avec Aethra.

Le moment venu, Aethra donna naissance à Thésée (bien que Poséidon passât aussi, parfois, pour le père de l'enfant). Thésée grandit à la cour de Pitthée et fut désigné comme successeur au trône de son grand-père. Lorsque, des années plus tard, il devint roi d'Athènes, il envoya son fils Hippolyte vivre auprès de Pitthée à Trézène, et assurer le pouvoir sur la ville.

PLÉIADES. Ce sont les sept filles du Titan Atlas et de l'Océanide Pléioné. Leur nom était : Maia (mère d'Hermès, engendré par Zeus), Electre (mère de Dardanos et de Iasion qu'elle eut de Zeus), Taygèté (à qui Zeus donna Lacédaemon), Célaeno (mère de Lycos, unie à Poséidon), Stéropé (qui eut d'Arès un fils, Oenomaos) et Méropé (qui donna à Glaucos, un mortel, Sisyphe). Certains auteurs affirment qu'Electre épousa un mortel, Corythos, qui fut le père des deux enfants. D'après une tradition, Artémis transforma Taygèté en biche pour l'aider à échapper aux poursuites de Zeus; ce fut elle la biche de Cérynie qu'Héraclès suivit pendant toute une année, puis qu'il rapporta à Eurysthée.

Les Pléiades eurent un tel chagrin à la mort de leurs sœurs les Hyades qu'elles se donnèrent toutes la mort; Zeus les plaça dans le firmament où elles devinrent une constellation de sept étoiles. On disait aussi que Zeus les avait transformées en étoiles, ainsi que leur mère Pléioné, pour les sauver d'Orion qui les poursuivait depuis sept ans. Ce dernier devint aussi une constellation qui semble éternellement pourchasser celle des Pléiades. L'une des sept étoiles était moins brillante que les autres; c'était, pensait-on, celle de Méropé, honteuse de sa passion pour un simple mortel, ou bien celle d'Electre, désespérée de la mort de son fils devant Troie. Le nom de Pléiades évoque un mot grec signifiant «naviguer», car les sept étoiles sont visibles durant les mois d'été, saison que les Anciens réservaient à la navigation.

PLOUTOS. Fils de Déméter et d'Iasion. Après les noces de Cadmos et d'Harmonie, Iasion s'était uni à la déesse sur une jachère, en Crète. Le nom de Ploutos évoque la «richesse», et lui-même protégeait les récoltes abondantes que donnaient les terres fertiles. On lui rendait un culte en relation avec celui de Déméter, à Eleusis. D'après une tradition, Ploutos fut aveuglé par Zeus qui voulait le rendre impartial dans sa distribution des richesses et l'empêcher de rendre les riches encore plus riches. Dans la comédie d'Aristophane, qui porte son nom, Ploutos recouvre la vue afin de pouvoir distinguer les bons des méchants.

PLUTON. Surnom d'Hadès signifiant «le Riche».

POLLUX. *Voir* CASTOR et POLLUX.

POLYBOS. 1. Roi de Corinthe qui adopta le petit Œdipe, amené à Corinthe par le berger qui avait trouvé l'enfant. Le nom de sa femme était Méropé.
2. Roi de Sicyon, fils d'Hermès et de Chthonophylé, la fille du héros éponyme de Sicyon. Il succéda à son grand-père sur le trône de Sicyon. Il avait une fille, Lysianassa, qu'il maria à Talaos, d'Argos. Après un long règne, ce fut le fils de Talaos, Adraste, qui lui succéda car ce dernier s'était réfugié à sa cour.

POLYDECTÈS. Roi de Sériphos qui envoya Persée chercher la tête de Gorgone. Ses parents étaient Magnès, fils d'Eole, et une Naïade. Il avait pour frère Dictys qui protégea Danaé. *Voir* PERSÉE.

POLYDOROS. 1. Roi de Thèbes qui passait pour le fils unique de Cadmos et d'Harmonie. D'après Apollodore, il succéda à son neveu Penthée et, après un court règne, il laissa le trône à son fils encore enfant, Laïos, qu'il avait eu de sa femme Nyctéis, la fille de Nyctée. Pausanias au contraire le considère comme l'héritier direct de Cadmos.
2. L'un des Epigones, il est le fils d'Hippomédon.
3. Fils cadet de Priam. Dans *L'Iliade,* sa mère est Laothoé, fille d'Altès, roi des Lélèges. Il était très rapide à la course, mais Priam, de qui il était le préféré, lui interdit de participer aux combats. Il fut finalement tué par Achille, ce qui mit Hector dans une rage folle. Une tradition différente, suivie par Euripide dans son *Hécube,* fait de Polydoros le fils d'Hécube. Ses parents voulaient qu'au moins un prince troyen survécût à la guerre, et ils envoyèrent leur fils chez Polymestor, roi des Bistones de Thrace, lui demandant de prendre soin de l'enfant; ils lui remirent en même temps une grande quantité d'or, héritage de Polydoros. Mais quand Troie fut vaincue, Polymestor assassina Polydoros et s'empara de ses trésors. Cependant, son crime fut découvert par Hécube qui, captive d'Ulysse, avait fait escale dans son royaume pendant le retour du héros. Dans la tragédie d'Euripide, l'ombre de Polydoros lui apparaît et lui apprend le meurtre; puis Hécube trouve le cadavre sur la plage. Pour venger la mort de son fils, elle attire Polymestor dans sa tente en lui offrant de l'argent; puis elle tue ses enfants et lui crève les yeux.
Lorsque Enée aborda dans la péninsule de la Chersonnèse

thrace avec l'intention d'y fonder une ville, il découvrit par hasard la tombe de Polydoros car ses hommes avaient coupé quelques branches qui se mirent à saigner. Une voix le mit alors en garde contre l'endroit qui était maudit. Les Troyens offrirent un sacrifice à l'enfant et quittèrent le pays. Une autre tradition encore racontait que Polydoros fut élevé par sa sœur Ilioné, la femme de Polymestor, en compagnie de Deipyle, le fils de celle-ci. Après la guerre, les Grecs achetèrent Polymestor pour qu'il tuât l'enfant, lui offrant une grosse somme d'argent et la main d'Electre, la fille d'Agamemnon. Mais Ilioné avait interverti les deux enfants quand ils étaient bébés et avait tenu secrète leur véritable identité : ainsi Polymestor tua son propre enfant. Des années plus tard, Polydoros, qui pensait se nommer Deipyle, alla consulter l'oracle de Delphes ; l'oracle lui répondit que sa patrie avait brûlé, que son père était mort et sa mère en esclavage. Retrouvant sa famille en bonne santé, il interrogea sa mère à propos de l'oracle, et celle-ci lui révéla sa véritable identité. Puis, ensemble, ils tuèrent Polymestor.

POLYNICE («qui aime les querelles»). Fils aîné d'Œdipe et de Jocaste. Pour sa légende, *voir* ETÉOCLE. Dans la tragédie de Sophocle *Œdipe à Colone,* Polynice essaya d'obtenir le soutien de son père aveugle, en exil, avant l'expédition contre Thèbes, prétendant qu'Etéocle avait déloyalement intéressé les Thébains à sa cause. Mais Œdipe le maudit, répondant que c'était lui, Polynice, qui avait régné le premier sur Thèbes et qui était donc responsable de son bannissement. Il souhaita alors que Thèbes résistât à l'assaut de Polynice et de ses alliés argiens, mais que ses deux fils fussent tués de la main l'un de l'autre. Polynice et Argia, sa femme, eurent un fils, Thersandros, et peut-être Adraste et Timéas.

POLYPHÈME. 1. Cyclope, fils de Poséidon et de la nymphe Thoosa. Lorsque Ulysse aborda dans son île, identifiée à la Sicile par des auteurs plus récents, il lui demanda l'hospitalité, prétendant se nommer Outis (Personne) ; le monstre se mit à rire et l'enferma avec ses compagnons dans la grotte où il vivait et abritait ses troupeaux de moutons et de chèvres. Puis, un par un, il dévorait ses prisonniers grecs. Ulysse n'osa pas le tuer car ses compagnons et lui n'étaient pas capables de déplacer le rocher qui bloquait l'entrée de la caverne. Mais il eut l'idée d'un stratagème pour l'aveugler, en lui faisant boire un vin très capiteux. Lorsque Polyphème appela les autres Cyclopes à l'aide criant que «Personne» l'avait blessé, les

autres Cyclopes se contentèrent de rire. Au matin, le Cyclope aveugle dégagea l'entrée, et les Grecs s'enfuirent en s'agrippant au ventre des moutons. De retour sur son navire, Ulysse se moqua de Polyphème en s'éloignant du rivage et faillit être écrasé par un énorme rocher que le géant avait lancé dans sa direction. Polyphème eut, avant d'être aveugle, une aventure amoureuse tragi-comique avec la nymphe Galatée. A cette époque, un devin, Télémos, lui avait prédit qu'il perdrait la vue par la faute d'un nommé Ulysse. Il répondit avec insouciance qu'il avait déjà le cœur brisé par la faute d'un autre homme.
2. Argonaute originaire de Thessalie. Il resta à terre avec Héraclès lorsque Hylas disparut et fonda la ville de Cios, en Bithynie. Il fut plus tard tué en combattant les Chalybes, peuple de l'est de l'Asie Mineure.

POMONE. Déesse romaine des fruits et des vergers (de *pomum* : pomme, fruit). Le dieu Vertumne tomba amoureux d'elle, mais elle le repoussa. Comme il possédait le don de changer de forme (son nom dérive de *vertere*, transformer), il se métamorphosa en une vieille commère et parla en faveur de lui-même avec tant d'éloquence que lorsqu'il reprit sa véritable apparence, Pomone lui accorda malgré tout ses faveurs.

POMPILIUS. *Voir* NUMA.

PORSENNA, LARS. Prince étrusque qui passe généralement pour avoir régné sur Clusium (maintenant Chiusi). C'est un personnage plus légendaire qu'historique, d'autant que son nom est constitué par la réunion de deux titres aristocratiques *Parth* (champion) et *Purthna* (notabilité). Il joue un rôle dans les légendes de la jeune République romaine comme allié principal de Tarquin le Superbe, lui aussi d'origine étrusque; celui-ci, après avoir été chassé de Rome, demanda l'aide militaire de ses compatriotes afin de reconquérir le pouvoir. D'après la tradition, Porsenna assiégea Rome à la tête d'une immense armée et prit le Janicule, colline qui surplombe Rome, sur la rive droite du Tibre. Grâce à l'héroïsme d'Horatius Coclès, qui défendit le pont du Tibre, Rome lui résista. Plus tard, pendant un siège prolongé, Mucius Scaevola essaya d'attenter à la vie de Porsenna, mais tua à sa place un autre homme car il n'avait jamais vu le roi étrusque. Porsenna fut si impressionné par le courage et la détermination de Scaevola qu'il conclut un traité avec les Romains, acceptant de lever le siège et d'abandonner la cause de Tarquin le Superbe en échange d'un groupe d'otages romains composé par les enfants des citoyens les plus éminents. Une jeune Romaine nommée Cloélia réconcilia totalement Porsenna avec les Romains par un autre acte d'héroïsme, et le roi se retira avec son armée à Clusium.

POSÉIDON. Il est, chez les Grecs, le dieu principal des mers et des cours d'eau; il fut identifié par les Romains à une vieille divinité italique de l'eau, Neptune, à laquelle ils attribuèrent les légendes de Poséidon. Le nom de Poséidon (en dorien, Potéidon) signifie peut-être «le maître (ou le mari) de la terre», sens qui n'est pas étranger à l'épithète habituelle du dieu *Gaieochos,* «qui tient la terre». Poséidon est également associé aux tremblements de terre, comme le montrent ses épithètes *enosichthon* et *enosigaios,* «l'Ebranleur du sol». Les animaux qui lui sont consacrés sont principalement le cheval et le taureau. Poséidon était l'un des dieux les plus importants à la fois dans les cultes et dans les mythes; les artistes le représentaient souvent et le voyaient comme un personnage d'une taille élevée et barbu, brandissant un trident (harpon des pêcheurs de thon, pourvu de trois pointes) et quelquefois tenant un poisson. Il a peut-être évincé plusieurs vieilles divinités plus pacifiques, telles que Nérée, Phorcys et Protée, les «Vieillards de la Mer», et a revêtu la plupart de leurs attributs. Cependant, Poséidon est souvent décrit comme irascible, vindicatif et dangereux, violence dont les Vieillards étaient exempts. Poséidon symbolise en quelque sorte la puissance des flots en fureur, et ses actes mettent en lumière son pouvoir destructeur.

Il était le fils de Cronos et de Rhéa et, d'après Hésiode, le frère aîné de Zeus. Comme ses frères et sœurs, à l'exception de Zeus, il fut avalé par son père à sa naissance, car Cronos avait peur d'être détrôné par l'un de ses enfants (les Arcadiens prétendent cependant que Rhéa substitua un poulain à Poséidon; selon une tradition, Rhéa l'avait transporté à Rhodes où l'Océanide Caphira, aidée par les Telchines, l'aurait élevé). Par la suite, après que Métis eut donné à Cronos l'émétique qui lui fit restituer ses enfants, Poséidon aida Zeus à vaincre les Titans et à les enfermer dans le Tartare. Puis, les trois fils de Cronos se partagèrent l'Univers, gardant la Terre et l'Olympe comme territoire commun. Poséidon obtint le pouvoir sur la mer, dans laquelle (selon une variante de la légende concernant sa naissance) Cronos le précipita dès qu'il sortit du sein de Rhéa; Zeus fut doté du pouvoir suprême — Homère le considère comme l'aîné —, mais Poséidon se rebella souvent, ne s'avouant vaincu qu'à la dernière extrémité. Il complota même avec Héra et Athèna pour détrôner Zeus, et tous trois réussirent à l'enchaîner, mais Thétis sauva Zeus en appelant à son aide Briarée qui demeurait dans le Tartare.

La plupart des enfants de Poséidon, humains ou divins, héritèrent de sa violence. Sa femme était Amphitrite, une Néréide ou une Océanide. Lorsque Poséidon demanda sa main, elle prit peur et s'enfuit dans l'Atlas. Le Dauphin, une divinité marine, la retrouva et la persuada d'épouser Poséidon; en récompense, il fut transformé en constellation. Amphitrite donna à son mari trois enfants, Triton, Rhodé et Benthésicymé. Mais Poséidon eut aussi un nombre considérable d'enfants de déesses, de nymphes et de mortelles. Il s'unit à Déméter sous la forme d'un cheval car, pour lui échapper, la déesse s'était transformée en jument (elle a peut-être été sa première épouse, comme le suggère la relation de leurs noms); Déméter donna naissance au cheval divin Aréion et à une fille, Despoina. Poséidon aima également la Gorgone Méduse au temps où elle était une belle jeune fille; il s'unit à elle dans un temple consacré à Athèna, à la suite de quoi la déesse vierge transforma Méduse en un monstre repoussant et aida Persée à la tuer. Du cou de Méduse, tranché, jaillirent Chrysaor et Pégase, le cheval ailé. Poséidon engendra le géant Antée avec sa grand-mère Gaia, ainsi que d'autres géants parmi lesquels Otos et Ephialtès qui tentèrent de livrer assaut à l'Olympe; Polyphème, le cyclope dont la mutilation par Ulysse déchaîna la colère du dieu contre le héros. D'autres enfants de Poséidon avaient une taille normale, mais possédaient un caractère féroce : Cercyon et Sciron, brigands qui furent tués par un autre de ses fils, Thésée; Amycos, mis à mort par le fils de Zeus, Pollux, et Busiris, tué par Héraclès.

Beaucoup de simples mortels prétendaient descendre de Poséidon, comme les fils qu'il eut de Libye, la fille d'Epaphos : Bélos, Agénor et Lélex; Thésée, le plus célèbre d'entre tous, dont la mère était Aethra, et le père «mortel» Egée; le grand navigateur Nauplios, fils d'Amymoné; Pélias et Nélée, fils de Tyro; Cycnos, fils de Calycé et roi de Colone, et beaucoup d'autres.

Homère lui donna un rôle très important. Sa haine pour les Troyens eut une influence capitale et le poussa à intervenir en faveur des Grecs, malgré la défense expresse que lui en fit Zeus. Cette haine a pour origine l'année de servitude que, jadis, Poséidon et Apollon passèrent chez le roi Laomédon, le père de Priam. Ils étaient convenus avec Laomédon de construire une muraille autour de la ville de Troie pour une certaine somme d'argent, mais une fois le travail exécuté, ce dernier refusa de les payer. Apollon semblait avoir estimé que la peste qu'il envoya alors était un châtiment suffisant, car il soutint les Troyens pendant la guerre. Mais Poséidon resta inflexible. Non content d'avoir envoyé un monstre marin qui devait dévorer Hésioné, la fille de Laomédon, il continua à persécuter les Troyens tout au long des combats. Cependant, sa colère n'épargna point les Grecs non plus, car il aida sa nièce Athèna à les punir pour le sacrilège qu'Ajax, le fils d'Oïlée, avait commis en violant Cassandre dans le temple de la déesse. Poséidon alla jusqu'à tuer lui-même le coupable en faisant voler en éclats le rocher auquel Ajax s'agrippait, narguant les dieux et se vantant d'avoir été sauvé du naufrage qui détruisit sa flotte pendant le retour; les navires des chefs grecs furent également détruits par la tempête car ces derniers avaient refusé de châtier le criminel. Ulysse, qui avait voulu lapider Ajax pour son acte, échappa à la vengeance divine, mais, plus tard, il fut l'objet de la colère de Poséidon pour avoir aveuglé Polyphème, le fils du dieu. A cause de cela, son retour fut considérablement retardé et n'eut lieu qu'après que le héros eut perdu tous ses compagnons; Poséidon châtia les Phéaciens, peuple de marins, pour l'aide qu'ils apportèrent à Ulysse et d'autres voyageurs, en comblant leur port avec d'énormes rochers et en pétrifiant le navire dans lequel ils avaient ramené Ulysse. Cependant, lorsque le dieu était d'une humeur plus calme, il aimait à rendre visite aux fidèles Ethiopiens qui lui offraient de riches sacrifices, occasions qui permirent plus d'une fois à Ulysse d'échapper à son attention.

Poséidon vivait dans un palais sous-marin situé au large d'Aeges (deux villes portent ce nom, l'une en Achaïe, l'autre en Eubée). Il parcourait les flots sur son char, à une très grande vitesse, allant de Samothrace à Aeges en un éclair. Lorsqu'il prenait part à une bataille, Hadès avait peur que le sol ne pût résister aux secousses provoquées par Poséidon et que le plafond des Enfers ne s'écroulât. Poséidon revendiqua la possession de plusieurs villes et se querella avec les autres dieux à ce sujet; dans ces disputes, il eut souvent le dessous. Il entra ainsi en conflit avec Athèna pour la possession d'Athènes et de Trézène. Dans le premier cas, un concours fut décidé : Athèna planta un olivier, mais tout ce que Poséidon put produire fut une source d'eau saumâtre qu'il fit jaillir en frappant le rocher de l'Acropole de son trident. Les gens du pays jugèrent que le don d'Athèna était le plus utile des deux, aussi, pour les punir de leur choix, Poséidon inonda la plaine de l'Attique. Zeus réconcilia plus tard le dieu avec les Athéniens qui, désormais, le tinrent particulièrement en honneur. A Trézène, Zeus accorda un pouvoir égal à son frère Poséidon et à sa fille Athèna. Mais ce dernier inonda quand même la région, jusqu'à ce que les habitants de Trézène lui eussent décerné le titre de «Phytalmios» «le promoteur de la végétation». Ce fut dans la région de Trézène qu'il envoya le monstre marin destiné à tuer Hippolyte, le fils de Thésée. Au sujet d'Argos, Poséidon se querella violemment avec Héra, mais la déesse avait la faveur des dieux des fleuves du pays car elle avait été la première protectrice de la ville. De colère, Poséidon assécha tous les cours d'eau et inonda le pays d'eau de mer (néanmoins, il aperçut à Argos l'une des filles de Danaos, Amymoné, dont il fut si amoureux qu'il lui montra le chemin de plusieurs sources; puis il s'unit à elle et lui donna Nauplios). Mais Poséidon finit par obtenir au moins une ville. Il entra en lutte avec Hélios pour la possession de Corinthe, et le débat fut porté devant Briarée qui prit la décision impartiale de donner la colline élevée qui surplombe la ville (l'Acrocorinthe) au Soleil, et l'ensemble de l'isthme, baigné de chaque côté par la mer, à Poséidon.

Poséidon se querella également avec Minos, le roi de Crète. Lorsque ce dernier demanda au dieu de lui envoyer un taureau pour le sacrifice, Poséidon lui accorda ce qu'il désirait et fit sortir de la mer un magnifique taureau; mais Minos trouva l'animal si beau qu'il préféra le garder plutôt que de le sacrifier. Poséidon, pour se venger, inspira à Pasiphaé, la femme de Minos, une passion coupable pour le taureau. Puis, quand Thésée vint en Crète pour tuer le Minotaure né de ces amours monstrueuses, Minos lança son anneau dans la mer et ordonna à Thésée d'aller le chercher, le mettant ainsi au défi de prouver qu'il était le fils de Poséidon. Lorsque Thésée plongea, les Néréides lui rapportèrent immédiatement l'anneau, et Amphitrite y ajouta une couronne d'or que le héros garda pour lui.

Poséidon aimait qu'on lui rendît des honneurs aussi bien sur le continent que sur la mer, ainsi que le prouvent les prédictions que l'ombre de Tirésias donna à Ulysse; celui-ci apaiserait le dieu en lui offrant un sacrifice dans un pays situé si loin de la mer qu'il serait impossible aux habitants de reconnaître l'aviron qu'il porterait sur l'épaule. Poséidon était honoré à l'intérieur des terres, à la fois en Béotie et à Delphes, où il passait pour avoir partagé l'oracle avec Gaia, avant qu'Apollon ne le reprît à son compte (à Delphes, les habitants de l'île de Corcyre avaient coutume d'offrir à Poséidon un taureau de bronze en souvenir d'un taureau qui était apparu sur le rivage et avait montré aux pêcheurs la position d'un banc de thons; les pêcheurs avaient auparavant reçu l'ordre, de Delphes, de donner au dieu le dixième de leur pêche s'ils réussissaient à prendre les poissons au filet).

Malgré ses accès dévastateurs, Poséidon fit aussi preuve de générosité. Par exemple, il assécha la Thessalie, qui était auparavant un immense lac. Pour cela, il provoqua un tremblement de terre qui ouvrit la vallée du Tempé, dans laquelle le Pénée se mit à couler. Il sauva également Ino et son fils Mélicerte, lorsqu'ils se jetèrent dans la mer, et fit d'eux des divinités marines, sous le nom de Leucothée et Palaemon. Il nomma Castor et Pollux, les Dioscures, protecteurs des marins et leur donna le pouvoir d'apaiser les tempêtes. Son secours était aussi invoqué contre les secousses séismiques et, dans ce but, les Grecs faisaient appel à lui sous le vocable d'«Asphalios», «qui donne la sécurité».

Poséidon, dieu des chevaux, était dénommé «Hippios» (le maître des chevaux); à Athènes, Athèna lui est associée sous l'épithète d'«Hippia». Il fit présent de chevaux à plusieurs de ses héros favoris. Il offrit à Pélops, dont il fut l'amant, les chevaux qui permirent à ce dernier de gagner la main d'Hippodamie; à Idas, ceux qui lui servirent à enlever Marpessa, la fille d'Evénos; à Rhésos, le Thrace, ceux qui furent volés par Ulysse et Diomède; il apporta, enfin, à Pélée, comme cadeau de mariage, les chevaux immortels, Xanthos et Balios, dont Achille hérita. Poséidon avait aussi des liens avec les béliers car, pour enlever Théophané, il prit la forme de cet animal et métamorphosa Théophané en brebis pour échapper aux prétendants de la jeune fille qui les poursuivaient. Puis, selon une tradition, Théophané donna naissance au bélier à la Toison d'Or que Néphélé envoya à son fils Phrixos pour lui permettre d'échapper à Athamas. Toutes les divinités marines possédaient le don de se métamorphoser, mais Poséidon transformait aussi les êtres humains. Après avoir fait violence à Caenis, il la changea, à sa demande, en homme et il fit d'Alopé une source. Il accorda le pouvoir de changer de forme à son fils Périclyménos, de même qu'à Mestra, qu'il avait séduite. Il rendit son fils Cycnos invulnérable.

PRIAM. Il était le roi de Troie au moment de la guerre. Son nom véritable était Podarcès; il était le fils de Laomédon, de Troie, et (parmi d'autres traditions), de Strymo, fille du Scamandre. Lorsque Héraclès détruisit Troie pour se venger de Laomédon qui avait refusé de lui payer le salaire convenu pour avoir sauvé Hésioné, il épargna Podarcès, à la prière de celle-ci. Hésioné donna son voile comme rançon pour l'enfant qui, selon la légende, fut alors appelé Priam, du verbe grec *priamai*, «acheter», (ce n'est cependant pas la véritable origine du nom, lequel n'est pas grec). Seul survivant de tous les fils de Laomédon, Priam hérita du trône de son père et régna pendant de nombreuses années ; grâce à lui, le royaume devint prospère et vaste. A l'époque où Troie fut prise, il était déjà un vieillard. Sa femme était Hécube, la fille de Dymas, roi des Phrygiens (ou celle de Cisséas), mais il avait également un grand nombre de concubines. Il eut cinquante fils, dont l'aîné était Pâris, ou bien Hector (parmi les autres se trouvaient Déiphobe, Hélénos, Troïlos, Politès et Polydoros), et cinquante filles parmi lesquelles Cassandre, Créüse, Laodicé et Polyxène. La nymphe Alexirrhoé, la fille du fleuve Granicos, lui donna le devin Aesacos.

Les principaux épisodes qui marquèrent la vie de Priam sont : la bataille contre les Amazones sur les bords du fleuve Sangarios; l'abandon et l'exposition de Pâris à sa naissance — auparavant Hécube avait rêvé qu'elle donnait naissance à une torche — et sa reconnaissance par Cassandre; l'enlèvement d'Hélène, la femme de Ménélas, par Pâris, et, plus tard, la ratification du mariage du couple par Priam; la guerre et le siège contre Troie qui s'ensuivirent; la mort de son fils favori, Hector, et le rachat à Achille de son cadavre et, enfin, à la chute de Troie, sa propre mort, devant l'autel de Zeus, dans la cour de son palais. Il perdit presque tous ses fils pendant les combats, et, avant sa propre fin, il assista à celle d'un autre de ses fils, Politès. Après avoir faiblement tenté de reprendre les armes et de combattre, il fut égorgé sans pitié par Néoptolème.

Priam, dans *L'Iliade*, était représenté comme un vieil homme doux et affable, qui se montra bienveillant envers Hélène. Il était le seul Troyen en qui les Grecs avaient confiance et c'est à lui que l'on demanda de prêter serment avant le duel entre Ménélas et Pâris. Lorsqu'il vint réclamer le corps d'Hector à Achille, bien qu'il fût inquiet en présence de son plus grand ennemi, il garda toute sa dignité et sa fierté. En raison de sa piété, les dieux assurèrent sa sécurité pendant cette mission, bien qu'il eût été destiné à périr sous peu, en même temps que Troie.

PRIAPE. Dieu des jardins qui fut admis tard dans le Panthéon grec, venant probablement de Phrygie. Il passait pour le fils de Dionysos et d'Aphrodite, ou d'Hermès ; mais il fut abandonné par sa mère en raison de sa laideur, car il avait un petit corps tordu et grotesque, doté d'un phallus énorme. Il fut élevé par des bergers, puis il rejoignit le cortège de Dionysos. Amoureux de la nymphe Lotis, il rampa une nuit vers elle, pendant son sommeil, mais juste au moment où il arrivait près d'elle, un âne se mit à braire et la réveilla ; lorsqu'elle aperçut Priape, elle fut terrifiée et s'enfuit. Priape la poursuivit de près, et les dieux, pris de pitié pour la nymphe, la changèrent en un arbuste, le lotus. Depuis ce temps, Priape détesta les ânes et exigea qu'on les lui offrît en sacrifice. Une explication différente est donnée de sa haine pour les ânes : elle aurait pour origine une querelle avec un âne que Dionysos aurait doué de la parole, en récompense d'un service. La cause en était la taille respective de leur membre viril ; Priape eut le dessous et battit l'âne à mort.

PRIÈRES *(Litaï).* Les Prières étaient parfois personnifiées et passaient pour les filles de Zeus ; elles transmettaient les réclamations des mortels à leur père. *Voir* ATÉ.

PROCUSTE (en grec : *prokroustes,* « qui tiraille »). Il passait pour le fils de Poséidon. C'était un brigand célèbre dont le nom véritable était Polypémon ; il avait un autre surnom : Damastès, « le dompteur ». Il sévissait le long de la route qui va d'Eleusis à Athènes et avait coutume d'offrir l'hospitalité aux voyageurs dont il se saisissait alors pour les attacher à un lit ; il en avait un grand pour les petits et un court pour les grands et étirait ou raccourcissait la personne pour lui donner la dimension du lit. Thésée fit subir à Procuste le même supplice et, pour lui donner la dimension du lit, il lui coupa la tête.

PROMÉTHÉE. Titan, fils de Japet et de Thémis (ou bien de Clyméné, fille d'Océan). Il est le bienfaiteur de l'humanité, malgré l'hostilité des dieux ; son nom signifie « prévoyant ». Dans la version originelle de la légende, il ne représentait pas plus qu'un escroc intelligent qui réussit à duper Zeus. Mais les auteurs grecs, en particulier Hésiode dans la *Théogonie* et Eschyle dans *Prométhée enchaîné,* firent de lui le créateur et le sauveur de l'humanité, tandis que Zeus (qui est le personnage principal des deux autres tragédies de la trilogie d'Eschyle) apparaît comme un tyran cruel.

Avant la bataille entre les dieux et les Titans, au terme de laquelle Zeus emprisonna ses ennemis dans le Tartare, Prométhée qui avait su prévoir ce qui se passerait, conseilla aux Titans d'utiliser la ruse; devant le mépris de ces derniers, il rejoignit le camp de Zeus. Mais, après les combats, Prométhée entra en conflit avec Zeus au sujet des hommes. D'après la version d'Hésiode, Prométhée créa lui-même la race humaine à partir d'une motte d'argile provenant de Panopée, en Béotie; artisan très habile, il façonna les figurines auxquelles Athèna insuffla la vie (selon certaines sources, il soumettait chaque figurine à l'approbation de Zeus, mais il omit de le faire pour un adolescent particulièrement beau, nommé Phaenon, «Eclatant». Lorsque Zeus le découvrit, il enleva le garçon au ciel et le transforma en planète, celle de Jupiter). Cependant, voyant la méchanceté des hommes, Zeus résolut de les anéantir, ou du moins Prométhée le pensait-il, et de créer une race nouvelle et meilleure. En tout cas, Zeus commença par les priver du feu; il essaya aussi de les faire mourir de faim en leur demandant de lui offrir en sacrifice le meilleur dans la nourriture humaine; mais Prométhée réussit à conjurer le danger par la ruse suivante. Une rencontre entre les dieux et les hommes fut organisée à Mécôné (qui devint plus tard Sicyon) afn de déterminer quelles parties de la viande du sacrifice devaient être réservées aux dieux; Prométhée, choisi comme arbitre, amena un bœuf qu'il dépeça et qu'il divisa en deux parts : l'une contenait les entrailles qu'il entoura de graisse; mais l'autre, recouverte du ventre de l'animal, était la meilleure. Puis il demanda à Zeus de choisir sa part. Pensant qu'il avait découvert la ruse, Zeus choisit la graisse et tomba dans le piège; c'est pour cette raison que, depuis, les hommes offrirent en sacrifice la graisse et les entrailles.

De colère, Zeus, décida alors de priver les mortels du feu. Mais Prométhée désobéit une fois encore à la décision divine en dérobant le feu dans une tige de fenouil, sur l'Olympe ou bien dans la forge d'Héphaïstos; puis il l'apporta aux hommes (il leur enseigna également de nombreuses techniques, dont la métallurgie); en même temps, il leur enleva la connaissance du futur qu'ils possédaient jusque-là, car ils auraient eu le cœur brisé. Une nuit, Zeus vit la terre recouverte d'une multitude de lueurs rougeoyantes et fut saisi d'une grande rage; il chargea ses serviteurs, Cratos et Bia, ainsi qu'Héphaïstos, d'arrêter Prométhée et de l'enchaîner sur une montagne (peut-être le Caucase), aux confins de l'Océan, loin des hommes. Puis il envoya son aigle chaque jour lui ronger le foie, lequel renaissait pendant la nuit. Car Prométhée, qui était de la race des Titans, était immortel (ou bien selon une tradition, Chiron lui donna son immortalité pour pouvoir lui-même mourir). Lorsque Zeus, d'après Eschyle, vit que Prométhée le narguait, refusant de lui révéler le secret de son immortalité, il frappa de la foudre le rocher auquel le prisonnier était enchaîné et qui bascula dans le Tartare.

Enfin, après un nombre infini d'années, Zeus permit que Prométhée fût délivré en échange d'une information de grande importance pour lui, selon laquelle le fils né de Thétis (que Zeus et Poséidon courtisaient depuis longtemps) serait plus puissant que son père. Héraclès, le fils de Zeus, survint alors, tua l'aigle d'une flèche et délivra le prisonnier de ses chaînes. En récompense, Prométhée indiqua au héros le moyen de se procurer les pommes des Hespérides, à la recherche desquelles il était ; il devait envoyer Atlas les chercher et proposer à ce dernier de soutenir la voûte céleste en son absence. Sans les révélations de Prométhée, Zeus aurait épousé Thétis, puis aurait été détrôné par un fils plus puissant que lui, de la même façon que lui-même avait détrôné Cronos.

Une autre légende montre la cruauté dont firent preuve les dieux envers les hommes, version selon laquelle ils auraient alors créé la première femme, Pandore (car la terre ne portait encore que des hommes, façonnés avec de l'argile par Prométhée). Ils donnèrent à Pandore toutes sortes de défauts, mais la firent belle et attirante. Puis ils l'offrirent au crédule Epiméthée, le frère de Prométhée qui, malgré les avertissements de Prométhée, l'accepta. Leur fille, Pyrrha, épousa Deucalion, le seul homme qui survécut au déluge que Zeus envoya pour anéantir tous les hommes créés par Prométhée. Ce fut lui qui conseilla à Deucalion et Pyrrha de jeter les os de leur mère par-dessus leur épaule afin de faire renaître la race humaine ; cependant, certains attribuent cette suggestion à Thémis, la mère de Prométhée. Celle-ci passait aussi pour avoir enseigné sa sagesse à Prométhée. Prométhée était honoré en Attique comme dieu des artisans. Les traditions diffèrent sur le nom de sa femme.

PROTÉE. Ancienne divinité marine et l'un des « Vieillards de la Mer ». Il passe quelquefois pour un fils de Poséidon, mais son origine est certainement beaucoup plus ancienne. Il gardait les troupeaux de phoques et autres animaux marins appartenant à Poséidon. Il possédait le don de prophétie, mais se refusait à révéler ce qu'il savait et échappait aux questionneurs en prenant toutes les formes qu'il voulait ; il se transformait en eau, en flammes et en animaux sauvages. On lui attribuait plusieurs demeures différentes parmi lesquelles les îles de Carpathos et de Pharos. En revenant de Troie, Ménélas, suivant le conseil d'Idothée la fille de Protée, se déguisa en phoque. Par ce moyen, il réussit à capturer le vieillard et à le lier pendant son sommeil, et l'obligea ainsi à lui indiquer le chemin du retour. De la même façon, Aristée, qui avait offensé Orphée et les Nymphes si bien que toutes ses abeilles mouraient, attrapa Protée pendant que celui-ci se chauffait au soleil de midi en compagnie de ses phoques ; il le força à lui révéler l'offense dont il s'était rendu coupable. Protée enseigna à Aristée le moyen d'apaiser les Nymphes et de guérir ses abeilles. Dans l'*Hélène* d'Euripide, Protée apparaît comme un roi d'Egypte, fils de Pharos à qui, en raison de son équité et de son honnêteté, Hermès confia Hélène, tandis que Pâris emmenait à Troie un fantôme. Quelque temps après, selon cette version, Protée mourut et Théoclyménos le fils qu'il avait eu de la Néréide Psamathé, essaya de convaincre Hélène de l'épouser. Celle-ci fut sauvée grâce à sa propre intelligence et surtout grâce à l'arrivée impromptue de Ménélas. Hérodote raconte que ce fut Pâris qui emmena Hélène en Egypte mais que Protée le chassa et rendit plus tard Hélène à son mari.

PSYCHÉ. La légende de Cupidon (Eros, l'Amour) et de Psyché que nous raconte Apulée dans *Les Métamorphoses* est une histoire d'amour contenant de nombreux éléments populaires et féeriques.

Un roi avait trois filles ; la plus jeune, Pysché, était si belle que les habitants du pays avaient cessé d'honorer Vénus (Aphrodite) pour se tourner vers la jeune fille. Mais celle-ci aurait cependant préféré que l'on demandât sa main, plutôt que de recevoir les honneurs divins. Vénus fut saisie d'une grande colère en voyant la princesse usurper, quoique involontairement, sa place, et décida de la punir. Elle ordonna à Cupidon, son fils, d'inspirer à Psyché une passion pour l'être le plus monstrueux qu'il trouverait. Mais lorsque ce dernier l'aperçut, il tomba amoureux d'elle et ne put obéir aux ordres de sa mère. Il demanda à Apollon d'envoyer au père de Psyché un oracle qui commanderait à ce dernier de parer sa fille pour le mariage et de l'exposer, dans sa robe de mariée, sur un rocher isolé où un démon viendrait en prendre possession. Accablé de chagrin, le roi obéit. Cependant Psyché fut enlevée par la douce brise de Zéphyr et emmenée dans une vallée inconnue où se dressait un merveilleux palais dont les portes étaient ornées de pierres précieuses et le sol pavé d'or. Elle y pénétra et fut accueillie par des serviteurs invisibles. Une voix amicale lui fit visiter les lieux et la rassura. Lorsque vint la nuit, elle alla se coucher et fut rejointe par Cupidon qui avait pris une apparence humaine. Il déclara à Psyché qu'il était maintenant son mari et qu'elle serait la plus heureuse des femmes si seulement elle s'abstenait de chercher à savoir qui il était ou de vouloir voir son visage. Si elle transgressait cet ordre, son enfant n'acquerrait jamais l'immortalité.

Psyché se mit à aimer passionnément son mari. Mais un jour où elle se sentait seule — car elle ne voyait personne —, elle demanda à son mari invisible la permission de rendre visite à ses sœurs. Après maintes hésitations, il accepta de les faire venir, mais il lui recommanda de ne pas répondre aux questions qu'elles lui poseraient à son sujet. Le vent de l'ouest, Zéphyr, les transporta jusqu'au palais dont les sœurs furent tout de suite mortellement jalouses. Lors d'une seconde visite, ces dernières découvrirent que Psyché n'avait jamais vu son mari ; elles lui firent alors croire qu'il pourrait se transformer en serpent, lequel se glisserait dans son sein et les dévorerait elle et son enfant. Tout d'abord déchirée entre les avertissements de son mari et les prières instantes de ses sœurs, Psyché céda finalement à sa curiosité et à ses craintes. Le soir, avant d'aller se coucher, elle se munit d'une lanterne et d'un poignard. Une fois Cupidon endormi, elle alluma la lampe et la dirigea vers son visage, en levant le poignard. Mais quand elle découvrit le corps harmonieux du dieu de l'Amour, elle fut si émue qu'elle laissa tomber une goutte d'huile brûlante sur son épaule et le réveilla. Comprenant que Psyché connaissait maintenant son identité et que son secret allait être révélé, Cupidon se leva et s'envola.

Psyché, désespérée, le chercha partout, mais en vain. Lorsque ses sœurs apprirent l'identité de son mari, elles voulurent elles aussi l'épouser, et, imitant leur sœur, elles sautèrent du haut du rocher en robe de mariée et s'écrasèrent au pied de la montagne. Durant ce temps, Psyché errait à la recherche de Cupidon ; Junon (Héra) et Cérès (Déméter) lui refusèrent leur aide, ne voulant porter secours à l'ennemie d'une autre déesse, si bien que Psyché arriva au palais de Vénus elle-même. La déesse la laissa entrer, mais fit d'elle son esclave et lui imposa des tâches impossibles à accomplir. Tout d'abord, elle lui ordonna de trier une pièce pleine de graines avant la tombée de la nuit. Une colonne de fourmis vint l'aider et divisa les graines en différents tas. Puis Vénus dit à Psyché de lui rapporter un écheveau de la laine des moutons mangeurs d'hommes ; cette fois, un roseau lui apprit comment obtenir la laine, une fois les moutons endormis. Ensuite Psyché dut emplir une jarre de l'eau du Styx, dans les montagnes d'Arcadie ; un aigle qui avait une dette envers Cupidon se présenta à l'instant et alla chercher l'eau. Enfin, elle dut demander un flacon d'onguent de beauté à Proserpine (Perséphone). Psyché comprit qu'elle allait mourir, car Proserpine était la déesse des Enfers ; aussi elle monta en haut d'une tour et résolut de se jeter dans le vide ; mais la tour s'adressa à elle et lui donna des instructions précises pour surmonter l'épreuve. Elle pénétra aux Enfers par le gouffre du Ténare, dans le Péloponnèse, apportant avec elle deux oboles et deux galettes. Ainsi, elle put, à l'aller et au retour, se concilier Charon et Cerbère, et également échapper aux embûches que Vénus lui avait tendues. Proserpine lui offrit une chaise et un repas, mais Psyché s'assit sagement sur le sol et se contenta de pain. La déesse lui remit le flacon que demandait Vénus, soigneusement scellé. Cependant, Cupidon regrettait désespérément sa femme ; il s'approcha du trône de Jupiter et avoua sa désobéissance envers sa mère ; puis il assura que Psyché avait été assez punie et supplia Jupiter de lui permettre de faire de la jeune fille son épouse légitime. Jupiter y consentit. Pendant ce temps, Psyché approchait du passage qui conduisait au séjour des Vivants et, dévorée de curiosité et voulant également reconquérir l'amour de Cupidon, elle ne put résister au désir d'ouvrir le flacon malgré l'interdiction que lui en avait faite la tour. Là-dessus, elle fut envahie par le sommeil mortel que contenait le flacon. Telles furent les conditions dans lesquelles Cupidon la retrouva. Il la ramena à la vie et l'enleva sur l'Olympe. Le mariage de Cupidon et Psyché fut célébré par tous les dieux. Vénus oublia sa colère et Jupiter tendit lui-même à Psyché une coupe d'ambroisie, qui la rendit immortelle. Elle donna à Cupidon une fille, Volupté.

Apulée évoque, dans son conte, l'allégorie de l'âme (Psyché) à la recherche de l'amour divin (Eros, l'Amour).

PYGMALION. 1. *Voir* DIDON.

2. Roi de Chypre qui, d'après Ovide, s'était fait faire une statue d'ivoire représentant son idéal de beauté, car aucune femme n'y avait jusqu'alors répondu. Il tomba amoureux de la statue, et Aphrodite, prenant pitié de lui, insuffla la vie à l'image (le nom qui lui fut donné, Galatée, a une origine récente). Pygmalion l'épousa et lui donna une fille, Paphos, qui fut la mère ou la femme de Cinyras. Selon certains auteurs, leur fille fut Métharmé et elle épousa Cinyras.

PYLADE. Fils de Strophios, roi de Phocide et d'Anaxibie, la sœur d'Agamemnon. Son cousin, Oreste, fut élevé à la cour de Strophios par Electre, pour échapper à l'usurpateur Egisthe, et Pylade se lia d'amitié avec lui. Il accompagna Oreste lors du meurtre de Clytemnestre, et, pour cette raison, Strophios le bannit de Phocide. D'après une tradition, Pylade ramena Iphigénie (qui n'avait donc pas été sacrifiée à Aulis) de Tauride. Il participa au meurtre de Néoptolème et épousa Electre qui lui donna deux fils, Médon et Strophios.

PYRAME et **THISBÉ.** Dans *Les Métamorphoses,* Ovide raconte que Pyrame et Thisbé habitaient non loin l'un de l'autre à Babylone; ils se lièrent d'amitié, puis s'aimèrent, mais leurs parents s'opposèrent à leur mariage et ils durent se voir secrètement. Dans le mur qui séparait leurs maisons, il y avait une petite fente que seuls les amoureux connaissaient et à travers laquelle ils chuchotaient, échangeant des soupirs et des baisers. Puis ils décidèrent de se donner rendez-vous une nuit, au tombeau de Ninos, en dehors de la ville. Thisbé, le visage voilé, arriva la première mais, à ce moment, survint une lionne, les crocs encore sanglants de sa récente proie, qui venait boire à une source voisine. La jeune fille s'enfuit pour se réfugier dans une grotte, non loin de là, mais, en courant, elle perdit son voile que la lionne déchiqueta et macula de sang.

Lorsque Pyrame arriva, il aperçut le voile sanglant et les traces laissées par l'animal; imaginant sa bien-aimée morte, il se transperça de son épée, près d'un mûrier. Le sang qui coula de sa blessure teinta en rouge les fruits de l'arbre qui jusque-là étaient blancs. Peu après, Thisbé trouva Pyrame mort et se frappa de l'épée à son tour. Leurs parents réunirent leurs cendres dans la même urne. Deux cours d'eau de Cilicie (au sud-est de l'Asie Mineure) prirent leur nom.

PYRRHA. Fille d'Epinéthée et de Pandore. *Voir* DEUCALION.

PYRRHUS. *Voir* NÉOPTOLÈME.

PYTHIE. *Voir* APOLLON.

PYTHON. Serpent monstrueux qui habitait à Delphes avant la venue d'Apollon et qui donna à l'endroit son premier nom, Pythô. Python était, selon une tradition, un serpent femelle et passait pour le protecteur de l'oracle originel, que posséda tout d'abord Gaia (la Terre), puis Thémis et Phoebé. Selon certains auteurs, Python serait le dragon envoyé par Héra pour tourmenter la déesse Léto, enceinte d'Apollon et d'Artémis. Mais Apollon, quelques jours après sa naissance, partit à la recherche du monstre et le tua ; puis il apaisa Gaia en faisant des funérailles à Python et en fondant les jeux Pythiques en l'honneur du serpent. En souvenir du premier oracle, les prophéties d'Apollon furent rendues par une femme, et cette prêtresse fut appelée la Pythie. D'après une tradition, Apollon aurait tué Python parce que celui-ci gardait le gouffre de Delphes dans lequel il voulait pénétrer pour établir son oracle.

Q

QUIRINUS. Très ancienne divinité italique, dieu du ciel ou dieu guerrier, ressemblant quelque peu à Mars. Il donne son nom à la colline du Quirinal, l'une de sept collines de Rome où il possédait un temple. Quirinus est peut-être un dieu d'origine sabine, le Quirinal ayant été tout d'abord colonisé par les Sabins. On fait généralement dériver son nom de celui de la ville sabine de Cures; selon certaines interprétations le mot latin de *quirites,* «citoyens», aurait la même origine. Sur son identification avec Romulus après l'apothéose de ce dernier, *voir* ROMULUS.

R

RÉMUS. Fils de Mars et de Rhéa Silvia. Sur les légendes concernant sa naissance et son enfance, *voir* ROMULUS, son frère jumeau. Ce fut grâce à l'arrestation de Rémus, fait prisonnier par son grand-oncle Amulius, le roi d'Albe, que les jumeaux furent reconnus par leurs grand-père Numitor, à qui Amulius, le frère de Numitor, avait livré Rémus accusé d'avoir pillé les troupeaux de Numitor. Lorsque, plus tard, Romulus et Rémus décidèrent de fonder une ville, ils ne purent s'entendre sur les conditions de cette entreprise; pour régler le différend, ils interrogèrent les présages en étudiant le vol des oiseaux. Rémus, perché sur la colline de l'Aventin, ne vit que six vautours, tandis que Romulus, du Palatin, en vit douze et fut ainsi désigné par le ciel pour diriger les travaux. Pendant que les murs de Rome était érigés sur le Palatin, Rémus, dans un accès de jalousie, sauta par-dessus les fondations en se moquant; là-dessus, Romulus ou l'un de ses compagnons, Céler, le frappa d'un coup de pelle et le tua. Bien que réprouvant l'insulte que leur avait faite Rémus, Romulus finit par céder à sa douleur et pleura aux funérailles de son frère. Selon une autre version de la mort de Rémus, cependant, ce dernier aurait été tué dans une querelle qui éclata entre les compagnons des deux jumeaux, car chaque côté prétendait que le présage donné par les oiseaux l'avait favorisé.

RÊVES (en grec : *oneiroi;* en latin : *somnia*). Les rêves sont souvent personnifiés dans les littératures grecque et latine et tout particulièrement dans la poésie épique. Dans *L'Iliade,* par exemple, Zeus envoie à Agamemnon un rêve trompeur lui ordonnant de se préparer à combattre les Troyens, et lui faisant croire qu'à présent la chute de Troie était imminente. Pour Zeus, en fait, il s'agissait de permettre aux Troyens de repousser les Achéens jusqu'à leurs navires. Obéissant à l'ordre de Zeus, le rêve se rend aux côté du lit d'Agamemnon, revêtant l'apparence de son vieux conseiller Nestor. Les rêves passaient pour les enfants de Nyx (la Nuit) et d'Hypnos (le Sommeil). Ils étaient au nombre de mille, le plus célèbre d'entre eux étant Morphée, qui pouvait prendre la forme d'êtres humains. Un autre, Icélos, prenait l'apparence de monstres. Ovide, dans *Les Métamorphoses,* les fait vivre dans une grotte sous les ordres d'Hypnos. Virgile, après la description de la descente d'Énée aux Enfers, affirme que les rêves sont envoyés par les âmes des morts : ceux qui reflètent la vérité sortent paisiblement par une porte de corne, tandis que les rêves trompeurs franchissent une porte d'ivoire.

RHADAMANTHE. L'un des juges des Enfers. Rhadamanthe était soit le fils de Zeus et d'Europe et donc le frère de Minos et de Sarpédon, soit le fils de Phaestos, lui-même fils de Talos (l'Homme de Bronze crétois). D'après une tradition, Rhadamanthe régna sur la Crète avant Minos et dota l'île du remarquable code crétois qui servit de modèle aux Spartiates. Cependant, lorsque les trois frères se querellèrent au sujet d'un bel adolescent, Milétos, Minos en profita pour chasser Rhadamanthe et Sarpédon; le premier alla alors régner sur les îles situées au sud de la mer Egée, dont les habitants l'avaient auparavant choisi pour roi, remplis d'admiration pour sa justice.

Après sa mort, disait-on, il fut nommé juge ou souverain des Enfers. Il passait aussi, quelquefois, pour le souverain des Champs Elysées, région des Enfers où séjournaient les âmes des bienheureux. Pour Homère, Rhadamanthe servait d'arbitre dans les querelles entre les ombres, plus qu'il ne jugeait les actions que les nouveaux arrivants avaient accomplies pendant leur vie. Quant à Virgile, il le représente comme le punisseur des damnés dans le Tartare.

Après la mort d'Amphitryon, Rhadamanthe épousa Alcmène, la femme de ce dernier, soit en Béotie, alors qu'ils étaient encore parmi les vivants, soit dans les Champs Elysées. Les fils de Rhadamanthe, Gortys et Erythros, fondèrent des villes, en Crète, auxquelles ils donnèrent leur nom.

RHÉA. Titanide, fille d'Ouranos et de Gaia, et femme de Cronos. Elle donna à ce dernier six enfants : Hestia, Déméter, Héra, Hadès, Poséidon et Zeus; mais son époux avala tous ses enfants au fur et à mesure de leur naissance, car il avait appris de Gaia que l'un d'entre eux le détrônerait et régnerait à sa place. Seul, Zeus lui échappa car Rhéa substitua à l'enfant une grosse pierre entourée de langes. D'après certaines traditions, Poséidon fut également sauvé car un poulain lui fut substitué. Lorsque Zeus eut délivré ses frères et sœurs en persuadant Métis de donner à Cronos un émétique, Rhéa envoya sa fille Héra au palais d'Océan et de Téthys afin qu'elle y soit en sécurité pendant le combat entre les dieux et les Titans.

Rhéa était une déesse importante en Crète, où l'on situait généralement la naissance de Zeus, et en Arcadie où était racontée la légende de la substitution d'un poulain à Poséidon. En Phrygie, elle était souvent assimilée à Cybèle. De même que Gaia, elle semble avoir été considérée comme une divinité de la terre. Les Romains l'identifiaient à Ops, une vieille divinité de l'abondance.

RHÉA (ou **RÉA) SILVIA.** Rhéa Silvia, ou Ilia, était la mère des deux jumeaux Romulus et Rémus. Elle était l'enfant unique de Numitor, roi d'Albe qui fut détrôné par son frère Amulius. Pour assurer sa propre sécurité, Amulius imposa à sa nièce de rester éternellement vierge en faisant d'elle une Vestale. Mais le dieu Mars s'unit à elle un jour où elle tirait de l'eau à une source située dans le bois consacré au dieu, et engendra les deux jumeaux; l'un des deux, Romulus, devait plus tard fonder Rome. Après qu'elle eut donné naissance à ses enfants, Amulius les fit exposer, et emprisonna Rhéa qui fut, de nombreuses années plus tard, délivrée par ses fils. D'après une version différente, elle fut au contraire noyée ou décapitée. Rhéa est souvent nommée Ilia, selon une ancienne tradition, qui fait d'elle la fille d'Enée. Comme telle, elle aurait reçu le nom de la patrie de son père, Ilion (Troie).

RHOMOS. Nom grec du fondateur de Rome, qui était considérés comme le fils d'Enée; il était parfois identifié à Romulus.

ROMULUS. Fondateur légendaire de Rome, en 753 av. J.-C. Son nom signifie simplement «le Romain». Sa légende possède de nombreuses variantes, qui ont pour origine la mythologie grecque. Romulus et Rémus étaient les deux jumeaux de Rhéa Silvia, la fille unique de Numitor (un descendant d'Enée), lequel fut détrôné par son frère cadet Amulius. Pour empêcher Numitor d'avoir un petit-fils et un héritier, Amulius obligea Réha à rester vierge en la consacrant à Vesta, mais le dieu Mars s'unit à elle dans un bois sacré. Lorsque Amulius apprit la naissance des enfants, il fit jeter la mère en prison (ou noyer) et ordonna à ses serviteurs de tuer les deux jumeaux en les jetant dans le Tibre. Toutefois, les serviteurs n'avaient pas le cœur aussi dur que leur maître, et ils placèrent le berceau sur une planche, puis ils lancèrent le tout sur le fleuve en crue. Lorsque les eaux se retirèrent, la planche s'échoua sur la boue près d'un figuier, le figuier Ruminal dont on faisait dériver le mot de *ruma,* «mamelle». Là, les deux bébés furent nourris par les deux animaux consacrés à Mars, une louve et un pivert; puis peu de temps après, l'un des bergers du roi, Faustulus, les découvrit et les emmena chez lui sans rien en dire à son maître. Sa femme Acca (ou Acca Larentia) les éleva. Les deux enfants devinrent des jeunes gens robustes et intelligents, organisant des expéditions, avec les fils des bergers, contre les brigands du pays, ou même contre les troupeaux de Numitor. Mais le jour des Lupercalia, fête du dieu Pan, la bande tomba dans une embuscade, et Rémus fut capturé. Il fut conduit devant le roi Amulius, qui , apprenant que le jeune homme était accusé d'avoir volé les troupeaux de Numitor, le livra à son frère. Numitor interrogea Rémus, et, des réponses de ce dernier, il tira la conclusion, déjà atteinte par Faustulus, que les jumeaux étaient les petits-fils qu'il avait perdus. Il en fut tout à fait convaincu lorsqu'il vit leur berceau. Peu après, Numitor fut rétablit sur le trône à la suite d'une rébellion organisée par les deux jeunes qui se lancèrent à l'attaque du palais d'Amulius et tuèrent leur grand-oncle.

Toutefois, Romulus et Rémus se lassèrent de vivre à Albe où régnait Numitor, et, bien qu'âgés seulement de dix-huit ans, ils décidèrent de fonder une ville. Ils en choisirent le site, pas très loin d'Albe, à l'endroit, sur les bords du Tibre, où ils avaient été exposés. Mais il commencèrent alors à se quereller pour savoir lequel des deux aurait l'initiative des travaux de construction et deviendrait ainsi le fondateur officiel de la ville. Ils décidèrent enfin de prendre les augures en observant les oiseaux. Romulus, installé sur le Palatin, vit douze vautours, alors que Rémus, sur l'Aventin, n'en vit que six. C'est alors qu'une dispute éclata, les hommes de Rémus prétendant qu'ils avaient les premiers reçu un signe du ciel. Romulus partit en avant, et, à l'aide d'une charrue, il traça un sillon sur le mont Palatin, délimitant ainsi les murailles de la ville. Les travaux commencèrent le jour de la fête de Palès, les Parilia, le 21 avril. Mais Rémus, de colère, insulta son frère en sautant par-dessus le sillon qui représentait les murailles de la ville, demandant avec mépris comment de si faibles murs assureraient la sécurité de la ville. Là-dessus, Romulus, ou bien, selon une tradition différente, son contremaître Caler («vif») s'empara d'une pelle et en frappa Rémus, le tuant sur le coup (on racontait que Faustulus fut également tué en essayant de s'interposer entre ses enfants adoptifs). Romulus déclara alors qu'ainsi périraient les ennemis qui franchiraient ses murailles. Cependant, lors des funérailles de Rémus, qui eurent lieu sur l'Aventin, Romulus pleura sincèrement son frère.

Il peupla sa nouvelle ville en en faisant un asile pour les hors-la-loi et les esclaves fugitifs. Bientôt, il y eut bien assez d'hommes, mais, malheureusement pour les nouveaux citadins, ils étaient si mal vus par leurs voisins qu'aucun d'eux n'arriva à trouver une épouse. Romulus imagina alors une solution ingénieuse à leur problème : il invita leurs voisins les Sabins, habitant les villages alentour, à visiter la nouvelle ville et à assister à des festivités, les Consualia, au cours desquelles il y aurait des jeux et des représentations théâtrales. Puis, au moment où les visiteurs s'y attendaient le moins, les Romains enlevèrent leurs femmes et leurs filles et chassèrent les hommes. Les Sabines eurent tout d'abord très peur de leurs ravisseurs, mais Romulus, avec des paroles rassurantes, sut les convaincre d'accepter leur nouvelle condition. Peu de temps après les voisins dépossédés revinrent devant Rome pour reconquérir leurs femmes. Ils vinrent d'abord en petits groupes mal organisés. Romulus vainquit Acron, le roi de Caenina, et, à cette occasion, il fut le premier Romain à consacrer les «dépouilles opimes» (dépouilles gagnées par un roi défaisant en combat singulier un autre roi). Les gens de Crustumérium et d'Antemnae furent facilement vaincus, et Hersilia, la femme de Romulus, persuada son mari de laisser les habitants de ces villages émigrer à Rome s'ils le désiraient. Enfin, les Sabins de la ville de Cures, sous le commandement de leur roi Titus Tatius, marchèrent sur Rome et assiégèrent la ville; ils réussirent à prendre la citadelle du Capitole grâce à la trahison de Tarpéia, puis attaquèrent les Romains sur l'emplacement du futur Forum romain, entre le Capitole et le Palatin. Comme les Sabins forçaient les Romains à reculer et à battre en retraite, Romulus supplia Jupiter d'arrêter la déroute et de renverser le sort du combat, lui promettant d'élever un temple à Jupiter Stator («qui arrête») sur les lieux même de la victoire. Sa prière fut exaucée. Puis, alors que la bataille faisait rage, les femmes se jetèrent entre les combattants, s'écriant qu'elles ne pouvaient rester là sans bouger alors que leur maris et leurs pères se tuaient sous leurs yeux. C'est ainsi qu'un traité fut conclu : les Romains et les Sabins acceptèrent de fusionner en un seul peuple; ils firent de Rome leur capitale, et Romulus et Titus Tatius assurèrent ensemble le pouvoir.

Quarante ans plus tard, après un règne paisible et prospère,

S

SABINES. *Voir* ROMULUS.

SATURNE. Ancien dieu italique rustique, identifié au Cronos grec. Il aurait été l'un des premiers rois du Latium, au temps de l'âge d'or, quand la vie était heureuse et facile. Il apprit aux hommes à cultiver les champs et à jouir des bienfaits de la civilisation. Il n'était pas originaire d'Italie, mais aurait pris refuge dans le Latium après avoir fui Jupiter (Zeus). Les Saturnales, qui avaient lieu fin décembre, étaient les fêtes les plus gaies de l'année. Au début, il aurait eu pour femme Lua, mais plus tard on lui associa plutôt Ops, identifiée à la Rhéa grecque.

SATYRES. Créatures des bois qui accompagnaient les Ménades durant les cérémonies dionysiaques. Selon Hésiode, ils étaient les descendants des cinq filles d'un certain Hécatéros, lequel avait épousé une princesse argienne, fille du roi Phoronée. Ils avaient pour sœurs les Oréades et étaient connus pour leurs appétits lascifs et leur dévergondage. Par la suite, on leur attribua certaines caractéristiques animales, comme les oreilles pointues, les jambes de cheval, les sabots et les petites cornes sur la tête. Ils personnifient la fertilité spontanée de la nature sauvage et ils aimaient tout particulièrement poursuivre les nymphes grâce auxquelles ils espéraient satisfaire leurs appétits.

Dans la littérature, les Satyres, comme les Silènes, étaient des figures comiques et triviales; les poètes tragiques avaient en effet l'habitude, après avoir présenté une trilogie retraçant l'un des grands drames mythologiques, de clore leur contribution au festival de Dionysos par une comédie légère retraçant les activités de ces personnages très peu tragiques. *Voir* SILÈNES.

SCAEVOLA MUCIUS, GAIUS. Héros légendaire romain. Durant le siège de Rome par les Etrusques, il décida de tuer leur roi, Lars Porsenna, de Clusium.

Mucius s'habilla comme un Etrusque et s'infiltra dans le camp ennemi où il se trouva dans une foule de soldats attendant leur solde. Un secrétaire était assis à une table, et offrait

Romulus disparut de la terre. Pendant qu'il p
son armée sur le Champs de Mars, près du
Chèvre, un violent orage éclata; Romulus
d'une épaisse nuée et s'évanouit. Ceux qui avai
prodige proclamèrent aussitôt son apothéose. P
après, Romulus apparut, divinisé, à un certain Ju
et le rassura sur le sort de Rome. Il ordonna aux
pratiquer l'art des armes et de l'honorer désorm
nom de Quirinus.

Telle est la version romaine officielle de la fa
Romulus termina sa vie sur terre. Mais il existe
nombre de variantes et d'interprétations plus rat
concernant à la fois sa fin et les différentes époques d
la plupart furent dictées par les intérêts politiques des
familles à l'époque classique.

toutes les apparences de l'autorité. Le prenant pour le roi, Mucius le poignarda. Arrêté et désarmé, on l'emmena devant Lars Porsenna pour être interrogé. Là-dessus, il plongea sa main droite dans un feu allumé pour un sacrifice tout en fixant fermement le roi du regard durant l'épreuve. Impressionné par son courage, Porsenna lui rendit son épée. Il la prit de la main gauche, ce qui lui valut par la suite le surnom de Scaevola (*scaeva* : main gauche). En réponse, Mucius dévoila ce qu'aucun supplice n'aurait pu lui faire avouer. Trois cents Romains, déclara-t-il, tous aussi déterminés que lui, se cachaient dans le camp, prêts à assassiner Porsenna : le sort l'avait désigné le premier, mais il était heureux d'avoir échoué, car Porsenna méritait d'être l'ami de Rome plutôt que son ennemi. Romains et Etrusques déclarèrent une trêve, et le siège fut levé.

SCAMANDRE. Dieu du fleuve qui coule près de Troie; les dieux le nommaient Xanthos (jaune). Durant la guerre, il soutenait les Troyens et il fut très mécontent quand Achille, après la mort de Patrocle, jeta les corps de nombreux Troyens dans ses eaux. Scamandre et Achille commencèrent à se battre, et Achille aurait été noyé si Héra n'avait pas envoyé son fils, Héphaïstos, dieu du feu, assécher le fleuve.

SCYLLA. 1. Fille de Nisos, roi de Mégare.
2. Monstre marin du détroit de Messine. A l'origine, Scylla était une très belle nymphe, la fille de Phorcys et de Crataeis (quoique sa parenté soit controversée). Elle passait toute la journée dans la mer, jouant avec les nymphes et repoussant tout amant. Quand le dieu de la mer, Glaucos, tomba amoureux de Scylla, il demanda à Circé une potion magique, mais la magicienne elle-même tomba amoureuse de lui. Glaucos l'ayant repoussée, de jalousie elle transforma sa rivale Scylla en un monstre à six têtes et douze pieds, et chaque tête contenait une triple rangée de dents; selon certains, une ceinture de têtes de chiens entourait sa taille, lesquels aboyaient et guettaient les proies. Scylla était immortelle; la seule défense qu'on eût contre elle était d'invoquer l'aide de sa mère, la nymphe Crataeis. Sa tanière était dans une grotte, en face de Charybde, et quand les marins (parmi lesquels Ulysse) s'aventuraient dans le détroit, elle utilisait toutes ses bouches pour saisir, sur le pont des navires, autant d'hommes qu'il lui était possible. Elle fut finalement transformée en rocher, et c'est ainsi qu'Enée la vit, quand, à son tour, il emprunta ce chemin.

SÉLÈNÉ (Lune). Déesse de la Lune, connue chez les Romains sous le nom de *Luna*. Pour Hésiode, ses parents seraient Hypérion et Théia; d'autres citent Pallas ou Hélios et Euryphaessa. Elle donna deux filles à Zeus, Hersé («rosée») et Pandia; Pan la séduisit en lui offrant une superbe toison blanche. Le plus souvent, on en fait l'amante d'Endymion, qu'elle endormit à jamais. Quand, plus tard, on associa Artémis à la Lune, Sélèné perdit l'intérêt des mythographes.

SÉMÉLÉ ou **THYONÉ**. Fille de Cadmos et d'Harmonie et mère de Dionysos. Sémélé n'est pas d'origine grecque et pourrait être une corruption du mot Zemelo («terre») utilisé par les Thraces pour désigner la mère de Diounsis (Dionysos).

Pour les Grecs, Zeus apparut à Sémélé à Thèbes, sous les traits d'un mortel, devint son amant et engendra un fils. Mais Héra, jalouse, prit les traits de Béroé, la vieille nourrice de Sémélé, et mit le doute dans l'esprit de Sémélé sur la véritable identité de son amant : celle-ci fit promettre à Zeus de lui accorder une faveur, puis lui demanda de lui apparaître dans toute sa splendeur. Le dieu chercha à l'en dissuader, mais finalement dut s'acquitter de sa promesse, et les éclairs de sa foudre réduisirent Sémélé en cendre. L'enfant, dans son sein, fut immortalisé : Hermès l'ayant d'abord recueilli, Zeus le plaça ensuite dans une entaille pratiquée dans sa cuisse. Trois mois plus tard naissait Dionysos. La tombe de Sémélé à Thèbes continua à fumer durant des années. Ses sœurs, Agavé, Ino et Autonoé, refusèrent cette version des faits et n'acceptèrent jamais le caractère divin de Dionysos; par la suite, elles furent punies pour leur scepticisme; quand Dionysos atteignit l'âge adulte, il ramena Sémélé du monde souterrain et l'emmena sur le mont Olympe où Zeus lui conféra l'immortalité.

Pour la version orphique de ce mythe, *voir* ZAGREUS. *Voir* aussi DIONYSOS.

SEPT contre THÈBES (Les). Ce sont là les champions de Polynice qui assiégèrent Thèbes pour le compte de Polynice. Etéocle, fils d'Œdipe, avait refusé de laisser le trône de Thèbes à son frère Polynice au bout d'une année de règne, comme ils en étaient convenus; Polynice se réfugia à Argos, où régnait Adraste. Tydée, banni de Calydon pour homicide, s'était aussi réfugié à Argos. Tous deux se querellèrent dans l'avant-cour du palais. Adraste les sépara et remarqua que Polynice était vêtu d'une peau de lion et Tydée d'une peau de sanglier (ou que les blasons de leurs boucliers étaient un lion et un sanglier). Il se souvint qu'un oracle lui avait ordonné de marier ses filles à «un lion et un sanglier». Il promit d'aider les deux princes à réintégrer les royaumes dont ils avaient été exilés. L'on décida de rétablir tout d'abord Polynice, et Adraste rassembla une gigantesque armée. Les chefs des sept principaux contingents étaient Adraste, Polynice, Tydée, l'Arcadien Parthénopaeos, les Argiens Capanée et Hippomédon et un autre Argien très réticent pour partir, Amphiaraos. Deux autres noms sont parfois cités : Etéoclos, fils d'Iphis, à la place d'Adraste, et Mecistée, frère d'Adraste à la place de Polynice.

L'armée se dirigea sur Thèbes, sûre d'elle, ne prêtant attention ni aux prédictions funestes d'Amphiaraos ni aux malédictions prononcées par Œdipe contre ses fils : il avait souhaité les voir mourir de la main l'un de l'autre. Tydée prit la tête d'une ambassade pour tenter de négocier avec Thèbes, mais sans succès. A son retour, il s'affronta, dans une embuscade, à cinquante Thébains; il en tua quarante-neuf. Les Thébains, cependant, gardaient confiance, car Tirésias leur avait promis la victoire si un homme célibataire, descendant des «Hommes Semés», se sacrifiait pour la cité : Ménoecée (ou Mégarée), fils de Créon, s'était offert.

Après avoir fondé les jeux Néméens en l'honneur d'Opheltès, l'armée mit le siège devant Thèbes, et chacun des sept champions attaqua l'une des sept portes. Selon Eschyle, dans sa pièce *Les Sept contre Thèbes*, Tydée attaqua la porte Proetidès, défendue par Mélanippos; Capanée, la porte Electrae, défendue par Polyphontès; Etéoclos, la Nouvelle Porte, défendue par Mégarée, le fils de Créon; Hippomédon, la porte Oncéenne, défendue par Hyperbios; Parthénopaeos, la porte nord, défendue par Actor; Amphiaraos, la porte de Zeus Homolôios, défendue par Lasthénès; et Polynice, la porte supérieure défendue par Etéocle. Capanée escalada le mur, prétendant que Zeus lui-même ne saurait l'empêcher de pénétrer dans la cité : pour son orgueil, le dieu le tua d'un coup de foudre. Périclyménos, du haut du mur, laissa tomber sur Parthénopaeos une pierre qui le tua. Mécistée et Etéoclos moururent en combat singulier. Quand Tydée lui-même, gravement blessé et sur le point de mourir, eut tué son adversaire Mélanippos, sa protectrice Athèna voulut le rendre immortel et implora Zeus. Mais Amphiaraos, qui en voulait à tous ses alliés, coupa la tête de Mélanippos et la jeta à Tydée. Celui-ci dévora le cerveau et mit ainsi un terme à la sympathie que lui portait la déesse; il mourut donc. Amphiaraos, pourchassé par Périclyménos, s'enfuit sur son char, mais seulement pour être englouti par le terre que Zeus avait fendue de sa foudre. Il était connu que seul le parti soutenu par Œdipe serait vainqueur, aussi Polynice essaya-t-il de gagner son soutien, tout comme Créon chercha à assurer, pour le compte d'Etéocle, le retour d'Œdipe à Thèbes. Mais il n'accorda son assistance à aucun des deux partis, et réitéra sa malédiction, qui se réalisa lorsque ses deux fils se tuèrent mutuellement en combat singulier. Adraste fut le seul des Sept Chefs à en réchapper, grâce à la rapidité de son cheval Arion, fils de Poséidon et de Déméter.

Créon devint roi ou régent de Thèbes, et il refusa toute sépulture aux envahisseurs, y compris à Polynice. Selon certains, Argia, la femme de Polynice, aidée d'Antigone, tira son corps sur le bûcher d'Etéocle. Sophocle, dans son *Antigone*, raconte comment la sœur du mort, Antigone, accomplit seule les rites funéraires et recouvrit le cadavre de quelques poignées de poussière. Euripide, dans *Les Suppliantes*, affirme que Thésée, roi d'Athènes, envahit la ville de Thèbes et obligea Créon à donner une sépulture à ses ennemis morts; cela, sur les supplications d'Adraste et des femmes d'Argos devant l'autel de Déméter à Eleusis, où les avait rejoints Aethra, la mère de Thésée.

Dix ans plus tard, les Epigones, fils des Sept Chefs, vengèrent la mort de leurs pères.

SERVIUS TULLIUS. Le sixième des rois légendaires de Rome, au VIe siècle av. J.-C. Peut-être eut-il une existence historique; pour certains, c'est un intrus latin parmi les monarques étrusques (les Tarquins) qui terminent la liste des rois de Rome. Mais son histoire est aussi purement mythique. Une tradition étrusque, rapportée par l'empereur Claudius, l'identifie à Mastarna. La tradition romaine, suivie par Tite-Live et d'autres écrivains, se déroula comme suit. A la cour du roi Tarquin l'Ancien, une esclave, Ocrisia, donna naissance à un fils. Pour certains, son père était Servius Tullius, prince de Corniculum, ville conquise depuis peu, et sa mère, quoique maintenant une esclave, l'ancienne femme du prince. D'autres affirmaient qu'Ocrisia avait été fécondée par le dieu Vulcain, sous la forme d'un phallus s'élevant de l'âtre. Une flamme qui jouait autour de la tête de l'enfant, alors qu'il reposait dans son berceau, attira l'attention sur lui. Tanaquil, la femme de Tarquin, déclara qu'il ne fallait pas le déranger, et quand il se réveilla, la flamme disparut. Le couple royal, impressionné par ce présage, décida d'élever l'enfant comme son propre fils; et celui-ci, une fois adulte, ils lui donnèrent leur fille comme épouse.

Tanaquil, bien qu'elle eût déjà plusieurs fils, lui donna toujours son appui. Quand les fils d'Ancus Marcius assassinèrent Tarquin l'Ancien, elle cacha la mort de son mari, prétendant qu'il n'était que blessé, jusqu'au moment où Servius put prendre lui-même le pouvoir. Quand la vérité se fit jour, il put monter sur le trône sans difficulté, et ses rivaux durent fuir le pays.

Selon la tradition romaine, le règne de Servius fut des plus glorieux. Il vainquit les habitants de Vérès, puis divisa l'ensemble des citoyens en classes et en centuries, qui prenaient pour base la propriété; il développa la cité et fit construire le fameux mur servien pour délimiter sa nouvelle circonférence (les vestiges qui subsistent de ce mur sont cependant attribuées au IVe siècle av. J.-C.). Sous son règne se développa le culte de la décsse latine Diane; un vote populaire massif confirma son pouvoir. Les patriciens, par contre, semblent n'avoir jamais accepté son autorité. Ce sont finalement les petits-fils (selon Tite-Live, les fils) de son prédécesseur Tarquin l'Ancien, que Servius avaient mariés à ses filles, qui furent à l'origine de sa chute, puis de sa mort. L'une de ces filles, nous dit Tite-Live, la jeune Tullia, au caractère particulièrement ambitieux, avait été l'instigatrice des meurtres de sa sœur et du plus passif des petits-fils de Tarquin, Arruns; puis elle avait épousé son beau-frère, Lucius Tarquin, qui devait devenir Tarquin le Superbe. Enfin, tous deux firent assassiner Servius, qui régnait pour la quarante-quatrième année. Tarquin refusa de lui donner une sépulture, et Tullia fit passer son char sur le corps ensanglanté de son père.

SIBYLLE. Nom d'une prêtresse vivant à Marpessos, près de Troie; elle s'était consacrée au culte d'Apollon, qui lui avait donné le pouvoir de prophétie. Elle rendait ses oracles sous la forme d'énigmes et les inscrivait sur des feuilles. Son renom fut tel, qu'on en vint à utiliser son nom comme appellation pour les prêtresses d'Apollon, et nombre de lieux revendiquaient la présence d'une sibylle. Les plus connues étaient celles d'Erythrae, de Libye et de Cumes.

Apollon avait une fois offert à Démophilé, la sibylle de Cumes, ce qu'elle voudrait en échange de son amour. Elle accepta le cadeau et demanda autant d'années de vie qu'un tas de poussière contenait de grains; et il y avait mille grains. Malheureusement, elle avait omis de demander aussi la jeunesse perpétuelle, et, ayant par la suite refusé son amour au dieu, elle devint de plus en plus vieille. Finalement elle resta suspendue dans une bouteille au plafond de sa cave, toute recroquevillée, et lorsque des enfants lui demandaient ce qu'elle désirait, elle disait simplement : je veux mourir.

Virgile décrit la descente d'Enée aux Enfers accompagné de la sibylle de Cumes; elle lui avait montré où cueillir le rameau d'or, dans les bois sur les bords du lac Averne, rameau qui devait lui permettre de pénétrer dans le royaume d'Hadès.

Elle se rendit aussi auprès de Tarquin le Superbe, le dernier roi de Rome, avec neuf livres d'oracles, et lui en demanda une énorme somme. Il se moqua d'elle et la renvoya; elle brûla trois des livres, et lui offrit les six restants pour la même somme. Tarquin refusant toujours de payer, elle en brûla de nouveau trois, et lui offrit les trois derniers, toujours au même prix. Cette fois-ci Tarquin consulta un conseil de prêtres, les Augures, qui déplorèrent la perte des six livres et lui conseillèrent d'acheter ceux qui restaient. Ces livres étaient traditionnellement identifiés aux *Livres sibyllins*, oracles qui avaient été longtemps conservés dans le temple de Jupiter Capitolin et que l'on consultait dans les circonstances critiques. Ils furent détruits dans l'incendie du temple.

SILÈNE, SILÈNES. Fils de Pan ou d'Hermès et d'une nymphe, Silène était le compagnon, déjà âgé, des Ménades, à qui il se joignait durant les Mystères de Dionysos. Il avait un nez camus et la queue et les oreilles d'un cheval; chauve et ventru, il apparaissait souvent sur le dos d'un âne. A l'origine un esprit des eaux, il était réputé pour son esprit pratique et ses pouvoirs de prophète. Comme tel, il passait pour le tuteur du jeune Dionysos et régnait sur le pays de Nysa, région mythique où le dieu avait été élevé par les nymphes. Virgile raconte comment deux bergers capturèrent un jour Silène, qui leur chanta des récits légendaires. Le roi Midas de Phrygie le captura aussi, pour bénéficier de sa sagesse. Le roi mêla du vin à l'eau d'une source, et quand Silène eut bu, il s'endormit et fut enlevé par les serviteurs du roi. Ils l'amenèrent devant Midas, et Silène dévoila au roi le secret de la vie humaine : la meilleure chose pour un homme est de ne pas naître, et la suivante de mourir le plus tôt possible.

Silène engendra avec les nymphes de nombreux fils. Dans les pièces satyriques (*voir* SATYRES) écrites par les tragédiens, les Silènes, d'apparence physique semblable à leur père, ne partagent pas sa sagesse. Commme leur père, ils s'enivrent constamment, ils sont lâches et toujours du côté du plus fort; de plus les nymphes leur sont, comme pour les Satyres, un perpétuel objet de convoitise.

Certains ont comparé Socrate à Silène, à cause de son apparence physique et de sa méthode d'argumentation.

SILVAIN. Divinité romaine des bois, identifiée parfois par les auteurs classiques latins à Pan et aux Satyres, ou bien encore à Mars, dans ses fonctions de divinité rurale.

SIRÈNES. Mi-femmes, mi-oiseaux, elles ressemblent aux Harpies dans leur forme et leur comportement. Suivant les récits, leur nombre varie. Si elles sont trois, on leur donne pour noms Leucosia («blanche»), Ligia («aiguë») et Parthénopé («voix de jeune fille»); si elles ne sont que deux, on les nomme Himéropa («douce voix») et Thelxiépia («discours enchanteur»); quand elles sont quatre, ce sont Thelxiépia, Aglaophèmè («au discours agréable»), Pisinoé («persuasive») et Molpé («chanson»). Elles sont les filles d'une Muse et de Phorcys ou bien du dieu-fleuve Achéloos. Elles vivent sur l'île Anthémoessa, tout près des détroits où sévissent Scylla et Charybde. Leur chant est si mélodieux que le marin qui les entend s'arrête sans pouvoir repartir. Le sol de l'île est jonché des os blanchis des marins : ce sont leurs victimes, qui ont fait naufrage sur les rochers.

Selon une prophétie, si un navire réussissait à longer leur île sans succomber, les Sirènes se précipiteraient dans la mer pour s'y noyer. Ce qui arriva en deux occasions. La première fois, Orphée à bord de l'*Argo* sut recouvrir leur chant de sa propre musique, de telle sorte que seul Boutès les entendit et sauta par-dessus bord. Aphrodite, qui l'aimait, lui sauva la vie. La seconde fois Ulysse en réchappa car, sur les conseils de Circé, il avait bouché les oreilles de ses compagnons avec de la cire d'abeille, puis s'était fait attacher au pied du mât pour ne pas être attiré par le chant des Sirènes. Quand il suppliait son équipage de le délivrer, ses hommes avaient pour ordre de resserrer ses liens.

Les Sirènes, disait-on, chantaient prophéties et chansons relatives au royaume d'Hadès. On les associait à Perséphone et, selon une version, elles auraient été les compagnes de la déesse et auraient laissé Hadès l'emmener. Elles auraient reçu leur forme comme punition pour ce crime.

Rivalisant avec les Muses dans un concours de chant, elles perdirent, et les Muses leur arrachèrent leurs plumes pour s'en confectionner des couronnes. Parthénopé, l'une des

Sirènes, était l'ancêtre éponyme de Naples (Parthénopé était l'ancien nom de la ville).

SISYPHE. Fils d'Eole et d'Enarété. Il fonda la ville de Corinthe, qui portait alors le nom d'Ephyra. Sa ruse et son adresse étaient proverbiales : ses facultés le faisaient même associer à Autolycos, un voleur renommé (et dans ce cas l'on ne respecte pas la chronologie mythique). Selon les auteurs les plus récents, il sut rentrer en possession du bétail que lui avait volé Autolycos. Il avait pris soin de faire des entailles sous les sabots de ses bêtes, ce qui lui avait permis de prouver la culpabilité d'Autolycos. Il prit sa revanche sur le voleur en séduisant sa fille Anticlée, et c'est pourquoi l'on fait parfois de lui le père d'Ulysse, plutôt que Laerte, mari d'Anticlée.

Quand Sisyphe fonda Ephyra, il institua les jeux Isthmiques en l'honneur de Mélicerte dont il avait trouvé et enseveli le corps; il fit aussi de la colline avoisinante, l'Acrocorinthe, une citadelle et une tour de guet. Un jour, il aperçut Zeus enlevant la nymphe Egine, fille du dieu-fleuve Asopos et de Métopé; Zeus l'emmena jusque sur l'île d'Oenoné, où il la viola. Asopos partit à sa poursuite et demanda des renseignements à Sisyphe; ce dernier promit de les lui donner si le dieu-fleuve faisait jaillir une source d'eau fraîche sur l'Acrocorinthe; Asopos produisit immédiatement la source Piréné. Zeus, furieux, lui envoya Thanatos (la Mort), qui devait l'emmener au royaume d'Hadès. Mais Sisyphe réussit à tromper la Mort et à l'enfermer dans une tour : là-dessus, les mortels cessèrent de mourir. Les dieux, devant ce phénomène anormal, chargèrent Arès de délivrer la Mort, qui voulut de nouveau s'emparer de Sisyphe. Mais celui-ci avait donné à sa femme, la Pléiade Méropé, des instructions précises : elle abandonna son corps sans l'ensevelir et ne fit aucune des offrandes habituelles. Hadès, furieux de la négligence de Méropé, permit à Sisyphe de retourner sur terre pour punir sa femme et l'obliger à ensevelir sa dépouille. De retour à Corinthe, Sisyphe n'en fit rien et continua de vivre jusqu'à un âge avancé, malgré les dieux infernaux.

C'est tout autant pour cette impiété que pour avoir dénoncé Zeus que son ombre dut, à sa mort, subir un châtiment dans le Tartare. Il devait perpétuellement pousser un rocher en remontant une pente : presque arrivé au sommet, le rocher roulait de nouveau au bas de la pente. Après un long règne, Sisyphe fut enseveli sur l'isthme de Corinthe. Il laissait quatre fils : Glaucos (père de Bellérophon), Ornytion (père de Phocos), Thersandros et Almos.

SPARTA. Femme de Lacédaemon et éponyme de la ville de Sparte.

SPARTOI («Hommes Semés»). Après que Cadmos eut semé les dents du dragon à Thèbes, des guerriers surgirent du sol et commencèrent à se battre. Cinq survécurent : les Spartoi. Ils avaient pour noms, Echion («serpent») le père de Penthée, Odaeos («sorti du sol»), Chthonios («sorti de la terre») Hypérénor («surhomme») et Péloros («géant»). Ils firent la paix avec Cadmos et l'acceptèrent comme roi de Thèbes; ils devinrent les ancêtres de la noblesse thébaine.

SPHINX ou **PHIX** («l'étrangleuse»). Monstre ailé pourvu d'une tête de femme et d'un corps de lion. Fille d'Echidna et de Typhon (ou du chien Orthros). Elle fut envoyée à Thèbes par Héra pour venger l'enlèvement de Chrysippos par Laïos, ce qui représentait une offense à la déesse du mariage. Selon d'autres, elle fut envoyée par Apollon ou Dionysos, pour punir les Thébains qui négligeaient leurs rites. Elle surprenait les jeunes Thébains seuls, en dehors de la ville, ou bien volait jusqu'à la citadelle et guettait là ses victimes. Puis, assise sur un mur ou un rocher, elle posait la fameuse énigme : «Quel est l'être qui marche tantôt sur deux pattes, tantôt sur quatre et tantôt sur trois et qui avance le plus rapidement quand il utilise le moins de pattes?» Elle se précipitait sur ceux qui ne savaient pas répondre, les emportait et les dévorait. C'est ainsi que mourut l'un des fils de Créon (peut-être Haemon). Si jamais une victime donnait la bonne réponse, le Sphinx devait se précipiter sur les rochers ou tout du moins quitter Thèbes pour toujours. Désespéré après la mort du roi Laïos de Thèbes, Créon, qui assurait la régence, offrit le royaume à quiconque débarasserait Thèbes du monstre. C'est ce que réussit à faire Œdipe. En route vers la cité, le Sphinx l'aborda et lui posa l'énigme. La réponse d'Œdipe fut la suivante : «Tu veux parler de l'homme qui, enfant, marche à quatre pattes et qui, âgé et courbé par l'âge, s'appuie sur un bâton.» Entendant la réponse, le Sphinx se précipita du haut des rochers et mourut.

STENTOR. Héros proverbial qui, selon Homère, avait une voix aussi forte que celle de cinquante hommes. Il inventa la trompette, mais vaincu dans un concours de cris avec Hermès, il mourut.

STYX. Fille aînée d'Océan et de Téthys, elle règne sur le fleuve qui, prenant sa source dans l'Océan, coule du mont

Chelmos en Arcadie à travers une gorge sauvage et jusqu'aux Enfers. Arrivé là, il se divise en plusieurs branches, dont l'une est le Cocyte, puis il s'enroule neuf fois autour du royaume d'Hadès.

Aux Enfers, Styx vit dans un magnifique palais aux colonnes d'argent. Epouse du Titan Pallas, elle mit au monde Cratos («pouvoir»), Bia («force»), Zélos («zèle»), et Niké («victoire»). Quand Zeus s'opposa à Cronos et aux Titans, elle fut la première à venir à son aide, et si Zeus fut finalement vainqueur, c'est en partie grâce aux enfants de Styx. Il fit d'eux ses serviteurs les plus proches et décréta que même les dieux ne pourraient rompre un serment prêté par les eaux du Styx : chaque fois qu'un dieu prêtait un serment de cette manière, Iris emplissait une cruche des eaux du fleuve et en faisait une libation au même moment. Et si un tel serment n'était pas tenu, son auteur se voyait envahi par une léthargie semblable à la mort et ce durant toute une «grande année» (c'est-à-dire neuf années ordinaires), après quoi il était exilé de l'Olympe pour neuf nouvelles grandes années.

SYRINX (aussi nommée Nonacris). Nymphe arcadienne, compagne d'Artémis. Elle fut l'objet des ardeurs de Pan. Pour préserver sa virginité, elle implora l'aide des nymphes du fleuve Ladon, fleuve qu'elle ne pouvait traverser; elles la transformèrent en un champ de roseaux. Lorsque Pan rejoignit le fleuve, il fabriqua ses flûtes de ces mêmes roseaux et leur donna le nom de la nymphe aimée, Syrinx.

T

TAGÈS. Enfant divin de la mythologie étrusque. Un jour qu'un laboureur étrusque labourait son champ situé non loin de Tarquinii, une tête vint à heurter le soc de sa charrue; il dégagea le corps et trouva un petit enfant du nom de Tagès, qui possédait une chevelure grise comme celle d'un vieillard. Tagès s'adressa au laboureur, qui appela alors les villageois. L'enfant fut présenté aux douze princes des douze cités étrusques; ceux-ci l'accueillirent avec de grands honneurs et écoutèrent ses enseignements. Ses paroles furent conservées dans les livres de Tagès (*libri Tagetici*), desquels les devins étrusques tiraient leur savoir. Le roi qui était à la tête des douze princes se nommait Tarchon et, selon certaines versions, était le laboureur qui découvrit Tagès. L'enfant, une fois sa mission accomplie, retourna dans le sol.

TANAQUIL. Reine étrusque qui figure dans plusieurs légendes romaines; cependant elle a peut-être aussi été un personnage historique. On racontait qu'elle avait épousé Tarquin l'Ancien, le fils d'un colon grec qui s'était établi en Etrurie, et qu'elle avait persuadé son mari de quitter Tarquinii, ville étrusque, pour émigrer à Rome où il s'empara du pouvoir. Elle veilla sur les intérêts de Servius Tullius et, lorsque Tarquin l'Ancien fut assassiné par les fils de son prédécesseur Ancus Marcius, Tanaquil fit monter Servius sur le trône. Certains auteurs nomment toutefois la femme de Tarquin l'Ancien, Gaia Caecilia; on ne sait s'il faut l'identifier à Tanaquil.

TANTALE. **1.** Fils de Zeus et de la Titanide Ploutô («richesse»). Il régnait en Lydie, dans la région du mont Sipyle. Comment l'évoquent le nom de sa mère et l'expression employé par les Grecs «les talents de Tantale» (*Tantalou talanta*, le talent étant une monnaie d'or), Tantale passait pour un roi extrêmement riche. Il épousa Dioné, une fille d'Atlas, ou bien Euryanassa, fille du fleuve Pactole. Leurs enfants furent Pélops, qui émigra d'Elide pour s'établir en Grèce, Niobé, qui épousa Amphion, et le sculpteur Brotéas, qui exécuta la première statue de Rhéa ou de Cybèle. Tantale offensa les dieux, et il en fut puni par le supplice éternel dans le Tartare. Etant invité à la table des dieux et écoutant leur conversation, il était devenu immortel. Mais la façon dont il encourut le terrible châtiment qui lui fut infligé varie selon les auteurs. Il aurait invité les dieux à un festin, puis il aurait voulu mettre à l'épreuve leur clairvoyance en tuant son propre fils, Pélops, le préparant en ragoût et le servant aux divinités. Toutes reconnurent la viande qui leur était servie, sauf Déméter qui, venant de perdre Perséphone, dévora une épaule sans rien remarquer. Hermès alla chercher Pélops aux Enfers, et les dieux le rendirent à la vie, remplaçant l'épaule dévorée par une épaule en ivoire; mais ils se mirent à haïr Tantale. On accusait aussi ce dernier d'avoir volé du nectar et de l'ambroisie à la table des dieux pour en offrir à ses amis, et d'avoir révélé aux mortels certains secrets qu'il y avait entendus. Une autre légende, encore, raconte comment Pandaréos vola un jour dans le sanctuaire de Zeus un magnifique chien de garde en or, qu'il confia à Tantale. Zeus chargea Hermès d'aller reprendre le chien, puis Pandaréos revint plus tard le réclamer. Mais deux fois de suite, Tantale jura qu'il n'avait jamais entendu parler de ce chien et ne l'avait jamais vu.

Pour tous ces crimes, ou pour quelques-uns, Tantale fut châtié dans le Tartare. Il fut affligé d'une faim et d'une soif éternelles. Il était plongé dans l'eau jusqu'au menton et une branche chargée de fruits pendait au-dessus de sa tête, mais il ne pouvait jamais atteindre l'eau pour étancher sa soif, et chaque fois qu'il essayait de cueillir un fruit, la branche s'éloignait de lui. Ou bien encore, on racontait qu'un énorme rocher était suspendu au-dessus de sa tête, attaché par une corde, de sorte que Tantale vivait dans une terreur perpétuelle.

2. Fils de Thyeste, il fut le premier mari de Clytemnestre, mais Agamemmon le tua, avec son enfant, et épousa sa veuve.

TARPÉIA. Fille de Spurius Tarpéius, commandant de la forteresse du Capitole au moment où, au début du règne de Romulus, Rome fut attaquée par Titus Tatius, le roi des Sabins. Il existe plusieurs variantes de la légende, de même que les motifs de la trahison ont été différemment interprétés. On racontait que Tarpéia eut une entrevue avec Tatius, au cours de laquelle elle lui proposa de lui procurer les clés de la citadelle à condition que Tatius la prît pour femme, ou bien qu'elle reçût de ses soldats ce qu'ils portaient au bras gauche. Dans la version habituelle, elle réclamait ainsi leurs bracelets et leurs anneaux d'or ; mais une tradition différente affirme qu'elle voulait en réalité les priver de leurs boucliers, qu'ils portaient au bras gauche. Elle laissa entrer les Sabins pendant la nuit, criant aux soldats romains de fuir. Les Sabins prirent la colline, puis, d'après la version la plus connue, ils donnèrent leurs boucliers à Tarpéia en les lui lançant, si bien qu'elle fut écrasée sous leur poids et mourut. Mais dans la deuxième version, son intention était d'obtenir les boucliers de l'ennemi puis, une fois les Sabins en son pouvoir, elle aurait demandé par message à Romulus d'intervenir. Mais le messager passa à l'ennemi, et lorsque les Sabins apprirent la trahison de Tarpéia, ils la mirent à mort. Les mythographes romains se disputèrent plus tard pour savoir si Tarpéia était une héroïne ou une traîtresse. Le Capitole se nomma tout d'abord «mont Tarpéien», et les traîtres étaient précipités du haut de la roche Tarpéienne en souvenir du crime de Tarpéia.

TARQUIN L'ANCIEN, LUCIUS. Il est le cinquième roi de Rome et régna, selon la tradition, de 616 à 579 av. J.-C. Son histoire possède à la fois des aspects légendaires et historiques. D'après Tite-Live, il était le fils d'un émigré grec habitant Tarquinii, nommé Démaratus, et originaire de Corinthe. De son père, il avait hérité une belle fortune. Sa mère était étrusque. Il reçut tout d'abord le nom de Lucumon (mot étrusque signifiant «roi») et, bien que dédaigné par les Etrusques en tant qu'étranger, il épousa une Etrusque ambitieuse nommée Tanaquil (ou bien une femme du nom de Gaia Caecilia, autre nom de Tanaquil?) qui le persuada d'émigrer à Rome. Lorsque le couple atteignit le Janicule, Lucumon reçut un présage de sa puissance future : un aigle enleva la coiffure qu'il portait sur la tête, puis la lui remit ; Tanaquil lui prédit alors qu'il deviendrait roi. A son arrivée à Rome, il prit le nom de Tarquin l'Ancien (en latin : *Priscus*). Il s'attira la bienveillance du roi Ancus Marcius en lui rendant plusieurs services, et lorsque Ancus mourut, il fut choisi pour roi bien que le défunt eût laissé deux fils. Il affermit alors sa position en faisant entrer cent de ses alliés au Sénat.

Le règne de Tarquin l'Ancien dura, selon la tradition, trente-huit ans, pendant lesquels il fonda le Circus Maximus et commença à bâtir des murailles de pierre autour de la ville ; il annexa également un grand nombre de villes latines (formant le vieux Latium) et vainquit les Sabins. On lui attribuait aussi l'assèchement de la zone marécageuse située entre le Palatin et le Capitole et qui devint ainsi le Forum romain. Sous son règne également furent commencés les travaux du temple de Jupiter Capitolin. Deux bergers, achetés par les fils d'Ancus Marcius, l'assassinèrent en lui fendant la tête d'un coup de hache. Cependant, ce fut son gendre, Servius Tullius, à qui la reine Tanaquil avait donné un pouvoir important, qui lui succéda. La reine tint secrète la mort de Tarquin l'Ancien et déclara qu'il était seulement blessé. Mais lorsque Servius eut revêtu le pouvoir, que les meurtriers eurent été châtiés et que les fils d'Ancus eurent été exilés, Tanaquil révéla la vérité.

TARQUIN, ARRUNS. 1. Fils ou petit-fils de Tarquin l'Ancien, roi de Rome. Il fut assassiné par son frère Lucius Tarquin (le Superbe) à l'instigation de Tullia, sa femme; un complot avait été fomenté pour renverser le père de Tullia, le roi Servius Tullius, et pour rendre le trône à la famille des Tarquins.
2. Fils de Tarquin le Superbe. Lors des combats livrés par les Tarquins, alliés à la ville de Véiès, pour reconquérir le trône de Rome, d'où ils avaient été chassés, Arruns se battit en duel contre Lucius Junius Brutus , et les deux adversaires furent tués.

TARQUIN COLLATINUS, LUCIUS. Petit-neveu de Tarquin l'Ancien, il fut nommé par ce dernier gouverneur de la petite ville albine de Collatia. Pendant le siège d'Ardée, les chefs romains vantèrent tout à tour les mérites de leurs femmes respectives et décidèrent alors de leur rendre visite par surprise, afin de savoir laquelle, de toutes, était la plus vertueuse. Ce fut la femme de Collatinus, Lucrèce, qui l'emporta. Mais à la suite de cela, Lucrèce fut violée par Sextus Tarquin. Collatinus organisa alors une rébellion pour venger Lucrèce et pour établir la République, et Lucius Junius Brutus prit la tête du mouvement. Pendant la première année de la République, Collatinus fut nommé consul, mais dut bientôt se retirer car son nom était impopulaire et rappelait fâcheusement celui de la famille royale. Il suivit le conseil de Brutus et partit en exil à Lanuvium.

TARQUIN SEXTUS. Le plus jeune des trois fils de Tarquin le Superbe. Il fit main basse sur la cité de Gabii pour le compte de son père, mais provoqua la chute de la monarchie en violant Lucrèce. Lorsque les Tarquins furent bannis de Rome, il se réfugia à Gabii où il fut assassiné. *Voir* TARQUIN le SUPERBE.

TARQUIN LE SUPERBE, LUCIUS. Il est le septième et

dernier des rois légendaires de Rome. Il a sûrement existé, mais il est aussi le sujet d'un grand nombre de légendes. Il passait pour le fils ou petit-fils de Tarquin l'Ancien. Ce fut l'ambition de Tullia (la fille du roi Servius Tullius, le successeur de Tarquin l'Ancien) qui le porta au pouvoir ; elle le poussa à assassiner sa première femme et Arruns Tarquin (son frère et le premier mari de Tullia), pour pouvoir l'épouser. En effet, Tullia méprisait les origines humbles de son père et vit que Tarquin le Superbe avait les dispositions naturelles pour faire un bon tyran. Après l'avoir épousé, elle le persuada d'éliminer son père et de s'emparer du trône. Réunissant une bande de compagnons, Tarquin occupa le Sénat et s'assit sur le trône du roi. Servius Tullius apparut et lui ordonna de s'en aller ; là-dessus Tarquin brutalisa le vieil homme, le jeta hors du Sénat et le fit poignarder par ses complices, dans la rue. Puis Tullia fit triomphalement le tour de Rome dans son char et fit passer son attelage sur le corps de son père. Tarquin refusa d'accorder des funérailles au roi mort et tua ceux qui lui restaient fidèles. Surnommé le Superbe, l'« Arrogant », il commença à régner dans la terreur ; il forgea des accusations contre les sénateurs pour s'emparer de leurs richesses et de leurs biens. Il était aussi sournois que cruel, comme le montre la façon dont il conquit la ville de Gabii, sans livrer combat. Il y envoya son fils Sextus sous l'apparence d'un fugitif. Sextus prétendit qu'il avait été persécuté par son père et il gagna rapidement la confiance des notabilités de Gabii. Il les poussa à déclarer la guerre à Rome et, bientôt, il fut nommé commandant en chef. Puis il envoya un message à son père pour connaître ses instructions. Tarquin emmena simplement le messager dans le jardin et étêta les pavots avec son bâton. Sextus comprit le message et assassina les notabilités de Gabii, puis, sans difficulté, il offrit à son père une ville toute conquise. Tarquin le Superbe excellait dans l'art de la guerre et mit sous domination romaine les villes du Latium qui y avaient échappé jusqu'alors. Il acheva la construction du temple de Jupiter Capitolin et, selon une tradition, il prolongea la Cloaca Maxima (« grand égout ») sous le Forum. Plus tard, alors qu'il assiégeait la ville rutule d'Ardée, son fils Sextus viola Lucrèce, la femme de son cousin Tarquin Collatinus, à Collatia, acte qui hâta la chute de la monarchie romaine et la fondation de la République. Conduits (selon une légende) par Lucius Junius Brutus, les nobles indignés par le crime de Sextus et excédés de la cruauté de son père fermèrent les portes de Rome à la famille royale qui revenait d'Ardée. Tarquin le Superbe s'enfuit à Caeré et persuada les Etrusques de Véiès et de Tarquinii de s'allier à lui pour attaquer Rome. Pendant ce temps, le Sénat débattait du sort des richesses de la famille royale : se refusant à les rendre à Tarquin ou à les confisquer, il laissa le peuple libre de s'en emparer.

Le Champ de Mars (*Campus Martius*) fut créé sur les domaines royaux. Une conspiration pour rétablir Tarquin, dans laquelle trempaient quelques jeunes patriciens, dont les fils de Brutus, fut découverte par un esclave. Rome vainquit avec beaucoup de peine les villes de Véiès et de Tarquinii. Tarquin se réfugia alors auprès du roi Lars Porsenna, qui régnait sur une autre ville étrusque, Clusium ; mais ce dernier ne réussit pas à lui rendre le pouvoir, et Tarquin se retira à Tusculum. Mais les Romains craignaient encore qu'il ne réapparût ; Tarquin leur livra bataille au lac Régille et fut blessé. Il mourut quelques années plus tard à Cumes, en Campanie.

TÉLAMON («courroie de bouclier»). Fils d'Eaque et d'Endéis, souverains d'Egine. A l'instigation de leur mère, ou par jalousie, Télamon et son frère Pélée tuèrent leur demi-frère, un enfant naturel, l'athlète Phocos. Bien qu'ils eussent dissimulé le corps, Eaque découvrit le crime et exila ses deux fils. Télamon s'établit à Salamine, île de la côte attique. Les deux frères prétendirent plus tard que le meurtre avait été accidentel, ou encore Télamon déclara qu'il n'avait eu aucune part, en réalité, dans cet assassinat. Il envoya un messager à Eaque pour lui demander la permission de revenir. Eaque lui permit de s'approcher de la côte dans un bateau et de plaider sa cause du haut du pont, mais il ne fut pas satisfait du plaidoyer et ne l'autorisa pas à mettre pied à terre. Télamon épousa Glaucé, la fille du roi Cychrée, de Salamine, et lorsque le roi mourut, sans postérité, il hérita du trône. Glaucé semble être morte peu de temps après car ce fut sa seconde femme, Eriboea ou Périboea, la fille d'Alcathoos, qui donna à Télamon un fils, Ajax **1**.

Télamon s'embarqua avec les Argonautes et prit également part à la chasse au sanglier de Calydon. Il fut l'allié d'Héraclès quand ce dernier prit la ville de Troie pour se venger de la déloyauté de Laomédon. Télamon réussit à ouvrir une brèche dans la muraille et pénétra le premier dans la ville, exploit qu'Héraclès ne lui aurait pas pardonné si Télamon n'avait sur-le-champ élevé un autel à Héraclès Vainqueur. Pour le remercier du rôle décisif qu'il eut dans la victoire, Héraclès lui donna la main d'Hésioné, la fille de Laomédon. Le héros demanda également à son père, Zeus, de donner à Télamon un fils courageux ; en réponse à ses prières, un aigle apparut, en signe de bon présage. L'enfant fut appelé Ajax, du mot grec désignant l'aigle (*aietos*). Lorsque Héraclès visita Salamine, il enveloppa l'enfant dans la peau du lion de Némée, le rendant ainsi invulnérable. Hésioné donna un autre fils à Télamon, Teucer, qui accompagna Ajax à Troie. On racontait que Télamon accorda de nouveau son aide à Héraclès dans la guerre contre les Amazones. Il existe plusieurs traditions concernant sa mort ; les Eléens prétendaient qu'ils l'avaient tué alors qu'il était l'allié d'Héraclès, tandis que, d'après la tradition la plus connue, Télamon serait mort à Salamine bien plus tard, après avoir banni Teucer qui était revenu de Troie sans son frère Ajax.

TÉLÉMAQUE. Fils d'Ulysse et de Pénélope. Homère, dans l'*Odyssée*, nous montre l'évolution du jeune homme qui, de timide adolescent, devint un homme assuré et ingénieux. Lorsque son père fut appelé à combattre devant Troie, il était encore un bébé. Ulysse avait essayé de ne pas rejoindre l'expédition en simulant la folie. Il avait semé du sel sur la plage qu'il venait de labourer. Mais Palamède déjoua sa ruse en plaçant Télémaque sur le sol devant la charrue, sur quoi, après avoir montré qu'il était sain d'esprit en évitant son fils avec sa charrue, Ulysse renonça à la simulation.

Pendant les dix-neuf ans que dura l'absence de son père, Télémaque vit sa mère assiégée par une troupe de prétendants auxquels il n'avait pas la force de s'opposer. Mais Athéna, apparaissant tantôt sous les traits de Mentès, un Taphien, et plus tard sous ceux de Mentor le précepteur de Télémaque, insuffla au jeune homme de la hardiesse et le persuada de prendre la mer pour aller chercher des nouvelles de son père. Télémaque rendit visite à Nestor à Pylos et à Ménélas à Sparte. Ce dernier lui donna des raisons d'espérer. Pendant ce temps, les prétendants, que les critiques du jeune homme avaient impatientés, complotèrent de lui tendre une embuscade à son retour, mais Athéna lui fit prendre une autre route pour revenir à Ithaque. Lorsque Télémaque aborda, Ulysse se trouvait déjà sur l'île. Le jeune homme se montra alors courageux et plein de ressources. Il se rendit tout d'abord chez le porcher Eumée pour avoir des nouvelles, et, dans la hutte de ce dernier, il rencontra son père. Après d'émouvantes retrouvailles, le père et le fils mirent sur pied des plans pour exterminer les prétendants. Télémaque ôta de la grande salle du palais toutes les armes qui étaient suspendues au mur, de sorte que, après le concours de tir à l'arc, les prétendants ne purent résister à Ulysse, qui les extermina tous. Après le massacre des prétendants, les traditions divergent sur le sort de Télémaque. Il épousa soit la fille de Nestor, Polycasté, qui lui avait autrefois préparé un bain à Pylos, soit Nausicaa, qu'Ulysse avait rencontrée à Schéria. Mais une légende tardive raconte qu'Ulysse bannit son fils parce qu'un oracle lui avait prédit que ce dernier le tuerait. Après la mort d'Ulysse, tué de la main de Télégonos, le fils de Circé, Télémaque revint à Ithaque, puis se rendit à Aeaea, où il ensevelit Ulysse et épousa Circé. La magicienne le rendit immortel et lui donna un fils, Latinos.

TÉLÈPHE. Fils d'Héraclès et d'Augé, la fille du roi de Tégée, Aléos. Ce dernier avait appris, par un oracle, que le fils d'Augé provoquerait la mort de l'un de ses fils ; aussi, il fit d'Augé une prêtresse d'Athéna, la forçant ainsi à demeurer vierge. Cependant, en venant à Tégée, Héraclès la séduisit. Lorsqu'il découvrit que sa fille était enceinte, Aléos fut furieux et ordonna que sa fille fût noyée dans la mer ; sur le chemin, Augé donna naissance à un fils, Télèphe. A Nauplie, le roi Nauplios plaça mère et fils dans un coffre et les lança à la mer ; tous deux abordèrent en Mysie, où Augé éleva son enfant. D'après une version différente de la légende, la jeune femme aurait donné le jour à son enfant dans le temple d'Athéna et l'aurait caché là ; la déesse, irritée, aurait frappé le pays de stérilité. Aléos s'enquit de la raison de ce fléau et apprit ainsi le sacrilège de sa fille. Il exposa alors l'enfant sur le mont Parthénion, et confia Augé à Nauplios pour que celui-ci la vendît comme esclave. Augé fut achetée par Teuthras, le roi de Teuthranie, sur les bords du Caïque, fleuve de Mysie. Télèphe fut découvert par des bergers ; une biche (*elaphos*) l'avait recueilli et nourri (*thele* : téton). Les bergers lui donnèrent alors le nom de Télèphe. Ils l'élevèrent en compagnie de Parthénopaeos, qui avait également été exposé non loin de là. Les deux garçons devinrent de grands amis. Toutefois, selon certains, Augé abandonna elle-même Télèphe sur le mont Parthénion, honteuse de s'être laissé séduire, ou bien elle lui donna le jour en allant à Nauplie.

En grandissant, Télèphe voulut savoir qui étaient ses parents, car, selon une version, on s'était moqué de lui à la cour d'Aléos parce qu'il n'avait aucune origine. Se sentant insulté, il tua la personne qui l'avait raillé ; l'homme était un fils d'Aléos. Quoi qu'il en soit, on s'accorde pour dire que Télèphe alla consulter l'oracle de Delphes, qui le dirigea vers la Mysie où il retrouverait ses origines. Accompagné de Parthénopaeos, il se rendit par mer en Teuthranie où, à la tête d'une armée d'envahisseurs grecs, il aida Teuthras à chasser Idas. Le roi, qui n'avait pas de fils, fit de lui son héritier. Selon une tradition, Teuthras avait épousé Augé. Mais dans une version différente, il l'avait seulement adoptée comme sa fille, et voulut la marier à Télèphe pour le récompenser. Augé ignorait qu'elle était la mère de Télèphe, mais elle s'opposa à ce mariage car, disait-on, elle désirait rester fidèle au souvenir d'Héraclès. Elle emporta avec elle une épée dans la chambre nuptiale, avec l'intention d'en frapper le jeune homme. Mais tout à coup un énorme serpent surgit dans le lit entre eux, et Augé, terrifiée, avoua alors à Télèphe quel était son dessein. Télèphe, saisi d'une légitime colère, voulut la châtier; là-dessus Augé appela Héraclès à son secours. Le jeune homme lui demanda pourquoi elle s'adressait au héros; Augé lui raconta alors son histoire, et la mère et le fils se reconnurent. Dans cette version (racontée par Hygin), Télèphe épousa ensuite Argiopé, la fille de Teuthras. On lui donne aussi pour épouse Astyoché (ou Laodicé), une fille de Priam.

La guerre de Troie éclata alors que Télèphe régnait sur la Teuthranie; comme il était le gendre de Priam, il combattit du côté troyen. Les grecs abordèrent par erreur en Mysie, se croyant sur le territoire troyen. Télèphe leur livra bataille, tuant le fils de Polynice, Thersandros, mais il fut blessé par Achille car son pied s'était pris dans un cep de vigne. Puis les Grecs retournèrent chez eux, mais la blessure de Télèphe ne voulut pas guérir. Ce dernier consulta un oracle qui lui répondit que «celui qui l'avait blessé le guérirait aussi».Alors, il se vêtit de haillons et se rendit à Mycènes où les chefs grecs préparaient une autre expédition contre Troie. Il confia sa situation à Clytemnestre qui lui dit que la seule façon de se faire entendre des rois était de se saisir du petit Oreste et de supplier Agamemnon. Il suivit le conseil de Clytemnestre et ordonna à Achille de le guérir. Les chefs grecs, qui avaient appris par un oracle qu'ils n'atteindraient Troie que si Télèphe les y guidait, accédèrent à sa demande. Achille déclara alors qu'il n'avait aucune connaissance en médecine; mais Ulysse interpréta l'oracle d'une façon plus profonde, pendant que la prophétie désignait la lance d'Achille plus qu'Achille lui-même. Un peu de rouille provenant de la lance fut appliquée chaque jour sur la blessure, et, en quelques jours, Télèphe fut guéri. Ce dernier guida alors la flotte grecque jusqu'à Troie, mais refusa de se joindre à eux. Après sa mort, son fils Eurypylos, à la tête d'un contingent mysien, vint à l'aide de Priam pendant la dixième année de guerre. La légende de Télèphe fut à l'époque historique entretenue par les Attales, rois de Pergame, en Mysie.

TERRA. Terre Maternelle. *Voir* GAIA.

TÉTHYS. Titanide, femme d'Océan, avec qui elle demeurait, aux confins extrêmes de la terre. Elle donna à son puissant époux un nombre incalculable de fils, les dieux-fleuves, et trois mille filles qui sont les Océanides, nymphes qui avaient le soin des jeunes gens, qu'elles protégeaient, associées à Apollon, jusqu'à leur majorité. Lorsque Zeus combattit les Titans, Océan et Téthys prirent le parti de Zeus contre leurs semblables et veillèrent sur Héra pendant la guerre; plus tard, lorsque Téthys se querella avec son mari, sa fille adoptive, Héra, essaya de réconcilier le couple. Téthys aimait beaucoup Héra et, pour lui plaire, elle interdit à la constellation de Callisto, la Grande Ourse, de rejoindre l'Océan, le soir, la condamnant ainsi à tourner éternellement autour de l'étoile Polaire. Callisto était ainsi punie d'avoir osé être l'amante de Zeus.

THALIE. *Voir* MUSES.

THANATOS. Personnification de la Mort. Il était le fils de Nyx (la Nuit) et le frère d'Hypnos (le Sommeil). Parmi les dieux, il apparaissait comme le génie ailé de la mort et venait trouver les mortels lorsque le temps de vie qui leur avait été alloué s'était écoulé. Il coupait une boucle des cheveux du mort qu'il dédiait à Hadès, puis emportait le défunt. Avec l'aide d'Hypnos, il enleva du champ de bataille de Troie le corps de Sarpédon et alla chercher Alceste à Phères, car la jeune femme avait pris la place de son mari dans le cercueil. Dans la légende d'Alceste, ainsi que la raconte Euripide, Thanatos s'avança vers la jeune femme vêtu d'une robe rouge et brandissant une épée. Mais Héraclès lutta contre lui et l'obligea à rendre Alceste. Un autre mortel, Sisyphe, eut des démêlés avec Thanatos; Sisyphe réussit à le tromper une fois, mais en fut châtié dans le Tartare.

THÉMIS (la Loi, l'Ordre). Titanide, fille d'Ouranos et de Gaia (la Terre). Elle donna à Zeus, de qui elle fut la deuxième épouse, après Métis, les trois Heures et les trois Moires. Son mari véritable était cependant le Titan Japet, de qui elle eut Prométhée. Elle transmit à son fils une grande partie de sa sagesse; elle connaissait l'avenir et des secrets dont même Zeus était ignorant, tel que le destin du fils de Thétis, qui devait devenir plus puissant que son père. C'est grâce à sa sagesse que Prométhée, plus tard, fut libéré de son châtiment par Zeus. Succédant à Gaia comme possesseur de l'oracle de Delphes, Thémis, révéla à Pyrrha et à Deucalion le moyen de repeupler la terre après le déluge. Elle avertit également Atlas qu'un jour un fils de Zeus viendrait voler les pommes d'or des Hespérides. Ce fut pour cette raison qu'Atlas refusa d'aider Persée lorsque celui-ci le lui demanda. Elle transmit plus tard l'oracle de Delphes à sa sœur Phoebé (ou bien encore à Apollon, lorsque le dieu revint du Tempé où il avait été purifié du meurtre de Python).

THÉOPHANÉ. Jeune fille d'une grande beauté, fille de Bisaltès; elle donna son nom à une tribu thrace vivant sur le fleuve Strymon. Poséidon tomba amoureux d'elle, et comme elle avait de nombreux prétendants, la transporta sur une île. Les prétendants, toutefois, firent des recherches et apprirent où elle se trouvait. Pour faire échouer leurs plans, Poséidon transforma Théophané en brebis et les habitants de l'île en moutons, et lorsque les prétendants commencèrent à manger les moutons, il les métamorphosa en loups. Puis, lui-même prit la forme d'un bélier et s'unit à Théophané; il engendra un agneau qui possédait une toison d'or. Cet agneau devint le bélier doué de parole et d'ailes que Néphélé envoya à Phrixos et Hellé pour les sauver des mauvaises intentions d'Ino; la toison de l'animal fit plus tard l'objet de la quête de Jason et des Argonautes en Colchide.

THERSITE. Dans *L'Iliade*, Thersite est le seul personnage de basse naissance parmi les Grecs qui y jouent un rôle, bien qu'on lui eût donné des origines nobles, le faisant fils d'Agrios le frère d'Oenée. Homère le décrit comme physiquement repoussant : il était boiteux, avait les jambes torses, les épaules bossues, il était presque chauve et avait une tête en forme d'œuf. Il parlait constamment et aimait se moquer des chefs. Lorsqu'il reprocha vertement à Agamemnon d'avoir volé Briséis à Achille, puis suggéra de faire rentrer l'armée en Grèce, Ulysse le bastonna pour son impudence. On racontait, dans des récits postérieurs, qu'il se moqua de l'amour d'Achille pour le corps sans vie de l'Amazone Penthésilée et fut tué pour cette raison par le héros. Achille dut alors se rendre à Lesbos pour se faire purifier du meurtre. Là, il offrit un sacrifice à Léto et à ses enfants, Apollon et Artémis, et Ulysse accomplit les rites traditionnels.

THÉSÉE. Il est le héros athénien le plus célèbre. Il était le fils d'Egée, ou bien du dieu Poséidon et d'Aethra, la fille de Pitthée. N'ayant pas d'enfants, Egée alla consulter l'oracle de Delphes qui lui interdit de délier le col de son outre à vin avant d'arriver à Athènes. Ne comprenant pas la prophétie, il se rendit à Trézène et interrogea son ami Pitthée, roi de la ville, sur les paroles de l'oracle ; Pitthée comprit qu'Egée était destiné à engendrer un fils à son retour à Athènes. Aussi, il convainquit son ami de l'accompagner dans une petite île, Sphaeria, où il l'enivra et lui fit passer la nuit avec sa fille Aethra. Egée comprit bientôt ce qui s'était passé et apprit, avant de quitter Trézène pour retourner à Athènes, qu'Aethra attendait un enfant. Il emmena alors la jeune femme près d'un énorme rocher, qu'il souleva et sous lequel il plaça son épée et ses sandales ; puis il remit en place le rocher. Il dit à Aethra d'attendre, si elle avait un garçon, jusqu'à ce qu'il fût assez fort pour soulever le rocher, puis de l'envoyer à Athènes : si le jeune homme réussissait à déplacer le rocher et à lui apporter l'épée et les sandales, il le reconnaîtrait comme son fils et ferait de lui l'héritier du trône d'Athènes. En fait, Egée était dans une position précaire car son demi-frère Pallas et les cinquante fils de ce dernier déclaraient qu'il n'était qu'un enfant adopté par Pandion, et revendiquaient le trône d'Athènes. Pendant ce temps, Pitthée répandit dans Trézène la rumeur que sa fille avait eu Poséidon pour amant et que, par conséquent, c'était au fils du dieu qu'Aethra allait donner le jour. Plus tard, la croyance que Thésée était le fils de Poséidon se répandit largement à Athènes ; on disait même que le héros se considérait d'ascendance divine.

Lorsque Thésée atteignit l'âge d'homme, Aethra lui montra le rocher et lui révéla le secret de sa naissance royale. Le jeune homme souleva le rocher sans difficulté, prit l'épée et les sandales et se mit en route vers Athènes ; il choisit de suivre la route de terre, le long du golfe Saronique, plutôt que la route de mer, voyage trop rapide et trop facile. Le jeune homme avait appris que de nombreux brigands infestaient l'isthme et, rempli d'admiration pour son parent Héraclès, il voulait faire ses preuves.

En arrivant à Epidaure, Thésée dut affronter Périphétès, un fils d'Héphaïstos, brigand qui portait aussi le nom de Corynétès parce qu'il possédait une énorme massue dont il se servait pour fracasser le crâne des voyageurs. Thésée, qui était très habile à la lutte, réussit à éviter la massue, puis il fit subir à Périphétès le traitement que le brigand avait infligé à tant d'autres. Le héros emporta avec lui la massue, laquelle devint son emblème comme la peau du lion de Némée était celui d'Héraclès. Sur l'isthme de Corinthe, Thésée fut attaqué par Sinis, un bandit qui obligeait ses victimes à plier avec lui un pin (d'où son surnom *Pityokamptès,* le «courbeur de pin»), puis il lâchait l'arbre d'un coup, envoyant les malheureux dans les airs; ou bien il les attachait à deux pins qu'il avait lui-même courbés jusqu'à terre et libérait les arbres de sorte que le pauvre voyageur était écartelé. Thésée châtia Sinis en le liant à ses pins. Puis il aperçut la fille du brigand. Périgouné, qui était d'une grande beauté; elle s'était cachée dans un buisson d'asperges sauvages. Le héros s'unit à elle et lui donna un fils, Mélanippos; Périgouné épousa plus tard Déionée, le fils d'Eurytos d'Oechalie.

A Crommyon, Thésée débarrassa la population d'un monstre tristement célèbre, une truie grise nommée Phaea («la grise»), produit de deux autres monstres, Echidna et Typhon, et qui ravageait le pays. D'après des traditions différentes, il eut affaire à un malfaiteur, ou bien à une femme dépravée surnommée la Truie.

Comme le héros pénétrait dans le royaume de Mégare, il arriva à un endroit où la route serpentait entre une montagne et des falaises vertigineuses appelées les roches Scironiennes qui surplombaient une baie. Là, se cachait Sciron, un brigand qui détroussait les voyageurs, puis les obligeait à lui laver les pieds; lorsque ceux-ci s'agenouillaient devant lui, il les précipitait du haut de la falaise, les envoyant nourrir une énorme tortue qui vivait sur le rivage de la baie. Thésée fit semblant de se soumettre, mais comme il se penchait en avant, il saisit les jambes de Sciron et l'envoya par-dessus les rochers, servir lui-même de pâture à la tortue. (Toutefois, à Mégare, Sciron passait non pour un voleur mais au contraire pour un valeureux guerrier.)

Ensuite, Thésée dut subir une autre épreuve à Eleusis, à cette époque ville indépendante. Son roi, un Arcadien nommé Cercyon, obligeait les étrangers à lutter avec lui; puis, quand il les avait vaincus, il les mettait à mort. Enfin, Cercyon trouva son maître dans la personne de Thésée qui, en le tuant, devint roi d'Eleusis. Il rattacha plus tard la ville au royaume athénien, et nomma Hippocoon, le petit-fils de Cercyon, gouverneur d'Eleusis.

A Erinéos, près du mont Aegalée, Thésée eut affaire à Procuste («celui qui tiraille»), un brigand qui avait coutume de recevoir les voyageurs dans son auberge. Puis, une fois que ces derniers étaient en son pouvoir, il les obligeait à s'étendre sur un grand lit s'ils étaient petits ou un petit lit s'ils étaient grands ; il les liait solidement et, pour les mettre à la dimension du lit, soit il leur coupait les pieds, soit il les étirait. Thésée lui fit subir le même traitement, en lui coupant la tête, car Procuste était très grand. Le brigand était aussi appelé Damastès («le dompteur») et Polypémon («le pernicieux»). Enfin, lorsque Thésée atteignit le Céphise, il reçut pour la première fois depuis son départ de Trézène un accueil bienveillant ; en effet, les descendants de Phytalos, à qui Déméter avait fait présent du figuier, purifièrent le héros des meurtres qu'il avait commis et le traitèrent avec prodigalité. Plus tard, Thésée leur accorda des privilèges religieux. En arrivant à Athènes, il y trouva une grande confusion : Egée n'avait pas d'héritier légitime, et les cinquante fils de Pallas complotaient de s'emparer du trône. Egée vivait alors avec Médée, qui espérait que leur fils, Médos, hériterait du trône d'Athènes malgré les origines étrangères de sa mère. Thésée reçut un accueil chaleureux à la suite des exploits qu'il avait accomplis, mais il ne révéla pas immédiatement son identité. Cependant, Médée le reconnut et persuada Egée, pour sauvegarder les intérêts de son propre fils, de la laisser empoisonner le jeune homme durant un banquet, faisant croire au vieil homme que Thésée était l'allié des fils de Pallas. Néanmoins, à point nommé, Egée reconnut son fils qui s'apprêtait à découper la viande avec l'épée de son père ; il l'avait rapportée de Trézène et avait placé l'arme de telle façon qu'Egée ne manqua pas de la reconnaître. Là-dessus, le vieil homme renversa la coupe de son hôte sur le sol, et Thésée comprit à quel danger il avait échappé. Médée s'enfuit d'Athènes où on ne la revit plus jamais. Egée accueillit son fils à bras ouverts et fit de lui son héritier.

Mais Thésée dut bientôt affronter la menace que représentaient les cinquante Pallantides contre le pouvoir de son père et contre ses propres droits : car lorsque Thésée fut officiellement nommé successeur d'Egée, les Pallantides se rebellèrent ouvertement. La moitié d'entre eux marcha contre Athènes et l'autre moitié tendit une embuscade aux alliés de Thésée. Mais un héraut, Léos, dévoila ces plans à Thésée qui prit par surprise ceux qui étaient en embuscade. Le reste des Pallantides, à cette nouvelle, prit la fuite. Puis Thésée se rendit à Marathon, à l'est d'Athènes, afin de tuer le taureau furieux qui ravageait le pays. Selon les traditions, cet exploit se situe soit avant que Médée eût essayé d'empoisonner le héros, qui fut alors envoyé par son père, à la requête de Médée, combattre le monstre, soit après que la magicienne se fût enfuie. Ce taureau était l'animal que Poséidon avait envoyé à Minos et pour lequel Pasiphaé, la femme de Minos, avait conçu une passion. Héraclès l'avait ramené en Grèce, lors du septième de ses Travaux, puis l'avait relâché en Attique. Androgée, le fils de Minos, avait été autrefois chargé par Egée de tuer le monstre, mais il avait succombé. Thésée se mit en route et, en chemin, il fut accueilli avec hospitalité par une petite vieille nommée Hécalé. Cette dernière lui promit d'offrir un sacrifice à Zeus si le jeune homme revenait sain et sauf, mais elle mourut avant le retour de Thésée. Après avoir capturé le taureau, celui-ci institua des fêtes locales pour honorer sa mémoire. Puis il conduisit l'animal à Athènes et le sacrifia à Apollon.

A la suite de cette aventure, Thésée apprit l'histoire de la mort d'Androgée et l'existence du tribut que Minos, le père du défunt, avait alors imposé en punition aux Athéniens. Minos avait marché contre Athènes, qu'il avait vaincue grâce à la peste qui s'était abattue sur la ville. Puis il avait exigé que chaque année (ou selon Plutarque, tous les neuf ans) sept jeunes gens et sept jeunes filles lui fussent livrés afin de servir de pâture au Minotaure (monstre né des amours de Pasiphaé et du Taureau, et qui possédait le corps d'un homme et la tête et les cornes d'un taureau). Cet être monstrueux avait été enfermé dans le Labyrinthe que Dédale, un Athénien exilé, avait construit sur l'ordre de Minos. Le moment arriva, de nouveau, où il fallut fournir le tribut ; d'après une tradition, Minos avait exigé que Thésée fût parmi les victimes. La plupart des auteurs, cependant, et en particulier Plutarque, racontent que les Athéniens commencèrent à murmurer contre le roi dont seul le fils était exclu du tirage au sort qui devait désigner les victimes ; mais Thésée se mit alors lui-même au nombre des sept jeunes gens (d'après une variante, Thésée mit simplement son nom parmi ceux des jeunes hommes de la ville, et il fut désigné par le sort). Désespéré à la nouvelle du départ de son fils, Egée demanda à ce dernier de changer les voiles noires de son navire et d'en mettre des blanches (ou écarlates) s'il revenait sain et sauf. Selon certains, le Minotaure dévorait les victimes qu'on lui livrait, dans son Labyrinthe. D'autres disent que les malheureux erraient dans l'enchevêtrement des couloirs jusqu'à mourir de faim. Ils devaient aborder en Crète sans armes, mais on racontait aussi que si l'un d'eux réussissait à tuer le monstre et à ressortir du Labyrinthe, le tribut serait levé. On ne sait pas exactement non plus si les victimes étaient emmenées en Crète sur un navire athénien ou crétois. D'après la version la plus ancienne, Thésée devait revenir dans son propre bateau, en cas de succès, et pouvait ainsi changer les voiles pour avertir son père qu'il était toujours en vie. Mais une tradition plus récente raconte que pendant le voyage d'aller, Minos tenta de faire violence à l'une des jeunes filles, la fille d'Alcathoos, roi de Mégare; Thésée, indigné, se porta au secours de la jeune fille, à la colère de Minos. Les deux hommes se traitèrent alors mutuellement de bâtards, mais chacun sut prouver son ascendance divine, Minos en priant son père Zeus d'envoyer un éclair dans le ciel bleu, Thésée en plongeant dans la mer et en retrouvant miraculeusement un anneau d'or que Minos avait jeté avec mépris dans le royaume de Poséidon. Non seulement Poséidon remit l'anneau à son fils, mais Amphitrite, la femme de Poséidon, offrit au héros une couronne d'or dont ce dernier se coiffa pour sortir triomphalement de la mer. Il rendit alors l'anneau à Minos stupéfait.

Thésée était un jeune homme très pieux et, avant de faire voile vers la Crète, il avait offert un sacrifice à Apollon, qu'il vénérait tout particulièrement, et avait prié Aphrodite de lui accorder sa protection. Lorsqu'il aborda en Crète, ces précautions se révélèrent d'un grand secours, car ce fut grâce à l'amour qu'il inspira à Ariane, la fille de Minos, que son entreprise réussit. Cette dernière tomba amoureuse du héros en l'apercevant et alla consulter Dédale sur le moyen de s'échapper du gigantesque Labyrinthe. Celui-ci répondit qu'il fallait attacher un fil à l'entrée, puis le suivre pour ressortir. Ariane alla trouver Thésée, et, après qu'il lui eut promis de l'épouser, elle lui donna un peloton de fil et, d'après certains, une épée. Laissant ses compagnons près de l'entrée, Thésée s'avança dans le Labyrinthe en déroulant son fil. Puis il affronta le Minotaure et le tua, soit avec son épée, soit avec ses poings. Il revint alors à l'entrée, et Ariane les délivra tous du Labyrinthe. Le groupe se dirigea vers le navire athénien ancré dans le port. Là, à la faveur de la nuit, Thésée et ses compagnons sabordèrent les navires de Minos pour empêcher toute tentative de poursuite. Ainsi les Athéniens firent voile vers leur patrie. Selon une tradition différente, Thésée et ses amis furent au contraire obligés de combattre pour rejoindre leur bateau, et, dans la mêlée, Astérios, le fils de Minos, trouva la mort.

Toutefois, il existe une interprétation rationnelle du mythe du Minotaure et des aventures crétoises de Thésée. D'après Philochoros, un historien athénien du IVe siècle av. J.-C., Thésée prit part aux jeux qui se tinrent à son arrivée dans l'île et, à l'épreuve de la lutte, il battit le champion local, fort impopulaire au demeurant, un nommé Tauros ; ce dernier était également l'amant de Pasiphaé. Dans cette dernière version, Minos relâcha Thésée et ses compagnons, admirant la vaillance du héros, et content de voir Tauros humilié. Thésée et son équipage partirent donc sans encombres, emmenant Ariane avec eux. Leur première escale fut l'île de Dia (par la suite, Naxos), où ils jetèrent l'ancre ; lorsqu'ils repartirent, Ariane resta sur l'île. Selon l'interprétation la plus ancienne, Thésée avait été en quelque sorte ensorcelé et aurait oublié la jeune femme. Toutefois, des auteurs plus récents attribuaient cet abandon à une pure traîtrise de la part de Thésée, qui était amoureux d'Aeglé, la fille de Panopée. Homère, sans être plus explicite, rapporte que Dionysos provoqua la mort d'Ariane en demandant à Artémis de la transpercer de ses flèches. Peut-être est-ce là une version primitive de la plus célèbre de ces légendes qui raconte qu'après le départ de Thésée, Dionysos lui-même vint à Dia et enleva Ariane sur son char merveilleux pour faire d'elle son épouse divine.

Selon une interprétation rationnelle de l'événement, ce fut en réalité un prêtre du dieu, un certain Oenaros, qui prit Ariane pour femme, après que Thésée eut abandonné celle-ci pour une autre femme. On racontait parfois aussi que Dionysos et Thésée avaient combattu l'un contre l'autre pour la main d'Ariane. (Un auteur cypriote, Paeon, prétendait, lui, que le navire de Thésée avait été entraîné par une tempête jusqu'à Chypre et qu'Ariane, qui était enceinte et malade, fut transportée sur le rivage, mais le bateau fut immédiatement entraîné au large par un courant violent, et Thésée ne put aller chercher la jeune femme. Lorsque plus tard il revint à Chypre, il apprit qu'elle était morte en couches, avant d'avoir donné le jour à leur enfant.)

Après Dia, l'escale suivante fut Délos, où les Athéniens inventèrent une danse sinueuse en souvenir de leurs aventures dans le Labyrinthe. De là, ils firent voile vers Athènes, mais Thésée, tout à la joie du retour, oublia de changer de voiles ; lorsque Egée aperçut le navire tant attendu, il crut que son fils avait péri et se jeta du haut des falaises (ou de l'Acropole). Thésée débarqua dans le port d'Athènes, Phalère, et acheva de remercier les dieux par des sacrifices avant d'apprendre la mort de son père.

Puis il devint roi de l'Attique. Après avoir célébré les funérailles d'Egée, il réorganisa l'Attique en soumettant tous les villages à Athènes; c'est à partir de cette époque, dit-on, qu'Athènes, désormais la capitale de l'Attique, prit de l'importance. Ce fut également lui qui, selon la légende, donna à la ville le nom d'Athènes; et en l'honneur de son éponyme, la déesse Athéna, il institua, dit-on, les Panathénées, cérémonies qui avaient lieu tous les quatre ans et auxquelles devait prendre part toute l'Attique. Il rattacha Mégare, ville qu'il enleva à son oncle Nisos, à son royaume, et fonda, ou remit en honneur les jeux Isthmiques à Corinthe, en l'honneur de Poséidon. Peu après, il hérita du royaume de Trézène, de son grand-père maternel, Pitthée.

Après cela, il participa à une expédition contre les Amazones de Thémiscyra, sur la mer Noire. Là, il captura l'une des guerrières, Antiope, sœur d'Hippolyte, la reine des Amazones, ou bien, selon certaines variantes, il fit prisonnière Hippolyte elle-même. Soit l'Amazone était tombée amoureuse de lui, soit (dans une autre version), lorsque les guerrières lui envoyèrent des cadeaux d'amitié, il invita celle qui les lui apportait à monter à son bord et aurait alors levé l'ancre. Furieuses de cet enlèvement, les Amazones marchèrent contre l'Attique. Elles envahirent le royaume et attaquèrent la capitale elle-même; elles réussirent à occuper a colline de la Pnyx et assiégèrent l'Acropole. La bataille décisive eut lieu entre les deux collines, et Thésée fut vainqueur. Son adversaire, soit Hippolyte soit Antiope, s'enfuit à Mégare, où elle mourut. Un peu plus tard, la femme de Thésée — car ce dernier avait épousé sa prisonnière — donna le jour à un fils, Hippolyte, et mourut peu après. D'après une autre tradition, Thésée aurait capturé l'Amazone pendant la bataille de la Pnyx. On racontait aussi qu'Hippolyte était né avant l'assaut des Amazones contre Athènes et que sa mère avait été tuée par un javelot, en combattant aux côtés de Thésée. Enfin, on disait que Thésée s'était joint à l'expédition d'Héraclès au pays des Amazones; ce dernier avait reçu l'ordre de son maître Eurysthée d'aller conquérir la ceinture de la reine des Amazones (neuvième épreuve).

Thésée figure quelquefois sur la liste des Argonautes et parmi les chasseurs de Calydon. Il intervient à Thèbes après la défaite des Sept Chefs et oblige Créon à donner aux morts argiens une sépulture honorable. Il donna également asile à Œdipe et à sa fille Antigone, à Athènes; il vint au secours du vieil homme lorsque les hommes de Créon tentèrent d'obliger Œdipe à quitter l'Attique et à revenir à Thèbes (pour qu'il donnât son appui à Etéocle, contre les Sept Chefs).

Le plus grand ami de Thésée fut Pirithoos, le roi du peuple thessalien. Ayant entendu parler des exploits et de la réputation de Thésée, Pirithoos avait décidé de rencontrer le héros. Pour cela, il pilla les troupeaux de Thésée, à Marathon, et chassa les bergers, et lorsqu'il sut que Thésée le poursuivait, il fit volte-face pour l'affronter. Mais les deux héros ne combattirent pas. Pirithoos tendit la main au roi athénien, qui la prit, et, au lieu de punir Pirithoos, Thésée lui jura une amitié éternelle. Désormais, les deux amis accomplirent leurs exploits ensemble (par exemple, l'expédition au pays des Amazones et la bataille victorieuse de la Pnyx). Lorsque Pirithoos épousa Hippodamie, Thésée assista au mariage et aida son ami à se défendre contre les Centaures ivres qui voulaient enlever la mariée et les femmes lapithes invitées.

Bien qu'il eût autrefois abandonné Ariane, l'une des filles de Minos, Thésée épousa plus tard la sœur d'Ariane, Phèdre. Minos était mort, et ce mariage scella l'amitié entre Thésée et Deucalion, qui avait hérité du trône de la Crète. Phèdre donna deux fils à son mari, Acamas et Démophon. Peu de temps après le mariage, Pallas et ses fils firent une ultime tentative pour reprendre le trône d'Athènes, mais Thésée tua Pallas et extermina les Pallantides. Puis, à la suite du meurtre de ses parents, il fut exilé d'Athènes pour un an. Il se rendit alors avec sa femme et ses enfants à Trézène, dont il était aussi le roi. Là, son fils Hippolyte exerçait le pouvoir en tant que vice-roi (ou bien il était élevé par son grand-père Pitthée).

Hippolyte était un jeune homme timide et réservé, et un chasseur passionné; il honorait donc tout particulièrement Artémis. L'idée du mariage lui faisait horreur et il méprisait le culte d'Aphrodite. Cependant, sa belle-mère, Phèdre, était tombée amoureuse de lui en le voyant à Eleusis, lorsqu'il était venu se faire initier aux Mystères. Maintenant qu'elle vivait si près de lui à Trézène, sa passion se raviva. Thésée quitta Trézène pendant quelque temps pour aller consulter l'oracle de Delphes.

A son retour, la vieille nourrice de Phèdre, ayant pitié du désespoir de sa maîtresse, révéla à Hippolyte l'amour de sa belle-mère. Le jeune homme fut choqué et indigné, mais il jura de garder cette révélation secrète. Lorsqu'elle apprit qu'Hippolyte la méprisait, Phèdre se pendit en laissant à

Thésée une lettre dans laquelle elle accusait le jeune homme de lui avoir fait violence. A son retour, Thésée trouva la lettre et la crut; il maudit son fils et demanda à Poséidon, qui lui avait un jour promis de réaliser trois de ses vœux, de faire périr Hippolyte. Puis il envoya son fils en exil, mais, alors qu'Hippolyte conduisait son char, le long de la côte de Trézène, un taureau monstrueux sortit des flots et effraya ses chevaux; le jeune homme fut précipité à terre et se tua. Thésée apprit plus tard par Artémis la vérité sur ce drame (d'après certains auteurs, Phèdre ne se serait suicidée qu'à ce moment).

Thésée et Pirithoos, tous deux veufs à présent, promirent de s'aider mutuellement à conquérir des femmes dignes d'eux et de leur naissance, et tous deux choisirent des filles de Zeus. Ils allèrent tout d'abord à Sparte pour obtenir la main d'Hélène, la fille de Léda, pour Thésée. (D'après Plutarque, les deux rois tirèrent la main d'Hélène au sort entre eux deux.) Bien qu'elle n'eût que douze ans, cette dernière était déjà célèbre pour sa beauté. Ils la trouvèrent exécutant une danse dans le temple d'Artémis et l'enlevèrent; puis ils l'emmenèrent à Aphidna, en Attique, et la laissèrent à la garde d'Aethra, la mère de Thésée, en attendant que la jeune fille fût en âge d'épouser le roi d'Athènes. Puis ce fut au tour de Pirithoos de choisir une femme; son choix se porta sur Perséphone, la femme d'Hadès. Pirithoos et son ami descendirent jusqu'aux Enfers où Hadès, apparemment, les reçut avec respect. Il les invita à s'asseoir, et les deux visiteurs se retrouvèrent attachés à leur siège; de plus, ils oublièrent qui ils étaient, car ils étaient assis sur les «Chaises d'Oubli». Pirithoos y demeura éternellement lié et, selon une tradition rapportée par Virgile, Thésée le fut aussi. Mais dans la version la plus célèbre, ce dernier fut délivré peu après par Héraclès, qui était venu chercher Cerbère. Thésée passait pour avoir abrité Héraclès, après que celui-ci eut tué ses enfants à Mégare, dans une crise de folie.

Lorsque Thésée revint à Athènes, il trouva la situation fort mauvaise; il s'aperçut, en outre, qu'il était devenu très impopulaire. Les Spartiates, conduits par les Dioscures, les frères d'Hélène, avaient envahi l'Attique pour délivrer leur sœur; ils avaient pris Aphidna, et avaient emmené Aethra avec eux. Athènes était tombée aux mains de Ménesthée, un descendant d'Erechtée, et les fils de Thésée, Acamas et Démophon, s'étaient réfugiés sur l'île d'Eubée. Obligé de s'exiler d'Athènes, Thésée décida de s'établir à Scyros, où il possédait des domaines hérités de son grand-père Scyrios (selon une version où Egée, le père de Thésée, est le fils de Scyrios et non de Pandion). Le roi de Scyros, Lycomède, l'accueillit apparemment avec bienveillance, mais il était secrètement terrifié par la présence d'un homme aussi puissant et dangereux pour son trône. Un jour, il emmena Thésée au sommet d'une falaise, prétendant qu'il voulait lui montrer ses domaines, et il le poussa traîtreusement dans le vide. Ainsi mourut le plus célèbre héros athénien et le fondateur légendaire de la capitale attique.

Ménesthée continua à régner sur Athènes jusqu'à la guerre de Troie, pendant laquelle il fut tué. Démophon, le fils de Thésée, ayant délivré Aethra lors du sac de Troie, revint à Athènes et hérita du royaume de son père. Vers 475 av. J.-C., le général athénien Cimon ramena de Scyros les cendres de Thésée et les ensevelit dans un temple consacré au héros; les Athéniens croyaient que le héros leur avait porté secours à la bataille de Marathon en 490 av. J.-C.

THÉTIS. Thétis est une Néréide (nymphe de la mer). Bien qu'elle fût une divinité marine, elle fut élevée sur l'Olympe par Héra, qu'elle aima toujours tendrement. Lorsque Héra précipita son fils Héphaïstos du haut de l'Olympe, honteuse d'avoir un enfant boiteux, Thétis, revenue dans les profondeurs de la mer, et sa sœur Eurynomé, recueillirent le nouveau-né. Héphaïstos demeura neuf ans dans le palais aquatique des deux Néréides. Mais Thétis prit le parti d'Héra lorsque le jeune dieu complota, en compagnie de Poséidon et d'Athéna, de détrôner Zeus et de l'emprisonner. Thétis eut vent de la conspiration et se rendit dans le Tartare pour demander l'aide de Briarée. Il était le seul Hécatonchire à être resté fidèle à Zeus; il sut délivrer ce dernier de ses assaillants. Lorsque Dionysos fut attaqué par Lycurgue sur le mont Nysa, le jeune dieu sauta dans la mer et y fut recueilli et abrité par Thétis pendant un moment; reconnaissant, Dionysos lui fit présent d'une coupe ou d'un vase d'or. Thétis était célèbre pour sa beauté remarquable, et Zeus et Poséidon se disputaient tous deux sa main. Toutefois, les Destinées avaient décidé que le fils de Thétis serait plus puissant que son père. Prométhée le savait, l'ayant appris de sa mère, la Titanide Thémis, mais il refusa de révéler ce secret à Zeus avant que le dieu eût ordonné de le délivrer du rocher, situé aux confins de la terre, ou bien dans le Tartare, sur lequel il subissait son châtiment. Zeus consentit enfin à libérer Prométhée et apprit ainsi qu'il avait frôlé le désastre, car, selon une version de l'oracle, le fils né de Thétis l'aurait détrôné comme lui-même avait détrôné son père Cronos.

Zeus, en conséquence, décida de marier le plus rapidement possible Thétis à quelqu'un de peu puissant. Son choix tomba sur le mortel Pélée qui, bien que peu célèbre, était très apprécié des dieux. Auparavant, toutefois, le fiancé devait attraper sa promise, car Thétis n'était pas prête à se soumettre à la décision de Zeus. Chiron avertit Pélée que, comme toutes les divinités marines, Thétis possédait le don de se transformer, et qu'elle ferait tout pour lui échapper. Pélée trouva la déesse se reposant dans une grotte située sur la côte de Magnésie et fondit sur elle. Il la tint fermement pendant qu'elle se transformait en eau, en flammes, en animaux féroces et en créatures marines effrayantes, jusqu'à ce qu'elle l'eût accepté pour époux. Tous les dieux furent invités au mariage et, par respect pour Thétis, tous vinrent, apportant avec eux de merveilleux présents. Seule Eris (la Discorde) ne fut pas invitée, par prudence; mais la déesse vint quand même et lança parmi les invités la pomme de discorde qu'Héra, Athéna et Aphrodite se disputèrent, car elle était dédiée à la plus belle des déesses. Pendant quelque temps, Thétis vécut auprès de Pélée, et fut pour son mari une épouse accomplie; d'après certaines versions, elle lui donna sept fils. Elle plongea les six premiers dans le feu, ou dans l'eau bouillante, pour savoir s'ils avaient hérité de son immortalité. Mais aucun ne surmonta l'épreuve; Pélée réussit enfin à la convaincre d'épargner le septième, Achille, qui fut alors élevé comme un mortel. Beaucoup d'auteurs ne nomment qu'Achille, ignorant les six autres fils; ils rapportent en outre que Thétis avait coutume de placer son fils dans le feu pendant la nuit afin de le dépouiller de ses éléments mortels, et qu'elle l'oignait d'ambroisie dans la journée, pour le rendre immortel. Une nuit, Pélée trouva son fils couché sur des braises et en fut si furieux, ou désespéré, que Thétis le quitta et retourna vivre dans la mer. D'après une tradition différente sur la petite enfance d'Achille, Thétis plongea son fils dans le Styx pour le rendre invulnérable, mais elle oublia de tremper aussi le talon par lequel elle tenait l'enfant.

Lorsque l'*Argo*, sur lequel s'étaient embarqués Pélée et les Argonautes, se trouva en grand danger devant les écueils mobiles, les Symplégades, Thétis et les Néréides conduisirent le navire pendant la périlleuse traversée. Thétis veilla constamment sur Achille, pendant la courte vie du jeune héros; elle savait que son fils était destiné à mourir tôt. Elle fit tout son possible pour le tenir éloigné de la guerre de Troie, le dissimulant parmi les filles de Lycomède, le roi de Scyros. Devant la colère d'Achille, lorsque Agamemnon enleva au jeune guerrier sa concubine Briséis, Thétis demanda à Zeus, pour venger son fils, de faire tourner la victoire du côté des Troyens, afin qu'Agamemnon suppliât Achille de revenir au combat. Elle le réconforta au moment de la mort de Patrocle et lui fit fabriquer une autre armure par Héphaïstos pour remplacer celle qu'il avait prêtée à son ami, et que l'ennemi avait prise. Lorsque Achille fut tué, Thétis et les Néréides se lamentèrent sur son corps en poussant des cris si terribles que les soldats grecs s'enfuirent, terrorisés. Après ses funérailles, la déesse plaça ses cendres dans le vase d'or que Dionysos lui avait offert et mit le vase dans la tombe. Selon certaines légendes, elle rendit alors Achille immortel et l'emmena vivre sur l'île de Leucé, sur la mer Noire, où, plus tard, il épousa Hélène, tandis que Thétis elle-même vivait auprès de Pélée, à qui elle avait également accordé l'immortalité.

THISBÉ. *Voir* PYRAME.

THYESTE. Fils de Pélops et d'Hippodamie ; sur son rôle dans le meurtre de son demi-frère Chrysippos, sa haine contre son frère Atrée et l'inceste avec sa fille Pélopia, qui lui donna un fils, Egisthe, *voir* ATRÉE. Après la mort d'Atrée, Thyeste s'empara du royaume de Mycènes, sur lequel il avait jadis régné durant une brève période. Lorsque les fils d'Atrée, Agamemnon et Ménélas, qui s'étaient réfugiés à Sicyon à la mort de leur père, furent assez âgés et forts, ils revinrent à Mycènes à la tête d'une armée — leur beau-père, Tyndare, roi de Sparte, s'était allié à eux — et chassèrent Thyeste du trône mycénien. Thyeste se réfugia sur l'île de Cythère où il mourut. Il fut plus tard vengé par son fils Egisthe qui tua Agamemnon et régna à sa place ; il épousa Clytemnestre, qui l'avait aidé à perpétrer le meurtre.

TIRÉSIAS. Grand devin thébain aveugle, fils d'Evérès, noble Thébain descendant d'Oudaéos l'un des « Hommes Semés », et de Chariclo, une nymphe. Deux légendes différentes expliquent la cécité de Tirésias. La première raconte que sa mère était une des compagnes favorites d'Athéna et se baignait souvent avec elle dans les sources. Un jour, le jeune Tirésias, chassant dans les parages, aperçut la déesse nue. La déesse lui couvrit immédiatement les yeux de sa main et le frappa de cécité. Puis, pour consoler Chariclo, désespérée du châtiment de son fils, Athéna purifia les oreilles du jeune homme de façon qu'il puisse comprendre le langage des oiseaux. Elle lui donna également un bâton de cornouiller qui le guiderait aussi bien que s'il pouvait voir, et lui accorda le privilège de vivre sept générations ainsi que le don de prophétie.

Selon la seconde légende, Tirésias vit un jour deux serpents s'accouplant sur le mont Cithéron, ou sur le mont Cyllène, en Arcadie. Il saisit son bâton et se mit à les frapper tuant la femelle. Puis, tout d'un coup, il fut transformé en femme, jusqu'à ce que, sept ans plus tard, il revît par hasard des serpents accouplés. Cette fois, il frappa le mâle et redevint un homme. (Selon une autre version, il n'avait pas tué le premier serpent et ce fut le même couple qu'il revit la seconde fois.) Un jour que Zeus et Héra se disputaient pour savoir qui, de l'homme ou de la femme, éprouvait le plus grand plaisir dans l'amour, les deux divinités consultèrent Tirésias, qui, seul, pouvait faire la comparaison. Héra avait affirmé que les hommes avaient l'avantage sur les femmes; aussi, lorsque Tirésias déclara que le plaisir que ressentaient les femmes était neuf fois plus intense que celui des hommes, la déesse, de rage, frappa le jeune homme de cécité. Ne pouvant défaire ce que sa femme avait fait, Zeus dédommagea l'aveugle en lui accordant le don de rendre des prophéties infaillibles et de comprendre le langage des oiseaux. Tirésias avait sa maison près de Thèbes où il pratiquait la divination, aidé d'un adolescent qui l'assistait pour les sacrifices.

Tirésias apparaît dans de nombreuses légendes. Lorsque Dionysos vint pour la première fois à Thèbes et fut chassé de la ville par Penthée, l'impie, Tirésias et Cadmos acceptèrent son culte. Penthée ne voulut rien entendre des avertissements de Tirésias qui lui conseillait d'honorer le dieu, et, pour son impiété, il fut déchiré par un groupe de Ménades auquel appartenait sa mère. Tirésias révéla à Œdipe qu'il était l'assassin de son propre père et l'époux de sa mère, Jocaste. Lorsque les Sept Chefs attaquèrent Thèbes, Tirésias prophétisa que seul le sacrifice à Arès d'un jeune noble thébain pourrait sauver la ville de la défaite : apprenant cela, Ménoecée, le fils de Créon, se jeta du haut des murailles de Thèbes, dans le repaire du dragon d'Arès, tué par Cadmos. Après la défaite des Sept, Tirésias conseilla solennellement à Créon d'ensevelir le corps de Polynice; Créon ne le fit pas immédiatement, et, à cause de cela, il provoqua la mort de son fils Haemon, de sa belle-fille Antigone et de sa femme Eurydice.

Lors de la deuxième expédition contre Thèbes, menée par les fils des Sept Chefs, les Epigones, Tirésias prédit la défaite des Thébains et conseilla au roi Laodamas, le fils d'Etéocle, de faire quitter la ville aux habitants, pendant la nuit. D'après une version de la légende, le devin mourut le jour de la prise de Thèbes, après avoir bu de l'eau à la source de Telphousa à Haliartos. Selon une tradition différente, il mourut après avoir été fait prisonnier par les Epigones, pendant que sa fille Mantô et lui étaient emmenés à Delphes pour y être consacrés à Apollon. Une autre tradition encore rapporte qu'il suivit Mantô à Colophon, en Asie Mineure; il mourut là-bas, et ses funérailles furent célébrées par Calchas et d'autres devins, venus honorer sa mémoire.

Circé conseilla à Ulysse d'aller consulter l'âme de Tirésias aux confins du monde. Le devin était le seul, parmi les ombres, à avoir gardé son entendement après la mort, privilège qui lui fut accordé par Athéna, ou Zeus, ou encore Perséphone. Il avait conservé son don de prophétie et, après avoir bu du sang de la brebis noire immolée par Ulysse, il lui révéla, en lui prodiguant de nombreux conseils, tout ce qui lui arriverait pendant son voyage de retour, puis, dans son propre palais occupé par les prétendants de Pénélope, et, plus tard, après sa victoire sur les intrus, jusqu'à sa mort.

TITANS et **TITANIDES.** Race de dieux nés de l'union d'Ouranos (le Ciel) et de Gaia (la Terre). Les Grecs les représentaient comme des êtres d'une taille gigantesque qui régnèrent sur le monde au commencement des temps. Les Titans les plus importants étaient : Cronos, Rhéa, Océan, Téthys, Japet, Hypérion, Coéos, Crios, Phoebé, Thémis, Mnémosyné et Théia. Quelques-uns de leurs enfants étaient considérés comme des Titans : Hélios (le Soleil), souvent appelé simplement «le Titan», Prométhée, Epiméthée, et Atlas. Les enfants de Cronos et de Rhéa, cependant, n'étaient pas des Titans mais appartenaient à la race des Olympiens qui, plus tard, renversa les Titans. De la même façon que Cronos avait détrôné son père Ouranos pour sa tyrannie, Zeus chassa Cronos du trône de l'Univers au cours d'une terrible bataille qui opposa les Olympiens aux Titans. Prométhée et quelques-uns parmi les enfants de Gaia, les Hécatonchires (Géants-aux-cent-bras) et les Cyclopes, s'allièrent à Zeus; un grand nombre de Titans, parmi lesquels Océan et Hélios, de même que toutes les Titanides, se tinrent à l'écart. La lutte dura dix ans, mais Zeus finit par être victorieux en s'alliant avec les Hécatonchires qu'il délivra du Tartare. Il jeta alors ses ennemis dans le Tartare, dans les profondeurs insondables du monde souterrain, à une distance aussi grande au-dessous de l'Hadès que la distance qui sépare le ciel de la terre. Là, dans les ténèbres éternelles, les Titans furent emprisonnés pour l'éternité derrière des portes de bronze, avec les trois Géants-aux-cent-bras pour geôliers. Pour punir Atlas, Zeus l'obligea à porter la voûte céleste sur ses épaules.

Dans les mythes grecs, le règne des Titans passait tantôt pour une époque barbare, tantôt au contraire, pour un «âge d'or», de grand bonheur et de prospérité. Dans une autre tradition encore, Cronos, après avoir perdu le pouvoir, devint roi des îles des Bienheureux, situées dans la mer Occidentale.

L'origine du mot «Titan» est inconnue. Les noms des Titans et des Titanides ont des significations très variées; certains ne sont pas grecs, d'autres personnifient des abstractions, telles que : Mnémosyné (la Mémoire), Phoebé (la Brillante), Théia (la Divine), et Thémis (la Loi).

TITYOS. Géant qui passait pour le fils de Gaia (la Terre) ou d'Elara, la fille d'Orchoménos (selon une version plus récente, il était le fils de Zeus). Tityos vivait sur l'île d'Eubée; des marins phéniciens y emmenèrent Rhadamanthe, qui voulait lui rendre visite. Héra lui inspira le désir de violer Léto, la mère d'Apollon et d'Artémis, pendant que cette dernière traversait les champs de Panopée pour se rendre à Delphes. Artémis (ou Apollon) transperça Tityos de ses flèches et Zeus le foudroya. Le géant fut alors enchaîné dans le Tartare, où son corps couvrait un hectare. Deux aigles lui dévoraient le foie (selon les Anciens, siège du désir), et ses mains étaient incapables de les chasser.

TRIPTOLÈME. Jeune homme originaire de l'Attique, qui fut choisi par Déméter pour répandre chez tous les peuples du monde la culture du blé et l'agriculture. Selon les auteurs, il passe tantôt pour le fils de Céléos et de Métanira, à Eleusis (il était identifié à l'enfant que Déméter avait essayé de rendre immortel); tantôt pour le fils du héros Eleusis, éponyme de la ville du même nom; ou bien encore pour celui d'Océan et de Gaia (la Terre). Dans l'art grec, Triptolème était représenté portant une gerbe de blé et conduisant le char magique, tiré par deux dragons ailés, que lui avait donné Déméter. Dans cet équipage, il parcourait la terre de long en large, semant les grains de blé, enseignant aux habitants des pays où il passait la culture des céréales et leur donnant des lois et des institutions. En Scythie, le roi du pays, nommé Lyncos, était extrêmement jaloux des pouvoirs de Triptolème et de son rôle de bienfaiteur de l'humanité. Il essaya de l'assassiner dans son lit, mais Déméter sauva son protégé en retenant la main de Lyncos au moment où il alllait frapper et en le transformant en lynx. Anthéas, le fils d'Eumélos, roi d'Achaïe, tenta un jour de conduire le char ailé de Triptolème, mais il tomba et se tua. En Thrace le roi Carnabon tua l'un des dragons ailés et jeta Triptolème dans un donjon. Mais Déméter secourut de nouveau ce dernier et lui donna un autre dragon ; et, pour rappeler aux mortels le crime de Carnabon, elle plaça le dragon tué dans le ciel et en fit la constellation d'Ophiochos, le Serpentaire. D'après des sources anciennes, Triptolème aurait inventé la roue. Les Athéniens, de plus, croyaient qu'après sa mort ce dernier devint juge des morts aux côtés de Minos et de Rhadamanthe.

TRITON. Divinité marine de moindre importance ; il était le fils de Poséidon et d'Amphitrite. Il était l'un des sujets favoris de l'art ancien, mais on le représentait sous des apparences variées ; quelquefois aussi le nom de Triton était appliqué à plusieurs êtres. Le plus souvent, on le figurait avec une tête et un buste d'homme et une queue de poisson. Lorsqu'une énorme vague déposa les Argonautes à l'intérieur de la Libye, ces derniers portèrent leur bateau sur leur dos jusqu'au lac Tritonis (situé dans le nord de l'actuelle Tunisie). Là, Triton leur apparut sous les traits d'un beau jeune homme nommé Eurypolos et leur montra la direction à prendre pour rejoindre la mer. Comme cadeau de départ, Triton donna à Euphémos une motte de terre, après avoir lui-même reçu des Grecs un trépied d'or que les Argonautes avaient rapporté de Delphes. Lorsque Euphémos lança plus tard, du bateau, la motte de terre dans la mer, au nord de la Crète, il donna ainsi naissance à l'île de Callisté (Théra).

Les habitants de Tanagra, en Béotie, regardaient Triton, ou l'une des divinités désignées sous le même nom, comme un être malfaisant ; il avait coutume d'attaquer les femmes de Tanagra lorsqu'elles se baignaient dans la mer avant de sacrifier à Dionysos. Un jour, les deux divinités luttèrent l'une contre l'autre, et Triton fut vaincu. Une autre fois, Triton fut capturé à Tanagra et décapité. On disait qu'il enlevait les troupeaux du village mais qu'il avait fini par tomber dans le piège en s'enivrant avec du vin qu'on lui avait offert.

Triton était associé aux conques marines, car il avait coutume d'utiliser ces coquillages comme trompe pour apaiser la mer déchaînée. Lors du combat entre les dieux et les géants, il souffla de la même façon dans une conque pour effrayer les géants. Il portait aussi un trident, comme son père Poséidon. On ne sait s'il faut l'identifier au monstre marin nommé Triton, qu'Héraclès vainquit à la lutte. Dans les légendes relatant l'enfance d'Athéna, Triton passait pour le père de Pallas, la compagne de jeu de la déesse, et qui fut tuée par celle-ci au cours d'une querelle. *Voir* ATHÉNA.

TROS. Roi de Troie, il est le fils d'Erichthonios et d'Astyoché, la fille du fleuve Simoïs. Sa femme, Callirrhoé, était aussi une nymphe, la fille de Scamandre. Tous deux eurent pour enfants Ilos, le fondateur de Troie (Ilion), Assaracos, qui régna sur la Dardanie, et Ganymède, enfant d'une grande beauté que Zeus enleva au ciel pour en faire son échanson. Pour dédommager Tros de la perte de son fils (douloureusement ressentie par le roi), Zeus lui offrit une paire de chevaux immortels, que Héraclès plus tard convoita. Tros est le héros éponyme du pays troyen.

TULLIA. *Voir* TARQUIN LE SUPERBE.

TULLIUS. *Voir* SERVIUS TULLIUS.

TULLUS HOSTILIUS. Troisième roi de Rome, à qui plusieurs légendes sont attribuées, bien qu'il eût été aussi un personnage historique. Son grand-père, Hostus Hostilius, gagna une bataille contre les Sabins. Tullus fut élu roi après la mort de Numa Pompilius; par son activité et son amour de la guerre, il s'opposa à son prédécesseur qui était, lui, pacifique et religieux. Après le duel entre les Horaces et les Curiaces, il conquit Albe. Lorsque le roi albain, Mettius Fufétius, à présent son vassal, changea de camp pendant une bataille contre les villes de Véies et de Fidène, Tullus le fit attacher à deux chars qu'il fit partir dans des directions opposées, écartelant ainsi le coupable. Puis il obligea les habitants d'Albe à venir vivre à Rome et rasa leur ville. La population de Rome doubla, si bien que Tullus se sentit suffisamment puissant pour déclarer la guerre aux Sabins. Il remporta une grande victoire. Une pluie de pierres tomba alors sur le mont d'Albe, et des cérémonies furent insituées afin de réparer l'abandon des autels albains.

A la fin de sa vie, après un règne de trente-deux ans, Tullus devint fou et superstitieux. Cette transformation provoqua finalement sa mort, car, un jour qu'il essayait de se rendre propice Zeus Elicius, en utilisant une formule qu'il avait prise dans les livres du roi Numa, il fut frappé par la foudre.

TYDÉE. Fils d'Oenée, roi de Calydon, et de la deuxième

femme de ce dernier, Périboea, ou encore de la propre fille d'Oenée, Gorgé. Son oncle Agrios, qui avait usurpé le trône d'Oenée, l'exila de Calydon pour un meurtre. Selon les auteurs, la victime était le frère de Tydée, Olénias, ou son oncle Alcathoos, le frère d'Oenée, ou encore les huit fils de Mélas, un autre de ses oncles. Tydée se réfugia à la cour d'Adraste à Argos. Là, il se querella avec un autre réfugié, Polynice, un Thébain. Adraste sépara les deux hommes et les maria à deux de ses filles, Déipylé et Argia, sur la foi d'un oracle qui lui avait ordonné de donner ses filles en mariage à un lion et un sanglier. Tydée portait sur les épaules une peau de sanglier, et Polynice une peau de lion, ou encore, l'image de ces animaux était représentée sur le bouclier des deux héros.

Adraste décida de rendre aux deux princes le trône de leurs royaumes respectifs. Il commença par s'occuper de Polynice, et Tydée se joignit à l'expédition contre Thèbes. Lorsque l'armée atteignit le fleuve Asopos, Tydée fut chargé d'aller négocier avec le Thébains, mais sans succès. Néanmoins, il vainquit un grand nombre de Thébains lors d'épreuves athlétiques, ce qui éveilla la jalousie de ces derniers ; cinquante d'entre eux lui tendirent une embuscade alors qu'il revenait vers l'Asopos. Il se battit en combat singulier avec chacun de ses assaillants, et les tua tous, sauf un, Maeon, qu'il chargea de rapporter la nouvelle à Thèbes. Lors du siège de la ville, Tydée, dont l'emblème était la Nuit, attaqua la porte Proetide et se battit en duel contre Mélanippos. Chacun des combattants donna à l'autre un coup mortel. La déesse Athéna, qui avait une affection particulière pour Tydée, s'approcha du guerrier agonisant avec l'intention de le rendre immortel. Mais Amphiaraos haïssait Tydée, qui avait persuadé Adraste d'entreprendre cette expédition maudite, et devinant le projet d'Athéna, il coupa la tête de Mélanippos et la lança à Tydée ; celui-ci l'attrapa et dévora la cervelle. Athéna, dégoûtée, s'en alla, et Tydée, resté mortel, rendit le dernier soupir. Déipylé avait donné à Tydée un fils, Diomède.

TYNDARE. Roi de Sparte ; son père était soit Oebalos, soit Périérès ; sa mère se nommait Batia, ou Gorgophoné. A la mort d'Oebalos, le roi de Sparte, Hippocoon, le frère ou le demi-frère de Tyndare, chassa ce dernier de Sparte. Tyndare se réfugia en Messénie, ou en Etolie, où il épousa Léda, fille du roi de Pleuron en Etolie, où il épousa Léda, fille du roi de Pleuron en Etolie, Thestios. Héraclès tua Hippocoon et ses douze fils, puis plaça Tyndare sur le trône de Sparte. Léda eut de nombreux enfants, dont certains passaient pour avoir été engendrés par Zeus, d'autres par Tyndare. Ainsi, Zeus était le père d'Hélène, et parfois celui des Dioscures, Castor et Pollux. Les autres filles de Léda, Clytemnestre, Timandra, Philonoé et Phoebé, avaient pour père Tyndare. Ainsi, Zeus était le père d'Hélène, et parfois celui des Dioscures, Castor et Pollux. Les autres filles de Léda, Clytemnestre, Timandra, Philonoé et Phoebé, avaient pour père Tyndare. Après que Thyeste eut tué leur père, Atrée, Agamemnon et Ménélas se réfugièrent à Sparte. Tyndare les maria avec deux de ses filles, respectivement Clytemnestre et Hélène, et les aida à reconquérir le trône de Mycènes où Agamemnon prit alors le pouvoir. Clytemnestre avait été auparavant mariée à Tantale, le fils de Thyeste, mais Agamemnon avait tué Tantale et son jeune fils et avait épousé sa veuve. Hélène fut demandée en mariage par tous les jeunes princes de Grèce, car elle était célèbre pour sa beauté. Thésée, le roi d'Athènes, l'avait d'ailleurs enlevée de Sparte, quelques années plus tôt, avec l'intention de l'épouser, mais les Dioscures, les frères d'Hélène, avaient délivré leur sœur avant que Thésée pût en faire sa femme. Devant la foule des prétendants rassemblés à Sparte, Tyndare ne sut que faire pour ne pas les mécontenter. Finalement, sur le conseil d'Ulysse, il sacrifia un cheval et demanda à tous les prétendants de se réunir sur la peau de l'animal, puis il fit prêter à tous le serment de porter secours à celui d'entre eux qui serait élu et de respecter ses droits de mari. C'est ce serment qui contraignit tous les chefs grecs à se rendre à Troie pour arracher Hélène à Pâris. Tyndare maria Hélène au frère d'Agamemnon, Ménélas, celui, parmi les prétendants, qui apportait les richesses les plus grandes, et récompensa Ulysse en obtenant pour lui, la main de sa nièce Pénélope, la fille d'Icarios.

Tyndare entra en conflit avec Aphrodite et entoura la statue du temple de la déesse, à Sparte, de chaînes. Il décida, de plus, d'ignorer son culte. Aphrodite le punit en poussant non seulement sa femme, mais aussi ses filles à être infidèles à leurs maris : Clytemnestre prit Egisthe pour amant, Hélène, Pâris et Déiphobé, et Timandra trompa son mari Echémos, le roi d'Arcadie, avec Phylée, le fils d'Augias. Ayant perdu ses deux fils lors de la querelle avec Idas et Lyncée, Tyndare fit de Ménélas son successeur. D'après Euripide, il vécut assez longtemps pour traduire Oreste, le fils et le meurtrier de Clytemnestre, devant l'Aréopage, à Athènes, en l'accusant de parricide.

TYPHON ou **TYPHÉE.** Après que Zeus eut vaincu les Titans et les eut emprisonnés dans le Tartare, Gaia (la Terre) enfanta de nouveau, unie cette fois au Tartare ; dans la grotte Corycienne, en Cilicie (dans le sud-est de l'Asie Mineure), elle donna naissance au monstrueux Typhon. Ce dernier avait en guise de tête cent têtes de dragons qui faisaient onduler leurs langues noires et dont les yeux lançaient des flammes. Chaque tête possédait une voix effrayante et parlait le langage des dieux, ou bien elles mugissaient comme un taureau, ou encore elles sifflaient ou aboyaient comme des chiens. Dès qu'il eut fini de grandir, Typhon déclara la guerre à Zeus ; le dieu était conscient de la menace que représentait le monstre pour son trône, et il décida de l'anéantir. Lorsque Typhon sortit de sa grotte, Zeus fit pleuvoir sur lui des traits de foudre et le fit reculer jusqu'au mont Casius, en Syrie. Mais Typhon résista, et une lutte acharnée s'engagea. Le monstre prit le dessus sur Zeus et lui arracha sa *harpé*, ou faucille, qu'il utilisa pour couper les tendons des bras et des jambes du dieu, laissant ce dernier au sol sans défense. Puis il s'empara des foudres du roi des dieux et confia les tendons à la garde d'un autre monstre, Delphyné, moitié femme, moitié serpent ; celle-ci les cacha dans la grotte Corycienne, sous une peau d'ours. C'est dans cette caverne, également, que Zeus, infirme, fut retenu prisonnier. Quelque temps plus tard Hermès et Egipan allèrent dans la grotte et réussirent à détourner l'attention de Delphyné. Ils dérobèrent les tendons et les remirent en place dans les membres de Zeus. Celui-ci s'échappa et remonta vers l'Olympe sur un char ailé ; il se réapprovisionna en foudre et renouvela son attaque contre Typhon, qu'il repoussa jusqu'au mont Nysa. Là, le monstre rencontra les Moires, qui lui suggérèrent de goûter à la nourriture des mortels pour accroître sa force ; Typhon les crut et fut de ce fait gravement malade. Il fit face à Zeus, de nouveau, cette fois sur le mont Haemos, en Thrace ; les Anciens pensaient que la montagne devait son nom au sang (en grec : *haima*) répandu par Typhon. Zeus prit le dessus et pourchassa le monstre jusqu'à la mer, en direction de l'Italie. Là, il saisit une île et la lança sur Typhon. L'île prit plus tard le nom de Sicile, et le souffle enflammé de Typhon donna naissance au mont Etna, car le fils de Gaia ne pouvait mourir.

Dans la version d'Hésiode, Zeus abattit du premier coup Typhon sous ses traits de foudre. Le monde entier fut ébranlé par la violence du combat ; le Tartare lui-même trembla. Puis Zeus s'empara du monstre et le jeta dans les profondeurs du

Tartare, en compagnie des Titans. Là, Typhon engendra les vents les plus meurtriers pour les hommes, les typhons. On racontait que, pendant la terrible lutte, les dieux, de terreur, s'enfuirent en Egypte où ils revêtirent les formes animales, sous lesquelles les Egyptiens, par la suite, adorèrent leurs dieux. Les Grecs identifiaient Typhon à Set, le monstre qui poursuivit Osiris. Zeus lui-même passait pour avoir fui sous la forme d'un bélier, ce qui expliquait le culte de Zeus Ammon, que l'on honorait sous l'apparence d'un bélier.

Avant sa défaite, Typhon s'était uni à Echidna et avait engendré Chimère, Orthros, Ladon, le Sphinx, la truie de Crommyon, le lion de Némée et l'aigle qui torturait Prométhée. Typhon était, à l'occasion, distingué de Typhée, et passait alors pour le fils de ce dernier ; on attribuait d'ailleurs à Typhon, plus qu'à Typhée, la paternité des monstres enfantés par Echidna.

TYRRHÉNOS. Habitant de Maeonia, en Lydie, et fils du roi lydien Atys. La tradition veut qu'il ait conduit des émigrés lydiens en Italie, à la suite d'une grande famine qui aurait rendu la Lydie inhabitable. Il est le héros éponyme des Etrusques (les Tyrrhéniens) ; certains auteurs anciens, Hérodote notamment, les considéraient comme les descendants des émigrés lydiens. Tyrrhénos donna également son nom à la mer Tyrrhénienne, située à l'ouest de l'Italie.

U

ULYSSE (en latin : *Ulixès*). Roi d'Ithaque. Il est l'un des principaux personnages de *L'Iliade* et le héros central de *L'Odyssée.*

Ulysse était, dit-on, le fils unique de Laërte et d'Anticlée. Cependant, l'identité de son père est parfois mise en doute : Anticlée, selon certains, était déjà enceinte de Sisyphe au moment de son mariage. Cette paternité expliquerait le caractère rusé attribué à Ulysse, Sisyphe s'étant montré capable de tromper Autolycos lui-même, le père d'Anticlée, pourtant voleur et tricheur renommé.

Autolycos se trouvait à Ithaque un ou deux jours après la naissance d'Ulysse. Euryclée, la nourrice, plaça le bébé sur les genoux d'Autolycos et lui demanda de trouver un nom pour son petit-fils. Il suggéra « Ulysse », ce qui signifie « victime de l'hostilité », soit parce que lui-même, au cours de sa vie, avait eu tant d'ennemis, soit parce qu'il haïssait tant de gens. Autolycos promit aussi à Ulysse de riches présents quand il serait assez grand pour venir les réclamer chez lui, sur le mont Parnasse. Quand le moment arriva, Ulysse partit chasser avec ses oncles, et il reçut à la cuisse une blessure faite par un sanglier et dont il garda la trace. Plus tard, il fut envoyé en Messénie pour ramener des moutons qui avaient été volés à Ithaque. Là, il rencontra Iphitos, fils d'Eurytos, à la recherche des juments qui avaient disparu d'Oechalie au moment précis du départ d'Héraclès. Les deux jeunes gens devinrent amis et échangèrent des présents. Iphitos donna à Ulysse l'arc qui avait fait la gloire d'Eurytos — et avec lequel plus tard Ulysse devait mesurer la force des prétendants de Pénélope. Ulysse n'utilisa jamais cet arc à la guerre, quoiqu'il possédât du poison pour y tremper ses flèches (Ilos, le petit-fils de Médée, lui avait refusé le poison nécessaire, mais Anchialos, un prince taphien, lui en avait fourni).

Quand vint le temps pour Ulysse de prendre femme, il choisit Pénélope, fille d'Icarios, roi de Sparte. C'est en gagnant son épouse qu'il fit preuve pour la première fois de l'ingéniosité qui devait, plus tard, le rendre célèbre. Il se joignit à la foule des prétendants qui courtisaient Hélène, la très belle fille de Tyndare, le frère du roi; mais sachant qu'il était trop pauvre pour avoir une quelconque chance, il ne lui présenta aucun cadeau. Par contre, il donna à Tyndare un précieux conseil. Les prétendants étaient à couteaux tirés et il était clair que si Tyndare choisissait l'un d'eux, les autres en viendraient aux mains. Ulysse suggéra donc que chacun d'eux fît le serment de protéger celui que Tyndare aurait choisi. Quand Tyndare choisit Ménélas, ils durent tous accepter. Plus tard, quand Pâris enleva Hélène, ils furent obligés de partir combattre à Troie pour aider Ménélas à la reconquérir. En remerciement, Tyndare intercéda auprès d'Icarios, et Ulysse obtint Pénélope, quoique Icarios répugnât à la laisser partir (selon une autre version, il aurait promis sa fille au vainqueur d'une course qu'Ulysse remporta). Comme les nouveaux époux quittaient la Laconie, Icarios se lança à leur poursuite, les rattrapa et supplia Pénélope de revenir avec lui, suggérant à Ulysse de venir vivre à Sparte avec lui. Mais il refusa et, la colère l'envahissant, il ordonna à Pénélope de faire son choix. Là-dessus, elle se couvrit en silence la tête de son voile, signifiant ainsi la soumission à son mari. Par la suite, Icarios fonda un sanctuaire en cet endroit et le consacra à Aïdos (la Modestie).

Pénélope ne donna qu'un seul enfant à Ulysse, Télémaque, qui grandit en l'absence de son père.

Plus tard, Laërte abdiqua en faveur de son fils Ulysse. Roi d'Ithaque, il devint le favori d'Athéna, qui admirait en lui tout autant sa sagesse que sa piété. Quand Pâris enleva Hélène et refusa de la rendre à Ménélas, Agamemnon, au nom de son frère, voulut rappeler aux anciens prétendants d'Hélène — au nombre desquels se trouvaient de nombreux princes grecs — le serment qu'ils avaient fait de protéger les droits du mari et l'honneur de la Grèce. Ménélas et Palamède, le fils avisé de Nauplios, furent envoyés en ambassade auprès des souverains des différents Etats. Entre autres, ils visitèrent Ithaque. A leur arrivée, Ulysse simula la folie; se proposant de semer du sel dans le sable, il attela à sa charrue un bœuf et un cheval et commença à labourer. Palamède sut dévoiler le stratagème : il plaça Télémaque, encore enfant, sur le sable devant la charrue, et Ulysse s'arrêta net, faisant ainsi preuve de toute sa raison. Ulysse dut donc partir pour Troie; mais il en garda toujours rancune à Palamède.

Quand Agamemnon voulut persuader Achille de rejoindre l'armée grecque, il demanda à Ulysse d'accompagner Nestor. C'est grâce à une ruse du roi d'Ithaque qu'Achille fut découvert caché dans les appartements des femmes dans le palais de Lycomède. Le royaume d'Ulysse comprenait, outre des territoires sur le continent, les îles de Céphallénie et de Zacynthe. Contre les Troyens, il arma douze bateaux. La flotte étant immobilisée à Aulis, Ulysse persuada Clytemnestre de laisser partir Iphigénie sous prétexte qu'elle devait épouser Achille; en fait, elle fut sacrifiée à Artémis pour apaiser la colère de la déesse. C'est Ulysse qui incita les Grecs à abandonner Philoctète sur l'île de Lemnos, de même qu'il sut voir le sens caché de l'oracle expliquant à Achille comment guérir la blessure de Télèphe.

Quand les Grecs parvinrent finalement à Troie, Ulysse amarra ses bateaux au milieu de la flotte : c'est de la proue de son navire que les hérauts s'adressaient à l'ensemble de l'armée. Peu après leur arrivée, on l'envoya en ambassade avec Ménélas, demander le retour d'Hélène. Sans la protection d'Anténos, ils auraient été tous deux tués par les Troyens. Diomède était dans l'armée grecque le meilleur ami d'Ulysse; ils accomplirent ensemble de nombreux actes de bravoure. Cependant, Ulysse fut aussi à l'origine d'un complot odieux contre Palamède, qui mourut lapidé par les Grecs; selon une autre version, Ulysse et Diomède le noyèrent alors qu'il était à la pêche.

Dans *L'Iliade,* Ulysse apparaît plus comme un orateur avisé et un habile machinateur que comme un combattant. Durant les débats, l'opinion qu'il émet a une importance toute particulière. Quoique petit et trapu, et apparemment raide et insensible, dès qu'il commençait à parler, toute l'assistance était suspendue à ses lèvres. Choisi pour accompagner Ajax, le fils de Télamon et Phoenix, dans leur tentative pour persuader Achille de reprendre le combat, son discours fut des plus éloquents, mais, malgré cela, Achille resta inflexible. Il participa à au moins deux entreprises d'espionnage. La première fois, il alla reconnaître, de nuit, avec Diomède, les positions ennemies : Hector, en effet, prenant le dessus de la situation, avait établi un camp troyen dans la plaine. Ils rencontrèrent l'espion troyen Dolon, qu'ils interrogèrent, puis supprimèrent; enfin, ils massacrèrent le chef thrace Rhésos et bon nombre de ses compagnons. Une autre fois, Ulysse (accompagné ou non de Diomède) se glissa dans Troie vêtu de haillons, comme un mendiant. Dans la cité, Hélène le reconnut, mais décida de ne pas révéler son identité. Elle le rafraîchit, le vêtit et s'engagea à ne pas le trahir; lui, à son tour, lui révéla les plans des Grecs, et elle fut heureuse d'apprendre que sa délivrance était proche. Il profita de sa présence dans la ville pour supprimer plusieurs Troyens, et surtout pour découvrir les plans ennemis qu'il put ensuite dévoiler à ses compatriotes. D'après certains, il vola une statue d'Athéna, le Palladion; Hécube, la femme du roi de Troie Priam, l'aurait aussi reconnu mais, comme Hélène, se serait abstenue de le dénoncer.

Quand Pâris tua Achille, Ajax, le fils de Télamon, ramena son corps du champ de bataille; c'est Ulysse qui protégeait ses arrières. Par la suite, les deux guerriers se disputèrent, chacun voulant se voir attribuer l'armure d'Achille. Ulysse, de loin le meilleur orateur, persuada l'armée de la supériorité des services qu'il avait rendus à la cause grecque. Ajax, s'estimant déshonoré, succomba à la folie, tenta de tuer plusieurs chefs grecs, puis mit fin à ses jours.

Pâris ayant été tué, Déiphobe fut choisi pour devenir le nouveau mari d'Hélène. Là-dessus, Hélénos, le devin troyen, se considérant rabaissé par ce choix, quitta la ville de Troie. Quand Ulysse le fit prisonnier sur le mont Ida, Hélénos ne fut donc que trop content de lui apprendre, grâce à ses dons de prophétie, quelles conditions les Grecs devaient remplir pour s'emparer de Troie. Ulysse eut d'ailleurs un rôle important à jouer dans leur accomplissement. C'est lui qui persuada le fils d'Achille, Néoptolème, de se joindre à l'armée grecque, et lui donna l'armure de son père. Il conduisit aussi une délégation jusqu'à Lemnos où, avec l'aide de Néoptolème, il voulut inciter Philoctète, possesseur de l'arc d'Héraclès, à venir à Troie. Héraclès divinisé apparut alors et, malgré la haine que Philoctète portait à Ulysse pour l'avoir abandonné sur l'île, il lui ordonna de s'incliner. A la suite de cela, Ulysse eut l'idée de tromper les Troyens en introduisant un cheval de bois dans les murs de la ville. Cet engin, censé représenter une offrande religieuse, contenait en fait des guerriers grecs qui, sous le commandement d'Ulysse, devaient sortir de nuit de l'appareil et s'emparer de la cité. Epéios ayant construit le cheval, celui-ci fut abandonné dans la plaine devant Troie, puis la flotte grecque prit le large. Là-dessus, les Troyens pratiquèrent une brèche dans les murailles de la ville ou élargirent une des portes pour tirer le cheval à l'intérieur des murs.

Hélène et Déiphobe vinrent le voir, et Hélène s'adressa aux hommes enfermés à l'intérieur, imitant les voix de leurs femmes, cela pour déjouer le piège, s'il y en avait un. Ulysse dut déployer toutes ses ressources pour empêcher ses compagnons de répondre. Plus tard, quand les Grecs sortirent du cheval, Ulysse dut se rappeler la dette qu'il avait contractée à l'égard d'Anthénor. Il suspendit une peau de panthère à la porte de sa maison, de manière à ce qu'il fût épargné durant le massacre des autres Troyens.

Par contre, Ulysse insista pour que l'on supprimât le petit Astyanax, fils d'Hector : aucun descendant du trône de Troie qui pût se venger des Grecs ne devait être épargné. Il chercha aussi à détourner des Grecs la colère d'Athéna en faisant lapider Ajax, fils d'Oïlée ; ce dernier avait violé Cassandre devant la statue de la déesse vers laquelle la fille de Priam s'était réfugiée.

Athéna néanmoins se vengea en entraînant la flotte grecque dans une tempête ; mais Ulysse fut épargné.

Lui aussi cependant fut l'objet de l'hostilité des dieux, et tout particulièrement de Poséidon : ce n'est qu'après dix années de pérégrinations qu'il put revoir sa patrie. *L'Odyssée* retrace ses aventures durant ces dix années, et après son retour à Ithaque. De Troie, il s'embarqua pour la Chersonèse de Thrace où Hécube — devenue l'esclave d'Ulysse, après la mort de son mari Priam — découvrit que son fils Polydoros avait été tué par le roi des Bistoniens, Polymestor. Elle se vengea du roi thrace en assassinant ses deux fils et en l'aveuglant avec ses épingles. Hécube fut alors transformée en chienne et alla se précipiter dans la mer.

Ulysse se dirigea vers une autre partie de la Thrace, où il mit à sac la ville des Cicones ; dans une autre bataille, peu après, il perdit de nombreux hommes. Maron, un prêtre d'Apollon qu'il épargna, lui fit de magnifiques cadeaux, au nombre desquels le vin qu'Ulysse utilisa plus tard pour enivrer le cyclope Polyphème.

Il tenta alors de retourner à Ithaque, mais il fut dérouté par un orage au large du cap Malée et se retrouva dans le pays des Lotophages. Il aborda ensuite dans l'île de l'énorme Cyclope, île qui se révéla plus tard être la Sicile. Là, avec douze de ses hommes, il demanda l'hospitalité à Polyphème, à qui il déclara s'appeler *Outis* («Personne»). Le géant les enferma dans sa grotte, plaça un gros rocher devant l'entrée et mangea six de ses compagnons — Ulysse ne pouvait s'échapper, le rocher étant trop lourd ; il endormit Polyphème en lui faisant boire le vin que lui avait donné Maron, pui il l'aveugla avec un pieu chauffé dans le feu. Aucun des autres Cyclopes ne vint à l'aide de Polyphème, comme ce dernier s'écriait que «Personne» le tuait. Au lever du jour, Polyphème poussa le rocher pour laisser sortir ses troupeaux, et Ulysse et les six compagnons qui lui restaient s'échappèrent en s'accrochant aux ventres des moutons.

Une fois sur son bateau, Ulysse ne peut s'empêcher de crier son vrai nom à Polyphème; là-dessus, le monstre lança un énorme rocher qui tomba dans la mer. Poséidon était le père de Polyphème et, après ces événements, sa colère s'abattit sur Ulysse; n'eût été l'aide d'Athéna, il n'aurait probablement jamais revu Ithaque. Ce n'est que bien plus tard, seul, et sur un bateau qui n'était pas le sien, qu'il put aborder dans son île.

Après avoir échappé à Polyphème, il arriva à Eolia, l'île d'Eole, le maître des vents; celui-ci lui donna une outre dans laquelle étaient enfermés tous les vents sauf le vent de l'Ouest, qu'il laissa souffler pour ramener Ulysse chez lui. L'équipage, persuadé que l'outre contenait de l'or, l'ouvrit alors qu'Ulysse dormait; la tempête qui s'ensuivit les ramena jusqu'à Eolia. Cette fois-ci, Eole, de peur qu'Ulysse ne fût maudit par les dieux, les détourna loin de l'île.

A l'escale suivante, ils se retrouvèrent chez les Lestrygons, un peuple de sauvages géants mangeurs d'hommes. La flotte d'Ulysse, en toute confiance, jeta l'ancre dans le port où les Lestrygons écrasèrent leurs navires sous de gros rochers et dévorèrent leurs équipages. Seul le bateau d'Ulysse put s'échapper.

Il navigua jusqu'à l'île d'Aeaea où demeurait Circé. Celle-ci, une grande magicienne, transforma en cochons ceux des compagnons d'Ulysse qui exploraient l'île, à l'exception d'Euryloque, trop soupçonneux pour pénétrer dans son palais. Hermès lui ayant donné une herbe comme protection contre les maléfices de la magicienne, Ulysse obligea Circé à rendre forme humaine à ses compagnons. Puis elle jura de ne pas chercher à lui faire de mal; là-dessus, il passa une année entière en sa compagnie. Son équipage le persuada enfin de reprendre sa route et, avec les conseils de Circé, il entreprit le terrible voyage jusqu'au bord de l'Océan; là, il devait rencontrer les ombres des morts, et en particulier celle du devin Tirésias, le seul à pouvoir lui expliquer comment regagner sa patrie. Sur le rivage, Ulysse creusa une tranchée et offrit des libations, puis il sacrifia un bouc et une brebis noire à Hadès et Perséphone. Le sang coula dans la tranchée et les ombres s'approchèrent pour le boire, mais Ulysse les tint à distance avec son épée, jusqu'à ce que Tirésias eût bu et parlé. Elpénor apparut : c'était un compagnon mort accidentellement sur l'île d'Aeaea et qui n'avait pas reçu de sépulture; de même Anticlée, la mère d'Ulysse, s'approcha; elle était morte de chagrin, après la longue absence de son fils, supposé mort. Ulysse résolument les écarta. Tirésias apparut, et c'était là la seule ombre des Enfers à avoir gardé sa clairvoyance; après avoir bu le sang, il donna les conseils dont Ulysse avait besoin : en aucun cas il ne fallait toucher aux troupeaux d'Hélios dans l'île de Thrinacie; sinon, le retour d'Ulysse ne s'effectuerait jamais et tous ses compagnons mourraient. Tirésias fit aussi d'autres prédictions sur son avenir et lui révéla que son palais était occupé par tout un groupe de prétendants à la main de Pénélope. Puis l'ombre d'Anticlée lui donna d'autres nouvelles de sa patrie. Il s'entretint avec les ombres de bon nombre de héros qu'il avait connus à Troie, ainsi qu'avec celles de nombreuses et belles femmes. Agamemnon, instruit par sa propre mort, lui enjoignit la plus grande prudence à son arrivée dans sa patrie. Enfin, Ulysse rencontra l'ombre d'Héraclès.

A son départ du séjour des morts, Ulysse retourna à l'île d'Aeaea où il donna une sépulture à Elpénor et où Circé lui donna d'autres conseils; puis il fit voile en direction d'Ithaque. A l'approche de l'île des Sirènes, il boucha les oreilles de son équipage avec de la cire pour empêcher que ses hommes ne fussent séduits par leur chant. Lui-même écouta leur chant, mais après s'être fait attacher au mât; quand, fasciné par les Sirènes, il ordonna à ses hommes de le détacher, ceux-ci resserrèrent ses liens, suivant en cela ses propres instructions.

Quand il s'approcha de Charybde et Scylla (localisés par la suite dans le détroit de Messine), il préféra longer Scylla — qui s'empara de six de ses compagnons. Contraint par ses hommes à aborder dans l'île de Thrinacie, il fut retardé pendant un mois par des vents contraires. Malgré ses supplications, ses hommes affamés profitèrent de son sommeil pour tuer quelques-unes des bêtes du troupeau d'Hélios. Après avoir festoyé six jours, un vent favorable s'éleva, mais dès qu'ils furent au large, une tempête effroyable s'abattit sur eux, envoyée par Zeus, à la demande d'Hélios. Seul Ulysse survécut. Il attacha ensemble le mât et la coque, puis dériva jusqu'à Charybde, où son équipage fut englouti. Il put se raccrocher à un arbre qui surplombait le gouffre jusqu'à ce que les débris de son navire eussent de nouveau fait surface. S'agrippant à un de ces débris, il rama pendant neuf jours avec ses bras et fut enfin rejeté sur les rivages de l'île d'Ogygie, demeure de la belle Océanide Calypso; celle-ci voulut faire d'Ulysse son époux et le rendre immortel. Il vécut sept ans avec elle, mais les pleurs de regret qu'il versait pour sa patrie et pour sa femme émurent finalement les dieux ; ils envoyèrent Hermès demander à Calypso de lui donner de quoi construire un radeau pour qu'il puisse s'en retourner. L'Océanide trouva Ulysse sur le rivage, regardant tristement la mer comme à son habitude. Il ne voulut pas la croire tout d'abord, et lui fit jurer qu'elle ne lui voulait aucun mal.

Profitant de l'absence de Poséidon, alors chez les Ethiopiens, Athéna assura le départ d'Ulysse. Cependant, quand le dieu revint, dix-sept jours plus tard, il fit s'élever une tempête qui noya le radeau. Une mouette, en fait la déesse de la mer Leucothée, lui conseilla de nager jusqu'au bout de ses forces ; elle lui donna aussi un voile dont il devait s'envelopper pour éviter de se noyer. Au bout de deux jours, Athéna apaisa les vagues, et le héros fut rejeté sur la côte de l'île de Schéria, où habitaient les Phéaciens. Là, comme le lui avait ordonné Leucothée, il rejeta le voile dans la mer en détournant le visage, puis s'allongea parmi les buissons pour se reposer.

Le lendemain matin, il rencontra Nausicaa, la fille du roi des Phéaciens, Alcinoos. Elle était venue là avec ses compagnes laver le linge royal ; alors que les jeunes filles jouaient, Ulysse s'avança, cachant sa nudité avec des branches, et supplia la princesse de l'aider. Elle lui prêta des vêtements et lui montra le chemin jusqu'au palais de son père. Suivant ses conseils, Ulysse pénétra à la dérobée dans le palais, puis vint s'agenouiller devant la reine Arété. Alcinoos et sa cour acceptèrent les prières d'Ulysse, et le reçurent avec tous les honneurs. Ils acceptèrent aussi de le ramener jusqu'à Ithaque.

Le lendemain, on donna des jeux, et le soir, lors du banquet, Ulysse révéla son identité et raconta son histoire. Nausicaa portait les yeux sur lui avec admiration, mais sa séparation d'avec Pénélope n'avait été que trop longue. Un bateau phéacien le ramena de nuit à Ithaque ; l'équipage le laissa endormi sur le rivage à côté de riches présents offerts par Alcinoos. Sur le chemin du retour, Poséidon dans sa colère transforma le bateau en pierre. Et Alcinoos se rappela une prophétie selon laquelle les Phéaciens devaient un jour être punis de leur hospitalité envers les marins naufragés.

A son réveil, Ulysse se retrouva enveloppé par un épais brouillard et pensa d'abord avoir été trompé. Mais Athéna, qui avait fait descendre ce brouillard pour le protéger, lui apparut bientôt. Elle lui donna l'apparence d'un vieux mendiant et lui conseilla de se rendre tout d'abord chez Eumée, son porcher. Pendant ce temps, elle alla elle-même escorter le fils d'Ulysse, Télémaque, de retour de Sparte où il était allé chercher des nouvelles de son père. Eumée était resté loyal à Ulysse, et comme le faisait son maître, il reçut le «mendiant» avec hospitalité et le mit au courant de la situation à Ithaque. Plus d'une centaine de prétendants de Pénélope s'étaient installés dans le palais d'Ulysse, dissipant ses richesses et insultant sa femme et son fils. Bon nombre de serviteurs prêtaient la main à leurs débauches et favorisaient leurs excès. Laërte, le père d'Ulysse, avait quitté le palais, de honte, mais aussi par suite du chagrin occasionné par la perte d'Ulysse et de sa femme Anticlée; le vieil homme menait maintenant une existence humble, retiré dans une cabane à la campagne. Ulysse ne révéla point son identité à Eumée et se fit passer pour un Crétois : il avait combattu à Troie et pouvait donner des renseignements sur le roi d'Ithaque.

Guidé par Athéna, Télémaque revint bientôt et se rendit à la cabane d'Eumée. Il souhaita la bienvenue au prétendu mendiant, mais n'osa pas l'inviter au palais de son père, de peur des prétendants. Eumée le quitta ensuite pour annoncer à Pénélope le retour de son fils, et Ulysse choisit ce moment pour révéler son identité à Télémaque. Ils préparèrent alors un plan contre les prétendants.

Le lendemain, Ulysse et Eumée se rendirent au palais et rencontrèrent le chevrier déloyal, Mélanthios.

A son arrivée, Argos, le vieux chien d'Ulysse, reconnut son maître; trop faible pour se tenir sur ses pattes, il remua la queue, puis mourut. Pénétrant dans la grande salle dans son déguisement de mendiant, Ulysse fit le tour des prétendants; tous lui donnèrent de la nourriture, sauf Antinoos qui le frappa avec un tabouret. Iros, un jeune mendiant robuste, voulut l'effrayer et le menaça, mais Ulysse l'abattit d'un seul coup. C'est alors que Pénélope annonça aux prétendants l'imminence de son choix, comme après vingt ans d'attente on ne pouvait guère espérer le retour d'Ulysse. Mais aussi, elle leur reprocha leur avidité et leur insolence, ce qui provoqua l'admiration d'Ulysse pour sa femme. Mélantho, la sœur de Mélanthios, insulta Ulysse, et l'incident aurait mal tourné si Amphinomos, l'un des prétendants, n'avait pas poussé les gens à rentrer chez eux.

Ce fut le moment pour Ulysse de mettre son plan à exécution : lui et son fils ôtèrent toutes les armes qui se trouvaient dans la salle et les entassèrent dans une petite pièce. Pénélope expliqua alors au «mendiant» comment elle avait pu retarder sa décision pendant trois ans, en prétendant tisser pour Laërte un linceul qu'elle défaisait chaque nuit. Elle avait entendu dire que le «mendiant» avait des nouvelles de son mari, et Ulysse, prétendant toujours être crétois, annonça l'imminence de son retour. Euryclée, sa vieille gouvernante, lui lava les pieds et reconnut la cicatrice qu'il avait gardée à la cuisse. Il lui ordonna de ne révéler le secret à personne, même pas à Pénélope. Puis cette dernière, expliqua qu'elle comptait faire rivaliser ses prétendants : il leur faudrait bander l'arc de son mari et envoyer une flèche au travers des trous de douze fers de hache disposés à la file, comme Ulysse lui-même l'avait souvent fait : celui qui réussirait gagnerait sa main. Ulysse l'incita à hâter la compétition, l'assurant du retour de son mari avant que quiconque y parvienne.

Le lendemain matin, on prépara un grand banquet dans la salle principale, et de nombreux animaux furent abattus pour cette fête. Télémaque plaça Ulysse près de la porte, dans un endroit stratégique; il y eut un moment difficile, lorsque les prétendants remarquèrent l'autorité toute nouvelle dont faisait preuve le jeune homme; le devin Théoclyménos prédit un destin funeste imminent à tous ceux qui se trouvaient là.

Après le repas, Pénélope alla chercher l'arc qu'Ulysse tenait d'Eurytos, et elle annonça la compétition. Tous tentèrent alors de tendre le grand arc, mais sans succès. Pendant ce temps, Ulysse révélait son identité à Eumée et au bouvier Philoetios. Euryclée et Philoetios bloquèrent les issues, puis le bouvier et Eumée pénétrèrent dans la salle. Télémaque, après une longue discussion, insista pour qu'Ulysse fût aussi autorisé à tenter sa chance, et il demanda à Pénélope de retourner dans ses appartements. Au grand étonnement des prétendants, le «mendiant» tendit l'arc et, assis, décocha une flèche à travers les fers des douze haches.

C'est alors qu'Ulysse, aidé de Télémaque et d'Eumée, commença l'extermination des prétendants, n'épargnant que l'aède Phémios et le héraut Médon. Athéna, sous les traits de Mentor, le tuteur de Télémaque, se tenait aux côtés d'Ulysse.

Durant le combat, Mélanthios tenta d'amener des armures aux prétendants, car Télémaque n'avait pas fermé la pièce contenant les armes. Mais Eumée et Philoetios le surprirent dans la pièce et le pendirent. Bientôt, tous les prétendant furent massacrés, et le palais fut jonché de leurs cadavres.

Quand Euryclée vit cela, elle voulut laisser éclater sa joie, mais Ulysse l'en empêcha. Il lui demanda de rassembler les servantes qui lui avaient été infidèles; à celles-ci il ordonna de porter les cadavres dans la cour et de nettoyer la salle. Puis Télémaque les pendit. Euryclée alla réveiller Pénélope pour lui annoncer la nouvelle du retour d'Ulysse, mais la reine demeurait incrédule. Seule la révélation d'un secret commun à tous deux put la convaincre : le pied de leur lit, qu'Ulysse avait fabriqué lui-même, était taillé dans le tronc d'un arbre encore enraciné dans le sol.

Le lendemain, Ulysse se rendit jusqu'à la cabane où son père Laërte terminait sa triste vie. D'autres serviteurs fidèles se joignirent à lui, et l'on se prépara pour répondre à la contre-attaque des familles des prétendants. Athéna redonna à Laërte sa stature et sa force. Puis tous s'armèrent, serviteurs compris, et attendirent les parents des prétendants de pied ferme. Laërte, aidé par Athéna, tua d'un coup de lance Eupithès, le père de l'arrogant Antinoos. La bataille allait faire rage quand la déesse, sous les traits de Mentor encore une fois, apparut et sépara les opposants. Elle poussa un cri terrible, qui fit fuir les gens d'Ithaque; Ulysse voulut les poursuivre, mais Zeus, envoyant sa foudre, l'incita à tempérer son ardeur. La paix s'ensuivit. Et c'est ainsi que prend fin *L'Odyssée.*

La suite des aventures d'Ulysse est aussi décrite dans cet ouvrage sous forme de prophétie. Il fit ce que Tirésias lui avait dit d'accomplir pour s'assurer une vieillesse paisible. Il rejoignit le continent et marcha vers l'intérieur, portant une rame sur ses épaules jusqu'à ce qu'il eût rencontré un voyageur qui lui demanda pourquoi il portait un fléau. En cet endroit, éloigné de la mer, il fixa la rame dans le sol et sacrifia un bélier, un taureau et un sanglier à Poséidon. Ainsi réconcilié avec le dieu, il retourna à Ithaque et vécut avec Pénélope jusqu'à un âge avancé; quand il fut temps, une mort paisible vint vers lui de la mer.

D'autres sources donnent des dernières années d'Ulysse des versions contradictoires. Selon certains, il se rendit chez les Thesprotes, dont il épousa la reine, Callidicé, Pénélope étant encore en vie. Là, conduisant les Thesprotes contre les Bryges — pour qui combattait Arès — il perdit une bataille, et ce fut Polypoétés, le fils qu'il avait eu de Callidicé, qui lui succéda comme roi des Thesprotes.

Pour d'autres, il aurait été tué par Télégonos, fils qu'il avait eu de Circé; sa mère l'avait envoyé à sa recherche, mais Télégonos, lors d'un raid contre Ithaque, l'aurait tué par mégarde d'un coup de lance.

La mort lui serait donc venue de la mer, mais selon cette version ce n'était pas une mort paisible. Quand Pénélope eut appris qui était Télégonos, elle l'aurait accompagné jusqu'à l'île d'Aeaea où elle aurait enseveli Ulysse. Pénélope aurait alors, dit-on, épousé Télégonos, et Circé, Télémaque.

Selon une autre tradition, les familles des prétendants auraient réussi à citer Ulysse en justice. Néoptolème, choisi comme arbitre, aurait condamné Ulysse à l'exil, espérant ainsi annexer l'île de Céphallénie. On le fait partir ensuite en Etolie, où il épousa la fille du roi Thoas, qui lui donne un fils, Léontophonos. Le reste de sa vie se serait écoulé dans cette région.

URANIE. *Voir* MUSES.

V

VENUS. Déesse italique, protectrice des labours et des jardins, qui veillait à ce qu'ils fussent en bon état et bien tenus. De très bonne heure, elle fut identifiée à l'Aphrodite grecque dont elle prit les légendes; la plus importante, aux yeux des Romains, relate les errances de l'établissement en Italie d'Enée, le fils de Vénus. En effet, la *gens Julia* à laquelle appartenaient par assimilation l'empereur Auguste et ses successeurs, prétendait descendre de Iule, le fils d'Enée, et par conséquent de Vénus elle-même. Vénus aida Enée à sortir de la ville de Troie en flammes et le protégea de la haine de Junon. Elle inspira à Didon, la reine de Carthage, une passion pour le héros troyen, qu'elle assista pendant les épreuves qu'il eut à surmonter. Elle lui apporta également son aide lors de la bataille décisive contre Turnus et lui rendit le javelot qu'il avait planté dans une souche d'arbre.

VESTA. Déesse romaine du foyer; elle s'assimila à l'Hestia grecque. A Rome, elle avait pour fonction de protéger la patrie; ses prêtresses, les Vestales, faisaient vœu de chasteté.

VIRGINIE. Dans les milieux hostiles à la *gens Claudia*, on racontait que, pendant le gouvernement aristocratique des Décemvirs, à Rome, en 450-451 av. J.-C. le décemvir Appius Claudius avait voulu séduire Virginie, une jeune fille d'une grande beauté, la fille du centurion Virginius; ce dernier était alors avec l'armée romaine sur le mont Algide. Pour arriver à ses fins, Appius demanda à l'un de ses clients, Marcus Claudius, de réclamer Virginie comme son esclave et de prétendre que la jeune fille avait pour mère l'une de ses anciennes esclaves. Appius s'empressa alors, en l'absence du père de Virginie, de donner celle-ci à Marcus Claudius. Mais Icilius, le fiancé de la jeune fille, et Numitorius, son oncle intervinrent, et Virginie fut placée sous leur garde en attendant l'arrivée de Virginius. Malgré les messages qu'Appius avait envoyés aux chefs de l'armée, leur demandant de retenir le centurion, Virginius accourut à Rome. Il emmena sa fille, vêtue de deuil, sur le Forum. Appius rendit alors son jugement : Virginie était une esclave et devait être rendue à son propriétaire. Lorsque Marcus Claudius voulut s'emparer de la jeune fille, Virginius s'y opposa, mais un groupe d'hommes armés apparut. Virginius fit alors semblant de se soumettre, obtenant ainsi quelques minutes de répit, durant lesquelles il entraîna sa fille vers l'étal d'un boucher ; puis il poignarda la jeune fille en maudissant Appius et en déclarant que la mort était préférable au déshonneur. Virginius rejoignit ensuite l'armée romaine indignée de la conduite criminelle d'Appius. Les gens du peuple et les soldats prirent alors l'Aventin, puis ils firent sécession sur le mont Sacré, comme cinquante ans auparavant avaient fait leurs pères. Ces événements amenèrent la suppression des Décemvris et le retour des tribuns du peuple, protecteurs traditionnels des plébéiens, qu'ils défendaient contre l'oppression des patriciens.

VOLUPTAS (le Plaisir). Fille de Cupidon et de Psyché.

VULCAIN (en latin : *Vulcanus*). Très ancienne divinité romaine du feu, appelée aussi quelquefois Mulciber. Vulcain était honoré à Rome et fut identifié au dieu grec de la métallurgie et des inventeurs, Héphaïstos. Il ne possède en propre aucune légende autre que celles qui sont attribuées à Héphaïstos.

X

XANTHOS. 1. Xanthos et Balios étaient les chevaux immortels d'Achille. Nés sur les bords de l'Océan où paissait leur mère sous la forme d'une pouliche, les dieux les donnèrent en cadeau de mariage à Pélée, le père d'Achille. Leurs noms signifient respectivement «bai» et «pie»; ils sont les fils de Zéphyr, le vent d'Ouest, et de la Harpye Podargé dont le nom signifie «aux pieds agiles».

Achille les emmena à la guerre de Troie et les prêta à Patrocle quand ce dernier prit la tête des Myrmidons. A la mort de Patrocle, les deux chevaux le pleurèrent amèrement; Zeus eut alors pitié d'eux et regretta de les avoir associés, en les donnant à un mortel, aux souffrances de ces créatures misérables. Le dieu leur donna suffisamment de force pour échapper à Hector, et les deux animaux rejoignirent les lignes grecques au galop. Quand Achille lui-même reprit le combat, il leur reprocha de ne pas avoir ramené Patrocle sain et sauf. Xanthos lui rappela que la mort de Patrocle, loin d'être due à leur négligence, avait été décidée par Apollon pour rehausser la gloire d'Hector. Et il ajouta que sa mort à lui, Achille, était aussi imminente. Là-dessus, les Erinyes le frappèrent de mutisme, et plus jamais il ne proféra un mot. Achille, cependant, répondit qu'on ne lui apprenait rien, sa mort lui ayant été déjà prophétisée.

2. Rivière de Troie dont le nom le plus courant est le Scamandre, ainsi que le dieu de cettc rivière.

3. Rivière de Cilicie et son dieu.

Z

ZAGREUS. Dieu crétois, identifié habituellement à Dionysos ; il tient une place importante dans les croyances relatives aux Mystères orphiques. Selon ceux-ci, Déméter ayant donné à Zeus une fille, Perséphone, cette dernière eut du même Zeus un fils, Zagreus. Le dieu comptait en faire son héritier. Mais les Titans, s'opposant au pouvoir de Zeus, attirèrent l'enfant loin de ses parents en lui offrant des jouets, puis le déchirèrent et le dévorèrent tout entier sauf le cœur, qu'Athéna réussit à leur soustraire pour le rendre à Zeus. De ce cœur Zeus fit renaître son fils dans le corps de Sémélé, puis il châtia les Titans en les foudroyant. Des cendres ainsi formées fut créée l'humanité. Quand l'enfant de Sémélé naquit du cœur de Zagreus, Zeus lui donna le nom de Dionysos. La tradition orphique reprend alors et suit la version ordinaire du mythe de Dionysos.

ZÉPHIR. Dieu du vent de l'Ouest ; un des fils d'Astraeos et Eos. Il tomba amoureux du beau Hyacinthos, un jeune homme d'Amyclées, ville proche de Sparte. Mais Apollon courtisait aussi Hyacinthos et gagna ses faveurs. Zéphyr se vengea en faisant dévier un disque lancé par Apollon ; le disque alla frapper le jeune homme à la tête, ce qui causa sa mort. Zéphyr était le père des chevaux immortels d'Apollon, Xanthos et Balios : il s'était uni à une Harpye qui, sous la forme d'une pouliche, paissait dans les prairies du bord de l'Océan.

L'on décrit d'ordinaire le vent d'Ouest comme le plus doux et le mieux accueilli des vents et c'est à son avantage qu'on le compare au vent du Nord, l'ombrageux Borée. C'est Zéphyr qui emporta Psyché jusqu'au château d'Eros, Iris, la déesse de l'arc-en-ciel, passe parfois pour son épouse.

ZEUS. Le maître suprême dans le Panthéon grec. L'étymologie de son nom — Zeus est l'une des rares divinités grecques d'importance dont le nom est d'origine indo-européenne — l'associe aux cieux : « Zeus » est à rapprocher du sanscrit *dyaus, div.* (ciel), du latin *dies* (jour), et de la première syllabe de *Jupiter* (ciel-père), dieu auquel les Romains l'identifieront plus tard. Quoique le nom de Zeus ait pu, à l'origine, désigner la clarté du ciel, il semble qu'il ait toujours été un dieu des phénomènes atmosphériques, tout particulièrement responsable de la pluie, de la grêle, de la neige et du tonnerre. Les éclairs sont son arme préférée et infaillible ; et l'une de ses épithètes homériques les plus fréquentes était « assembleur de nuages ». Ce qui amena les Grecs à penser qu'il vivait au sommet d'une montagne, en l'occurence l'Olympe (mot d'origine non grecque). Cependant, cette croyance semble avoir été abandonnée assez vite : dans le mythe d'Otos et d'Ephialtès, ces deux géants tentent de gagner le ciel en empilant d'autres montagnes sur le sommet de l'Olympe. Dans *L'Illiade*, Zeus observe parfois les combats qui se déroulent à Troie, assis sur le mont Ida. Très tôt, les fonctions de Zeux se généralisèrent jusqu'à englober l'ensemble des affaires relatives à l'Univers. On le nommait communément, et tout particulièrement Homère, « le père des dieux et des hommes ». Au sens strict, il n'était pas leur père : plusieurs dieux et déesses étaient ses frères et sœurs, ou des parents plus éloignés, et il ne créa ni n'engendra l'humanité : c'est Prométhée qui la fit surgir de l'argile, et Athéna qui lui insuffla la vie. C'est plutôt comme chef de famille qu'il faut interpréter son titre de père ; Zeus était un roi, et les rois mortels bénéficiaient d'ailleurs de sa protection particulière. (Dans *L'Iliade*, Agamemnon possède un sceptre forgé par Héphaïstos pour Zeus, puis donné par Zeus à Pélops.)

Zeus était le protecteur de la cité : c'est le Zeus *Polieus* (gardien de la cité), auquel correspond l'Athéna Polias des temps préhelléniques. Zeus préside aussi aux destinées : il tient une balance où est placé le sort de chacun et il s'assure de la réalisation effective de ce sort : rien ne peut l'influencer pour en changer le cours, pas plus l'intervention d'un dieu puissant que sa propre affection pour un fils chéri, comme le héros lycien Sarpédon. Arbitre des destins, Zeus délivrait des présages : son chêne sacré à Dodone en Epire révélait le futur aux mortels, et le tonnerre et les éclairs faisaient aussi office de présages. Les étrangers et les voyageurs étaient sous sa protection, et il punissait sévèrement ceux qui enfreignaient les lois de l'hospitalité. Quand Pâris, hôte de Ménélas, enleva sa femme Hélène, Zeus était fermement décidé à l'en punir : qu'une déesse puissante, Aphrodite, eût été l'instigatrice de ce rapt, ne changeait rien.

Hadès prenait parfois le nom de Zeus *Katachthonios*, Zeus des Enfers. En fait, les Enfers étaient le seul royaume où

Zeus olympien n'intervenait que très peu ; c'est lui cependant qui trancha le différend entre Hadès et Déméter, après le rapt de Perséphone.

Les artistes le représentent avec une barbe, et sa statue la plus célèbre, sculptée par Phidias et placée dans le temple de Zeus à Olympie, nous le montre assis sur son trône. Il porte parfois un casque et tient généralement la foudre, sous forme d'un javelot ailé ; il est aussi souvent revêtu de l'égide, cuirasse ornée de franges, ou bouclier en peau de chèvre. Son aigle est à ses côtés. Les autres titres qu'il porte précisent ses attributions : *Meilichios*, qui accueille les sacrifices expiatoires, *Ktesios*, protecteur du foyer domestique, *Herkeios*, protecteur de la maison (l'autel était dans la cour), *Hikesios*, protecteur des suppliants ; la colère de Zeus punissait toute violation de l'immunité d'un homme qui avait demandé la protection des dieux, ou toute infraction au droit d'asile lié à leurs autels. A ce titre, il prenait l'épithète de *Soter*, protecteur, sauveur. Pour Homère, Zeus était l'aîné ; pour Hésiode et d'autres encore, le cadet des six enfants de Cronos et Rhéa. Hésiode, dans sa *Théogonie*, nous raconte comment Cronos, par jalousie et peur d'un rival, avalait tous ses rejetons jusqu'à ce que Rhéa, exaspérée et aidée par sa mère, Gaia (la Terre), laquelle avait subi la même chose de la part de son mari Ouranos, emmaillotât une pierre dans des habits et la donnât à Cronos, qui l'avala ; elle cacha ainsi Zeus, son dernier-né, et l'emmena en Crète où des nymphes se chargèrent de lui et le cachèrent dans une grotte, à Lyctos. Là, on le nourrissait du lait de la chèvre Amalthée, et les Curètes dansaient follement devant la grotte, entrechoquant leurs armes pour cacher au père soupçonneux les cris du bébé. Dans la version arcadienne, Zeus serait né sur le mont Lycée, en Arcadie, puis emmené à Lyctos, mais les Crétois affirmaient qu'il était né dans une grotte du mont Ida ou du mont Dicté.

Quand Zeus eut atteint l'âge adulte, il décida de supplanter son père tyrannique ; il courtisa la sage Titanide Métis, et la persuada d'ajouter un émétique à la boisson de Cronos. Cronos restitua ainsi les cinq enfants qu'il avait avalés, de même que la pierre qui avait servi de substitut à Zeus : cette pierre fut placée à Delphes où elle marquait le centre de la terre. Aidé de ses frères Poséidon et Hadès, des fils de Gaia, les Cyclopes, qui forgeaient la foudre de Zeus, ainsi que des trois géants Cottos, Briarée et Gyès, les Hécatonchires, Zeus renversa Cronos et ceux de ses frères, les Titans, qui avaient pris son parti. Le conflit dura dix ans. Au bout de ce temps, Zeus les enferma dans les profondeurs du Tartare, où les Hécatonchires leur servaient de gardiens.

Les trois frères divins, Zeus, Poséidon et Hadès, décidèrent alors de se partager l'Univers, tirant au sort trois royaumes différents; Zeus devint maître du ciel, Poséidon de la mer, et Hadès du monde souterrain. Le mont Olympe et la terre étaient considérés comme un territoire commun, bien que Hadès n'y fît que de très rares apparitions. Zeus, qui avait mené la révolte contre Cronos et les Titans et délivré ses frères du ventre de leur père, fut reconnu comme maître suprême.

La polygamie n'ayant jamais été pratiquée en Grèce, les Grecs rejetaient l'idée d'un Zeus polygame. Cependant, des traditions très répandues faisaient du dieu le père de nombreux enfants engendrés de déesses, nymphes et mortelles. Beaucoup de déesses à qui il s'unit étaient à l'origine des divinités terrestres : ce mariage du dieu céleste avec une déesse de la terre semble avoir été l'une des représentations majeures de la religion grecque. Représentation qui apparaît, selon une théorie très plausible, comme le résultat de la fusion entre la société patriarcale des immigrants indo-européens et les sociétés méditerranéennes préexistantes pour lesquelles la déesse-mère était la divinité principale. L'explication finalement adoptée par les Grecs devant l'existence de nombreuses maîtresses de Zeus est la suivante : il aurait épousé successivement bon nombre de déesses, avant de s'établir définitivement avec Héra; par la suite, il aurait eu de nombreuses relations extra-maritales, tant avec des déesses qu'avec des mortelles.

Sa première femme fut l'Océanide Métis, dont le nom signifie «la prudence». Quand celle-ci fut enceinte pour la première fois, Gaia apprit à Zeus que si elle venait à enfanter une seconde fois, l'enfant deviendrait plus puissant que Zeus lui-même et prendrait sa place à la tête de l'Univers. Pour éviter cela, et aussi pour acquérir la sagesse de sa femme, Zeus l'avala, elle et le bébé qu'elle portait. L'enfant se développa dans les entrailles de Zeus et on dit qu'il sortit de la tête du dieu (fendue d'un coup de hache par Héphaïstos) sous forme de la déesse guerrière Athéna, déjà adulte et tout armée. Il prit ensuite pour femme la Titanide Thémis, une déesse de la Terre qui lui donna les Heures et les Moires. Par la suite, il quitta Thémis pour Eurynomé, une autre Océanide, laquelle donna naissance aux Grâces et à d'autres filles;

puis sa sœur Déméter, déesse de la terre et de ses fruits, eut de lui Perséphone. Unie à lui, la Titanide Mnémosyme (la Mémoire) engendra les neuf Muses. Selon certains, il aima alors Léto, qui lui donna Apollon et Artémis. Héra, une autre de ses sœurs, que Téthys avait prise sous sa protection durant la guerre contre les Titans, devint enfin son épouse définitive : ensemble, ils eurent Arès, Hébé et Ilithye. Zeus aurait eu une autre épouse, Dioné, dont Homère fait la mère d'Aphrodite : peut-être n'était-elle qu'un avatar local d'Héra; son nom en effet n'est qu'un dérivé de «Zeus» et signifie «Femme de Zeus».

Zeus eut une autre déesse comme maîtresse, la Pléiade Maia, qui lui donna Hermès. C'est la seule dont Héra ne fut pas jalouse; d'ordinaire, en effet, elle poursuivait sans relâche les maîtresses du dieu, qu'elles fussent des nymphes ou des mortelles, quand au moins elle pouvait les identifier. (Zeus ayant donné naissance à Athéna sans elle, c'est de dépit, dit-on, qu'elle engendra Héphaïstos sans participation masculine.)

Quant à la belle Néréide Thétis, Zeus et Poséidon avaient tous deux remarqué ses charmes et rivalisaient d'efforts pour la séduire. Mais Zeus apprit du Titan Prométhée que le fils de Thétis serait supérieur à son père et, de peur d'être supplanté par un fils plus puissant, il se hâta de marier la Néréide à un mortel, Pélée.

Auparavant, Zeus avait puni Prométhée en l'enchaînant à un rocher au bord de l'Océan : un aigle venait chaque jour dévorer son foie. C'est le prix que dut payer Prométhée pour s'être posé en champion de l'humanité et avoir bravé l'hostilité de Zeus. En effet, après la création des êtres humains, des mains de Prométhée, Zeus avait voulu les détruire et avait ordonné que leur vie fût difficile et de courte durée. Pour consoler ses créatures, Prométhée vola le feu aux dieux et le donna aux hommes. Il trompa aussi Zeus en l'incitant à choisir la plus petite des parts de viande offertes en sacrifice; enfin, quand Zeus voulut détruire l'humanité dans le déluge, Prométhée conseilla à son fils Deucalion de construire un bateau. Le dieu ordonna que Prométhée, pour s'être opposé à ses plans, fût enchaîné et torturé; bien plus tard, Héraclès le délivra, et c'est alors que Zeus apprit de Prométhée des dangers d'une union avec Thétis.

Le roi d'Arcadie, Lycaon, avait tenté de servir aux dieux de la chair humaine; c'est à la suite de cette impiété que Zeus avait décidé de détruire toute la race humaine. Tantale fut, plus tard, enfermé dans le Tartare pour avoir commis le même péché ; de plus, il avait révélé aux hommes les secrets des dieux. Ixion subit le même sort : il avait abusé de l'hospitalité de Zeus et avait tenté de séduire Héra. Zeus supprima aussi Asclépios qui, en ressuscitant un mort, avait enfreint les lois de l'Univers ; pour venger la mort de son fils, Apollon tua les Cyclopes qui forgeaient la foudre de Zeus. Le maître des dieux voulut supprimer Apollon sur-le-champ, mais, sur la prière de Léto, il y renonça et obligea simplement Apollon à servir pendant un an comme esclave chez un mortel, Admète. Zeus s'opposa plusieurs fois aux dieux, et il punissait avec sévérité la moindre transgression. Quand Héra, Poséidon et Athèna se rebellèrent et tentèrent de l'enchaîner, Thétis vint à son secours et alla chercher Briarée dans le Tartare pour le délivrer. Héra, qui avait poussé trop loin sa persécution d'Héraclès, fut suspendue au ciel, une enclume attachée au pieds.

Il chassa aussi de l'Olympe Héphaïstos, qui avait voulu venir en aide à sa mère. A la suite de quelque rébellion, Apollon et Poséidon durent servir Laomédon comme esclaves. Il punissait aussi durement les mortels, et tout particulièrement ceux qui osaient se comparer à lui, comme Salmonée et Céyx.

Niobée, fille de Phoronéos, roi d'Argos, fut la première mortelle que Zeus séduisit. Il avait aussi des vues sur une autre femme d'Argos, Io, qu'Héra persécuta pendant longtemps ; finalement, Io lui donna Epaphos, ancêtre des rois d'Egypte. Sous la forme d'un taureau, il s'empara d'Europe, une princesse palestinienne, et l'emmena sur son dos jusqu'en Crète. Zeus se montrait d'ordinaire aux mortelles soit sous la forme d'un animal soit comme simple mortel. Quand il séduisit Sémélé, mère de Dionysos, Héra incita la jeune femme à demander au dieu d'apparaître sous sa forme véritable, pous lui prouver son identité : à sa vue, elle fut réduite en cendres ; Zeus dut alors porter Dionysos dans sa propre cuisse jusqu'à sa naissance. Il rendit visite à Danaé, la mère de Persée, et comme son père la tenait enfermée dans une tour, il s'unit à elle sous la forme d'une pluie d'or.

Il séduisit Léda, la mère d'Hélène et des Dioscures, sous la forme d'un cygne : Hélène naquit ainsi dans un œuf. Antiope donna à Zeus Amphion et Zéthos, futurs rois de Thèbes. Sa dernière maîtresse mortelle, à qui il s'unit sous la forme de son propre mari Amphitryon, fut Alcmène, mère d'Héraclès, le héros qui devait venir en aide aux dieux dans leur guerre contre les Géants.

Gaia, la Terre, était maintenant tout aussi lasse du comportement tyrannique de Zeus qu'elle l'avait été de ceux d'Ouranos et de Cronos. Elle incita donc la race des Géants à attaquer l'Olympe. Elle fit aussi pousser une herbe qui devait rendre les Géants immortels et invincibles; mais Zeus fit régner l'obscurité, empêchant le soleil, la lune et les étoiles de briller, de telle sorte que lui-même trouva l'herbe dans l'obscurité et non pas les Géants. Cependant, ce n'est qu'avec l'aide d'un héros mortel que les dieux purent venir à bout de ces Géants; le fils mortel de Zeus, Héraclès, les acheva l'un après l'autre, avec ses flèches empoisonnées, comme aucun des dieux n'avait le pouvoir de leur donner la mort.

Après cette tentative infructueuse pour renverser Zeus, Gaia conçut une nouvelle fois, et mit au monde le plus dangereux de tous les adversaires des dieux, le monstre immortel Typhon. Il s'en fallut de peu que Zeus ne fût vaincu par cette créature, mais finalement il réussit à l'enfouir sous la Sicile.

La dernière menace à l'autorité de Zeus vint des géants Otos et Ephialtès : ceux-ci tentèrent de gagner le ciel en empilant les monts Ossa, Pélion et Olympe. Ils furent vaincus par Apollon, puis Artémis et Zeus les enfermèrent dans les profondeurs du Tartare. Il est impossible de rendre compte ici de tous les mythes qui font intervenir Zeus, ou d'énumérer les nombreuses amours qui lui sont attribuées. Dans *L'Iliade* et *L'Odyssée,* il apparaît comme l'arbitre, majestueux et impartial, de la vie, tant humaine que divine. Pour autant que nous le sachions, il n'apparaît dans aucune tragédie grecque : ce qui montre l'effroi qu'il inspirait aux écrivains tragiques comme à leur public; cependant, ces mêmes écrivains ainsi que d'autres poètes n'hésitaient pas à chanter dans des odes sa prestigieuse grandeur.

Tout comme Xénophane, Socrate, selon Platon, rejetait les mythes qui faisaient de Zeus et des autres dieux des personnages immoraux et dévergondés.

IMPRESSION : BUSSIÈRE S.A., SAINT-AMAND (CHER). — N° 1590.
D.L. 2e TRIM. 1981/0099/131.

ISBN 2-501-00095-1

Imprimé en France